Hermann Ras

Hermann Raschhofer/Otto Kimminich

Die
Sudetenfrage

Ihre völkerrechtliche Entwicklung
vom Ersten Weltkrieg bis zur
Gegenwart

OLZOG VERLAG MÜNCHEN

CIP-Titelaufnahme der Deutschen Bibliothek

Raschhofer, Hermann:
Die Sudetenfrage : ihre völkerrechtl. Entwicklung vom Ersten
Weltkrieg bis zur Gegenwart / Hermann Raschhofer. Otto
Kimminich. – 2., erg. Aufl. – München : Olzog, 1988
ISBN 3-7892-8120-4
NE: Kimminich, Otto [Bearb.]

2. Aufl., ergänzt von Otto Kimminich
© 1988 by Günter Olzog Verlag GmbH, D-8000 München 22
Das Werk ist urheberrechtlich geschützt.
Jede Verwertung in anderen als den gesetzlich zugelassenen Fällen bedarf der vorherigen
schriftlichen Einwilligung des Verlages.
Umschlagentwurf: Gruber & König Grafik-Design, Augsburg
Satz: SatzStudio Pfeifer, Germering
Druck- und Bindearbeiten: WB-Druck, Rieden
Printed in Germany 008120/3883302
ISBN 3-7892-8120-4

VORWORT

Die Wiedererrichtung des tschechoslowakischen Staates im Jahre 1945 ist die Quelle zahlreicher politischer und völkerrechtlicher Probleme. An der Spitze der politischen steht die Austreibung der Deutschen aus ihrer tausendjährigen angestammten Heimat Böhmen, Mähren und Schlesien, einer Landschaft, die sie selbst gerodet und mit ihrer Hände Arbeit in blühende Länder verwandelt haben. Das durch ihre Vertreibung entstandene Vakuum, der diesem folgende Gesamtumsturz der gesellschaftlichen Verfassung und ihrer abendländischen Grundlagen auch im tschechischen Teil der böhmischen Länder, mündet in die Frage der Wiederherstellung des nationalen Gleichgewichts und der abendländischen Werte in Böhmen und gehört zu den großen politischen Problemen Europas.

Auch die rein völkerrechtlichen, an die Wiederaufrichtung der Tschechoslowakei sich knüpfenden Fragen gehen über die mit Staatsentstehung oder -restauration normalerweise verbundenen Fragen hinaus und sind ungewöhnlich verwickelt. Wie während des Ersten Weltkrieges wurde auch im Zweiten die Neuaufrichtung des tschechoslowakischen Staates von einer tschechischen Emigration im Auslande vorbereitet. Ihr Sitz war, nach Anfängen in Paris, schließlich London. Dort erlangte die Führung frühzeitig, nach den vorbereitenden Stadien des „Nationalrates" und der „provisorischen Regierung", die Position einer von den Alliierten anerkannten Emigrantenregierung. Sie operierte nach anfänglichen Schwankungen später mit fest umrissenen Rechtsthesen und versuchte ihre Politik auf bestimmte Interpretationen diplomatisch-völkerrechtlicher Vorgänge zu begründen, die in der These des sogenannten „völkerrechtlichen Kontinuität" der Tschechoslowakei in den Grenzen von 1919 gipfelten. Diese These hat, soweit die vorliegenden Dokumente erkennen lassen, nur die Billigung gewisser, nicht aller alliierten Mächte gefunden. Sie wurde dennoch zur Staatsdoktrin der Prager tschechoslowakischen Regierung von 1945 und hat die juristische Konstruktion so entscheidender Akte wie der Staatsbürgerschaftsregelung und der entschädigungslosen Totalenteignung der Sudetendeutschen bestimmt. Diese „Kontinuitätsdoktrin" bildet die zentrale Rechtsthese für fast alle mit der Wiedererrichtung der Tschechoslowakei verbundenen völkerrechtlichen Fragen. Sie wirft die Sonderfragen nach der Rechtskraft des Münchener Abkommens, nach der Staatsbürgerschaft der Sudetendeutschen, nach der derzeitigen völkerrechtlichen Lage der Sudetengebiete auf. Sie bildet zugleich auch die Brücke zu den völkerrechtlichen Fragen der ersten tschechoslowakischen Staatsgründung von 1918/19, die ihrerseits zum Verständnis der parallelen Vorgänge während des Zweiten Weltkrieges entscheidend beitragen. Denn auch für die tschechische Auslandsaktion des Ersten Weltkrieges war die Methode einer rechtsförmig formulierten Politik wesentlich. Das verbindende Glied liegt in dem

Begriff der „historischen Länder" (Böhmen, Mähren und Schlesien) mit ihren „historischen Grenzen". Dahinter steckt die Figur des „böhmischen Staatsrechts" und der „staatsrechtlichen" Orientierung der Tschechen. Diese „staatsrechtliche" Politik hielt sich bis 1918 im Rahmen der Donau-Monarchie; im Ersten Weltkrieg wechselte sie mit der Auslandsaktion zum ersten Mal auf das international-völkerrechtliche Feld über.

1918/19 wurde die These vom rechtlichen Bestand eines böhmischen Staates bis zu einem gewissen Grad mit Erfolg von der tschechischen Auslandsaktion und später von der tschechoslowakischen Delegation bei der Friedenskonferenz von Paris in der Grenzfrage verfochten. Das zeigt z. B. die Präambel des Vertrages zwischen den alliierten und assoziierten Hauptmächten und der Tschechoslowakei vom 10. Dezember 1919. In veränderter Form, als These vom rechtlichen Weiterbestand der Tschechoslowakei in den Grenzen von 1919 kehrt diese staatsrechtliche Argumentation auf völkerrechtlichem Boden in der tschechoslowakischen Auslandsaktion des Zweiten Weltkrieges wieder. Für den Kenner der staats- und nationalitätenrechtlichen Verhältnisse der Donau-Monarchie erhebt sich damit sofort die Frage nach dem rechtlichen Gehalt solcher Thesen. Die staatsrechtliche Position der Tschechen im 19. Jahrhundert war ja alles andere als klar und einheitlich. Das „böhmische Staatsrecht" war eine schwankende Größe, nach Überlegungen politischer Zweckmäßigkeit hervorgeholt oder beiseitegeschoben, zudem Objekt heftiger innertschechischer Kontroversen, z. B. zwischen den Landtagen von Böhmen und Mähren. So mußte die Arbeit auch kurz auf gewisse verfassungsrechtliche Probleme der Habsburger Monarchie eingehen.

In dem Charakter der staatsrechtlichen Orientierung der Tschechen im alten Österreich, die mit den Rechtsgrundlagen und den föderativen Elementen der Donau-Monarchie einerseits, andererseits mit dem Erfolg des ungarischen Staatsrechtsgedankens in den Ausgleichsgesetzen von 1867 zusammenhängt, lag nun der erste Hinweis auf den politischen, nicht rechtlichen Grundzug auch der darauf aufbauenden völkerrechtlichen Thesen der tschechoslowakischen Auslandsaktionen des Ersten wie des Zweiten Weltkrieges. Die Darlegungen des späteren Außenministers und Staatspräsidenten Benesch in seinen Erinnerungen aus dem Ersten Weltkrieg bestätigen diese Fingerzeige auf das entschiedenste. Sie finden in den einschlägigen Darlegungen führender Persönlichkeiten der tschechischen Auslandsaktionen, wie auch der sudetendeutschen Emigration des Zweiten Weltkrieges wertvolle Ergänzung. Hier lag auch der Schlüssel zur Analyse der tschechoslowakischen völkerrechtlichen Argumentation der jüngsten Vergangenheit.

Diese Sachlage bestimmte Methode und Gliederung unserer Untersuchung. Hauptanliegen sind die Fragen: Wann, in welchen Zusammenhängen und Formen wurde die Sudetenfrage Gegenstand des Völkerrechts und völkerrechtlicher Regelungen. Und weiter: Wie stellt sich, ohne kriegsbedingte politische Einkleidung, die jeweilige Lage unter völkerrechtlichem Gesichtspunkt dar?

Die weiteren Schwerpunkte liegen dann in der Untersuchung der Probleme des zweimaligen Souveränitätswechsels über das Sudetengebiet. Endlich wurde versucht, die Veränderungen seit 1945, die als einseitige Akte der völkerrechtlichen Verbindlichkeit ermangeln, einer Analyse zu unterziehen und ihre Klärung vorzubereiten.

Das europäische Gewicht der Sudetenfrage hat sich, nachdem sie schon in der Geschichte des Ersten Weltkrieges eine bedeutende, wenn auch verdeckte Rolle spielte, für alle Welt sichtbar in der Septemberkrise von 1938 gezeigt. Ihr heutiges latentes Gewicht ist nicht geringer. Die aus den Verhältnissen von 1945 entstandene gegenwärtige Lage der Sudetenländer wird von einem wachsenden Kreis, einschließlich klar blickender Tschechen, politisch als keineswegs endgültig oder vernünftig gewertet. Unter diesen Umständen wird ihre völkerrechtliche Klärung zu einem unabweislichen Anliegen. Angesichts der Leidenschaften, die sie erregte und auch heute noch erregt, ist vielleicht der Hinweis am Platz, daß sich der Verfasser nach bestem Gewissen um ausschließlich rechtliche Analysen bemühte. In diesem Sinne möge die Arbeit aufgenommen werden.

Sie ist unter besonders schwierigen Verhältnissen (größtenteils in einer kleinen Landstadt) geschrieben worden. Die Beschaffung der weitverstreuten Literatur wäre auch unter günstigeren Umständen nicht leicht gewesen. Der Verfasser konnte zwar von Mal zu Mal in Universitätsstädten arbeiten, hatte aber niemals die von ihm benützte, aus verschiedenen Bibliotheken stammende Literatur gleichzeitig zur Hand. Manche Werke blieben überhaupt unerreichbar. Unregelmäßigkeiten in Literaturbenutzung und -Angabe gehen darauf zurück, beeinflussen indes nicht den wissenschaftlichen Gehalt der Arbeit.

Schließlich darf ich an dieser Stelle nochmals all denen, die mich bei meiner Arbeit so liebenswürdig und entgegenkommend unterstützt und gefördert haben, meinen aufrichtigen Dank sagen.

Kiel, Ende Mai 1953   *Hermann Raschhofer*

VORWORT ZUR 2. AUFLAGE

Hermann Raschhofer ist am 27. 8.1979 gestorben. Es war ihm nicht mehr vergönnt, sein Buch über die Sudetenfrage für eine zweite Auflage zu bearbeiten. Seit dem Erscheinen der Erstauflage sind 35 Jahre vergangen. In dieser Zeit sind zahlreiche Abhandlungen zu den in dem Werk behandelten Einzelfragen veröffentlicht worden. Die Zweitauflage orientiert sich streng an der Konzeption des Grundwerkes (Abschnitte I – VIII), die leicht erkennbar ist. Auch der uneingeweihte Leser spürt sofort, daß hier ein Völkerrechtler spricht, der die historischen Dimensionen auszumessen versteht. Der Zusammenbruch der Donaumonarchie und der Aufbau des Völkerbunds sind die beiden großen historischen Ereignisse, unter deren unmittelbarem Einfluß Hermann Raschhofer stand. Heute mögen die historischen Dimensionen anders gesehen werden. Um so erstaunlicher ist die Aktualität und bleibende Gültigkeit der Aussagen des Grundwerks. Dieses ist in der zweiten Auflage unverändert erhalten geblieben. Die später veröffentlichte Literatur ist unter den Blickwinkeln des Grundwerks berücksichtigt worden. Im faktischen Bereich war vor allem der Prager Vertrag vom 11. Dezember 1973 zu berücksichtigen. Auch hierbei ging es nicht um politische Wertungen, sondern um die völkerrechtliche Analyse.

Otto Kimminich

INHALTSVERZEICHNIS

12

Die geschichtlichen Voraussetzungen

A. Die Elemente des tschechoslowakischen Staatsproblems

Der 1918/19 aus Teilen des österreichischen wie des ungarischen Staates entstandene tschechoslowakische Staat war, politisch wie völkerrechtlich, ein neuer Staat. Seine vielfältige nationale Zusammensetzung[1]) belastete ihn von Anfang an mit einer Reihe von nationalen Problemen, die sich alsbald zu Verfassungsproblemen verdichteten. Für die westliche Staatshälfte wurde die sudetendeutsche, für die östliche die slowakische Frage die wichtigste.

Schon der Name des Staates verweist auf einen wesentlichen Zug des neuen Staatsgebildes, den man den tschechischslowakischen Dualismus nennen könnte. Die damit gegebenen Probleme werden sichtbar, wenn man daran erinnert, daß die westliche Staatshälfte (Böhmen, Mähren, Schlesien) – herkömmlicherweise als „historische Länder" zusammengefaßt – der Slowakei gegenüber gestellt wurde, die sich erst durch ihre Herauslösung aus dem ungarischen Staatsverband bildete und vorher jahrhundertelang ohne klares staatsrechtliches Dasein war.

Die Fragen nach dem Rechtscharakter der „historischen Länder" in den letzten Jahrhunderten spielten sowohl bei der Vorbereitung der tschechischen Unabhängigkeit und Selbständigkeit, wie in der Diskussion des sudetendeutschen Problems nach 1918 eine hervorragende Rolle.

Seit Jahrhunderten von Tschechen und Deutschen bewohnt, entwickelten sich Böhmen, Mähren und Schlesien im Verband des mittelalterlichen deutschen Reiches, seit 1526 dazu im engeren Verband der Habsburgischen Länder. Auch die Zusammenfassung der slawischen Teilstämme zur volklichen Individualität der Tschechen geschah in der Auseinandersetzung mit dem Westen, vom alten Deutschen Reiche aus, im Zusammenwirken vor allem mit der bayrischen Kirche. Das bestimmte ihr geschichtliches Werden ebenso wie ihre staats- und völkerrechtliche Gestalt von den Anfängen – mit der Unterbrechung durch das Hussitische Interegnum – bis 1866. Bis dahin standen sie im staatsrechtlichen Verband des Römisch-deutschen Reiches, nach 1815 des Deutschen Bundes, erst nach 1866 ausschließlich in der österreichischen Reichshälfte der Donau-Monarchie. Die Slowaken verloren nach kurzer

---

[1]) Die beste Übersicht mit umfassenden statistischen Angaben und einer Sprachenkarte gibt: *A. Oberschall*, Die Nationalitätenfrage in der Tschechoslowakei (28. Veröffentl. des Deutschpolitischen Arbeitsamtes), Prag, 1927.

Selbständigkeit, als hauptsächliche Träger des von Neutra aus gegründeten großmährischen Reiches ihr selbständiges Dasein. Sie gingen um die Wende vom 10. zum 11. Jahrhundert im ungarischen Staat auf, ohne dort eine staatsrechtliche Sonderstellung (wie etwa später Kroatien oder die siebenbürgischen Nationen) zu behaupten. Erst im 19. Jahrhundert, mit der allgemeinen Aufstiegsbewegung der mittel- und osteuropäischen Völker, traten auch sie wieder politisch in Erscheinung. Da Ungarn seine Königskrone aus den Händen des Papstes empfangen und sich auch in der Zeit größter habsburgischer Macht dem Bestreben, es als Kurfürstentum ans Reich zu binden, zu entziehen gewußt hatte, war auch das slowakische Volk außerhalb des Verbandes des mittelalterlichen wie des späteren Römisch-deutschen Reiches; es gehörte auch nicht dem Deutschen Bunde an. Die neue Slowakei formte sich im Verband und in der Auseinandersetzung mit dem herrschenden Volk der Magyaren und den Problemen des ungarischen Staates. Grundlage der nationalen Unabhängigkeitsbestrebungen der Slowaken im 19. Jahrhundert war daher allein die Kategorie des nationalen Naturrechtes. Die Slowaken besaßen nicht die historische Rechtsbasis, die den Tschechen aus dem Erbe des alten Deutschen Reiches im staatsrechtlichen Rang der Länder Böhmen, Mähren und Schlesien zur Verfügung stand. Ihr Gebiet war im 19. Jahrhundert nicht als staatsrechtliche Einheit faßbar, wie etwa das „Königreich" Böhmen, die „Markgrafschaft" Mähren, das „Herzogtum" Schlesien, sondern nur als volklich abgrenzbare Einheit. Diese Unterschiede in der historisch-politischen Entwicklung, die bis in die Auseinandersetzungen der 30er Jahre des 20. Jahrhunderts heraufreichen, haben für den tschecho-slowakischen Staat eine fundamentale Bedeutung gehabt. Von Anfang an lag, auch innerhalb der staatsgründenden Kräfte, ein geschichtlich tief begründeter Dualismus, der 1939 auch die Ebene des Völkerrechts erreichte. Jenseits dieses tschecho-slowakischen Dualismus wies die Zusammensetzung der übrigen Staatsbevölkerung, aus Deutschen, Magyaren, Karpato-Ruthenen und Polen bestehend, den neuen Staat soziologisch und politisch als Nationalitätenstaat aus. Sein Schicksal war jedoch durch den Anspruch bestimmt, ein tschechischer, allenfalls ein tschechoslowakischer Nationalstaat zu sein[1]).

Mit diesem Anspruch trat ein bisher dem böhmischen Raum fremdes Staatsprinzip dort auf. Eines der staatsrechtlichen Organisationsprinzipien der Habsburger Monarchie seit 1848 und besonders der österreichischen Reichshälfte seit 1867 war der Grundsatz der Gleichberechtigung der Natio-

---

[1]) Dem Prager tschecho-slowakischen Nationalausschuß, der 1918 an der Stelle der k.u.k.-Regierung die Regierungsgewalt in Böhmen übernahm, gehörte auch ein slowakisches Mitglied, der spätere Minister Srobar, an. Sicherlich bestand zu diesem Zeitpunkt unter den Slowaken eine Bereitschaft für ein politisches Zusammengehen mit den Tschechen. Der in der Kennzeichnung „tschecho-slowakischer Nationalstaat" liegende Anspruch auf eine Verschmelzung der tschechischen und slowakischen nationalen Individualitäten zu einer neuen einheitlichen tschechoslowakischen Nation und Sprache wurde dagegen nur von einer Minderheitsrichtung unter den Slowaken

nalitäten (wenngleich auch seine Durchführung unvollkommen blieb). Die österreichische Reichshälfte war rechtlich und politisch ein Nationalitätenstaat, wenn auch mit einem historischen Übergewicht der Deutschen. Die Rechtsgrundlage der Gleichberechtigung der verschiedenen „Volksstämme" im Staate (wie der verfassungsrechtliche Ausdruck lautete) lag im Artikel 19 des Staatsgrundgesetzes vom 21. Dezember 1867, der sich vom § 21 des Entwurfs der Grundrechte des österreichischen Volkes von 1848 herleitete. Er erklärte alle Volksstämme des Staates für gleichberechtigt und legte einige wichtige Folgen daraus gesetzlich fest. Darin lag eine Definition des Staatscharakters durch die Verfassung; sie schloß den Anspruch irgendeines Volksstammes auf politischen Vorrang aus.

Der tschechoslowakische Staat und seine Verfassung setzten an die Stelle des Nationalitätenstaates den Nationalstaat. „Wir, das tschecho-slowakische Volk, haben in der Absicht, die vollkommene Einheit des Volkes zu festigen ... am 29. 2. 1920 die Verfassung für die tschecho-slowakische Republik angenommen" ... heißt es im Verfassungsvorspruch. Aber das hier apostrophierte „tschecho-slowakische" Volk war, wie später ausführlicher darzulegen, nicht die Bevölkerung der Republik im staatsrechtlichen Sinn, nicht die Gesamtbevölkerung, sondern nur ein Teil daraus; gemeint waren damit die Tschechen und Slowaken des Staates. In diesem Anspruch auf Nationalstaatscharakter des Staates liegt die eine Quelle auch der völkerrechtlichen Konflikte und Verwicklungen der Tschechoslowakei. Sie machen einen Blick auf Natur und Probleme der Nationalstaatsvorstellung nötig, zumal das Problem des Nationalstaates in der deutschen staatsrechtlichen Literatur nur stiefmütterlich behandelt wurde. Die Ursachen dafür scheinen uns in erster Linie in den national-politischen und staatsrechtlichen Verhältnissen des Deutschen Volkes im 19. und 20. Jahrhundert, insbesondere nach 1866 und 1870, im Rechtscharakter der Bismarckischen Reichsgründung als eines Dynastenbundes zu liegen. Aber auch die nationaldemokratische Wende von 1918 brachte keine vertiefte Behandlung des Problems; nur wenige Autoren haben, angesichts der Präambel der Weimarer Verfassung, die damit aufgeworfenen Fragen ins Grundsätzliche hinein verfolgt.

Die juristische Literatur der übrigen europäischen Völker hat dagegen dieser Frage seit langem die ihr gebührende Aufmerksamkeit gewidmet. In erster Linie war es die italienische Schule des öffentlichen Rechts und des Völkerrechts im 19. Jahrhundert, die die Frage des Nationalstaats in den

---

gutgeheißen. Noch der sogenannte Pittsburger Vertrag vom 30. Mai 1918, von *Masaryk* in seiner Eigenschaft als Präsident des tschechoslowakischen Nationalrats unterzeichnet, auf der anderen Seite von Vertretern der slowakischen Organisationen in Amerika gefertigt, sprach von einer *Verbindung* von Tschechen und Slowaken in einem gemeinsamen unabhängigen Staat, in dem die Slowaken ihr eigenes Parlament (Sněm) und ihre eigene Amtssprache haben würden. Die Nichterfüllung dieser Verpflichtung hat zur Entwicklung des slowakischen Problems wesentlich beigetragen.

Mittelpunkt stellte[1]). Sie hatte, gegenüber dem formal-demokratischen Begriff des Volkes, wie er aus der französischen Revolution hervorgegangen war, unter „Volk" eine von Staat und Staatsvolk unterschiedene Kategorie gesehen und dieses ethnisch verstandene Volk als den eigentlichen, auch und gerade völkerrechtlich legitimen Souverän proklamiert. Mazzini als politischer, Romagnosi, Mamiami, Mancini als juristische Interpreten dieses neuen Volksbegriffes formulierten den Nationalstaatsbegriff. Volk, Nation ist die von bestehenden staatlichen Ordnungen unabhängige, in Sprache und Gesinnung sich äußernde Größe, „von Natur aus" berufen, ihr politisches Gewicht in einem einheitlichen, von ihr getragenen und durchdrungenen Staat zu verwirklichen. Mancini versuchte daraus eine Basis für eine Art allgemeiner nationaler Völkerrechtsordnung zu gewinnen. In der Entstehung des internationalen Rechts seien die Nationen und nicht der Staat die elementare Einheit, die vernünftige Monade der Wissenschaft, heißt es in der für die Theorie des Nationalstaats grundlegenden Antrittsrede des damaligen piemontesischen Professors und späteren italienischen Außenministers Mancini von 1851.

Es war natürlich, daß gerade die politische und staatsrechtliche Literatur der vom Nationalstaatsprinzip in ihren Grundlagen bedrohten Staatswesen sich zur kritischen Prüfung dieser Doktrin aufmachte. So waren es vor allem Autoren aus dem Raum der österreichisch-ungarischen Monarchie, die sich dieser Aufgabe unterzogen. Sie gehörten keineswegs etwa nur dem deutsch-österreichischen Stamme an. Die magyarischen Vertreter des Gedankens nationaler Gleichberechtigung und damit des Nationalitätenstaates, die noch im 19. Jahrhundert so hervorragende Namen wie Sezcenyi, Eötvös und Déak aufwiesen, wurden, nachdem Ungarn praktisch seit dem Ausgleich von 1867 den Weg zum magyarischen Nationalstaat eingeschlagen hatte, freilich seltener. Auch die tschechische juristisch-politische Literatur macht eine, mutatis mutandis der magyarischen nationalstaatlich gerichteten vergleichbare Entwicklung zwischen den 60er Jahren des 19. und dem beginnenden 20. Jahrhundert durch, wie etwa ein Vergleich von Palackys Aufsatzreihe über die „Idee des österreichischen Staates" mit Kramař's „Anmerkungen zur böhmischen Politik" zeigt. Dennoch finden wir ein hervorragendes Werk aus der Feder eines siebenbürgischen Rumänen, Aurel Popovici, über die „Vereinigten Staaten von Groß-Österreich", in der die Notwendigkeit eines, die nationalen Rechte respektierenden, aber grundsätzlich übernationalen Reichsver-

---

[1]) Zu den juristischen Problemen siehe *Liermann,* Das deutsche Volk als Rechtsbegriff.
Den historisch-politischen Fragen ist Hans *Rothfels* nachgegangen. Vgl. Bismarck und der Osten, 1932, jetzt: Grundsätzliches zum Problem der Nationalität, Hist. Zeitschrift 1952, (174/2).
Dazu: *Pierantoni,* Geschichte der italienischen Völkerrechtswissenschaft. *Catellani,* Les maîtres de l'école italienne du droit international au XIX. (Recueil des Cours 46, 1933). *Raschhofer,* Der politische Volksbegriff im modernen Italien.

bandes auch theoretisch begründet wird. Die Hauptgegner des nationalstaatlichen Dogmas finden sich aber in den Reihen der politischen Denker des österreichischen Deutschtums. In den letzten Jahrzehnten der Monarchie waren es vor allem sozialistische und katholische Theoretiker. Wir beschränken uns hier auf die Namen Otto Bauer, Karl Renner und Ignaz Seipel, die in ihren Schriften von ihren jeweiligen politischen Grundlagen aus die Relativität der Nationalstaatsdoktrin nachwiesen. Alle drei bekleideten übrigens später erste politische Ämter im neuen österreichischen Staat: Otto Bauer war erster Außenminister Deutschösterreichs, Karl Renner Staatskanzler und Bundespräsident, Ignaz Seipel mehrfacher Bundeskanzler[1]).

Während Otto Bauer vor allem die Nationalitätenfrage von den prinzipiellen Grundlagen des damals noch stark marxistischen österreichischen Sozialismus aus prüfte, versuchte Renner in seinen Hauptschriften, zu den realen Grundlagen der österreichisch-ungarischen Monarchie vorzudringen, um daraus ihre möglichen Entwicklungsziele zu bestimmen. Er wies darauf hin, daß wohl die Außenbesitzungen der Habsburgischen Dynastie verloren gingen, ihr Kern aber, der Länderverband Österreich – Böhmen – Ungarn, sich durch Jahrhunderte gehalten hätte. Solche mehrhundertjährige Staatsgebilde bedürften gewiß einer ernsteren geschichtlichen Legitimation als Ehebündnisse von Fürstenkindern. Er bestimmte als die österreichische „Reichsidee" – unter Verweis auf den großen Publizisten Ferdinand Kürnberger – die Aufgabe, einen Bund freier und gleicher Völker und Nationensplitter unter einer gemeinsamen Dynastie herzustellen. In seiner 1918 erschienenen Schrift über das Selbstbestimmungsrecht der Nationen entwirft er den Aufriß eines solchen Nationalitäten-Bundesstaates. Seine Hauptaufgabe liegt in der Herstellung einer innerstaatlichen übernationalen Rechtsordnung, die den politischen Kampf der Nationen ersetzen will durch den geordneten Rechtsgang der gerichtlichen und parlamentarischen Verhandlungen. Dieser Nationalitätenbundesstaat soll die Rechtsidee der Nationen vorerst im engen Rahmen des Nationalitätenstaates verwirklichen, ist aber berufen, der einstmaligen nationalen Ordnung der Welt ein Vorbild zu schaffen. Bauer wie Renner sahen die Kategorie des Nationalstaates bereits als geschichtlich überholt an.

Die katholischen Autoren Oesterreichs kamen von der klassisch abendländischen Definition des Staates als des Förderers des Gemeinwohls aus gleichfalls zu einem nationalitätenstaatlichen Programm. Die allseitige Förderung aller Angehörigen des Staates, d. h. auch der korporativen Größen, zu denen z. B. die Volksstämme rechnen, bildet nach Seipel die Hauptaufgabe des Staates, der damit als eine über den Sonderinteressen der Nationalitäten stehende Größe eigenen Rechts erscheint. Aber auch die nationaldemokratische

---

[1]) O. *Bauer*, Die Nationalitätenfrage und die Sozialdemokratie. Von K. *Renners* zahlreichen Schriften sei nur die wichtigste, zusammenfassende genannt: Das Selbstbestimmungsrecht der Nationen 1918, I. *Seipel*, Nation und Staat, 1915. Jetzt auch: Österreich wie es wirklich ist, (Stifterbibliothek, Bd. 25, 1953).

Richtung, die gerade in den Sudetengebieten der Monarchie stark war, vertrat, schon seit den Zeiten Löhners, ähnliche Auffassungen. So reichte Dr. von Logdman im Jahre 1916 dem Kaiser Karl von Oesterreich einen Entwurf ein, der auf eine Umwandlung des Staates in einen Bund gleichberechtigter Nationalitäten abzielte, und erläuterte ihn später in einer Audienz mündlich. Dr. von Lodgman hatte die Grundgedanken des Entwurfes im Feld konzipiert. Er wandte sich gegen die überkommene Gliederung in lediglich historisch begründete Einheiten und verlangte, daß der Aufbau des Reiches bei den Nationen als den natürlichen Einheiten einsetze. Die staatsrechtliche Form ihrer Verbindung sollte der demokratische Nationalitäten-Bundesstaat sein.

Die rechtspolitische Diskussion und das sich darin ausdrückende Bewußtsein in den führenden Köpfen der oesterreichischen Monarchie hatte also das nationalstaatliche Prinzip bereits überwunden. Die verfassungsrechtliche Wirklichkeit hatte sich von 1867 an immer stärker auf einen Nationalitätenstaat hin entwickelt; die Verkündung des nationalstaatlichen Charakters des tschechoslowakischen Staates nach 1918 befand sich mit dieser Tendenz im erklärten Widerspruch, und es war vorauszusehen, daß er sich früher oder später in politischen Kämpfen entladen würde.

Die zweite Quelle der künftigen völkerrechtlichen Verwicklungen der Tschechoslowakei lag in dem nicht weniger widerspruchsvollen Versuch einer doppelten ideologischen Fundierung. Sowohl die territorialen Ansprüche der Tschechoslowakei auf die „historischen Länder" vor und auf der Pariser Friedenskonferenz von 1919 als auch ihre finanziellen Ansprüche (Ersatz von Kriegsschäden) ruhen auf einer rechtspolitischen Doktrin, die aus der Innen- und Verfassungspolitik der österreichisch-ungarischen Monarchie als die Politik des „böhmischen Staatsrechts" bekannt ist. Im tschechoslowakischen Memorandum Nr. 1, in dem auch die von den Sudetendeutschen bewohnten Gebiete für die Tschechoslowakei verlangt werden, ist diese Doktrin des böhmischen Staatsrechts nunmehr zum erstenmal auf die Ebene des Völkerrechts und der völkerrechtlichen Folgerungen übertragen[1]).

Völlig entgegengesetzt war die Begründung des Anspruches auf die Slowakei. Das von den Slowaken bewohnte Gebiet war Bestandteil eines ausgesprochen historischen Staates, des Königreichs Ungarn. Die Slowaken waren 1918 keine „historisch-politische Individualität". Daher wurde zur Begründung ihrer Einbeziehung in den tschechoslowakischen Staat das nationale Naturrecht herangezogen. Die Begründungen für die Zugehörigkeit national gesonderter Gebietsteile waren also diesseits und jenseits der March (des Grenzflusses zwischen Mähren und der Slowakei) nicht nur vollkommen verschieden; die jeweils ins Treffen geführten Grundsätze schlossen sich auch gegenseitig aus. Das historische Recht, das die Einbeziehung der Sudetendeutschen in den böhmischen Teil der Tschechoslowakei verlangte, bedingte

---

[1]) Vgl. unten S. 124.

18

auch den Verbleib der Slowakei bei Ungarn. Die Sprengung des historischen Verbandes auf Grund des nationalen Naturrechtes, das Prag zugunsten der Slowaken gegenüber Ungarn vertrat, bedingte in Böhmen die Zugehörigkeit der Sudetendeutschen zu Österreich[1]). Auch dieser Widerspruch mußte früher oder später zu politischen Konsequenzen führen. Das geschah von 1937 an, als nunmehr Sudetendeutsche und Slowaken das nationale Naturrecht gegenüber den Tschechen anwendeten, zuerst in der Hoffnung auf national-föderative Autonomie, sodann mit dem Ziel nationaler Selbstbestimmmung und Unabhängigkeit.

B. Blick auf die rechtsgeschichtlichen Verhältnisse der böhmischen Länder bis 1918

1. IHRE VÖLKERRECHTLICHE STELLUNG BIS 1918

a) Bis zum Jahre 1866 war die internationale Stellung der böhmischen Länder durch ihre rechtliche Verbindung mit dem mittelalterlichen deutschen Staat und dem römisch-deutschen Reich bestimmt. Darauf geht auch ihre bis 1866 bestehende Einbeziehung in das deutsche Bundesgebiet zurück.

Die Verbindung mit dem deutschen Staat und Reich hatte eine wechselvolle Geschichte. Grundlegend dafür ist die Rechtstatsache, daß die böhmischen Länder nicht nur zu den Reichsländern, dem Imperium, sondern zum deutschen Staat, Germania, gerechnet wurden. Die Königswürde ist den böhmischen Herzögen erst persönlich, dann erblich vom deutschen Kaiser verliehen worden. 1182 wurde von Friedrich Barbarossa Böhmen und Mähren geteilt und Mähren zur eigenen, reichsunmittelbaren Markgrafschaft erhoben, die der jeweilige Markgraf vom deutschen König zum Lehen erhielt. Diese uralte Rechtsstellung Mährens, von Prag aus immer wieder angefochten, erklärt die Eifersucht, mit der die mährischen Stände noch im 19. Jahrhundert die staatsrechtliche Gleichstellung des Landes mit Böhmen verteidigten. Mähren bestand in dieser Eigenschaft bis 1918 (über Schlesien vgl. die Ausführungen *Luschin v. Ebengreuths*[2]).

---

[1]) Dieser Widerspruch ist natürlich vielfach bemerkt worden. Wir begnügen uns hier auf *Seton-Watson* (Temperley's History of the Peace Conference IV, 255) hinzuweisen. „Derselbe Anspruch, der die Abtrennung der Slowakei von Ungarn gestattete, würde bei logischer Anwendung den Deutschen Böhmens das Recht geben, sich mit Österreich, Bayern, Sachsen und Preußen zu vereinen."

[2]) Luschin v. Ebengreuth (Handbuch der österreichischen Reichsgeschichte, 1. Band, Österreichische Reichsgeschichte des Mittelalters, S. 374 ff.) führt über die reichsrechtlichen Verhältnisse Böhmens, Mährens und Schlesiens aus: Für die staats-

Böhmens Stellung erhöhte sich durch die Zuerkennung der Kurfürsten-
würde und des Erzschenkenamtes. Die Hussitische Periode unterbrach den
reichsrechtlichen Zusammenhang. Der radikale Flügel der Hussiten wollte
Böhmen vom Reich loslösen. Wohl kehrten nach seiner Niederlage in der
Schlacht von Lipan (1430) die böhmischen Länder in den Reichsverband
zurück, aber die inzwischen durchgeführten Reichsreformen haben Böhmen
nicht erfaßt. 1526 fielen die böhmischen Länder an das Haus Habsburg. Damit wurden sie auch wieder als reichsangehörig betrachtet. In Wallenstein's,
des Böhmen, Reichsgedanken hatte Böhmen die Funktion einer verbindenden
Klammer zwischen den nordostdeutsch-protestantischen und südostdeutsch-
katholischen Reichsteilen[3]). 1708 wurde die böhmische Frage reichsrechtlich
neu geordnet. Gleichzeitig mit der Einführung Braunschweigs als Kurfürsten-

---

rechtliche Stellung der Herrscher in Böhmen, Mähren und Schlesien waren sowohl ihr
Verhältnis zum Deutschen Reiche als auch die Wechselbeziehungen maßgebend, die
innerhalb dieser Lande bestanden. Eine viel umstrittene Frage ist zunächst die nach
dem Verhältnisse Böhmens zum Deutschen Reiche. Von manchen Verfechtern des
neueren böhmischen Staatsrechts wird die Behauptung aufgestellt, daß Böhmen niemals ein Reichslehen gewesen sei, und – als ob dies ehrender wäre – nur ein tributäres
Verhältnis zu Deutschland zugegeben. Allein es ist weder der Schluß richtig, daß Tri-
butzahlung die Lehensabhängigkeit jedesmal ausschließe, noch die Voraussetzung
begründet, daß in ersterer Leistung keine Unterwerfung begründet sei. Vielmehr
kann nicht bezweifelt werden, daß, angebahnt durch Heinrich I. (929), jedenfalls
seit Otto I. (950) ein unzweifelhaftes Lehensverhältnis Böhmens als eines zum Deutschen Reiche gehörigen Herzogtums sich entwickelte, welches von dem anderer
Reichslande qualitativ gar nicht verschieden war und deshalb auch dieselben Rechte
und Pflichten wie für andere Reichsfürsten erzeugte[1].
[1] Celakovsky, Povšechné Ceské Dejiny Právni, § 21 S. 63, meint, daß seit dem
Jahre 929 der böhmische Herrscher persönlich in einem vasallitischen Treuever-
hältnis zum deutschen Könige stand. Dagegen gibt Nowotny unumwunden zu,
daß ganz Böhmen und Mähren ein Lehen des Deutschen Reiches waren. Pernice,
29 ff. – Fischel, Studien. I. Mährens staatsrechtliches Verhältnis zum Deutschen
Reiche und zu Böhmen im Mittelalter, S. 9 ff.
Die böhmischen Herzoge oder Könige hatten von altersher und jederzeit die
Pflicht, sich mit Böhmen (seit 1356 als einem deutschen Kurfürstentum) vom
deutschen König oder Kaiser für das Deutsche Reich belehnen zu lassen, wofern
sie nicht ihres Besitzes Felonie halber verlustig gehen wollten. Sie hatten gleich
andern großen Vasallen das Recht und die Pflicht, auf gebotenen Reichstagen zu
erscheinen, obschon sie gleich den Herzogen von Österreich nur zum Besuch der
Hoftage in nächster Umgebung ihres Landes verpflichtet waren. Sie waren ferner
wie andere Vasallen und Stände dem deutschen König zur Heerfolge verpflichtet,
wie sie auch in mannigfacher Beziehung seiner Gerichtsbarkeit unterworfen
waren. Mit all diesen Verpflichtungen vertrug sich aber ein großer Grad von
Selbständigkeit, denn in die inneren Landesangelegenheiten Böhmens griff das
Reich nicht ein. Daher wurde auch in Böhmen schon früh durch Herkommen und
umfassende Privilegien der in andern Reichsgebieten erst weit später zur Anwendung gebrachte Satz des deutschen Staatsrechts bewahrheitet: „Quisque status
tantum potest in territorio suo, quantum imperator in imperio."
Seit dem Jahre 1024 nahmen die Herrscher von Böhmen neben den deutschen
Fürsten an der Wahl des deutschen Königs teil, seit den Tagen Kaiser Heinrichs V.
hatten sie überdies das Erzschenkenamt im Reiche. Bei der Hochzeit Kaiser Hein-

tum wurde auch Böhmen wieder formell dem Reich „re-admittiert". Das wirkte sich z. B. 1735 aus, als das „corpus Evangelicorum" auf dem Regensburger Reichstag den Kaiser bat, für Böhmen freie Religionsübung zu gewähren[4]). Die Literatur des deutschen Staatsrechts des 17. und 18. Jahrhunderts hat sich mit Böhmen wiederholt beschäftigt[5]). Die österreichischen Darstellungen (etwa der „Grundriß des österreichischen Staatsrechts" von F. F. Schrötter, Wien 1775) bringen dabei den Gesichtspunkt eines engeren österreichischen Staatsverbandes auch gegenüber Böhmen zur Geltung. So heißt es dort, daß die Belehnung nicht über die Lande und das Königreich, sondern nur über die Kur- und Erzschenkenwürde erfolge. Es fließe aus der Souveränität, daß die Krone Böhmen in ihrem Gebiet an Reichsgesetze nicht gebunden sei. Sie habe 1708 wohl einen Kurfürstenanschlag zum Unterhalt

richs V. waren, wie Ekkehard berichtet, fünf Herzoge anwesend, „de quibus dux Bohemiae summus pincerna fuit"; dies und andere Zeugnisse für die Stetigkeit des Amtes bei Ficker, Reichsfürstenstand, II, § 349, S. 266.

Als im 13. Jahrhundert das aktive Wahlrecht an den Besitz eines Reichserzamts geknüpft wurde, konnten die Könige von Böhmen ihren Platz unter den Kurfürsten beanspruchen, den man ihnen anfänglich mit der Begründung: weil sie nicht Deutsche seien, bestritt. Im Jahre 1290 wurde ihnen jedoch durch eine Entscheidung König Rudolfs I. die Kurstimme auf Grund des Erzamtes ausdrücklich zugesprochen, durch die Goldene Bulle 1356 ihnen nebst den übrigen Vorrechten der Kurfürsten sogar der erste Rang nach den geistlichen Mitgliedern gesichert.

Die böhmische Kurstimme haftete wie bei den übrigen weltlichen Wahlfürsten auf dem Territorium und es war daher auch nicht das Kurrecht Gegenstand der Belehnung, wie die tschechischen Schriftsteller glauben machen möchten. Fischel, 105. Zur Zeit der Erledigung des böhmischen Thrones, 1438 und 1440, erging die Einladung zur böhmischen Königswahl vom Kurerzkanzler nach Prag „an einen König von Böhmen". Es bestand jedoch im 14. und 15. Jahrhundert eine Strömung, welche sich gegen die regelmäßige Beiziehung des Böhmenkönigs zur Wahl des deutschen Reichsoberhauptes wandte und ihm nur die ausschlaggebende Stimme eines Obmannes zugestehen wolle, falls die Stimmen der Kurfürsten je drei und drei auf verschiedene Thronwerber fielen. Sie läßt sich in letzter Linie auf einen Ausspruch des Cardinals Hostiensis zurückführen, welche in einer Glosse zur Dekretale Venerabilem die deutschen Kurfürsten aufzählt und mit den Worten schließt: „Et septimus est Dux Bohemiae, qui modo est rex. Sed iste secundum quosdam non est necessarius, nisi quando alii discordant; nec istud jus habuit ab antiquo, sed de facto hoc hodie tenet". Man leugnete zuweilen auch, daß der König von Böhmen zu den Kurfürsten gehöre. In der Tat unterblieb die Berufung der böhmischen Kurstimme zur Wahl Maximilians I., vielleicht darum, weil es damals zwei belehnte Könige von Böhmen gab: Wladislaus II. (1471–1516) und Matthias von Ungarn (1469–1490), und Kaiser Friedrich III. dem Letztgenannten, mit dem er in Feindschaft lebte, keinen Einfluß auf die Wahlsache gestatten wollte. Zeumer, Gold. Bulle, I, S. 245 ff., Excurs II; Bachmann, Reichsgeschichte, 2. A., S. 149.

Noch anders lagen die Dinge in Schlesien, das seit dem Jahre 1000 zu Polen gehörte. Im Jahre 1163 erhielten die Söhne des vertriebenen polnischen Herzogs Wladislaus durch Vermittlung Kaiser Friedrichs I. das obere Stromgebiet der Oder, das sie zunächst in drei Fürstentümer: Breslau, Oppeln und Glogau teilten, 1179 wurde Glogau mit Oppeln vereinigt, und seitdem zerfiel Schlesien in zwei Hauptteile, den ducatus Zlesie und den ducatus Opoliensis, die unter besonderen,

des Kammergerichts übernommen, aber ihre Freiheit von den Reichsdiensten und Anlagen stets behauptet. Hier zeigen sich die Gesichtspunkte eines seit der Pragmatischen Sanktion sich festigenden österreichischen Gesamtstaatskörpers, wie er sich in der Proklamation des österreichischen Kaisertums durch Franz I. dann vollendet.

b) Unter dem Eindruck der napoleonischen Umwälzungen legte Franz II. die römisch-deutsche Kaiserkrone nieder. Das Patent vom 6. 8. 1806 erklärte das „Band", welches den Kaiser bisher an den „Staatenkörper" des deutschen Reiches gebunden hatte, sowie das reichsoberhauptliche Amt für erloschen. Der Kaiser betrachtet sich von allen übernommenen Pflichten gegen das deutsche Reich als losgelöst und legt die getragene Kaiserwürde und die geführte kaiserliche Verwaltung nieder. Ebenso spricht der Kaiser sämtliche

---

einander nie beerbenden Fürstengeschlechtern standen, sie jedoch im Laufe des 13. Jahrhunderts in immer kleinere Gebiete auflösten. Als principes Poloniae standen diese schlesischen Herzoge aus piastischem Geschlecht außerhalb des Deutschen Reichs und wurden erst unter König Rudolf I. als Reichsfürsten anerkannt. Zu Anfang des 14. Jahrhundert vertauschten sie ihre formelle Abhängigkeit von Polen mit einer ähnlichen von Böhmen, blieben aber als Vasallen der böhmischen Krone im Reichsverband.

Da diese schlesischen Fürsten ihren Besitz durch keine Belehnung zur gesamten Hand sich wahrten, so fielen bei dem Aussterben piastischer Linien einige Fürstentümer schon im 14., andere im 16. Jahrhundert an Böhmen. Diese wurden dann zum Unterschiede von den noch in den Händen der Piasten verbliebenen Territorien, „Erbfürstentümer der Krone Böhmen" genannt. (Wichtig für die Verfassung Schlesiens als Inbegriff der piastischen und der Erbfürstentümer war das bei Rachfahl, a. a. O., S. 441 ff., gedruckte Privilegium des Königs Wladislaus vom 28. November 1498. – Ficker, Reichsfürstenstand, I, § 168, S. 218.) Jüngere Fürstengeschlechter wurden in Schlesien dadurch begründet, daß König Premysl Ottokar II. das Gebiet von Troppau nebst den Städten Jägerndorf, Freudental und Leobschütz von Mähren trennte und seinem legitimierten Sohne Nikolaus als Fürstentum verlieh, ferner später dadurch, daß Kaiser Friedrich III. 1462 die Söhne König Georgs von Böhmen in den Reichsfürstenstand erhob, welchen ihr Vater Troppau, Münsterberg, Öls und Glatz gegeben hatte. (Fischel, a. a. O., 122. Über die angeblichen Landesprivilegien König Johanns von 1310/11 und König Karls: R. Koß, Zur Kritik der ältesten böhmisch-mährischen Landesprivilegien, Prag, 1919, siehe S. 393, § 48 Anm. 5.)

[3]) „Die Idee der Reichseinheit stand diesem Böhmen höher als alle kirchlichen Erwägungen." *Stadtmüller,* Geschichte Südosteuropas, S. 312.

[4]) Stadtmüller, a. a. O., S. 296.

[5]) J. S. *Pütter* sagt in seinem „Handbuch der Teutschen Staaten" über das Verhältnis Böhmens zum Deutschen Reich: „Der König von Böhmen ist zwar ein Vasall von Kaiser und Reich, doch selbst in ansehen der Lehenempfängnis mit vieler Freiheit. An der deutschen Kreisverfassung hat Böhmen keinen Anteil. Es behauptet auch vielerlei Befreiung vom Gerichtsstand des höchsten Reichsgerichts und noch mehr vom Reichsvikariat. Jedoch trägt Böhmen zur Erhaltung des Kammergerichtes das seinige bei und genießt das Recht, einen Vertreter zur Beisitzerstelle an selbiges zu präsentieren. Es kann sich auch der Verbindlichkeit des Landfriedens nicht entziehen." Jos. *Ulbrich,* Österr. Staatswörterbuch, Art. *Böhmen* (Bd. I, S. 531).

22

deutschen Provinzen und Reichsländer wechselseitig von allen Verpflichtungen los, die sie bis jetzt unter was für immer einem Titel gegen das deutsche Reich getragen haben, mit dem Vorbehalt, dieselben in ihrer Vereinigung mit dem ganzen österreichischen Staatenkörper zu beherrschen.

Für Böhmen wurde im besonderen mit Hofdekret vom 21. 7. 1808 „die reichslehnbare" Eigenschaft der mit der Krone Böhmens verbundenen Kurwürde, sowie jede Verbindung derselben mit dem Reich vermöge der friedrichschen Privilegien vom 26. 9. 1902 und 21. 2. 1461, der Goldenen Bulle des Kaisers Karl IV., dann der feierlichen Readmissionsakte ad votum et sessionem im Kurfürstenrate von 1708 für „erloschen" erklärt. Diese Trennung der böhmischen (wie der deutschen) „Erbländer" des Hauses Habsburg vom deutschen Raum blieb nur episodisch. Nach Napoleons Sturz kam es zu neuerlicher Verknüpfung auf völkerrechtlicher Grundlage. Die staatsrechtliche Folge dieser Veränderung war indes die Herstellung der vollen Souveränität des Kaiserhauses über die von ihm unter verschiedenen Rechtstiteln beherrschten Teile des „österreichischen Staatenkörpers". Bei der Neuordnung der europäischen Verhältnisse auf dem Wiener Kongreß entstand ein engerer Verband der mitteleuropäischen Staaten in der völkerrechtlichen Form des Deutschen Bundes (Confédération germanique)[1]. Zweck des Bundes ist die Bewahrung der inneren und äußeren Freiheit Deutschlands und die Unabhängigkeit und Unverletzlichkeit der verbündeten Staaten (Art. 54). Der Deutsche Bund begründete für den österreichischen Kaiserstaat, ähnlich wie für die preußische Krone hinsichtlich der altpreußischen Landesteile, auf die seinerzeit die Königswürde gegründet worden war, eine völkerrechtliche Doppelstellung. Die zum alten deutschen Reich früher gehörigen Gebiete des Hauses Habsburg wurden wieder Bestandteile des Deutschen Bundes und unterstanden der Garantie nach Art. 54 der Kongreßakte. Die übrigen Gebiete – etwa Ungarn oder Galizien – waren davon ausgenommen. So gehörten Böhmen, Mähren und Schlesien als Teile des alten deutschen Reiches und Staates daher auch dem Deutschen Bund an.

Das Bewußtsein dieser Zugehörigkeit war in Böhmen in der ersten Hälfte des 19. Jahrhunderts außerordentlich lebendig. Das zeigen die ständischen Debatten in der Prager Landstube wie auch von den oppositionellen Ständen herausgegebene Schriften über böhmische Landtagsverhältnisse. Diese Mitgliedschaft Böhmens im Deutschen Bund wurde in der Revolution von 1848 durch einen der tschechischen Wortführer, Palacky, grundsätzlich angegriffen. Aber die bundesrechtliche Verbindung auch der böhmischen Länder wurde

---

[1]) Artikel 53 der Wiener Kongreßakte: „Les princes souverains et les villes libres d'Allemagne, en comprenant dans cette transaction L.L.M.M, l'empereur d'Autriche, les rois de Prusse et de Danmark et des Pays Bas, et nommément l'empereur d'Autriche et le roi de Prusse, p a r t o u t e s c e l l e s d e l e u r s p o s e s - s i o n s q u i o n t a n c i e n n e m e n t a p p a r t e n u à l ' E m p i r e G e r - m a n i q u e etablissent entre eux une confédération perpetuelle, qui portera le nom de confédération germanique."

erst nach dem österreichisch-preußischen Duell von 1866 gelöst. Nach dem Sieg Preußens in dem Kampf um die Vorherrschaft in Deutschland wurde durch Art. 2 des Präliminarfriedens von Nikolsburg (26. 7. 1866) und Art. 4 des Prager Friedens (23. 8. 1866) die Verbindung mit dem deutschen Bund gelöst[1]). Dadurch war der durch Königgrätz vorbereitete und politisch vollzogene, nach dem deutsch-französischen Krieg politisch bestätigte Ausschluß Österreichs und damit auch die bundesrechtliche Verbindung der böhmischen Länder mit Deutschland beendet. Seit dem Prager Frieden waren die böhmischen Länder nunmehr allein der Autorität des österreichischen Kaiserstaates unterstellt. Der sogenannte „Ausgleich" mit Ungarn und die Verwandlung des Kaisertums Österreich in die „Österreichisch-Ungarische Monarchie" (1867) hatte wohl starke politische Wirkungen auf Böhmen und die tschechische Bewegung des 19. Jahrhunderts, die mit gesteigerter Energie versuchte, eine der ungarischen staatsrechtlich gleiche Position zu erringen. Auf das geltende Staatsrecht in Böhmen, die sogenannte Dezemberverfassung von 1867, blieben aber diese tschechischen Bestrebungen ohne Einfluß. Die völkerrechtliche Stellung der böhmischen Länder änderte sich bis 1918 nicht mehr.

2. ZUR STAATSRECHTLICHEN STELLUNG DER BÖHMISCHEN LÄNDER UNTER HABSBURG

a) Im 17. und 18. Jahrhundert

Die landesrechtliche Stellung der Länder Böhmen, Mähren und Schlesien innerhalb der habsburgischen Monarchie wurde von der völkerrechtlichen Entwicklung nicht berührt. Hier lag die entscheidende Veränderung bereits vor dem Ende des alten Reiches. 1526 waren die böhmischen Länder an das Haus Habsburg gefallen. Der Erbfall fand in der Epoche statt, wo die Wandlung vom ständischen Territorialstaat zum Absolutismus hin schon in

---

[1]) Die Bestimmungen des Prager Friedens haben bis auf einen Zusatz denselben Wortlaut wie Artikel 2 des Präliminarfriedens von Nikolsburg. Er lautete: Seine Majestät der Kaiser von Österreich erkennt die Auflösung des bisherigen Deutschen Bundes an und gibt seine Zustimmung zu einer neuen Gestaltung Deutschlands ohne Beteiligung des österreichischen Kaiserstaates. Insbesondere verspricht seine Majestät, das engere Bundesverhältnis anzuerkennen, welches seine Majestät der König von Preußen nördlich der Linie des Mains begründen wird, und erklärt sich damit einverstanden, daß die südlich dieser Linie gelegenen deutschen Staaten in einem Verein zusammentreten, dessen nationale Verbindung mit dem norddeutschen Bund der näheren Verständigung zwischen beiden vorbehalten bleibt.
Art. 4 des Prager Friedens fügte zu diesem gleichlautenden Text noch den Nachsatz hinzu: „und der eine internationale unabhängige Existenz haben wird".

vollem Fortschritt war. Den stärksten Einfluß darauf hatten in Böhmen die religiös-konfessionellen Streitigkeiten, die sich dort seit der Reformation erneut verschärft hatten. Erinnerungen an Hus waren noch lebendig. Die Stände, konkurrierende Gewalt des Landesfürsten, waren überwiegend für die neue Religion. Bereits im Schmalkaldischen Kriege verweigerten sie ihrem König die Hilfstruppen gegen die befreundeten protestantischen Fürsten. Aber auch in Böhmen setzte die Gegenreformation ein. 1609 erzwangen die Stände noch den „Majestätsbrief", der ihnen in gewissen Grenzen Glaubensfreiheit verbürgte. Sie verbanden ihre protestantische mit einer anti-absolutistischen Politik. Die Verteidigung der Landesfreiheit führte sie zur Vertretung des Tschechischen als bevorzugter Landessprache. Trotzdem war der Kern des Gegensatzes zwischen Habsburg und den Ständen nicht nationaler Art. Das Kaiserhaus bezog aus seiner durch die spanische Familienverbindung gegebenen Vorstellung die Position der katholischen gegenreformatorischen Vormacht. Dadurch trat es in Gegensatz zum hussitisch-protestantischen böhmischen Adel. Zu diesem konfessionellen Gegensatz trat ein solcher der Staatsauffassung: auf der einen Seite Verteidigung des alten Ständetums; man hat die Staatsform Böhmens von 1620 eher einer aristokratischen Republik, denn einer Monarchie ähnelnd bezeichnet[1]); auf der anderen Seite die Wegbereiter des großräumig absoluten Fürstenstaates, „den Böhmen war gerade so wie den Ungarn jener Thronbewerber am willkommensten, von dem die Ständeoligarchie am wenigsten für ihre Herrschaft zu fürchten hatte[2]). Die Schlacht am Weißen Berg 1620 entschied zugunsten des Absolutismus und Katholizismus. 1628 erging eine erneuerte Landesordnung. Die höchsten Funktionäre sind nicht mehr „höchste Landesoffiziere d e s Königreichs Böhmen", sie heißen jetzt: königliche oberste Landesoffiziere i m Königreich Böhmen. Der Sitz der böhmischen Hofkanzlei wird nach Wien verlegt. Eine der Folgen des gegenreformatorischen Sieges war die Vernichtung des niederen, protestantischen Adels, der überwiegend tschechischer Volkszugehörigkeit war. Aber auch im hohen Adel änderten sich Konfession und Herkunft. 1772 besaßen nach dem führenden tschechischen Historiker Pekar die alten tschechischen Geschlechter etwa 36–37% des Bodens. Nach dem Umsturz von 1620 kamen 21 ausländische herrschaftliche Häuser ins Land, 31 zwischen 1648 und 1750. Dieser neue Hochadel war kaiserlich und katholisch. Er kam ebenso aus Spanien und Italien, aus den Niederlanden wie aus den deutschen Erblanden. Als Maria Theresia die böhmische Hofkanzlei aufhob und die Verwaltung der Alpenländer und Böhmens in der „Vereinigten böhmisch-österreichischen Hofkanzlei" zusammenfaßte (1762), erfolgte keine besondere Reaktion der böhmischen Stände mehr. Die Umschichtungen im böhmischen Adel, der Sieg der Gegenreformation waren die wesentlichen Ur-

---

[1]) Ulbrich, a. a. O. Eine ähnliche Charakteristik findet sich in den Tagebüchern *Kübecks.*

[2]) Ignaz Seipel, a. a. O., S. 83.

sachen für die Änderung der politischen Stellung Böhmens. Die staatsrechtlichen Reformen Maria Theresias haben für Böhmen diese Entwicklung weniger bewirkt als registriert. Pekar weist in seinem Buch über die Schlacht am Weißen Berg nach, daß das deutsche Element in Böhmen durch den habsburger Sieg genau so getroffen wurde wie das tschechische. Es handelte sich eben um einen Gegensatz zwischen Konfessionen und Staatsprinzipien, aber nicht um einen nationalen Gegensatz. Am Ende der Theresianischen Epoche war Böhmen als politischer Eigenfaktor neutralisiert. Aber dieser Zustand war nur vorübergehend.

Die schließlich zur Gründung des tschecho-slowakischen Staates führende Bewegung setzte bereits zu Ende des 18. Jahrhunderts ein[1]). Sie beginnt mit der Wiederbelebung der tschechischen Sprache. Der antizentralistische Kurs der Stände, die durch die Reformen Josephs II. aufgescheucht waren, wirkt in der selben Richtung. Die böhmischen Stände, ermuntert durch den Sieg der magyarischen Opposition über Joseph II., wollten auch jetzt für Böhmen eine größere politische Selbständigkeit. Diese Versuche setzten unter Josephs II. Nachfolger Leopold II. ein, traten unter Franz und in der napoleonischen Periode zurück, um unter Ferdinand, dessen Innenminister, Graf Kolowrat, dem böhmischen Herrenstande angehörte, stark aufzuleben; die ständischen Kämpfe der 30er und 40er Jahre münden dann in die 1848er Ära aus, sie bilden eine wesentliche Kraft im ersten Abschnitt der Revolution.

b) Im 19. Jahrhundert — das österreichische Kronland

Die „staatsrechtliche" Politik der tschechischen Bewegung des 19. Jahrhunderts, die im ersten Weltkrieg auf die internationale und völkerrechtliche Ebene übertragen wurde, um im zweiten Weltkrieg in veränderter Form dort erneut zu wirken, ging von den Rechten der „historischen Länder" aus. So muß hier ein Blick auf die Stellung des österreichischen „Kronlandes" fallen. Die Annahme des österreichischen Kaisertitels als Gesamtbezeichnung für die habsburgische Ländermasse hat nach den ausdrücklichen Bestimmungen des Patentes die bisherigen Titel, Vorrechte und Verhältnisse der sämtlichen „Königreiche, Fürstentümer und Provinzen" unverändert gelassen. Das zeigt sich für Böhmen u. a. auch in der in Prag 1836 vollzogenen Krönung Ferdinands zum König von Böhmen. Die Unterschiede in Titel und Bezeichnung der einzelnen Länder waren im Laufe der Zeit zu historischen Erinnerungen geworden. Die vereinheitlichte Bezeichnung „Kronland" stammt aus der „Märzverfassung" von 1849[2]). In ihrer Aufzählung waren so verschiedene Gebilde wie: die Stadt Fiume, das „Großfürstentum Siebenbürgen mit Inbegriff des Sachsenlandes" und das „lombardo-venezianische Königreich"

---

[1]) *Raupach*, Der tschechische Frühnationalismus.
[2]) § 1: Das Kaisertum Österreich besteht aus folgenden „Kronländern".

verfassungsrechtlich gleichgestellt. Die politische und verfassungsrechtliche Entwicklung des 19. Jahrhunderts hat den Begriff des Kronlandes nach dem Verlust der italienischen Besitzungen und nach der staatsrechtlichen Teilung in eine österreichische und eine ungarische Reichshälfte (1867) auf die Länder der österreichischen Reichshälfte beschränkt. Sie waren in ihrer inneren Ordnung in der absolutistischen Ära (1850–1859) von den Wiener Zentralstellen entscheidend umgeformt worden. Für diesen Begriff des österreichischen Kronlandes im Sinne der Verfassung von 1867 ist die von dem hervorragenden Prager Verwaltungsrechtler Spiegel im österreichischen Staatswörterbuch entworfene Charakteristik völlig zutreffend. Sicher ist, so führte er aus[1]), daß wohl der österreichische Gesamtstaat durch Verschmelzung zahlreicher ursprünglich mehr oder weniger selbständiger Territorien zu einem Ganzen geworden ist, und sicher wurde bei der Zerlegung des Staates in Kronlandsgebiete auf diesen Entstehungsprozeß Rücksicht genommen. Aber sicherlich hätten nicht die 17 Kronländer, aus denen die österreichische Reichshälfte nach 1867 bestand, staatsrechtliche Individualität besessen. Der österreichische Staat habe insbesondere zwischen 1848 und 1861 ein „dispositives Recht" auf die Gestaltung der Kronländer beansprucht. Er war damals „mit seiner auf alle Territorien sich erstreckenden Staatsgewalt eine unangezweifelte Realität, die Selbständigkeit und Individualität der Kronländer dagegen nicht". Wenn auch bei den Verfügungen des Staates einzelne Länder wie namentlich Böhmen außer Betracht fielen, weil man hier ein kompaktes geschlossenes Territorium für sich hatte, so sei die Verfassung genau in derselben Weise geändert worden, wie die anderer Länder, die ihre Kronlandseigenschaft ausschließlich oder vorwiegend dem Staate verdankten. „Die Verschiedenheit der einzelnen Kronländer ruht heute" (1905), so heißt es in der Abhandlung weiter, „auf der Verschiedenheit des Gebietsumfanges und der Nationalität der Bevölkerung, ihr Verhältnis zum Staat sowie ihre innere Organisation ist allenthalben so ziemlich die gleiche".

Wenn aber nach dem Ausgleich mit Ungarn 1867 die österreichische Reichshälfte staatsrechtlich den Titel führt „die im Reichsrat vertretenen Königreiche und Länder" (erst im Ersten Weltkrieg wurde dafür die Bezeichnung Österreich eingeführt), so meine diese Unterscheidung „k e i n e s t a a t s r e c h t l i c h e , sondern eine V e r s c h i e d e n h e i t d e s g e s c h i c h t l i c h e n R a n g e s". Die staatsrechtliche Vergangenheit der Länder komme in der Verschiedenheit ihrer Titulatur zum Ausdruck. Mit Ausnahme von Vorarlberg und Triest hat jedes Land seinen historischen Titel. Dem Rang nach stehe hiebei „das Königreich" am höchsten, die Grafschaft (auch gefürstete Grafschaft) in der Mitte, die Markgrafschaft am tiefsten.

---

[1]) Österr. Staatswörterbuch, Art. „Länder", Bd. 3, S. 408. Aus der reichen Literatur zur politischen und rechtsgeschichtlichen Seite des Landesproblems seien genannt: *Tezner*, Wandlungen der österr.-ung. Reichsidee, *Renner,* Grundlagen und Entwicklungsziele der österr.-ungar. Monarchie.

Staatsrechtlich waren daher die Kronländer gleichgeordnet. Unbekümmert um frühere geschichtliche Verhältnisse und um die an sie erinnernden Titel, standen sie in keinem Unterordnungsverhältnis zu einander. Das gilt gerade auch für die Länder der böhmischen Ländergruppe. Die Bestrebungen der Tschechen Böhmens, vom historischen Rang des Kronlandes Böhmen als „Königreich" aus eine Unterordnung Mährens und Schlesiens mit ihrem niedrigeren Rang als Markgrafschaft oder Herzogtum zu erzwingen, fand bei den Tschechen Mährens keinen Widerhall, sondern stieß auf ausgesprochene Ablehnung. Zwei Beispiele dafür: 1848 war von Prag an den Kaiser in einer Petition der Wunsch nach einem engen staatlichen Verband zwischen sämtlichen „zur Krone Böhmens gehörenden Länder", Böhmen, Mähren und Schlesien, und ihre Vertretung auf einem gemeinsamen Generallandtag ausgesprochen worden. Der Kaiser erwiderte, daß dem nur über Einschreiten beider Länder, Böhmens und Mährens-Schlesiens (Mähren und Schlesien waren damals administrativ vereinigt), näher getreten werden könnte. Der Berichterstatter im mährischen Landtag betonte aber, daß die mährischen Stände in der Prager Petition einen Angriff auf die Integrität des Landes sehen und sprach gegen den Vorschlag. In der Adresse an den Kaiser hieß es:

1. Mähren ist ein von Böhmen unabhängiges, dem Gesamtverband der Monarchie angehöriges Land.

2. Zwischen beiden Ländern bestand durch gleichsame Nationalität und Herrscher stets eine innige Verbindung. Eine ständische Vereinigung kann jedoch ohne Verletzung der Verfassung und Selbständigkeit Mährens grundsätzlich nicht ausgesprochen werden.

Die Adresse wurde dem Kaiser als feierlicher Akt der Verwahrung gegen jeden Angriff auf die Unabhängigkeit der Integrität Mährens übermittelt[1].

Derselbe Rechtsstandpunkt wurde vom mährischen Landtag aus Anlaß der Deklaration der Abgeordneten des böhmischen Landtages vom 22. 8. 1868 wiederholt. Die Markgrafschaft Mähren sei ein von Böhmen durchaus unabhängiges Land, das kein anderes Staatsrecht kenne als die gegenwärtige Reichsverfassung . . . . Die auf einem gemeinsamen Prager Landtag gefaßten Beschlüsse m ü ß t e n   e r s t   v o n   e i n e m   m ä h r i s c h e n   L a n d t a g   r a t i f i z i e r t   w e r d e n. Mähren bleibt also bei dem Landtagsbeschluß vom 14. April 1848, der jeden Zusammenhang mit Böhmen zurückweist[2]. Diese grundsätzliche staatsrechtliche Haltung Mährens hat sich bis zum Ende der Monarchie 1918 nicht verändert.

---

[1] Österr. Staatswörterbuch, Artikel „Mähren", Bd. 3, S. 506.
[2] Text bei *Münch*, Sudetendeutsche Tragödie, S. 338.

3. DIE SUDETENDEUTSCHE FRAGE ALS
NATIONALITÄTENRECHTLICHES PROBLEM (1848–1918)

a) Die Fragestellung von 1848

Die Revolution von 1848 brachte das böhmische Nationalitätenproblem in seiner modernen Form zur Erscheinung[1]). Hinter dem schwächer werdenden ständischen Vorbau hatte sich vom ausgehenden 18. Jahrhundert an das tschechische Element ständig gekräftigt. Im 19. Jahrhundert betrat es die politische Bühne. Die ständische Ordnung hatte seit 1620 den nationalen Dualismus des Landes verdeckt. Die Revolution brachte ihn in den Formen des Frühnationalismus zum Vorschein. Das in den stillen Jahren vor 1848 vorbereitete tschechische Volksprogramm trat in der Revolution hervor und bestimmte fast auf den Tag die nächsten hundert Jahre. Bereits in dieser Zeit formulierte die tschechische Geschichtsschreibung Palacky's die Doktrin, daß in Böhmen allein der Tscheche zu Hause, der Deutsche nur Gast sei. Schon 1833 wird von deutsch-böhmischer Seite auf die damit beschworene Gefahr verwiesen, daß sich somit die Deutschen vor Antideutschen als Fremdlinge im Lande betrachten müßten. Man warnt. Es dürfe niemals soweit kommen, „daß der deutsche Bewohner des Landes als rechtlos, vielleicht gar in usurpiertem Besitz des durch ihn verschönerten und veredelten heimatlichen Bodens oder gar als vogelfrei" gelte. Diese Sätze einer Denkschrift des Prager deutschen Historikers Knoll von 1833 zeigen die nationale Aufspaltung des Landes und die damit den Deutschen drohenden Gefahren[2]).

Rechtspolitisch traten in der Revolution drei sich vielfach durchkreuzende und durchdringende, aber doch klar unterscheidbare Ideen auf. Als Glied in der Kette der europäischen Revolutionen bedeutet die von 1848 ein Vordringen der Forderung von Grund- und Freiheitsrechten nach Mittel- und Osteuropa. Als zweite Gruppe tritt die Forderung nach Anerkennung von Rechten der „Nationalitäten" hervor. Das nationalpolitische Bewußtsein verlangt die Formulierung k o r p o r a t i v e r N a t i o n a l i t ä t s r e c h t e. Neben die individualrechtlichen Ansprüche der einzelnen treten die korporativen Ansprüche der Völker des Staates. Die dritte Gruppe ergibt sich aus der politischen Struktur der Monarchie als eines auch unter zentralistischem Überbau noch deutlich erkennbaren Staaten- und Länderverbandes. Diese „Königreiche und Länder", diese „historisch-politischen Individualitäten" (so lauten die zeitgenössischen Ausdrücke) vertraten durch den Mund ihrer landespatriotischen Stände den Gedanken der Länderfreiheit gegen den Zentralismus der Wiener Bürokratie und des deutschen liberalen Bürgertums. Ihr Programm forderte einen föderalistischen Verfassungsumbau auf geschicht-

---

[1]) Dazu allgemein J. *Redlich,* Das österreichische Staats- und Reichsproblem.
[2]) *Pfitzner,* Das Erwachen der Sudetendeutschen, S. 188.

licher Grundlage. Von 1848 an standen sich so in wechselnder Stärke drei verfassungspolitische Richtungen gegenüber: eine gesamtstaatlich zentralistische, eine „nationsföderalistische", die eine Neugliederung des Staates unter Zugrundelegung der Siedlungsgebiete seiner Völker und Volksstämme erstrebte, und eine „länderföderalistische", die den Kaiserstaat auf die historischen Ländern bzw. Ländergruppen gründen wollte[1]).

Die nationsföderalistische Idee war, was vor allem die programmatischen Ausführungen eines der damaligen führenden Tschechen, Franz Palackys[2]), zeigen, eng mit dem Grundsatz der Gleichberechtigung der Nationalitäten verbunden.

Er ist die Übertragung des demokratisch-individuellen Gleichheitsanspruches auf die in einem Staate vereinten Völker. Als solche Konsequenz ist er vor allem von den tschechischen Führern zwischen 1848 und 1918 vertreten worden. In den Debatten des Kremsierer Reichstages verkündete Palacky die Gleichberechtigung der Völker als die sittliche Grundlage des Reiches und der Verfassung. So legte er auch seinem Vorschlag der Neugliederung Österreichs acht nationale Ländergruppen zugrunde, nämlich: 1. deutsch-österreichische, 2. böhmische, 3. polnische, 4. illyrische, 5. italienische, ferner die südslawischen, magyarischen und wallachischen. Zu der deutschen Gruppe rechnete er Österreich ob und unter der Enns, Steiermark, Kärnten, Salzburg, Deutsch-Tirol, Vorarlberg, ferner aber auch Deutsch-Böhmen, Deutsch-Mähren und Deutsch-Schlesien – freilich unter der Betonung, eine Trennung Deutsch-Böhmens von „Tschechien" sei praktisch sehr schwer möglich –, zu den böhmischen Ländern rechnete er das tschechische Böhmen, Mähren und Schlesien sowie die Slowakei[3]).

b) Versuch der völkerrechtlichen Trennung Böhmens vom Deutschen Bund

In Böhmen führte die in der Revolution sichtbar gewordene neue national-politische Lage zu zwei Forderungen. Die erste war die tschechische Forderung der Trennung Böhmens vom Deutschen Bund. Das war eine rechtspolitische These von völkerrechtlicher Tragweite. Die zweite war politischer Natur; sie proklamierte den Vorherrschaftsanspruch des tschechischen Volkes innerhalb der böhmischen Ländergruppe und verband ihn mit der Forderung nach einem grundlegenden Umbau des habsburgischen Kaiserstaates, der die Herstellung eines slawischen Übergewichtes im Habsburger Reich herbeiführen sollte.

---

[1]) v. *Herrnritt,* Nationalität und Recht, (Wien 1899), S. 43.
[2]) Über ihn jetzt: Raupach, a. a. O., S. 92 ff.
[3]) P. *Geist-Lamje,* Das Nationalitätenproblem auf dem Reichstag zu Kremsier. S. 162.

Nach dem klaren Wortlaut der Bundesakte waren Böhmen, Mähren und Schlesien Bestandteil des deutschen Bundesgebietes. Der Versuch der Neuordnung der Bundesverhältnisse durch das Frankfurter Vorparlament umfaßte den gesamten Bundesbereich, notwendigerweise daher auch die böhmischen Länder als deutsche Bundesländer. Aus dem Kreis der Frankfurter Versammlung erging an den auch politisch führenden tschechischen Historiker Palacky die Einladung, sich am Verfassungswerk zu beteiligen. Er lehnte nicht nur ab, sondern benützte darüber hinaus die Gelegenheit, um einen Trennungsstrich zu ziehen. Sein in tausenden Exemplaren verbreiteter Absagebrief an Frankfurt hat bis zu einem gewissen Grad die Grundlage der tschechischen politischen Position bis 1918 gebildet. Er ist daher auch heute noch von Interesse[1]. Palacky bezeichnete als Zweck des Frankfurter Parlamentes den Versuch, anstelle des historisch-dynastisch begründeten Deutschen Bundes von 1815 einen von nun an im Willen des deutschen Volkes ruhenden Bund zu setzen. Diese Absicht macht er nun zur Grundlage, auf der er sich im Namen des tschechischen Volkes von den geschichtlichen Verbindungen zum Deutschen Reich lossagt. Er gehöre als Böhme slawischen Stammes einem zwar kleinen, aber von jeher eigentümlichen und für sich stehenden Volk an. So wolle er den deutschen Einklang nicht stören. Den staatsrechtlichen Zusammenhang Böhmens will er auf ein „reines Regale" reduzieren. Er folgt hier der österreichischen Richtung des deutschen Reichsstaatsrechts des 18. Jahrhunderts. Die Verbindung Böhmens mit Deutschland müsse man nicht als ein Verhältnis von Volk zu Volk, sondern von Herrscher zu Herrscher auffassen. Auf diesem Satz ruht die von ihm vorgetragene juristische Bewertung der revolutionären Ereignisse. Wenn die Deutschen durch die Revolution den bisherigen Fürstenbund aufgelöst und durch einen Volksbund ersetzt haben, so habe das Konsequenzen. Fordere man nämlich, „daß über den bisherigen Fürstenbund hinaus nunmehr das Volk von Böhmen selbst mit dem Deutschen Volke sich verbinde, so ist das eine wenigstens neue und jeder historischen Rechtsbasis ermangelnde Zumutung, der ich für meine Person mich nicht berechtigt fühle, Folge zu geben, solange ich dazu kein ausdrückliches und vollgültiges Mandat erhalte." Er deutete also die Bestrebungen der Frankfurter Versammlung als eine Art Novation der bisherigen politischen Verbindung Böhmens mit Deutschland, und er benützte diese (schließlich ja gescheiterten) Bestrebungen, die mit der Wiederherstellung der früheren Bundessituation endeten, dazu, um die Verbindung Böhmens zum Deutschen Bund als aufgelöst zu erklären.

Zugleich verband er nun dieses aus einem tschechischen nationalpolitischen Motiv geschöpfte Argument mit einem größeren Programm. Das Ziel der Frankfurter Versammlung würde, so meinte er, den österreichischen Kaiserstaat entscheidend schwächen. Doch gerade Erhaltung, Integrität und Kräftigung dieses Staates müsse eine hohe und wichtige Angelegenheit nicht nur

---

[1]) Text bei J. Redlich, a. a. O., Bd. I, Anmerkungen und Exkurse.

seines Volkes allein, sondern Europas, ja der Zivilisation selbst, sein. Dieses Österreich müsse freilich nun gemäß dem Prinzip der Gleichberechtigung der Völker umgebaut werden. Das Völkerrecht sei ein wahres Naturrecht und verpflichte kein Volk, sich zum besten seines Nachbarn zu verleugnen oder aufzuopfern. Der Sinn des Bundes mehrerer Völker zu einem politischen Ganzen sei, bei der Zentralgewalt gegen allfällige Übergriffe des Nachbarn Schutz und Schirm zu finden, dann würde man sich auch beeilen, diese Zentralgewalt mit so viel Macht auszustatten, daß sie einen solchen Schutz wirksam leisten könne.

Palacky war bis zu einem gewissen Maße Vertreter des neuen tschechischen Nationalbewußtseins. „Sein ganzes Wesen hält ihn von dem romantischen Zweige der tschechischen Wiedergeburt abseits und, obwohl um einige Jahre jünger als Kolar, findet er noch einen unmittelbaren Anschluß an den letzten großen Vertreter der josephinischen Aufklärung, an Dobrowsky[1].“ Das staatsrechtliche und politische Ziel seiner Absage an Frankfurt wird erst im Werk des zweiten führenden Tschechen der 48er Ära, K. Hawliček sichtbar, vor allem in seinem Aufsatz: „Losreißung der böhmischen Krone vom Deutschen Bund.“ Hier heißt es: der Bund sei den Tschechen nie von Nutzen gewesen, darum sei es richtig, sich in dem Augenblick, in dem sich Deutschlands eine ungeheure Gärung bemächtigt habe, loszureißen. „Unser Bund ist Österreich. Hier werden wir natürlich i m m e r d i e V o r m a c h t behalten, während wir im Deutschen Bund nur ein kleines Anhängsel bleiben müßten... In Verbindung mit den übrigen Slawen Österreichs können wir als besondere ‚böhmische Krone‘ j e d e S e l b s t ä n d i g k e i t und z u g l e i c h die Vorteile eines großen Staates genießen[2].“

Raupach unterstreicht den unzweideutigen und durch keine Humanitätstheorie gehemmten Charakter dieses Kommentars. Bei Hawlicek treten überhaupt Elemente und Ziele des nationaltschechischen Machtwillens ungleich klarer hervor als bei Palacky, dessen humanistisch-aufklärerische Züge einerseits, dessen politische Verbindung mit dem böhmischen Hochadel andererseits ihn noch nicht als typischen Vertreter des neuen Nationalismus erscheinen lassen.

Indessen sind Hawliceks radikale Tendenzen in der Revolution von 1848 nicht durchgedrungen. Trotz aller Gegensätze haben die Vertreter der österreichischen Nationalitäten auf dem Reichstag einen fruchtbaren Ausgleich gefunden. Auf der einen Seite galt die Kronländereinteilung und damit der historische Länderföderalismus, auf der anderen Seite wurde die Gleichberechtigung der Volksstämme als Verfassungsgrundsatz festgelegt. Eine nationale Kreisunterteilung der Länder sollte den nationalen Verschiedenheiten im Länderrahmen Rechnung tragen. Gemischte Schiedsgerichte der Nationalitäten waren zur Lösung nationaler Streitigkeiten vorgesehen.

---

[1] Raupach, a. a. O., S. 114 ff.
[2] Raupach, a. a. O., S. 92.

Indes nahm der Entschluß der Krone, genauer der Berater des 18jährigen eben zur Regierung gelangten Kaiser Franz Josefs, zu Absolutismus und Zentralismus zurückzukehren, dem Verfassungswerk der österreichischen Völker praktisch die Bedeutung; er lenkte den Weg der Monarchie in andere Richtung.

4. VON 1848 BIS 1918

In den sieben Jahrzehnten zwischen 1848 und 1918 hat das tschechische Volk seine Entwicklung zu einem modernen Volks- und Gesellschaftskörper vollendet. Es stand am ausgehenden 19. Jahrhundert auf der vollen Höhe des mitteleuropäischen Kultur- und Zivilisationsniveaus. „Unter dem Schutze eines Staates", heißt es in der weiter unten wiedergegebenen Denkschrift der deutsch-österreichischen Friedensdelegation von St. Germain, „der seiner Natur nach zur Unterdrückung irgendeines Volkes weder die Kraft noch das Geschick besaß, haben die Nationalitäten von junger Kultur, insbesondere die Tschechen und die Südslawen, ihre politische Reife erlangt und so mit Hilfe des alten Staatswesens die Grundlagen für ihren jetzigen Staat gelegt."
Rechtlich vollzog sich diese Entwicklung auf einer doppelten Grundlage: Die eine lag im Verfassungsgrundsatz der Gleichberechtigung der Völker des Staates, nach damaligem Sprachgebrauch der „Volksstämme" oder „Nationalitäten". Dieser Grundsatz bildete eine der leitenden Ideen der politischen Ordnung Gesamtösterreichs nach 1848, er bestimmte die Natur der österreichischen Reichshälfte nach 1867. Er wurde in der sogenannten Dezemberverfassung von 1867 neu formuliert und galt als Art. 19 des Staatsgrundgesetzes vom 21. 12. 1867 bis zum Zusammenbruch des Staates (und ist gegenwärtig auch Bestandteil der österreichischen Bundesverfassung gemäß Art. 121). Er wurde die Grundlage eines nationalen Sprachen- und Schulrechtes und schloß eine nationalstaatsähnliche Entwicklung eben durch die Betonung der nationalen Gleichberechtigung der Volksstämme aus[1]).
Auf solcher Rechtsgrundlage beteiligten sich parlamentarische Vertreter des tschechischen Volkes auch an der österreichischen Zentralregierung. Von 1879 bis 1893, 1895 bis 1897, 1898 bis 1899, 1906 bis 1908 waren tschechische Parteien in der k. k. österreichischen Regierung vertreten, sie waren auch in dem kaiserlichen Kabinett mit dem Grafen Stürgkh als Ministerpräsidenten beteiligt, das zu Beginn des 1. Weltkrieges Österreich regierte.
Die zweite Rechtsgrundlage für das tschechische politische Leben im 19. Jahrhundert lag in der Kronländerverfassung. Die im 19. Jahrhundert neu formulierten Landesstatute in Verbindung mit den als Ehrenrang ge-

---

[1]) Dazu: *Hugelmann*, Das altösterreichische Nationalitätenrecht.

führten, hauptsächlich auf die Verfassung des alten deutschen Reiches zurück-
gehenden historischen Titeln (Königreich Böhmen, Herzogtum Schlesien,
Markgrafschaft Mähren), die die „Landesfürstliche" Stellung des Kaisers
umschrieben, gaben auch den einzelnen nichtdeutschen Volkstämmen in den
Landtagen nicht nur eine wichtige Tribüne, sondern auch ein innerpolitisches
Instrument von manchmal erheblichem Gewicht in die Hand. Im böhmischen
Landtag waren überwiegend – bedingt durch die Stellung des Großgrund-
besitzes – die tschechischnationalen Abgeordneten in der Mehrheit. Der böhmische Landtag wurde zu einem wichtigen politischen Forum, vor dem auch
außenpolitische Fragen diskutiert wurden.

Der Eintritt der tschechischen Parteien in das k. k. Wiener Parlament, ihre
Beteiligung an der k. k. Regierung, ihre Vorherrschaft im böhmischen Land-
tag waren nun keineswegs mit einer staatsrechtlichen Lösung der böhmischen
Frage (dem sogenannten „Ausgleich") identisch. Zweierlei war dafür vom
tschechischen Standpunkt aus nötig. Einmal eine Neugliederung des öster-
reichischen Staates. Die Tschechen forderten die Beschränkung der zentralen
Regierung auf die für den Gesamtstaat notwendigen Bereiche, sodann die
Herstellung einer nationalen Ordnung in den böhmischen Ländern selbst.
Sie wurde vor allem von den seit 1848 in die Defensive gedrängten Deutschen
verlangt, die vom „Ausgleich" eine angemessene nationale Stellung und
Sicherheit erwarteten. Beide Forderungen standen in einem gewissen Gegensatz. Beide Fragen bildeten aber politisch gesehen auch ein Ganzes, wenngleich sie rechtstechnisch trennbar waren. Der Begriff des „böhmischen Ausgleichs", der diese Zielsetzung umschreibt, wurde bald im engeren, bald im
weiteren Sinne gebraucht.

5. DAS VERHÄLTNIS DER TSCHECHISCHEN
REICHSRATSABGEORDNETEN ZUR ÖSTERREICHISCH-
UNGARISCHEN MONARCHIE 1914—1918

Die tschechoslowakische Auslandsorganisation des Ersten Weltkriegs hat
mit der Behauptung operiert, das tschechische Volk in der Heimat habe vom
ersten Tag des Krieges an geschlossen eine feindselige Haltung gegen Österreich-
Ungarn eingenommen und sich zum Ziel der staatlichen Unabhängigkeit bekannt. Sie hat damit die Rechtsfiktion einer tschechoslowakischen Kriegsführung gegen die Zentralmächte verbunden.

Diese Behauptungen haben schon die deutsch-österreichische Friedensdelegation in St. Germain beschäftigt. Sie hat sich mit ihnen in einer ausführlichen
Denkschrift auseinandergesetzt, die eine anschauliche Darstellung des tsche-

chischen Volkes und seiner parlamentarischen Vertretung im Ersten Weltkrieg gibt. Sie soll, obwohl an sich dem Problemkreis der Friedenskonferenz von Paris angehörend (Abschn. III), bereits hier schon zu Worte kommen, da die fragliche Zeit die letzten Jahre der Zugehörigkeit der böhmischen Länder zur Habsburger Monarchie umfaßt.

Wir geben im folgenden die wichtigsten Stellen der Denkschrift wieder. Sie geht zunächst auf die Natur der österreichischen Verfassung und Nationalitätenordnung ein:

„Die Verfassung der österreichisch-ungarischen Monarchie, die Verfassung Österreichs im besonderen, die tatsächliche und rechtliche Lage der Nationalitäten Österreichs sind den westlichen Nationen niemals so klar dargestellt worden, daß ihnen ein voller Einblick möglich war. Freunde und Feinde der alten Donaumonarchie haben sie immer als eine Art politischer Sphinx betrachtet, deren Fragen zu beantworten, niemals so recht gelingt. Sie ist auch früher untergegangen als ihr Rätsel gelöst worden ist."

Die politische Linie der Tschechen in der 2. Hälfte des 19. Jahrhunderts zeigt die Denkschrift als einen Kampf gegen die Verfassung, nicht gegen den Staatsverband auf.

„Seitdem um die Mitte des 19. Jahrhunderts die Völker von der nationalen Idee ergriffen wurden, schuf Österreich in einer Entwicklung, deren Beginn mit dem kaiserlichen Diplom vom 20. Oktober 1860 anzusetzen ist, in seiner Gesetzgebung nach und nach gesicherte Grundlagen für die nationale Freiheit der Volksstämme, welche seine verschiedenen Länder bewohnten, sowie für ihre Gleichstellung im öffentlichen und privaten Recht. Dadurch kam Österreich, trotz seiner wenigstens bis zur Wahlreform von 1907 undemokratischen Verfassung, den nationalen Wünschen seiner Völker – man halte die Lage der österreichischen Polen gegen jene der Polen Rußlands oder Preußens – in unvergleichlich höherem Maße entgegen als irgendein anderer Großstaat den Wünschen seiner ethnischen Minderheiten. Unter dem Schutz eines Staates, der seiner Natur nach zur Unterdrückung irgendeines Volkes weder die Kraft noch das Geschick besaß, haben die Nationalitäten von junger Kultur, insbesondere die Tschechen und die Südslawen, ihre politische Reife erlangt und so mit Hilfe des alten Staatswesens die Grundlagen für ihren jetzigen Staat gelegt.

Das erwähnte Diplom vom Jahre 1860 stützt sich auf die einzelnen Provinzen und die in diesen eingerichteten Landtage, welche zumeist von den Nationalitäten beherrscht waren. Erst diese Landtage beschickten den Reichsrat. Das Diplom vom Jahre 1860 wurde indessen schon vom Februarpatent 1861 rasch überholt, welches die Verfassung mehr zentralistisch und günstiger für die Deutschen gestaltete, welche im Reichsrat über eine verhältnismäßige Mehrheit verfügten. Gegen dieses Patent haben sich die gewählten Abgeordneten der nichtdeutschen Volksstämme in der Folgezeit immer wieder auf jenes Diplom berufen. So taten dies die Abgeordneten des tschechischen Volkes im böhmischen Landtag, als sie am 18. April 1861 die Wahlen in den österreichischen Reichsrat nur unter Protest vornehmen zu wollen erklärten. *Der Protest galt niemals dem Staate Österreich, sondern der Verletzung des Oktoberdiploms.* Sie haben seitdem stets die Verletzung des böhmischen Staatsrechtes und die Verfassungswidrigkeit bestimmter nach dem Oktober 1860 erlassener Gesetze geltend gemacht. Aber sie haben, indem sie die Form des Staates bekämpften, *dennoch die Zugehörigkeit der historischen Länder der böhmischen Krone zum österreichischen Staate immer anerkannt.*

Der gleiche Vorgang wiederholte sich bei der Erlassung der Verfassungsgesetze des Jahres 1867, welche den Dualismus und damit die Teilung des Reiches in Zisleithanien und Ungarn begründete. Die Abgeordneten des tschechischen Volkes haben sich in ihren Deklarationen vom 22. August 1868 und vom 23. November 1873 neuerlich auf das Diplom vom 20. Oktober 1860 bezogen und die Rechte des tschechischen Volkes auf dem Boden dieses österreichischen Verfassungsgesetzes verteidigt. Später haben sie diese und ähnliche Erklärungen wiederholt. . . . Ebenso haben sich die tschechischen Abgeordneten seit 1879 durch positive Mitwirkung bei den Arbeiten des Reichsrates im Verfassungsleben des österreichischen Staates intensiv beteiligt, ja, sie waren wiederholt Regierungspartei, so unter den Regierungen Taaffe (1879 bis 1893, somit volle 14 Jahre), Badeni (1895 bis 1897), Thun (1898 bis 1899) und Beck (1906 bis 1908), und auch sie haben dem österreichischen Staate sowohl in diesen Perioden als in der Zwischenzeit eine Reihe führender Staatsmänner und Politiker geschenkt, die teils aus den Reihen der Parlamentarier, teils aus den Reihen tschechischer Staatsbeamter hervorgingen und teils als verantwortliche Minister, teils als Parteiführer die Geschicke Österreichs mitbestimmten. Unter viel anderen seien Kaizl, Pražak, Kramář, Pacak, Fořt, Fiedler genannt. Auch in dem Kabinett Stürgkh, das zu Beginn des Krieges die Geschäfte führte, waren die Tschechen durch zwei Minister vertreten. Aber die Macht und der Einfluß, den das tschechische Volk im österreichischen Staate besaß, läßt sich nach den einzelnen Namen und Persönlichkeiten nicht abschätzen. Man kann sagen, abgesehen von den Magyaren hat kaum jemals in der Geschichte ein Volk von der Größe des tschechischen Volkes, als eine Minderheit von 6½ Millionen, auf die Geschicke und Politik eines Fünfzigmillionenreiches einen solchen Einfluß ausgeübt wie das tschechische. Selbstverständlich wird zugegeben, daß die bestehende Verfassung seinen Bedürfnissen nicht mehr genügte, aber unwahr ist, daß diese Nation ohne Einfluß oder in der dem Kriege vorangegangenen Zeitperiode unterdrückt war."

Das positive Verhältnis zum Staat zugleich aber auch das Verhältnis des Staates zu den Volksstämmen zeigt sich am Anteil der nichtdeutschen Völker an der Staatsverwaltung. Hiezu führt die Denkschrift aus:

„Übrigens hat sowohl das tschechische als das polnische und das südslawische Volk einen sehr erheblichen Bruchteil der österreichischen Staatsbeamten und sonstigen öffentlichen Funktionäre aller Verwaltungsressorts, insbesondere auch in den Ministerien und anderen Zentralstellen, gestellt. Dies gilt auch vom Unterrichtswesen, das einen sehr großen Personalaufwand erforderte. Die Volks- und Mittelschulen aller Nationalitäten und die Universitäten der Tschechen und Polen haben eine stete Entwicklung zu verzeichnen. Diese Universitäten waren an wissenschaftlicher Bedeutung jenen der Weststaaten ebenbürtig."

Von besonderem Interesse sind die rechtspolitischen Ausführungen der Denkschrift, die ebenfalls auf die allgemeine Bedeutung von Art. 19 des Staatsgrundgesetzes vom 21. Dezember 1867 wie auf die Landtage verweisen:

„Nicht nur in den großen Fragen der Verfassung, sondern auch in den kleinen Fragen des Alltages haben alle Nationalitäten Österreichs im politischen Leben des Staates positiv mitgewirkt. Soviel sie auch an manchen undemokratischen Einrichtungen der österreichischen Verfassung mit Recht auszusetzen hatten – diese Klagen teilten mit ihnen jederzeit die breiten Massen auch der Deutschen –, so fanden sie doch gerade in bezug auf das Nationalitätenrecht einen weitgehenden Schutz, der im Falle der Erhaltung Österreichs und der fortschreitenden Demokratisierung seiner Einrichtungen zur baldigsten Erfüllung aller ihrer nationalen Wünsche im Rahmen einer föderativen Donaumonarchie zu führen versprach. Namentlich sei hier auf den Artikel 19 des Staatsgrundgesetzes vom 21. Dezember 1867 über die allgemeinen Rechte der Staatsbürger hingewiesen, welche die Gleichheit aller Volksstämme und ihrer Sprachen anerkannte. Allerdings ergab sich aus der erwähnten Verfassungsvorschrift selbst eine zunächst nur ganz unzureichende Regelung des Nationalitätenrechts, weil die Träger dieser Rechte nach Artikel 19 – das wären nach dem Wortlaute

36

die Volksstämme und die Sprachen selbst – keine organisierten, zur Geltendmachung ihrer Rechte befugten Körperschaften waren. Dagegen hat die Praxis der Behörden und Gerichte jedem einzelnen Individuum den vollen Gebrauch der Sprache gewährleistet, und zwar im privaten Verkehr ohne Beschränkung, im öffentlichen Leben soweit die Sprache landesüblich war. Im selben Maße bedienten sich auch die Behörden im Parteiverkehr der Sprache der Partei. Die Gerichte und Verwaltungsbehörden haben an dieser Übung mit der gewissenhaftesten Unparteilichkeit festgehalten. Man kann nicht feststellen, welche Nationalität durch diese Rechtslage begünstigt worden sei. So waren es beispielsweise in Mähren die Deutschen, welche behaupteten, durch die Praxis der Behörden im Vergleich zu den Tschechen benachteiligt zu sein.

Körperschaftliche Rechte aber genossen die *Nationen* daneben durch ein *weitgehendes Homerule in den Kronländern,* eine *nur Österreich eigentümliche Einrichtung,* die ihnen *vielfach die Vorteile eines Sonderstaates bot.* In den beiden Ländern Böhmen und Mähren herrschten die Tschechen, in Galizien die Polen, in Krain und Dalmatien die Südslawen, und sie übten diese Herrschaft so selbständig und kraftvoll aus, *daß sich in Böhmen die deutschen, in Galizien die ukrainischen, in Dalmatien die italienischen Minderheiten bedrückt fühlten.* Es ist einfach unwahr, daß die Deutschen allein und überall die beherrschende Nation, die übrigen Völker ohne Ausnahme beherrscht waren. Die Wahrheit ist vielmehr, daß – mit alleiniger Ausnahme der Ukrainer – sich alle Nationen in die Herrschaft teilten, hier als Mehrheit geboten, dort als Minderheit gehorchten und im ganzen genommen, durch die Fortführung und Beendigung der demokratischen Verfassungsreform, eine endgültige und befriedigende Ordnung ihrer wechselseitigen Macht- und Rechtsverhältnisse sich selbst zu schaffen erwarteten. An die freiwillige Auflösung des Staatsverbandes dachten ernsthaft nur ganz geringe Minderheiten."

Die Denkschrift wendet sich dann der Haltung der nichtdeutschen Völker im Ersten Weltkrieg im allgemeinen zu.

„Auch im Kriege haben die Völker an der ihnen von der Geschichte vorgezeichneten Linie ihrer Entwicklung festgehalten. Als kompetente Zeugen können nur die von ihnen gewählten Vertretungen gelten. Diese sind seit 1907 auf Grund des allgemeinen Wahlrechtes gewählt gewesen und also ist deren Kompetenz unanfechtbar und jedenfalls verpflichtet ihr Votum rechtlich und moralisch. Auf dieses Votum stützen wir die folgende Beweisführung. Keine der Nationalitäten Österreichs hat die Traditionen, die sich mit dem österreichischen Staat verknüpften, durch eine Revolution oder auch nur den Versuch zu einer Revolution zerbrochen, sondern sie alle haben das politische, administrative und wirtschaftliche Leben des Staates solange mitgelebt, bis er durch einen von außen kommenden Anstoß von selbst zerfiel. Sie haben oftmals spontan durch ihre auf Grund des gleichen Wahlrechtes gewählten Abgeordneten ihren Sympathien für den Bestand und die Verteidigung ihres gemeinsamen Vaterlandes Ausdruck verliehen. Sie haben nach diesen Erklärungen in ihrer großen Mehrheit bis zur Auflösung Österreichs nie aufgehört, sich als Bestandteil dieses einen und gemeinsamen Heimatstaates zu betrachten... Es ist und bleibt eine Tatsache, daß alle Nationalitäten, die eine mit größerem, die andere mit geringerem Eifer, jede in ihrer Mehrheit und keine ohne eine protestierende Minderheit, bei Kriegsausbruch spontan und unzweideutig den Willen, ihre Heimat gegen die fremden Mächte zu verteidigen und für den Bestand Österreichs als Staat einzutreten, kundgetan haben. Und dieser Wille hielt bei allen Nationen solange an, bis die Entbehrungen und Leiden für alle unerträglich geworden waren, bis alle des offenbar ergebnislosen Kampfes müde waren.

Für dieses Verhalten hat jede Nation ihre besonderen Gründe, die einer besonderen Erwähnung bedürfen. Wir führen sie nunmehr im Zusammenhang mit den Kundgebungen der einzelnen Nationalitäten einzeln an."

Die Denkschrift schildert dann ausführlich das Verhalten der Tschechen in der Heimat während des Krieges 1914–1918.

„Ganz anders als Polen und Südslawen zeigte sich das tschechische Volk dem Kriege gegenüber orientiert, aber dennoch machte es in seiner überwältigenden Mehrheit den Krieg bis zu seinem Ende auf Seite Österreichs mit und hatte für dieses Verhalten auch gute politische Gründe.

Das Interesse der Tschechen war, wie jenes der Magyaren, mit jenem des Staates dadurch ganz besonders verknüpft, daß ihr ganzes nationales Siedlungsgebiet innerhalb der Grenzen der Donaumonarchie lag. Das tschechische Volk sah seiner übergroßen Mehrheit nach ganz klar, daß es von einer stetigen Entwicklung in seinem historisch gegebenen Staatsverbande, nicht aber von der Unterwerfung unter das zaristische Joch die Erreichung seines Zieles, nämlich die Bildung des tschechischen Staates, zu erwarten habe.

Seine politische Rechnung war seit jeher diese: Je mehr slawische Gebiete die Monarchie sich einverleibt, um so mehr überwiegen die slawischen Einflüsse in ihr, um so größer ist die Macht der Tschechen in der Welt; nicht die Auflösung, sondern die Beherrschung der Monarchie war seit jeher ihr Bestreben. Und darum haben ihre Vertreter 1878 für die Okkupation von Bosnien gestimmt, welche von den Deutschen verworfen wurde. Das Streben der Habsburger, ihre Hausmacht im Osten zu erweitern, hat immer die Unterstützung der Tschechen und zumeist den überwiegenden Einspruch der Deutschen Österreichs erfahren. So erklärt sich die folgende Erscheinung:

Dieser Krieg kam ganz Österreich als Überraschung. Er ist in höfischen und Militärkreisen vorbereitet worden, ohne daß die deutsche Öffentlichkeit hievon eine Ahnung hatte. Niemals hat diese ihn vorher gefordert oder propagiert.

Als der Krieg da war, haben ihn die Deutschen Österreichs in ihrer unkritischen Treue gegenüber der Dynastie einfach auf sich genommen, ohne viel zu denken, ohne auch etwas für sich erwarten zu können als die nackte Selbstverteidigung. Anders bei den Tschechen. Ihre öffentliche Meinung war zwar gespalten, aber sie ging in den Krieg mit leidenschaftlichen Hoffnungen: denn er brachte im Falle des Sieges ein vergrößertes, also slawisches Österreich und damit die Vorherrschaft der Tschechen, oder er brachte im Falle der Niederlage und des russischen Sieges ein unermeßlich großes Slawenreich! Je nach dem Wechsel des Waffenglücks wurde die eine oder die andere Auffassung im Volke stärker. Und so wechselten die Stimmungen zwischen laut bekannter Staatstreue und stiller Abwendung vom Staate. Trotzdem überwogen die verantwortlichen Erklärungen der verantwortlichen Vertreter der Nation bis zum letzten Tage für den Staat Österreich!

Am 28. Juli 1914 erschien eine Abordnung des Verbandes der tschechischen Sokolvereine, der stets einer der Hauptträger der tschechischen nationalen Bewegung war, beim k. k. Statthalter in Prag, um dem Gefühle der Loyalität der Sokolschaft Ausdruck zu geben und sich der Regierung in allem zur Verfügung zu stellen.

Am 5. August sandten sämtliche Gemeinden und autonomen Bezirksvertretungen Böhmens spontan eine Deputation zum k. k. Statthalter, um ihrer unbegrenzten Loyalität Ausdruck zu geben und dem Staate ihre Mitwirkung zur Verfügung zu stellen.

Ebenso spontan erließ der Stadtrat von Prag am 23. November 1914 eine Loyalitätskundgebung.

Am 10. August 1914 erklärte der Abgeordnete Maštálka, das tschechische Mitglied in der Staatsschulden-Kontrollkommission des Reichsrates, in der Sitzung dieser Kommission, daß Wert darauf gelegt werden müsse, daß über die Sitzung eine Mitteilung in die Öffentlichkeit gelange, weil sie eine günstige Wirkung herbeizuführen geeignet sei und erkennen lasse, daß sich die Kontrollkommission als der noch in Funktion befindliche Rest der Legislative mit der Regierung identifiziere.

Bei Beratung des Lombarddarlehens von 510 Millionen Kronen betonte Abgeordneter Maštálka seine volle Bereitwilligkeit, die Regierung in der außergewöhnlichen Zeit zu unterstützen, und verlangte von der Finanzverwaltung die tatkräftigste Förderung der Volkswirtschaft.

Als im Frühjahr 1915 Teile des Prager Infanterieregiments Nr. 28, desselben Regiments, welches nach Blättermeldungen kürzlich zur magyarischen Sowjetregierung übergegangen sein soll, zu den Russen übergingen, verurteilte dies der Stadtrat von Prag spontan in der Sitzung vom 6. Mai 1915.

Am 18. Juni 1915 richtete der Reichsratsabgeordnete und Landeshauptmannstellvertreter in Mähren Dr. Hruban namens der tschechisch-katholisch-nationalen Partei des Abgeordnetenhauses gemeinsam mit dem Präsidium des Klubs der Landtagsabgeordneten der katholisch-nationalen und christlich-sozialen Partei Mährens ein Schreiben an den Ministerpräsidenten, in welchem anläßlich des Ausbruches des Krieges mit Italien und der Wiedereroberung von Przemysl der unwandelbaren Treue der gesamten tschechischen katholischen Bevölkerung Mährens Ausdruck gegeben wird.

Im Juli 1915 sandte der Verband der tschechischen Städte Böhmens anläßlich seiner Tagung in Prag eine Huldigungsdepesche an den Kaiser.

Am 2. September 1915 erklärte der Abgeordnete Maštálka in der Staatsschulden-Kontrollkommission bei der Beratung über die Begebung von Schatzwechseln per 300 Millionen Kronen, daß sich die Kontrollkommission in das Unvermeidliche fügen müsse, da der Finanzminister offensichtlich die erforderlichen Geldmittel benötige. Wenn auch die Beteiligung aus den böhmischen Kreisen bei der ersten Kriegsanleihe eine schwächere war, so wäre sie bei der zweiten Anleihe um 70 Prozent größer gewesen. Die erwähnte Tatsache, vor allem aber die politischen Bedrängnisse des tschechischen Volkes, bringe es mit sich, daß der Redner nur mit schwerem Herzen zustimme. Wenn er aber diese Haltung im Einvernehmen mit allen tschechischen Parteien trotzdem einnehme, so tue er dies mit Rücksicht auf die schwere Situation des Staates.

Am 2. Dezember 1915 veranstalteten die tschechischen Bezirke und Städte Böhmens eine feierliche Kundgebung zum 67. Regierungsjubiläum des Kaisers. (Huldigungstagung der tschechischen Bezirke und Gemeinden des Königreiches Böhmen zum Gedächtnis des Allerhöchsten Herrscherjubiläums Seiner Kaiserlichen und Königlichen Apostolischen Majestät des allergnädigsten Kaisers und Königs Franz Joseph I., Prag, 2. Dezember 1915).

Aus dem gleichen Anlasse liefen aus den tschechischen Teilen Böhmens und Mährens zahlreiche Huldigungen und Glückwünsche von Gemeinden, Bezirksvertretungen und anderen öffentlichen Körperschaften ein, darunter zum Beispiel von über 400 gewerblichen Genossenschaften, über 300 Spar- und Vorschußkassen und Kreditinstituten, über 50 Freiwilligen Feuerwehren und Feuerwehrverbänden, 30 Genossenschaftsverbänden, von zahlreichen Lehrerkorporationen, Krankenkassen, Vereinen aller Art usw.

Am 2. März 1916 erklärte Abgeordneter Maštálka in der Beratung der Staatsschulden-Kontrollkommission über einen Kontokorrentvorschuß des österreichischen Bankkonsortiums, daß er von seinem Standpunkte gegen den Kontokorrentvorschuß nichts einzuwenden habe, weil er die Kriegskosten prinzipiell bewillige.

Im Jänner 1917 traten die Mächte der Entente in ihrer Antwort auf die Note des Präsidenten Wilson vom 19. Dezember 1916 für die Befreiung der Italiener, Slowenen, Rumänen, Tschechen und Slowaken Österreich-Ungarns von der „Fremdherrschaft" ein. Damals erhob das tschechische Volk durch seine parlamentarischen Führer Protest gegen diese Auffassung. Das Präsidium des Tschechischen Verbandes (Cesky Svaz) richtete am 24. und 31. Jänner 1917 je ein von den drei Abgeordneten und Parteiführern Staněk, gegenwärtigem tschecho-slowakischen Minister, Dr. Šmeral und Maštálka unterzeichnetes Schreiben „an den österreichisch-ungarischen Minister des Äußeren", in denen der Treue des tschechischen Volkes Ausdruck gegeben wurde, deren erstes in der Beilage 2 abgedruckt ist und deren zweites folgenden Wortlaut hat:

„Eure Exzellenz! Im Hinblick auf die Antwort der Staaten des Vierverbandes an den Präsidenten der Vereinigten Staaten von Amerika, Wilson, in welcher die mit unserer Monarchie kriegführenden Staaten außer anderem auch die „Befreiung der Tschechen von der Fremdherrschaft" als eines der Ziele anführten, zu welchem sie mit Waffengewalt gelangen wollen, weist das Präsidium des Tschechischen Verbandes diese Insinuation, welche auf gänzlich unrichtigen Voraussetzungen beruht, zurück und erklärt kategorisch, daß das tschechische Volk wie immer in der Vergangenheit so auch in der Gegenwart und in der Zukunft bloß unter dem habsburgischen Zepter seine Zukunft und die Grundlagen seiner Entwicklung erblickt."

Am 30. Mai 1917, bei der Eröffnung des österreichischen Parlaments, gab der Abgeordnete und gegenwärtige tschecho-slowakische Minister Staněk namens des „Cesky Svaz" im Abgeordnetenhaus folgende Erklärung ab:

„Die Delegation des böhmischen Volkes ist von der Überzeugung durchdrungen, daß die gegenwärtige dualistische Form zum offenbaren Nachteil der Gesamtinteressen herrschende und unterdrückte Völker geschaffen hat, und daß behufs Beseitigung jedwedes nationalen Vorrechtes und Sicherung einer allseitigen Entwicklung eines jeden Volkes im Interesse des ganzen Reiches sowie der Dynastie die Umgestaltung der habsburg-lothringischen Monarchie in einen Bundesstaat von freien und gleichberechtigten nationalen Staaten unbedingt notwendig geworden ist."

Am 5. Juni 1917 erklärte der Abgeordnete Staněk namens des tschechischen Verbandes im Abgeordnetenhause, die tschechischen Abgeordneten hätten bewiesen, daß es sich ihnen nur darum handle, daß das Parlament beisammen bleibt und arbeite. Er appellierte an die deutschen Sozialdemokraten, für das Parlament einzutreten und forderte jeden, „der es mit dem Reiche und der Dynastie ehrlich meint", auf, gegen die im Kriege von der Regierung erlassenen Oktrois zu stimmen.

Am 8. Juni 1917 richtete der Tschechenklub anläßlich des abgeschlagenen Angriffs der Italiener am Isonzo ein Glückwunschtelegramm an den Generalobersten Boroevic. Der wichtigste Passus daraus lautet:

„Mit Stolz begrüßen wir die heutige Meldung, daß unsere Armee in einer großen Schlacht tapfer gekämpft hat und einen glänzenden Sieg errungen hat. Wir bitten den Ausdruck unseres Dankes und unserer Bewunderung entgegenzunehmen."

Das Telegramm war von Staněk, Šmeral und Tobolka unterzeichnet.

Die Antwort des Generalobersten Boroevic lautete nach einer Meldung des "Venkov" vom 8. Juni 1917:

„Für die gütigst verdolmetschten Glückwünsche herzlichsten Dank. Ich freue mich, daß ich mitteilen kann, daß sich die tschechischen Regimenter im Verein mit den übrigen wie Löwen geschlagen haben."

Am 11. Juni 1917 betonte Dr. Fořt im Herrenhause, daß alle Völkerschaften Österreichs von dem engen unzerreißbaren Bande der Treue zur Dynastie umschlungen sind, und er feierte die Taten des Heeres als den besten Beweis dafür, daß die Grundfesten des Staates nicht erschüttert werden können.

Am 12. Juni 1917 trat der jetzige Handelsminister des tschecho-slowakischen Staates Dr. Stransky im Abgeordnetenhause für ein Österreich als föderativen Staatenbund ein und weissagte ihm eine „glänzende und überwältigend schöne" Zukunft.

Am 13. Juni 1917 erklärte der tschechische Sozialdemokrat Dr. Šmeral im Abgeordnetenhause, seine Parteigenossen stehen vorbehaltlos auf dem Boden des Staatsdenkens. Der Gedanke einer föderativen Rekonstruktion des Reiches sei nicht gegen den Staat gerichtet, im Gegenteil, er könne die Erneuerung Österreichs durchführen.

Am 14. Juni 1917 feierte der Abgeordnete Viskovsky im Abgeordnetenhause die österreichische Staatsidee. Die Mission der Monarchie sei nicht die Beherrschung einer Nationalität durch eine andere, sondern ein friedliches Nebeneinanderleben der Völker.

Am 15. Juni 1917 gab der Führer der mährischen Tschechen, Obmann der katholisch-nationalen Partei und Mitglied des Präsidiums des "Cesky Svaz", seiner Genugtuung darüber Ausdruck, daß das Parlament — „unser Parlament" — endlich einberufen wurde. Er feierte die Tapferkeit und die Taten der tschechischen Teile der österreichisch-ungarischen Armee. Er erklärte, daß seine Partei sich offen und rückhaltlos zu Österreich und zur Dynastie bekenne.

Am selben Tage trat der Abgeordnete Vlastimir Tusar, Vorstandsmitglied des „Cesky Svaz" und jetziger tschecho-slowakischer Gesandter in Wien, für einen freien österreichischen Völkerbundesstaat ein.

Am 26. Juni 1917 forderte der Sozialdemokrat Bechyně im Abgeordnetenhause im Namen der tschechischen Arbeiterschaft die Umwandlung Österreichs in einen Bund von selbständigen nationalen Staaten.

Am 27. Juni 1917 bezeichnete der Sozialdemokrat Soukup als die Mission Österreichs den Völkerbund österreichischer Nationen.

Am 29. Juni 1917 bezeichnete es Dr. Goll im Herrenhause als den Wunsch der Bevölkerung von ganz Böhmen, insbesondere von Prag, den Kaiser und König in Prag zu begrüßen.

In derselben Debatte wies Dr. Fořt alle „ungebührlichen Pauschalverdächtigungen" gegen das tschechische Volk zurück und legte dar, daß dieses Volk seine Pflicht der Treue gegen die Dynastie und den Staat vom Beginne der Mobilisierung bis zum gegenwärtigen Zeitpunkte voll erfüllt habe.

Als der Abgeordnete Dr. Stransky am 5. Juli 1917 im Verfassungsausschusse erklärt hatte, daß die Tschechen ihre Hoffnung auf die Entente setzten, sah er sich veranlaßt, diese Erklärung am nächsten Tage stark abzuschwächen. Er erklärte insbesondere, seine Darlegungen hätten eine falsche Deutung erfahren, er habe nicht die Regelung der politischen Verhältnisse Österreichs auf dem europäischen Friedenskongresse verlangt, sondern nur, man möge mit der Verwirklichung der Selbstbestimmung der Tschechen den Friedenskongreß abwarten, auf dem ja auch die Monarchie vertreten sein werde.

Am 18. Juli 1917 sagte der Obmannstellvertreter des Klubs der tschechischen Agrarier, Vorstandsmitglied des Cesky Svaz und Vizepräsident des Abgeordnetenhauses Frantisek Udržal, seit dem berühmten Briefe Palackys nach Frankfurt habe die tschechische Nation die Parole ausgegeben: unser Programm ist Österreich. Er rühmte die Tapferkeit der tschechischen Truppen und berief sich auf die Worte des Prager Korpskommandanten, daß die Prager Truppen wie Löwen kämpften.

Am 26. September 1917 erklärte der tschechische Sozialdemokrat Nemec im Abgeordnetenhause, daß nach dem Programme nicht nur der tschechischen Sozialdemokraten, sondern auch der anderen tschechischen Parteien Österreich in einen Nationalitätenbundesstaat umzubilden sei.

Am 5. Dezember 1917 machte Dr. Hruban im Abgeordnetenhause die Bemerkung, daß die Tschechen Österreich stark haben wollen, weil sie nur in einem starken Habsburgerreiche ein eigenes staatliches Heim haben und als ein politisch freies Volk leben können.

Am 18. Dezember 1917 erklärte der Abgeordnete Staněk im Abgeordnetenhause, die Slawen wollen mit den Deutschen und Magyaren als freies Volk in einem Völkerbundstaate zusammenleben.

Am 6. Jänner 1918 wurde in Prag eine Versammlung abgehalten, zu welcher alle Reichsrats- und Landtagsabgeordneten aus Böhmen, Mähren und Schlesien eingeladen waren, welche in tschechischen Publikationen bald als „Generallandtag", bald als „Konstituante" bezeichnet wurde und an welcher 150 tschechische Abgeordnete, darunter die Herren Dr. Kramař, Dr. Rašin, Choc, Wojnar, Burival, teilnahmen. Die Resolution, welche in dieser Versammlung angenommen wurde, wiederholt die eben erwähnte Kundgebung vom 30. Mai, welche die Umformung Österreichs zu einem Bundesstaate gefordert hatte, und berief sich hierbei nicht bloß auf das Selbstbestimmungsrecht der Völker, sondern auch auf das „historische Staatsrecht" im Rahmen Österreichs. Überdies stand diese sogenannte konstituierende Versammlung schon dadurch auf dem Boden des österreichischen Rechtes, daß sie sich aus den Abgeordneten zusammensetzt, welche auf Grund der österreichischen Gesetze gewählt worden waren.

Am 23. Jänner 1918 erklärte Dr. Hruban im Abgeordnetenhause, nicht nur seine Partei, sondern alle tschechischen Parteien stehen auf dem Boden der Erklärung vom

30. Mai 1917 und damit auf dem Boden der dynastischen und staatlichen Zugehörigkeit.

Im Februar 1918 vereinigten sich die tschechischen politischen Parteien des österreichischen Parlaments, vertreten durch Dr. Kramař, Rašin, Stransky und Schamal zu einer Partei der „Tschechischen staatsrechtlichen Demokratie", als deren Obmann Dr. Kramař fungierte. Als Hauptprogramm dieser Partei wurde in einer Erklärung an das tschechische Volk die Erkämpfung und der Ausbau eines Staatsgebäudes bezeichnet, „dessen Grundfundament die historischen und unteilbaren Länder der böhmischen Krone und der Slowakei", bilden. Auch diese Partei strebte demnach die Bildung des tschechischen Staates auf dem Boden des österreichischen Parlamentarismus und unter Anknüpfung an die historisch übernommene Verfassung der österreichischen Länder an.

Ende Mai 1918 legte der Cesky Svaz neuerlich ein Bekenntnis zum österreichischen Staate ab. Er forderte durch seine Vizepräsidenten Klofač und Habermann in einem Schreiben an den Präsidenten des Abgeordnetenhauses Dr. Groß die „unverzügliche Einberufung des Parlaments", des einzigen, die politischen und bürgerlichen Rechte aller Völker überwachenden Ortes. Der Vorstand des tschechischen Verbandes erklärte in diesem Schreiben weiter, daß er „einen streng parlamentarischen und verfassungsmäßigen Standpunkt" einnehme.

Ende Juni 1918 wurden die Abgeordneten Staněk, Tusar und Korosec vom Kaiser empfangen und erklärten, wie in den Blättern gemeldet wurde, daß die Tschechen und Südslawen zwar nicht für das Budget stimmen könnten, aber bereit seien, zur Erhaltung des Parlaments alles zu tun, was nicht den Lebensinteressen ihrer Nationen zuwiderlaufe."

Die Denkschrift zieht sodann aus diesen Tatsachen das Fazit:

„Wir haben diese lange Reihe von Zeugnissen angeführt, nicht um gegen die Vertretung des tschechischen Volkes irgendeinen Vorwurf zu erheben – es muß jedem Volke selbst vorbehalten bleiben, wie es sich entscheidet. Wir begreifen im Gegenteil, daß diese Nation in der schwersten geschichtlichen Krise *nicht immer eindeutig handeln konnte* – sie stand tatsächlich vor einem furchtbaren Dilemma, und wenn die Würfel zugunsten ihrer vollen Unabhängigkeit gefallen sind, so begrüßen wir das, weil *das auch uns die Wiedererlangung unserer vollen Unabhängigkeit in sichere Aussicht stellt*.

Aber dieses *Schwanken* der tschechischen Politik darf nicht uns zu Lasten fallen und darf nicht dazu mißbraucht werden, die historische Wahrheit zu unserem Nachteile zu fälschen.

Wahr ist, daß eine Minderheit der Tschechen der österreichischen Regierung entgegengearbeitet hat – aber das tat auch eine Minderheit der Deutschen und dies mit sichtlicherer Anstrengung – Graf Stürgkh ist nicht dem Anschlage eines Tschechen, sondern eines Deutschösterreichers zum Opfer gefallen! Die große Mehrheit der Tschechen hat den Krieg mitgemacht bis zum letzten Tage, sowohl was ihre politische Vertretung als auch was den Soldaten im Schützengraben betrifft. Die Revolution der Tschechen hat in denselben Tagen des Oktobers eingesetzt, wie die der Deutschösterreicher, ihr neuer Staat entsteht mit diesem zugleich. Dasselbe gilt auch für Polen und Südslawen, und darum ist die völkerrechtliche Verantwortung dieser Republiken für den Krieg ein und dieselbe!

Das Gesamtverhalten zu Parlament und Regierung.

Zu dem gleichen Ergebnis gelangt man, wenn man das Verhalten der slawischen Abgeordneten zu Parlament und Regierung während der Kriegszeit in seinem ganzen Zusammenhange betrachtet:

In der XXII. Session, der einzigen Kriegssession des Reichsrates, haben die Tschechen, Polen und Südslawen an sämtlichen Verhandlungen des Abgeordnetenhauses teilgenommen. Sie haben sich auch in die Ausschüsse wählen lassen und sich bis zum Ende der Session an den Ausschußarbeiten beteiligt. Im Präsidium des Hauses haben sie die ihnen zukommenden Sitze eingenommen und sind bis zum Schlusse der Session im Präsidium verblieben. Der Präsident Dr. Groß hat dem Deutschen Nationalverbande als der stärksten Partei des Hauses angehört. Die slawischen Vizepräsidenten waren: der Obmannstellvertreter der tschechischen Agrarier Udrzal und der Obmannstellvertreter der tschechischen Sozialdemokraten Tusar, der nachmalige Gesandte der tschecho-slowakischen Republik in Wien, ferner der Obmannstellvertreter des Polenklubs German, der Slowene Josef Pogačnik und der Obmann der galizischen Ukraine Romanczuk.

Ebenso waren die Schriftführerstellen des Hauses und die Verbandstellen in den Ausschüssen nach dem vereinbarten Schlüssel, der auf der Stärke der Parteien beruhte, von den slawischen Parteien besetzt. In ihrem äußeren Verlauf haben sich die Verhandlungen des Abgeordnetenhauses nicht wesentlich von denjenigen in früheren Sessionen unterschieden, es wäre denn durch ihren im allgemeinen maßvolleren Charakter. Waren auch lebhafte und erregte Debatten nicht selten, so haben sich doch die stürmischen Auftritte der früheren Sitzungsperioden kaum jemals ereignet. Zur Obstruktion – eine der gewöhnlichsten Erscheinungen des österreichischen Parlaments – hat sich die Opposition in dieser Session nie gesteigert.

Ebenso staatsgetreu war das Verhalten der beiden slawischen Abgeordneten in der Staatsschulden-Kontrollkommission des Reichsrates. Die Beschlüsse dieser Kommission über die Kriegsschulden wurden fast durchwegs einstimmig gefaßt. Der Vertreter der Tschechen, Maštálka, und der Ersatzmann für den polnischen Vertreter, der Südslawe Dr. Jankovič, nahmen bis einige Zeit nach der Deklaration vom 30. Mai 1917 niemals auch nur eine oppositionelle Haltung ein und begründeten ihr Verhalten mit ausgesprochen regierungsfreundlichen Erklärungen, wobei sie sich auf ihre Parteivertretungen beriefen.

Hervorzuheben ist auch, daß die Kontrollkommission in der Zeit vom 10. August 1914 bis zu der am 10. September 1918 erfolgten Mandatsniederlegung seitens des Abgeordneten Maštálka 50 Sitzungen abgehalten hatte, und daß Abgeordneter Maštálka bis zum 28. April 1917 keiner einzigen Sitzung ferngeblieben war. Von der Zeit vom 28. April 1917 bis zum 10. September 1918 hielt die Kontrollkommission 14 Sitzungen ab. Abgeordneter Maštálka war bei fünf dieser Sitzungen anwesend. Ebenso regelmäßig, und zwar bis zur letzten, am 5. November 1918 abgehaltenen Sitzung der Kontrollkommission, nahm auch der Abgeordnete Dr. Jankovic teil, welcher nur dann fernblieb, wenn er infolge Verkehrsschwierigkeiten nicht rechtzeitig zu den Sitzungen eintreffen konnte.

Die Antwort der amerikanischen Regierung vom 18. Oktober 1918 auf die österreichisch-ungarische Bitte um Waffenstillstand und Friedensverhandlungen erklärte, daß der Präsident nicht mehr in der Lage sei, die bloße „Autonomie" der österreichischen Völker als eine Grundlage für den Frieden anzuerkennen. Er müsse darauf bestehen, daß sie und nicht er Richter darüber sein sollen, welche Aktion seitens der österreichisch-ungarischen Regierung ihre Wünsche und Auffassungen befriedigen werde. Dieser Auffassung über die Rechte der Völker Österreich-Ungarns stimmte die österreichisch-ungarische Regierung in ihrer Antwort vom 28. Oktober 1918 ausdrücklich und vorbehaltlos zu. Der österreichische Staat fügte sich dem nicht von seinen Staatsbürgern, sondern von den siegreichen Großmächten gestellten Verlangen ohne jeden Widerstand. Zur selben Zeit, zu welcher die staatlichen Behörden die Geschäfte den auf revolutionären Wege berufenen deutschösterreichischen Behörden übergaben, taten sie es ebenso ordnungsgemäß auch gegenüber den Vertretern der neugebildeten Nationalstaaten. Damit ging die staatliche Gewalt im gegenseitigen Einvernehmen derivativ und ohne irgendeine Unterbrechung von dem österreichischen ebenso wie auf den deutsch-österreichischen, auf den tschecho-slowakischen, polnischen und jugoslawischen Staat über.

Kann diese Tatsache wirklich ernsthaft bestritten werden? Kann der Weltfriedensvertrag auf Thesen aufgebaut sein, die den Tatsachen sichtlich und offenkundig widerstreiten? Vertreter der deutschösterreichischen Friedensdelegation sind mit Vertretern der Nationalstaaten beim Friedenskongreß bis zum letzten Tage der

Monarchie in einem und demselben Parlament friedlich nebeneinander gesessen, haben miteinander gegen eine und dieselbe kaiserliche Regierung Opposition gemacht, ja der eine oder andere dieser Vertreter saß leibhaftig in diesem Parlament auf der Bank der kaiserlichen Regierung – und nun lesen wir, daß beide die Angehörigen zweier kriegführenden Staaten gewesen sein sollen! Nein! Solche handgreiflichen Fiktionen können nicht in ein weltgeschichtliches Dokument einverleibt und durch die Unterschrift der größten Staatsmänner dieser Epoche als Tatsachen bekräftigt werden. Die schlichte Wahrheit ist: Die österreichisch-ungarische Monarchie hat einen Krieg geführt und verloren und ist dadurch untergegangen; auf ihrem Boden haben sich neue Staaten erhoben, jeder einzelne und alle miteinander die gleichen Erben des gleichen Unheils!"

Als Subbeilage 1 lag dieser Denkschrift die Publikation:

Huldigungstagung der tschechischen Bezirke und Gemeinden des Königreiches Böhmen zum Gedächtnis des Allerhöchsten Herrscherjubiläums Seiner k. u. k. Apostolischen Majestät des Allergnädigsten Kaisers und Königs Franz Joseph I., Prag, 2. Dezember 1915, bei.

Subbeilage 2. Eingabe Staněk, Šmeral, Maštálka, an den damaligen Minister des Äußeren Czernin und den Ministerpräsidenten.

Euer Exzellenz!

Die mit unserer Monarchie im Kriege befindlichen Staaten haben auf die Aufforderung des Präsidenten der Vereinigten Staaten von Nordamerika hin, ihre Kriegsziele zu nennen, unter anderem auch die „Befreiung der Tschechen von der Fremdherrschaft" als eines der Ziele bezeichnet, das sie durch Waffengewalt erreichen wollen.

Es geschah nicht zum ersten Male, daß der Feind in Waffen dem tschechischen Volke seine Hilfe bietet. Schon in einem anderen geschichtlichen Augenblick hatten die damaligen politischen Führer des tschechischen Volkes Gelegenheit, in einer Audienz vor dem Monarchen die Loyalität der tschechischen Nation zu bezeugen, und erhielten zur Antwort: „Ich habe niemals auf die Verdächtigungen der treuen tschechischen Bevölkerung geachtet, im Gegenteil, ich bewundere die würdige, treue und von Selbstverleugnung erfüllte Haltung der treuen Stadt Prag und des ganzen Landes Böhmen."

Mag auch die tschechische Politik seit jener Zeit genötigt gewesen sein, eine Reihe von Beschwerden, Wünschen und Forderungen in bezug auf Neuregelung der staatlichen und politischen Rechte des tschechischen Volkes sowie seiner sprachlichen, kulturellen und wirtschaftlichen Interessen zu äußern, so kann doch in der politischen Geschichte kein Fall festgestellt werden, in dem die politisch verantwortlichen tschechischen Körperschaften im Gegensatze mit der Treue zur Monarchie und mit der Ergebenheit für den legitimen Erben der böhmischen Krone sich befunden hätten. Niemals hat sich im tschechischen Volk etwas ereignet, was das Ausland berechtigen würde, daran zu zweifeln, daß das Volk unverbrüchlich entschlossen ist, auf die Erfüllung seiner Forderungen auf andere Art hinzuarbeiten als auf dem Boden des mächtigen Reiches, das es im Jahre 1526 durch freie Wahl Ferdinands I. begründete und das es durch Jahrhunderte unter dem Zepter der legitimen Dynastie Habsburg mit aufbaute.

Im Hinblick auf den Inhalt der Note der Entente teilen wir Euer Exzellenz mit, wie schwer wir es empfinden, daß die politischen Verhältnisse uns den legitimen Vertretungen des tschechischen Volkes, den Landtagen der Länder der böhmischen Krone und auch uns, den gewählten Vertretern des Volkes im Reichsrate, unmöglich machten, von freier Parlamentstribüne aus neuerlich die Treue des tschechischen Volkes gegenüber der Dynastie und dem österreichischen Staate zu bezeugen.

Wir beklagen dies umso schmerzlicher, weil eine solche Kundgebung unserer Loyalität, das heißt der unverbrüchlichen Ergebenheit für die Gesetze unserer böhmischen und unserer österreichischen Heimat, im neutralen Ausland auch den Eindruck gewissenloser Schlagworte paralysieren würde, welche dort in der letzten Zeit einige einzelne Personen veröffentlichen und die die Idee des österreichischen Staates kompromittieren können. Das tschechische Volk hat seine unverbrüchliche Treue zum Throne in den überaus schweren Momenten des Weltkrieges durch große Opfer an Gut und Blut erwiesen und wurde in dieser Beziehung von keinem österreichischen Volke in den Schatten gestellt.

Nach reiflicher Erwägung aller in Betracht kommenden Umstände unterbreiten wir Euer Exzellenz die Bitte, uns, wenn es schon nicht möglich ist, die ungebetene Intervention der Feinde des Reiches nachdrücklich und feierlich in den Landtagen der böhmischen Krone und im Reichsrate zu beantworten, den gewählten Vertretern des tschechischen Volkes im Reichsrate eine Audienz vor dem Throne Seiner k. k. Majestät zu erwirken.

Wir wollen bei diesem Anlaß unserm Monarchen versichern, daß wir ihm und seinem Nachkommen treu bleiben werden, daß wir, den Rechten unseres Volkes nachstrebend, immer gleichzeitig das Interesse der habsburgischen Dynastie und des Reiches zu erreichen suchen wollen, daß wir treu dem König und dem Staate anhänglich sind und daß die Beschwerden, die wir – wann immer – erhoben haben oder gegen die jetzigen Verhältnisse des tschechischen Volkes erheben, niemals unseren Glauben wankend gemacht haben, daß wir nach siegreicher Beendigung des Weltkampfes im Rahmen der Monarchie und unter dem Zepter der habsburgischen Dynastie die Erfüllung aller Rechte des tschechischen Volkes erreichen werden.

Wir bitten Euer Exzellenz, diese unsere Kundgebung und die mitverknüpfte Bitte, die bei den am 22. und 23. Jänner in Wien unter dem Vorsitz des gefertigten Abgeordneten Staněk und bei Anwesenheit der Mitglieder des Präsidiums der Vertreter aller tschechischen Parteien, der Reichsratsabgeordneten Dr. Hruban, Dr. Hübschmann, Maštálka, Dr. Stransky, Dr. Šmeral, Tusar und Udržal, stattgefundenen Beratungen des Präsidiums des „Tschechischen Verbandes" einhellig beschlossen wurde, zur Kenntnis nehmen zu wollen. Wir bitten Euer Exzellenz, die in diesem Beschluß ausgesprochene Bitte einer wohlwollenden Erwägung unterziehen zu lassen und unseren prinzipiell ablehnenden Standpunkt gegenüber der einschlägigen Stelle der Ententenote nach Gutdünken Euer Exzellenz auch der Öffentlichkeit bekanntzugeben. Wir benutzen diesen Anlaß, um den Ausdruck unserer vorzüglichen Hochachtung für Euer Exzellenz zu erneuern.

Wien, 24. Jänner 1917.

Dr. B. Šmeral m. p.   Franz Staněk m. p.   Maštálka m. p.

Auf der Grundlage der Darstellung und Analyse des politischen Verhaltens der Tschechen in der Heimat kam die Denkschrift zu folgenden Ergebnissen:

1. Auch während des gesamten Ersten Weltkrieges, und zwar bis in den Hochsommer 1918 herein, hat die große Mehrheit der gewählten politischen Vertreter der Tschechen den österreichischen Staatsverband bejaht und eine positive Haltung dazu eingenommen.

2. Eine tschechische Minderheit hat der österreichischen Regierung entgegengearbeitet, wie das auch bei den anderen Völkern der Monarchie der Fall war. Als Beispiel wird einer der Führer der deutsch-österreichischen Sozialisten, Dr. Viktor Adler, angeführt, der aus politischen Gründen den

österreichischen Ministerpräsidenten, Grafen Stürgkh, durch Revolverschüsse ermordete. Die Haltung dieser tschechischen Minderheit habe sich daher nicht grundsätzlich von der Haltung anderer Völker gegenüber der Monarchie unterschieden[1]).

3. Die Tschechen haben an der Tätigkeit des kaiserlich-österreichischen Parlaments bis zum Ende teilgenommen und haben dafür auch zwei Vizepräsidenten gestellt. Sie haben nicht während des Krieges die Haltung der sogenannten Obstruktion bezogen.

4. Die übergroße Mehrheit der tschechischen Soldaten hat in den Reihen der k. u. k. Armee gekämpft. Die Überläufer waren eine klare Minderheit.

5. Aus diesem Grund ist die von der Auslandsaktion vertretene Behauptung, daß sich das tschechoslowakische Volk im Krieg mit den Mittelmächten befunden habe, geschichtlich und politisch gesehen, eine Unwahrheit. Sie ist lediglich eine Rechtsfiktion, die von der geschichtlichen Wirklichkeit Lügen gestraft wird.

---

[1]) Dieser Vergleich hinkt freilich in einem entscheidenden Punkt: Es gab keine deutsch-österreichische politische Emigration mit einer gegen den Staat gerichteten Tätigkeit wie bei den Tschechen oder Südslawen.

II. ABSCHNITT

Die tschechische Auslandsaktion im Ersten Weltkrieg und die Entstehung des tschechoslowakischen Staates

A. Die völkerrechtliche Einkleidung des tschechoslowakischen Auslandsprogramms

1. Der Beginn des Ersten Weltkrieges schuf die Möglichkeit, die bisher isolierten außenpolitischen Schritte der verschiedenen tschechischen politischen Richtungen in eine zusammenhängende Aktion zu verwandeln. Nach mehreren Auslandsreisen im ersten Kriegsjahr beschloß G. Th. Masaryk, einer der führenden Tschechen der damaligen Epoche, Österreich zu verlassen. Er erhoffte den Sieg der Entente und wollte seinem Volk einen Platz in ihrem Lager sichern, um so sein Ziel, den unabhängigen tschechoslowakischen Staat, zu erreichen. In seiner Arbeit wurde er von dem etwas später nachfolgenden Dr. Benesch unterstützt, der bald sein wichtigster Mitarbeiter wurde.

Die Tätigkeit der tschechoslowakischen Auslandsaktionsgruppen, an deren Spitze diese beiden Männer standen, gipfelte in einer Reihe von Maßnahmen, die, in ihrem diplomatischen Gewicht unbestreitbar, in ihrer völkerrechtlichen Bedeutung aber umso schillernder sind.

Die Methode der tschechischen Auslandsaktion zwischen 1914/1918 hat der tschechischen Emigration während des Zweiten Weltkrieges als Vorbild gedient. Ihre Maßnahmen und ihre rechtspolitische Doktrin stehen mit den gegenwärtigen Problemen des Sudetendeutschtums in unmittelbarem Zusammenhang. Daher ist eine Klärung der völkerrechtlichen Natur der tschechoslowakischen Auslandsaktion während des Ersten Weltkrieges, der Versuch ihrer völkerrechtlichen Qualifizierung also, nicht nur völkerrechtsgeschichtlich und -dogmatisch, sondern auch eminent praktisch bedeutsam. Auch heben sich auf dem Hintergrund der Maßnahmen der tschechischen Auslandsaktion im Ersten Weltkrieg und ihrer völkerrechtlichen Qualifikation die Maßnahmen des Zweiten Weltkrieges in ihrem rechtlichen Profil schärfer ab. Das klassische europäische Völkerrecht des 19. Jahrhunderts war ein klares Staatenrecht. Der völkerrechtliche Rigorismus dieser Rechtsepoche ließ zwar bereits in der zweiten Hälfte des Ersten Weltkrieges nach, nötigte aber doch die alliierten Mächte zu größerer Zurückhaltung, zu vorsichtigen Formulierungen ihrer diplomatischen Schritte, zu einem korrekten Verhalten in allen Fragen der politischen Emigration, also auch gegenüber der tschechoslowakischen Auslandsaktion. Deswegen ist die völkerrechtliche Natur der einschlägigen Maßnahmen im Ersten Weltkrieg durchsichtiger als das unbedenkliche von vornherein auf massenpropagandistische Bedürfnisse zugeschnittene Spiel mit Anerkennungen von Auslands- und Exilregierungen im Zweiten Weltkrieg. An der größeren Zurückhaltung im Bereiche der mitteleuropäischen Emigrantenpolitik wirkte ferner ein zweiter entscheidender Umstand mit. Trotz der allmählich steigenden Unterstützung der tschechischen (und sonstigen, etwa der jugoslawischen oder polnischen) Emigrationsgruppen und ihrer Aktivität durch die Ententemächte besaßen doch die verantwortlichen Stellen des gegnerischen Lagers sehr lange kein klares und endgültiges Programm für die Zukunft Österreich-Ungarns. Zumal in dem für Fragen des europäischen Gleichgewichts hellhörigen England, aber auch in Frankreich wie in Italien gab es starke Strömungen, die in einem weiteren Dasein der Donaumonarchie eine europäische Notwendigkeit sahen. Man dachte wohl an eine Verlagerung der politischen Schwerpunkte innerhalb der Monarchie, an einen radikalen inneren Umbau, an ihre mehr oder weniger große Schwächung, aber nicht an ihr Verschwinden. Jeder wirklich endgültige diplomatische Schritt zu Gunsten einer der Emigrantenkomitees von Angehörigen des Habsburgerstaates mußte daher von ihnen unter dem Gesichtspunkt des politischen Präjudizes gegenüber der Donaumonarchie geprüft werden. Allein schon die daraus folgende Notwendigkeit, sich nicht vorzeitig festzulegen, hatte zur Folge, daß man die Unterstützung der Emigrationskomitees überlegt und vorsichtig dosierte und umgrenzte. Das gilt gerade von den Formen und Formulierungen der Schritte, die einer völkerrechtlichen Anerkennung nahe kommen sollten. *Masaryk* weist in seinen Weltkriegserinnerungen darauf hin, man müsse bei der Beurteilung der tschechischen Freiheitsbewegung und der Erlangung der Selbständigkeit unterscheiden „zwischen den Umständen, wie unser Staat politisch de facto, materiell entstand und denen, wie er de jure, juridisch formell entstand". Es sei ein Problem, wie das „historische und das Naturrecht" auf den selbständigen tschechoslowakischen Staat von den Alliierten und dann auch von den Zentralmächten anerkannt, und wie die Revolution im Ausland und in der Heimat legalisiert wurde. Er hebt in diesem Zusammenhang ausdrücklich hervor, daß er bei seiner Arbeit im Auslande „stets die schließliche juridische Formulierung unseres politischen Programms" im Sinn hatte, er sei auf die Probleme gefaßt gewesen, die sich bei der Friedenskonferenz in juridischer und internationaler Hinsicht ergeben würden. Er war sich bewußt, „selbst ebenso wie der ausländische Nationalrat revolutionäres Organ zu sein"; so erwartete er, daß die offiziellen Repräsentanten der Staaten sich ihm gegenüber auf den legitimistischen Standpunkt stellen würden. Das sei anfangs auch den tschechischen Militärgefangenen gegenüber geschehen. Er weist auf den Wandel in dieser Einstellung hin, der sich während des Krieges vollzog. „Eine weitere Errungenschaft war die ausdrückliche Anerkennung. Die Alliierten befanden sich in richtigem (ich möchte fast sagen: offiziellem) Kriege gegen Österreich-Ungarn und hielten sich an die internationalen politischen Gebräuche und

Normen." Später aber sei der „Legitimismus" mehr und mehr verblaßt und „wir wurden zunächst de facto und später auch de jure anerkannt[1])."

Die „juristische Formulierung" eines politischen Programms ist also hier rückschauend als bewußte Methode politischen Handelns gekennzeichnet. Die Notwendigkeit einer klaren Unterscheidung zwischen politisch-diplomatischem Tatbestand einerseits und einem völkerrechtlichen andererseits ist daher für eine rechtliche Betrachtung besonders geboten.

Für *Benesch* waren diese Fragen von vielleicht noch unmittelbarerem Interesse. Jedenfalls hat er dieses Thema in seinen Schriften höchst ausführlich behandelt. Der Fragenkreis, der die Probleme der internationalen Stellung des tschechoslowakischen Nationalrates, der Rechte der tschechoslowakischen Verbände im Ausland usw. umschloß, ist für ihn, je länger je mehr, zum Kardinalproblem der Auslandsaktion geworden. Es durchzieht als roter Faden auch seine Weltkriegserinnerungen. Dieses Buch und das dort ausgebreitete Material ist für unser Thema von größter Ergiebigkeit. Es sei ihm wohl erst auf der Friedenskonferenz klar geworden, meinte er rückblickend, welche juristischen, wirtschaftlichen, finanziellen und territorialen Folgen die vor Kriegsende erfolgte Anerkennung als mitkriegführende Nation für die Tschechen gehabt habe. Wohl wären den führenden Männern der Auslandsaktion auch während des Krieges die politische Seite der Sache, die Gefahr für den Fall, daß die Diplomaten vor oder nach Ende des Krieges ohne die Tschechen über den Frieden verhandeln würden, klar gewesen. Benesch hat, wie er an mehreren Stellen seiner Erinnerungen schildert, niemals eine Parallelsituation aus der böhmischen Geschichte aus den Augen verloren und sich daran orientiert. „Das Schicksal unserer Exulanten nach der Schlacht am Weißen Berge, das Los unseres großen Comenius, sein Umherirren an den europäischen Höfen und sein Suchen nach Hilfe gegen die Habsburger, die Nichterfüllungen der Versprechen, die wir damals erhielten, und das schließliche Fallenlassen aller unserer Forderungen beim Westfälischen Friedensschluß … all dies war für uns eine furchtbare Warnung. Deshalb kann man in unserem ganzen politischen Vorgehen und in allen unseren diplomatischen Verhandlungen sehen, wie wir zäh und fast fieberhaft darauf ausgingen, alle unsere politischen und diplomatischen Erfolge auf festen Grund zu stellen, wie wir zielbewußt eine Anerkennung durch eine andere ergänzten und bekräftigten, und wie wir danach trachteten, für die Alliierten eine Situation zu schaffen, in der sie sich auf keinen Fall und unter keinen militärischen und politischen Umständen zurückziehen konnten[2])."

Daher habe er schon im Sommer 1917, nach der Zustimmung der französischen Regierung zur Aufstellung einer tschechischen Armee, vor dem Nationalrat . . . die Notwendigkeit vertreten, durch systematische Arbeit

---

[1]) G. T. *Masaryk*, Die Weltrevolution – Erinnerungen und Betrachtungen (1925), S. 395 ff.

[2]) Eduard *Benesch*, Aufstand der Nationen, 1928, S. 522.

noch während des Krieges zur Errichtung einer von den Alliierten rechtlich anerkannten selbständigen Regierung im Ausland zu gelangen. Dementsprechend wertete er ihr Gelingen . . . „Politisch und historisch beurteilt ist es meiner Meinung nach der größte Erfolg unserer politischen und diplomatischen Tätigkeit während des Krieges, daß uns gerade dies in vollem Maße geglückt ist: wir erreichten lange vor dem Ende des Krieges die Anerkennung unserer Nation als verbündete, kriegführende Nation, d. h. als Nation, die nach internationalem Recht für sich bestand und nicht einen Teil des Blocks der Zentralmächte bildete. Das ist eine Tatsache, die in ihren Folgen unserem Staate bei der Friedenskonferenz große Erfolge sicherte. Denken wir uns nur in die Lage hinein, daß man bei den Meinungsverschiedenheiten zwischen den Alliierten und ihrer Unkenntnis der mitteleuropäischen Verhältnisse über uns und nicht mit uns verhandelt hätte[1])." Diese Gefahr war in der Tat bei den Tschechen am größten. Ihr ganzes Volksgebiet befand sich, worauf er auch hinweist, innerhalb des Habsburgerreiches und bildete für die Alliierten rechtlich und faktisch einen Bestandteil davon; sie hatten nicht neben sich einen volksgleichen oder verwandten Staat wie die österreichisch-ungarischen Südslawen, die Siebenbürger Rumänen oder die Italiener, der bei Kriegsende als Repräsentant und Verteidiger aufgetreten wäre. „In der Stunde des Waffenstillstands und des Friedensschlusses wären wir einfach Gegenstand der Verhandlungen geworden, die wir schwer bezahlt hätten." Auch bei den Verhandlungen um die Aufstellung militärischer tschechoslowakischer Verbände in Frankreich hatten ihn ähnliche Gedanken bewegt. „Wenn in den Pariser Verhandlungen die Autonomie der Armee und die politische Souveränität des Nationalrates und dadurch ausdrücklich die Anerkennung des tschechoslowakischen Nationalrates als Repräsentanten der tschechischen Nation durch die französische Regierung gesichert wurden, und wenn man zuließ, daß unsere Soldaten den Eid der tschechoslowakischen Nation leisteten, so war dies für die damalige Zeit ein großer politischer und moralischer Erfolg; Frankreich sah darin die ersten Anfänge unserer Selbständigkeit. Ich trachtete diese Symbole in dem verbindlichen Dokument festzuhalten und ausdrücklich zu sagen, daß die sich bildende Armee zwar eine Kampf- aber auch eine politische Armee sei, da sie aus Freiwilligen bestehe, und daß sie die Erringung der nationalen Selbständigkeit zum Ziele habe. Und weiter trachtete ich, diesen Erfolg irgendwie zu sichern: *vom ersten Augenblick an* wurde ich in meiner diplomatischen Tätigkeit *von dem Gedanken geleitet*, was wir tun müßten, um nicht *allen alliierten Versprechungen, Verpflichtungen und Erklärungen zum Trotz* bei den *entscheidenden Friedensverhandlungen über Bord geworfen zu werden*, wie einst unsere großen Vorgänger nach der Schlacht am Weißen Berge. Ich verdichtete meine Sorge jetzt in der Forderung, daß ein Teil unserer künftigen Armee, auch wenn diese an der Front verwendet würde, womöglich so

---

[1]) Benesch, a. a. O., S. 522.

intakt bleiben sollte, daß er in der Zeit der Friedensverhandlungen weiter bestand. Unsere Truppen hätten sonst bei ihrer ersten Verwendung in Kämpfen, wie es die Verdunschlachten waren, vernichtet werden können, und wir hätten damit unser politisches Gewicht verloren[1])."

In diesen Fragen bestand eine vollständige Gleichheit der Auffassung zwischen Benesch und Masaryk. Auch dieser hatte die Armeefrage im Junktim zur rechtlich-diplomatischen Position der tschechoslowakischen Auslandsaktion im Kriege und vor allem bei Kriegsende gesehen. Benesch schildert Masaryks Auffassungen zu diesen Fragen wie er sie bereits im Februar 1915 formulierte. „Wenn wir eine Armee aufstellen", meinte Masaryk, „so gelangen wir dadurch in eine neue Rechtslage sowohl zu Österreich, als auch zu den Alliierten. Ein weiterer Schritt wäre unter Umständen die formelle Kriegserklärung an Österreich-Ungarn. So wird eine politische Lage entstehen, die es uns im Augenblick der Friedensverhandlungen ermöglichen wird, wenigstens ein Minimum unserer Forderungen durchzusetzen. In jedem Falle werden uns weder die Alliierten noch Wien schweigend übergehen können, wenn wir Soldaten haben. Die Alliierten und auch wir daheim werden ein Kompensationsmittel zur Erlangung von nationalen Zugeständnissen haben, selbst wenn die Sache schlecht ausgeht. Ohne entschlossenen militärischen Kampf werden wir aber von niemandem etwas erreichen." So war, fügte Benesch hinzu, unser Plan schon formuliert gewesen, als wir uns noch gar nicht trauten, mit Sicherheit auf einen vollen Erfolg zu rechnen.

Die Beweggründe einer Politik, die sich aus Verschwörertum und Untergrundaktion langsam über verschiedenste Zwischenbereiche zur diplomatischen Aktivität entwickelt, stets das Ziel, ein höchstmögliches Maß scheinbarer oder wirklicher völkerrechtlicher Rechtsförmigkeit vor Augen, sind hier klar ausgedrückt. Völkerrechtliches Handeln ist nach klassischem Völkerrecht, das in dieser Epoche unbestritten galt, eine Fähigkeit nur des Staates, setzt staatliches Dasein voraus. Der tschechoslowakischen Auslandsaktion ging es um die Möglichkeit, quasi völkerrechtliche Akte für sich zu buchen, die ihr den formalen Anschein oder Anstrich einer regierungsähnlichen Stellung gaben. Was für die anderen österreichischen Nationalitäten ihre volksverwandten Staaten, sollte hier die völkerrechtliche oder quasi – völkerrechtliche Position sein.

Eine sorgfältige Analyse zeigt indes, daß die alliierten Regierungen, auch die französische, in diesem Bereich mit Behutsamkeit vorgingen. Erst in der allerletzten Etappe des Krieges, als sich die mitteleuropäischen Kriegsziele der Entente nach einer Periode der Unklarheiten, der Tastens, der Versuche klar herauskristallisiert hatten, entschlossen sich Frankreich und England zu diplomatisch verbindlichen Schritten. Aber selbst hier ist diplomatische Verbindlichkeit, die Ernsthaftigkeit des p o l i t i s c h e n Engagements von völkerrechtlicher Bindung zu unterscheiden. Das soll im folgenden an Hand der Darlegungen der entscheidenden Männer der tschechischen Auslands-

---

[1]) Benesch, a. a. O., S. 226/27.

aktion geschehen. Namentlich die Ausführungen Benes̆chs sind, entsprechend seiner Bewertung dieser Fragen, von größter Ausführlichkeit.

2. Wir erwähnten schon, daß die Existenz der Donaumonarchie und das Fehlen eines klaren Ententeprogrammes über ihr zukünftiges Schicksal einen wesentlichen Einfluß auf die Haltung der Ententestaaten zu den Emigrationskomitees hatte. Hierin liegt einer der großen Unterschiede zwischen Erstem und Zweitem Weltkrieg. Wenn auch interessanterweise die Repudiation des Münchener Abkommens durch England erst 1941 erfolgte, so gab es doch im Zweiten Weltkrieg keinerlei der bedingten Rücksicht auf die Donaumonarchie vergleichbare Hemmungen. So bedarf daher diese Frage hier einer kurzen übersichtlichen Erwähnung. Man muß auf optischen Eindruck berechnete Akte von wirklicher Zielsetzung wohl unterscheiden. Wenn auch Anfang 1917 z. B. die Alliierten in ihrer Antwort an Wilson eine die Zerstörung des Donaustaates nahelegende Zielsetzung aufnahmen, so kam es doch noch ein Jahr später zu ernsten Verhandlungen, die im Namen Englands der spätere südafrikanische Premierminister Smuts und der k. u. k. Botschafter Graf Mensdorff in Genf führten. Sie faßten nicht nur das weitere Dasein, sondern unter Umständen eine Vergrößerung der Monarchie ins Auge. (Auch Wilson zeigte sich Verhandlungen, die durch König Alfons nach Wien vermittelt wurden, nicht abgeneigt (Februar, März 1918), die jedoch wohl im Zusammenhang mit dem Konflikt Czernin-Clémenceau versandet sind.) Welche Schwierigkeiten es noch 1916 machte, die Erwähnung einer auch im Einzelnen völlig unbestimmt gelassenen „Befreiung der Tschechoslowaken" unter die alliierten Kriegsziele aufzunehmen, schildert Benes̆ch selbst sehr anschaulich.

Ende 1916 hatte der amerikanische Präsident Wilson eine Friedensvermittlungsaktion unternommen und die kriegführenden Parteien zur Bekanntgabe ihrer Kriegsziele aufgefordert. Bei ihrer Formulierung haben auf Entente-Seite auch Emigrantenpolitiker mitgearbeitet. Der Satz in der 1. Stellungnahme der Alliierten vom 30. 10. 1916, der Friede sei nicht möglich, solange nicht einerseits die Wiederherstellung aller verletzten Rechte und Freiheiten, andererseits „die Anerkennung des Nationalitätenprinzips und der freien Existenz der kleinen Staaten gesichert sein werden", geht, nach Benes̆ch, auf solche Einflüsse zurück. Die tschechische Führung beschloß, in der 2. Antwort „das Maximum des Erreichbaren" zu erstreben. Benes̆ch schildert, wie er Kammerer, dem Vertreter des damaligen Chefs der politischen Abteilung im französischen Außenministerium, die Notwendigkeit darlegte, den Widerstand der Nationalitäten Österreich-Ungarns durch ausdrückliche Erwähnung ihrer nationalen Forderungen in der alliierten Note zu stärken. Seine Freunde in Böhmen erwarteten, führte er aus, daß die Entente entschieden etwas für sie tun würde; ohne alliierte Unterstützung könnten sie eine Politik des Widerstandes nicht fortsetzen. Die Lage Österreich-Ungarns sei kritisch, der Augenblick deshalb geeignet, die Monarchie durch eine solche Kundgebung empfindlich zu treffen.

Aber der französische Diplomat verhielt sich zurückhaltend. Er verwies auf die Gesamtstimmung der Alliierten. Sie würden wohl für die Freiheit der unterdrückten Nationen Mitteleuropas allgemein eintreten, wären aber nicht für eine detaillierte Aufzählung der die einzelnen österreichisch-ungarischen Völker betreffenden Fragen. Sie schreckten vor dem öffentlichen Versprechen zurück, bis zur vollständigen Zertrümmerung des Habsburger Reiches zu kämpfen: es könnte eine Situation entstehen, in der sie es nicht zu halten vermöchten. Außerdem seien die alliierten Truppen von der österreichisch-ungarischen Grenze so weit entfernt, daß es lächerlich wäre, von einer Vernichtung des Habsburgerreiches zu reden. Ein weiteres Argument sei, ein Versprechen, das Habsburgerreich zu zerschlagen, würde die Verlängerung des Krieges ins Unendliche bedeuten. *Und schließlich könnten sich die Regierungen ganz allgemein nicht dem Weg zu einer „eventuellen anderen vorteilhaften Lösung" verschließen.* (Daß diese „andere vorteilhafte Lösung" den Weiterbestand der Donau-Monarchie meinte, war den Tschechen klar.) Benesch gewann für sein Ziel die große Pariser Presse und einflußreiche Politiker, und so vertrat Frankreich schließlich den tschechischen Wunsch auf der alliierten Konferenz in Rom. In der alliierten Note, die die Befreiung der Italiener, Slawen, Rumänen und Tschechoslowaken von fremder Oberherrschaft forderte, waren auch die „Tschechoslowaken" ausdrücklich erwähnt. Ihre Erwähnung wurde aber erst nachträglich angenommen, als die frühere Formel über die Konstituierung des selbständigen Polen mit einem Zugang zum Meer und über die Befreiung der Italiener, Rumänen, und österreichisch-ungarischen Slawen schon genehmigt worden war[1].

Wenn Benesch die Bedeutung dieser alliierten Kundgebung unterstreicht, so ist ihm beizupflichten. Wenn er aber daraus ableitet, daß die tschechische Frage „durch diese Erklärung ein internationales Problem wurde, das nicht mehr innerhalb des Habsburgerreiches auf innerpolitischem Wege gelöst werden konnte", so zeigen die späteren Verhandlungen, insbesondere die entscheidenden Verhandlungen mit Balfour im Sommer 1918, daß damals davon noch keine Rede sein konnte. Gerade die Reaktion des „Tschechischen Verbandes" in der Heimat, der sich in einer Adresse an den Außenminister Graf Czernin offiziell von der alliierten Kundgebung distanzierte und seine Loyalität und Treue zu Österreich und der Dynastie betonte, ist noch im Sommer 1918 Benesch von Balfour vorgehalten worden[2].

In dem umfangreichen Werk, das die Geschichte der Zerstörung Österreich-Ungarns während des Ersten Weltkrieges untersucht, weist Glaise-Horstenau darauf hin, daß zwar sowohl in Paris als in London intellektuelle Kreise am Werk waren, die seit Jahren die tschechische und südslawische Irredenta unterstützten. In Paris war es zum Beispiel Cheredame, vor allem aber

---

[1] Benesch, a. a. O., S. 142 ff.
[2] Vgl. die Erklärungen der tschechischen Parlamentarier an den k. u. k. Außenminister Grafen Czernin vom 24. Januar 1917 oben S. 44/45.

Ernest Denis, der zwei seiner großen Untersuchungen der böhmischen Geschichte gewidmet hatte. Aber Denis, für die Tschechen ein Stern erster Ordnung, war es keineswegs für die Franzosen. Für das politische Paris war Denis, nach Masaryks Zeugnis, „ein Professor und Literat, der unter seinesgleichen viele Gegner, aber unter den Parteien und in den Offizierskreisen keinen Einfluß hatte." (Masaryk erwähnte, daß die Tschechen in Paris wegen Denis sogar Schwierigkeiten hatten.) In London war wohl der Kreis um Seton Watson und um Wickham Steed einflußreicher. Aber auch hier bestanden zeitweilig starke Spannungen zu den Regierungskreisen. Die Times, der Steed angehörte, blieb z. B., ebenfalls nach Masaryks Zeugnis, den ganzen Winter 1914/15 über ohne Verkehr mit dem Auswärtigen Amt. So standen auch im Westen den Gegnern der Donaumonarchie entschiedene Verfechter ihres Bestandes gegenüber. Die Gründe dafür sind verschieden. In Italien z. B., das gemeinhin als Erbfeind der Monarchie galt, war bis zu Kriegsende eine starke Strömung vorhanden, die in einem einigen Südslawien und seiner voraussichtlich starken adriatischen Stellung einen viel unangenehmeren Gegner erblickte als in der Donaumonarchie und daher wohl für ihre Schwächung, aber nicht für ihre Zerstörung war.

In der englischen Gesellschaft liefen noch Ende 1917 Denkschriften um, die es als annehmbar bezeichneten, den Deutschen im Osten freie Hand zu lassen und Belgien den Anschluß an das mitteleuropäische Zollgebiet freizustellen; auch Österreich-Ungarn könne beiläufig seine Grenzen behalten. Unter dem Drucke solcher Stimmungen mußte Lloyd George am 5. Januar 1918 vor den englischen Gewerkschaften im Einvernehmen mit Asquith und Grey wohl oder übel die Bindung Großbritanniens durch belastende Verträge ableugnen und neben anderen früher verbindlichen Kriegszielen auch die Absicht, Österreich-Ungarn zu zertrümmern, entschieden in Abrede stellen[1]).

Hier nun muß man daran erinnern, d a ß   d i e   I n i t i a t i v e zur internationalen Diskussion der böhmischen Frage ü b e r h a u p t   n i c h t v o m   W e s t e n , sondern vo m   z a r i s t i s c h e n   R u ß l a n d   a u s - g i n g . Freilich in der einschränkenden Bedeutung, daß Rußland dieses Problem wohl nicht als ein intern österreichisches, aber auch keineswegs als ein internationales schlechthin ansah; es wollte vielmehr die böhmische Frage ausschließlich als im russischen Interessenkreis liegend anerkannt wissen. Der Außenminister Sasonow, zur neoslawistischen Richtung der russischen Politik gehörig, hat diese Frage gleich zu Anfang des Krieges aufgeworfen. In einer auf sorgfältigem Aktenstudium beruhenden Abhandlung über „Böhmen und die Tschechoslowakei" hat E. Hölzle gezeigt, daß Benesch und Masaryk in ihren Schriften diesen Anteil Rußlands nicht wahrhaben wollten. „Die Autoren dieser Bücher über Weltkriegsprobleme waren Politiker, keine Historiker. Sie paßten sich der Lage an, die damals

---

[1]) *Glaise-Horstenau,* Die Katastrophe, S. 158.

durch das Fehlen Rußlands bestimmt war . . . Es hätte keinen politischen Zweck gehabt, der untergegangenen Zarenmonarchie, die ja von ihren bolschewistischen Nachfolgern zunächst nur verleugnet wurde, einen Vorrang in der Patenschaft fremder Mächte zuzugestehen, wo man doch vielmehr diesen Rang und die daraus gefolgerte Verpflichtung zum weiteren Schutz der brüchigen Staatlichkeit den Westmächten zuerkennen wollte[1]."

Hölzle weist auf schon vor Kriegsausbruch liegende Versuche hin, das russische Interesse an Böhmen bestätigen. Der Neoslawist Fürst Trubetzkoi sollte als russischer Konsul nach Prag gehen, erhielt aber nicht das k. u. k. Exequatur. Die tschechischen Verbindungen nach Rußland gingen über eine der hervorragendsten Persönlichkeiten des Neoslawismus, den Reichsratsabgeordneten Dr. Kramař, den späteren tschechoslowakischen Ministerpräsidenten, und den Sokolführer Dr. Scheiner. Nach Kriegsausbruch verstärkte sich das russische Interesse für Böhmen. Der Zar empfing zweimal eine Abordnung der in Rußland lebenden Tschechen und ließ sich an Hand einer Karte ihre Pläne erklären. Im Aufruf des Generalissimus N. Nikolajewitsch wurde den Völkern Österreich-Ungarns die Abschüttelung fremden Joches, Freiheit und Verwirklichung der nationalen Wünsche zugesagt. Sasonow nannte am 14. August 1914 gegenüber dem französischen Botschafter Paléologue die „Befreiung Böhmens" als eines der Kriegsziele. Freilich dachte er damals an einen österreichischen Trialismus mit einem autonomen slawischen Teil. Und als 1915 Paléologue von der Hoffnung auf den Abfall Österreich-Ungarns vom deutschen Bündnis sprach, warf Sasonow ein: Und Böhmen, man müßte es also unter dem gegenwärtigen Regime lassen[2]? Sasonow mußte freilich Rücksichten auf bremsende konservative Strömungen nehmen. Doch er vergaß die Tschechen nicht. Im Herbst 1916, wenige Monate vor dem Zusammenbruch des Zarenreiches, entstanden im russischen Außenministerium zwei Denkschriften, die gegen die Pläne der Westmächte, sich bestimmenden Einfluß auf die Tschechen zu sichern, Rußlands entscheidendes Interesse als slawische Vormacht im böhmischen Raum zu wahren suchten. Daher hatte auch Masaryk zu Beginn seiner Auslandstätigkeit mit dem Mittelsmann des russischen Außenministeriums Svjatowskij enge Verbindungen angeknüpft. Im Frühjahr 1915 berichtete Masaryk, „er erwarte den Einmarsch der Russen in das tschechische Land". Und auch in der Denkschrift für den englischen Außenminister Grey führte er aus, *daß das böhmische Volk russophil* sei, *eine russische Dynastie ersehne* und daß *Rußlands Pläne und Wünsche* von bestimmendem Einfluß auf die Tschechen sein würden[3]. Für die Russen war das böhmische Problem ein Teil ihres Konzepts der österreichischen Frage, das schließlich auf Zertrümmerung hinauslief. Die

---

[1]) *E. Hölzle,* Der Osten im Ersten Weltkrieg, in: Das Reich und Europa, Gemeinschaftsarbeit deutscher Historiker, herausgegeben von Theodor Mayer und Walter Platzhoff, Leipzig 1944. S. 160.
[2]) Hölzle, a. a. O., S. 161.
[3]) Hölzle, a. a. O., S. 163.

Westmächte behielten jedoch immer die Möglichkeit eines russischen Sonderfriedens mit Deutschland im Auge. „Nur die Rücksicht auf Rußland und die Angst vor dessen Geneigtheit zu einem Sonderfrieden mit Deutschland bewirkte, daß die Westmächte sich einige Zeit dem russischen Plan einer Zertrümmerung der Donaumonarchie gefügig zeigten[1]."

Erst im Verlauf des Krieges, vor allem unter dem Einfluß der russischen Revolution, die an der Stelle des Zarenreiches zunächst ein Machtvakuum entstehen ließ, trat der Westen in der böhmischen Frage hervor.

Die Entwicklung vollzog sich in langsamem Tempo und war immer wieder durch das Gewicht konservativer Auffassungen gehemmt, die in der Zerschlagung eines so wesentlichen Mitglieds des europäischen Konzerts den Beginn unabsehbarer und unberechenbarer Verwicklungen sahen.

Diese relative Festigkeit der diplomatischen Stellung Österreich-Ungarns stand nun freilich im Zusammenhang mit der gesamten weltpolitischen Kräftegruppierung, das hieß konkret, mit dem österreichisch-deutschen Bündnis. Wenn daher die Entente, insbesondere englische Kreise, wie es den Anschein hat, bis 1918 an dem Bestand Österreich-Ungarns festzuhalten schienen, so ist es Sache des Historikers zu prüfen, wie weit dabei der Gedanke einer Trennung Österreichs von Deutschland, eine Lösung des österreichisch-deutschen Bündnisses ausgesprochene oder unausgesprochene Voraussetzung war. Das zeigte sich besonders im Verlauf der Verhandlungen des „bedeutsamsten Friedensschrittes im Weltkrieg", nämlich der Verhandlungen, die zwischen 15. und 20. Dezember 1917 in Genf zwischen dem südafrikanischen Staatsmann Smuts, der auch als Empirepolitiker eine große Rolle spielte, und dem früheren k. u. k. österreichischen Botschafter Grafen Mensdorff (einem Verwandten des englischen Königs) stattfanden, deren Bedeutung noch dadurch unterstrichen wurde, daß der britische Ministerpräsident Lloyd George Smuts auch noch seinen persönlichen Sekretär, Philipp Kerr, den späteren Lord Lothian, beigab.

Smuts wich der Absicht Mensdorffs, die deutsch-englischen Beziehungen zu erörtern, aus. Dazu sei die öffentliche Meinung Englands noch nicht bereit. Dagegen wollte das Foreign Office gerne mit Österreich-Ungarn ins Gespräch kommen, dessen Zerstörung man in England keineswegs wünsche. Man denke im Gegenteil sogar ernsthaft an eine Vergrößerung des Habsburgerreiches. Denn der Zusammenbruch Rußlands habe die Gleichgewichtsverhältnisse in Mittel- und Osteuropa derart zu Gunsten Deutschlands verschoben, daß nur ein starkes Österreich ein gewisses Gegengewicht abzugeben vermöchte.

... „Sehr bezeichnend malte sich im Kopfe des Generals Smuts die Lösung der österreichischen Frage ab, wobei dem Buren das britische Imperium mit seinen Dominien und Kolonien als Vorbild vorschwebte. Mit der deutsch-magyarischen Führung müsse, so erklärte er, selbstverständlich gebrochen

---

[1] Hölzle, a. a. O., S. 164.

werden. Eine solche innere Umformung der Donaumonarchie werde der Entente auch die Möglichkeit bieten, die den Serben und Rumänen bei Kriegseintritt gegebenen Versprechen zu erfüllen, ohne damit die Monarchie zu schwächen. Österreich werde Bosnien und ein Stück Küste an Serbien, Siebenbürgen oder doch wenigstens die südliche Bukowina an Rumänien abzutreten haben, dafür aber beide Königreiche zu einem weiteren Staatenbunde heranziehen können. Ähnlich möge mit einem vergrößerten Polen verfahren werden. Gedanken solcher Art waren sicherlich auch für einen Österreicher verlockend. Aber Mensdorff setzte ihnen doch ein erhebliches Maß von Zweifel entgegen. Dem Drängen Englands auf Föderalisierung begegnete er mit der gewiß gerechtfertigten Bitte, man möge Österreich, das sicherlich guten Willens sei, im Hinblick auf die Größe des Problems ein wenig Zeit lassen. ... Mensdorff war ausdrücklich beauftragt worden, mit Smuts nur über einen allgemeinen Frieden zu reden. Nun versicherte Smuts wohl, daß es nicht die Absicht Englands sei, Österreich-Ungarn zum Treuebruch gegenüber seinen Bundesgenossen zu verleiten. In der Sache liefen aber die Vorschläge Englands doch darauf hinaus. Mensdorff sah sich daher zu einer Zurückhaltung genötigt, die es ihm unmöglich machte, seinen Partner zu einer fairen Sprache zu veranlassen. Smuts erklärte dessen ungeachtet, mit dem Ergebnis der ersten Begegnung sehr zufrieden zu sein, und die beiden Unterhändler verabschiedeten sich in freundschaftlichster Weise. Die hier schon berührte Erklärung, die 14 Tage später Lloyd George zu Gunsten des Fortbestandes Österreich-Ungarns abgab, kann als Echo des günstigen Eindruckes betrachtet werden, den Smuts mitnahm. Nur verriet dann allerdings ein Vorfall im Londoner Parlament, daß es dabei den Engländern wirklich vor allem auf die Loslösung der Donaumonarchie von Deutschland ankam. Der britische Außenminister Balfour gestand dies auf eine die Unterredung Mensdorff-Smuts betreffende Anfrage des Abgeordneten White ohne Umschweife zu[1].“ Diese Anfrage war, wie Benesch berichtet, auf sein und seiner Freunde Betreiben erfolgt.

Auch wenn man in solchen Verhandlungen und Projekten einen diplomatischen Köder sieht, wird man den realen Kern nicht bestreiten können. Aus allen Gedanken und Programmen, die sich mit der Donaumonarchie befassen, geht eines klar hervor: daß ihre Erhaltung und Weiterexistenz mindestens eine ebenso reale Möglichkeit war als ihre Aufteilung.

Eben diese Alternative bestimmt aber nun auch die diplomatische und völkerrechtliche Stellung der Auslandsemigrationen im ganzen und der tschechoslowakischen Aktionsgruppe im besonderen. Die föderalistischen Elemente der Monarchie und die Möglichkeit der Verstärkung ihres Ausbaus boten zudem die Möglichkeit (wie Smuts betonte), in einer solchen Entwicklung die Einlösung der den verbündeten Staaten Serbien und Rumänien bei Kriegseintritt gegebenen Versprechungen zu sehen. Ein ausgesprochen austroslawophiler Engländer, Wickham Steed, hat die Alternative der Entente-

---

[1] Glaise-Horstenau, a. a. O., S. 162.

politik gegenüber Österreich-Ungarn klar entwickelt. In seiner am 28. 2. 1918 für den Leiter des britischen Propagandaamtes, Northcliffe, verfaßten Denkschrift heißt es: „Es gibt für das Propagandaamt zwei politische Möglichkeiten gegenüber dem Gegner,

a) beim Kaiser (von Österreich), dem Hofe und dem Adel auf einen Sonderfrieden hinzuarbeiten unter Verzicht auf eine Einmischung in die inneren Verhältnisse des Habsburgerreiches und bei Wahrung seines Gebietsumfanges; oder

b) die Vernichtung der österreich-ungarischen Macht zu versuchen als des schwächsten Punktes in der Kette der Feindstaaten, indem man alle deutschfeindlichen, ententefreundlichen Völker und Bestrebungen unterstützt und ermutigt. Die Politik a) ist ohne Erfolg versucht worden. Die Habsburger sind nicht frei. Sie haben, selbst wenn sie wollten, nicht die Kraft, von Deutschland abzufallen,

1. weil sie zu stark unter dem Drucke der inneren Verfassung ihrer Länder (der Doppelstaatlichkeit) stehen, die dem Deutschen Reich in Gestalt der Deutschen in Österreich, der Magyaren in Ungarn, einen starken Hebelarm in die Hand gibt,

2. weil die Alliierten den Habsburgern, ohne mit Italien zu brechen, keine annehmbaren Bedingungen gewähren könnten. Es bleibt daher nur die Politik b) zu versuchen." Northcliffe nahm auf dem Boden dieser Analyse im Sinne der letzten Gedankengänge Steeds die eine Alternative für erschöpft an. In einer am 24. Februar an die Regierung gerichteten Note verlangte er, man möge endlich aufhören zu versichern, daß man die Zerstörung des Habsburger Reiches nicht wünsche und den Völkern Habsburgs immer nur die Selbstregierung oder eine autonome Entwicklung verspräche; dies verstimme die Führer dieser Nationen. Auch sei nicht zu übersehen, *welch wertvolle Propagandawerkzeuge den Regierungen gerade in den Emigrantenkomitees zur Verfügung stünden.* Allerdings werde Italien etwas von seinen Aspirationen nachlassen müssen. Grundsätzlich sei wohl eine Zerlegung der Donauvölker in kleine Staaten zu vermeiden und die Schaffung eines nichtdeutschen Donaubundes anzustreben. Wolle sich Deutschösterreich dabei an Deutschland anschließen, so sei dem nicht entgegenzuarbeiten. Aber auch in diesem Zeitpunkt war die Antwort des verantwortlichen Leiters der britischen Außenpolitik, Balfours, hinhaltend und ausweichend. Es wäre, meinte er, für das Kabinett sehr schwierig, sich schon jetzt für oder gegen eine Zertrümmerung des Habsburgerreiches zu entscheiden. Glücklicherweise nötige der Vorschlag des Propagandaministers noch keineswegs dazu, sondern biete für Österreich möglicherweise sogar einen neuen Anreiz, sich in der von der Entente gewünschten Form umzugestalten. Auf die Replik Northcliffes, daß angesichts des drohenden Angriffs der k. u. k. Armee gegen die fast zusammengeschlagenen Italiener ein Propagandafeldzug bei den Nationalitäten in der österreichischen Armee in spätestens 14 Tagen beginnen müsse und das Kriegskabinett dieser auf Befreiung der habsburgischen Nationen gerichteten

Aktion nicht durch Betonung eines österreichfreundlichen Kurses in die Arme fallen dürfe, beruhigte Balfour Northcliffe, aber er forderte bezeichnenderweise doch, *daß den habsburgischen Nationen das Versprechen völliger Selbständigkeit nicht gegeben werden dürfe.* Es war die Zeit, in der sich M. Kerr, der Sekretär Lloyd Georges, in der Schweiz eifrig, aber vergebens bemühte, den zwischen Smuts und Mensdorff in Genf angeknüpften Faden fortzuspinnen[1]).

Den Ausschlag gab die Kriegslage. Die englische Propagandaleitung verlegte ihre Tätigkeit auf Italien als den gefährdetsten Punkt der alliierten Front. Steed ging ins italienische Hauptquartier nach Padua. Er fand die Italiener in heller Aufregung. Badoglio, damals stellvertretender Generalstabschef, forderte die *Unterwühlung der österreichischen Armee durch Nationalitätenpropaganda,* und zwar indem man den slawischen und romanischen Völkern *volle staatliche Unabhängigkeit* in Aussicht stelle. Diese Forderung der italienischen Heeresleitung gab Steed sofort an Balfour weiter und verlangte die Aufhebung des bisherigen Verbots. Balfour seinerseits stand unter dem Eindruck der Erfolge des großen deutschen Angriffes im Westen, der in wenigen Tagen die britische Armee vor Amiens vernichtet hatte. Bestärkt durch Clemenceau, warf Balfour die letzten Bedenken gegen Northcliffes österreichfeindliche Politik über Bord: man mochte immerhin, wenn damit Italien militärisch geholfen war, die Unabhängigkeit der habsburgischen Nationen als Kriegsziel der Entente verkünden.

Erst damit war für die im alliierten Lager eine Schlüsselstellung besitzende britische Diplomatie die Entscheidung gefallen. Sie drückte sich bald auch rechtspolitisch aus, indem die englische Regierung in einer Reihe von Akten die Stellung der tschechoslowakischen Auslandsaktion und des tschechoslowakischen Nationalrates konsolidierte.

Wir haben schon bemerkt, daß für Benesch der Fragenkomplex der rechtlichen und politischen Stellung des Nationalrates und der bewaffneten Truppenverbände zentrale Bedeutung hatte. Bis zum letzten Augenblick fürchtete er, ihm und seinen Freunden könnte das Schicksal der böhmischen Exulanten des Dreißigjährigen Krieges widerfahren, die trotz aller Verpflichtungen und Garantien schließlich doch fallengelassen wurden. Er sah die prekäre Lage einer Auslandsaktion und eines Auslandsorgans, die im Namen eines Volkes und Gebietes auftraten, das nach internationalem Recht legitim vom Gegner vertreten wurde. Mit größter Zähigkeit drängte er danach, einmal eine nennenswerte *bewaffnete Macht* auf die Beine zu bringen, um, darauf gestützt, Pfänder und Druckmittel bei den Friedensverhandlungen in der Hand zu haben, die ihm das Schicksal von 1648 ersparten. Zum zweiten ging es ihm darum, schon möglichst frühzeitig eine *Anerkennung* einzuheimsen, die den Nationalrat so nahe wie möglich an die heißbegehrte Position einer anerkannten Regierung brachte und die aus Überläufern aufgestellten revo-

---

[1]) Glaise-Horstenau, a. a. O., S. 162.

lutionären Verbände in die Position einer regelrechten Armee. Das Mittel, das die Teilnahme an den Friedensverhandlungen gewährleisten sollte, war sodann die Anerkennung des Kriegszustandes zwischen diesen bewaffneten Verbänden und dem sie politisch steuernden tschechischen Nationalrat einerseits und den Zentralmächten andererseits. Es ist unter dem Gesichtspunkt der diplomatischen Geschichte wie des Völkerrechts gleich lehrreich, die wichtigsten Phasen dieser Entwicklung zu verfolgen. Insbesondere völkerrechtlich ist es interessant zu sehen, wie die politisch konzipierten Rechtskonstruktionen Benesch's und Stefanik's mit dem korrekten völkerrechtlichen Denken der Diplomaten, vor allem aber der Juristen in den Auswärtigen Ämtern, auch etwa Frankreichs oder des zaristischen Rußlands, zusammenstoßen. Den Tschechen hing die Position einer anerkannten Regierung ständig vor Augen, und sie benutzten jede Gelegenheit, so zu operieren, als hätten sie sie tatsächlich. Aber erst in letzter Stunde, am 3. September 1918, kamen sie ihr durch die von den Vereinigten Staaten in ihrer „Anerkennung" verwandten Formulierung einer de facto Regierung nahe. Der Eifer in der Verfolgung dieses Zieles veranlaßte vor allem Benesch, völkerrechtliche Positionen als gegeben zu behaupten, die sie während des Krieges in Wirklichkeit nicht besaßen. Das gilt insbesondere von der behaupteten Stellung des Nationalrates als anerkannter Regierung. Abgesehen von der von der amerikanischen Völkerrechtswissenschaft selbst richtig gestellten Natur dieser „Anerkennung" durch die Vereinigten Staaten (2. September 1918), bringt solche Stellung erst die Zeit nach dem 28. Oktober 1918, wo die Proklamierung der provisorischen tschechoslowakischen Regierung in Paris durch die tschechische Revolution in der Heimat, die sich mit der Pariser Regierung verbunden hatte, die tatsächliche Herrschaftsgrundlage erhält. Das gleiche gilt von der ersehnten Stellung der revolutionären Militärverbände als unabhängiger souveräner Armee.

B. Die˜tschechoslowakische Auslandsaktion in den alliierten Hauptländern

1. DER TSCHECHOSLOWAKISCHE NATIONALRAT

Die Konstituierung des tschechoslowakischen Nationalrates, des organisatorischen Zentrums der tschechoslowakischen Auslandsaktion und Kernes der künftigen Regierung bietet für die juristische Betrachtung – aber auch das ist wichtig – wenig Interessantes. Gerade die Anfänge zeigen sehr deutlich, daß es ausgeschlossen ist, vom Nationalrat als einem völkerrechtlich greifbaren Organ zu reden.

Hier ist auch zunächst auf die Notwendigkeit einer Unterscheidung zwischen dem tschechoslowakischen National*rat* (narodna rada) als dem im Ausland aus bescheidensten Anfängen entstandenen politischen Instrument der Emigration und dem später in Prag und Wien operierenden tschechischen National*ausschuß* (cesky narodni vybor) hinzuweisen. Der National r a t ist ein aus der politischen Initiative der Emigrationsführung entwickeltes Organ, dessen Bedeutung zunächst nur in persönlichen Beziehungen seiner führenden Männer (vor allem Masaryks) zu den alliierten Regierungen liegt. Er erhält Gewicht erst, als tschechische militärische Verbände in steigender Zahl aufgestellt werden, deren politische Leitung ihm zufällt. Er ist so, in gewissem Sinne, ein revolutionäres Organ, aber er macht die „Revolution" im Ausland. Die schließliche Bedeutung seiner Aktivität hängt daher von der Entwicklung der Verhältnisse in der Heimat ab. In der Tat sind seine Aktionen lange Zeit, bei wichtigen Anlässen, von den kompetenten tschechischen Stellen in der Heimat desavouiert und als unverbindliche Handlungen von Privatpersonen gekennzeichnet worden[1]).

Der National*ausschuß* war das tschechische politische Vertretungsorgan in der Heimat. Er hatte kein staatsrechtliches Dasein, war aber als Zusammenfassung der tschechischen politischen Parteien ohne Frage das maßgebliche politische Willensinstrument des tschechischen Volkes. Hieraus erklärt sich z. B. das Gewicht der Verhandlungen der im Oktober 1918 aus der Heimat entsandten tschechischen Delegation mit Benesch als Vertreter der Auslandsaktion des Pariser Nationalrates in Genf, wie der Prager Erklärung des Nationalausschusses vom 19. Oktober 1918.

Der Nationalrat war nicht aus den tschechischen Kolonien in den einzelnen Ländern heraus, sondern aus der Zusammenarbeit der verschiedenen führenden Männer entstanden, die aus politischen Motiven die Heimat im Kriege verlassen hatten. Es hatte offenbar an Spannungen nicht gefehlt. Masaryk, der Böhmen 1915 verließ, hatte noch im selben Jahr in einem Rundschreiben die Aufgaben der Kolonien von denen der tschechoslowakischen Aktion unterschieden. Er hatte klargemacht, daß die Kolonien die eigentliche politische und militärische Führung den aus der Heimat gekommenen Männern überlassen müßten, weil nur diese in den Augen der Alliierten das wahre Gewicht haben würden.

So wurde mit Masaryk das Problem in Paris in einem kleinen Kreis von emigrierten Politikern besprochen und beschlossen, an die Stelle eines bis dorthin bestandenen, „tschechoslowakischen ausländischen Ausschusses", der zu sehr von den Auslandskolonien abhängig war, ein neues Zentralorgan mit dem Sitz in Paris zu bilden. Die Stadt wurde gewählt, weil in Frankreich die militärische Hauptfront lag und sie den Tschechen als politisches, diplomatisches und militärisches Zentrum aller Verbündeten erschien. Angesichts der Schwierigkeiten in der polnischen und jugoslawischen Emigration, deren verschie-

---

[1]) Vgl. oben Seite 44/45.

dene Richtungen sich befehdeten, drang Benesch darauf, die Führung in wenigen Händen zu vereinigen. Er hielt für richtig, daß jeder Stützpunkt der Aktion in den einzelnen Ländern tunlichst *eine* Persönlichkeit an der Spitze hatte. Auch damit verband sich das Bestreben, etwas Institutionelles zu schaffen. „Festigkeit und Beständigkeit als Korrektiv zur Beweglichkeit und zu weit voneinander entfernten Standorten der Hauptmitglieder sollte durch die Errichtung des in Paris, im Zentrum der ganzen Aktion, bleibenden Generalsekretariats erzielt werden. Das permanente Sekretariat, ein stets funktionierendes Exekutivorgan, war als Ausdruck der Einheitlichkeit und Stabilität der Bewegung gegenüber den verbündeten Regierungen und ihrer öffentlichen Meinung und als Sammelpunkt der gesamten Aktion sowohl gegenüber den Alliierten als auch unseren Soldaten und Kolonisten in Frankreich, England, Rußland, Amerika, Italien, Serbien und den neutralen Ländern gedacht[1])." Die Vorstellung, die sich die Ententekreise mit der Zeit vom Nationalrat machten, sollte „zu etwas stabilem werden, etwas festem, das auf dem Vertrauen zu den nicht wechselnden Persönlichkeiten beruhte[2])."

Die Tätigkeit des „tschechoslowakischen ausländischen Ausschusses" hatte bis dahin im wesentlichen in einer organisierten Vereinigung der in Frankreich lebenden Tschechen und Slowaken, etwa 2000 Köpfe, bestanden. Man hatte sich um den bürgerlichen Schutz dieser Leute und um ihre wirtschaftliche Unterstützung bemüht. Etwa 700 Freiwillige traten in die Fremdenlegion ein, später von dort dann zur nationalen Armee über. Den führenden Männern der Kolonien war es auch gelungen, den Tschechen und Slowaken die besonderen Bürgerrechte zu verschaffen, wie sie Elsäßer und Polen besaßen. Damit verband sich eine gewisse, der konsularischen ähnliche Tätigkeit. An diesen Anfang knüpfte der neue Nationalrat an. Aber die Ziele waren jetzt höher gesteckt. „In Paris waren wir uns dessen bewußt, daß unser Zentrum möglichst rasch und möglichst gut ausgebaut werden müsse, formell und effektiv unsere gesamte Diplomatie und die militärische Organisation in die Hand zu nehmen *und sich dann den Alliierten aufzuzwingen hatte.* Darum gaben wir auch äußerlich unserem Organ einen formellen Charakter. Wir richteten repräsentative Büros ein, wobei ich das regelmäßige Amtieren im Generalsekretariat übernahm, machten es offiziell allen unseren Kolonien bekannt und begannen mit der konzentrischen zentralisierenden Arbeit[3])."

---

[1]) Benesch, a. a. O., S. 62.
[2]) Benesch, a. a. O., S. 63.
[3]) Benesch, a. a. O., S. 64.

2. DIE MASSNAHMEN IN DEN EINZELNEN LÄNDERN

a) Rußland[1])

Der Anfang der militärischen Auslandsaktion lag in Rußland. Die dortigen Tschechen lebten in einer Umwelt, in der sie ein besonderes Verständnis für ihre Ziele erwarteten. Schon in den ersten Kriegstagen reichten sie daher dem Kriegsministerium ein Gesuch um Genehmigung ein, eine tschechische Freiwilligen-Abteilung aufzustellen. Der russische Ministerrat erledigte das Gesuch am 20. August 1914. Am 20. August beauftragte die Hauptverwaltung des Generalstabs den Stabschef des Kiewer Armeebezirks damit, eine oder mehrere tschechoslowakische Freiwilligen-Abteilungen zu bilden. Am 28. August wurde mit der Aufstellung der sogenannten „Druzina" begonnen. Als sie im November 1914 an die österreichische Front abging, zählte sie ungefähr 800 Freiwillige. Im selben Monat wurden Verhandlungen über die Einstellung von österreichischen Kriegsgefangenen tschechischer und slowakischer Volkszugehörigkeit geführt; am 17. Dezember wurde eine prinzipielle Bewilligung erteilt, solche Gefangene, die sich sofort bei der Gefangenschaft dazu bereit erklärten, in die „Druzina" aufzunehmen.

Ende 1914 begannen die tschechischen Führer in Rußland bereits, politische Pläne vorzulegen. Anfang 1915 wurden sie bei den russischen Behörden vorstellig und schlugen ihnen folgendes vor: Errichtung einer tschechoslowakischen Armee, Freilassung der Gefangenen, die sich zu dieser Armee meldeten, vorübergehende Aufnahme von Freiwilligen in den russischen Staatsverband, unverbindliche (sic!) Anerkennung der Selbständigkeit des tschechoslowakischen Staates, und eine finanzielle Unterstützung, die dem Verband als Anleihe für den künftigen Staat gegeben werden sollte[2]). Benesch, der die Verfasser dieser Denkschrift „politisch unerfahren" nennt, berichtet, daß das Rechtsgutachten der Sektion des Außenministeriums den Satz enthielt, „daß die vorläufige Anerkennung der künftigen Selbständigkeit, von der das Memorandum redet, und andere seiner politischen Angebote so wenig ernst zu nehmen sind, daß es sich kaum lohnt, von ihnen im einzelnen zu sprechen[3])." So blieb es bei den Freiwilligenverbänden, die verstärkt und in Schützenverbände umgewandelt wurden. Anfang 1916 gab es ein tschechisches Schützenregiment mit 1600 Mann. Parallel liefen Bemühungen um Freigabe der Gefangenen und Zuweisung als Arbeiter an Fabriken. Zunächst, 1915,

---

[1]) Die vorliegende Arbeit ist keine historische, sondern eine völkerrechtliche Untersuchung, Fragen des historischen Ablaufes der Auslandsaktionen im einzelnen zu prüfen, ist nicht ihre Aufgabe. Sie folgt dabei der Darstellung von *Benesch*, dem die Verantwortung für ihre Richtigkeit bleibt. Vgl. dazu die kritischen Bemerkungen bei Hölzle a. a. O., S. 27.

[2]) Benesch, a. a. O., S. 165.

[3]) Benesch, a. a. O., S. 180.

stimmte der Generalstab zu, 1916 widerrief er. Durch das Versprechen des Zaren vom April 1916, alle gefangenen Slawen freizulassen, erhielt die Aktion neuen Auftrieb. Freilich wurde diese Anordnung des Zaren von den Behörden nicht beachtet. Nach Masaryks Auffassungen und Eindrücken an Ort und Stelle wünschten weder die russische Regierung noch die Militärbehörden eine größere tschechoslowakische Armee. Überhaupt wünschten die Militärs, keine größere fremde Armee im Lande beisammen zu haben. Dazu kam die Uneinigkeit in der tschechischen Verbandsleitung, die schließlich dazu führte, daß der militärisch an der Spitze stehende russische General Alexejew im August 1916 dem Kriegsministerium vorschlug, dem tschechischen Verband keinerlei Einfluß auf die inzwischen zu einer Brigade verstärkten Truppe zu gewähren. Infolge der herannahenden Revolution kam es zu keiner Entscheidung. Masaryk, wegen seiner demokratischen Tendenzen inopportun für das zaristische Rußland, entschloß sich erst nach der Revolution, dorthin zu gehen. Er hatte in der neuen revolutionären Regierung Freunde und Bekannte und war u. a. mit Miljukow, dem neuen Außenminister, befreundet. Angesichts der neuen Lage ging er nach Rußland, um die Bildung einer tschechischen Armee aus den Gefangenen durchzusetzen. Er traf aber erst nach der Machtergreifung durch die Bolschewiken ein. Masaryk erwähnt auch einen weiteren Grund, warum die Bildung eines tschechischen militärischen Verbandes vor der Revolution Schwierigkeiten begegnete. Es war die Befürchtung, daß man auch Polen, Ukrainern und den anderen Nationalitäten Rußlands nach tschechischem Beispiel nationale Armeen bewilligen müßte. Außerdem kamen legitimistische Überlegungen zum Zuge. Nach der Revolution konnte die militärische Sammlung zunächst ohne Schwierigkeiten betrieben werden. Nunmehr konnten sich auch die Grundabsichten der tschechoslowakischen Auslandsaktion auswirken: die Armee sollte selbständig, kein Bestandteil der russischen Armee sein, ferner möglichst zahlreich: „eine militärische, keine politische Armee"; schließlich sollte sie auf den westlichen Kriegsschauplatz überführt werden.

So haben wir in Rußland drei Stadien zu unterscheiden. Bis zur bolschewistischen Revolution waren die (ja nicht sehr zahlreichen) tschechoslowakischen Truppen in Rußland nicht selbständig, sondern ein Teil des russischen Heeres, dem sie auch den *Treueid* leisteten.

Die russische Revolution trug zu einer de facto Verselbständigung der tschechischen Verbände bei (Einzelheiten sind für unseren Zusammenhang unwesentlich), die nun auch in wachsender Zahl aufgestellt wurden (von Mai bis September 1917 wurden nach Benesch rund 22 000 Freiwillige geworben. Benesch, S. 204). Die Überführung nach Frankreich wurde in einem zwischen Masaryk und Albert Thomas namens der französischen Regierung unterzeichneten Abkommen vom 13. 6. 1917 beschlossen, wonach 30 000 Legionäre nach Frankreich gebracht werden sollten. Der bolschewistische Umsturz brachte durch die Wiederaufnahme der deutschen Operationen und den gleichzeitigen Bürgerkrieg zwischen weiß und rot die tschechischen Verbände in eine schwierige Lage. Masaryk entschloß sich, ihr zunächst dadurch zu begegnen, daß er für die tschechoslowakischen Truppen in Rußland eine neutrale Stellung im Bürgerkrieg zu sichern suchte, die in Abkommen zwischen den örtlichen Befehlshabern und den tschechischen Truppen jeweils vereinbart wurden, so z. B. das Neutralitätsabkommen zwischen der 2. tschechoslowakischen Division und dem Sowjetgeneral Murawjew am 31. 1. 1918 in Jagotin. Ein grundsätzlicher Schritt und damit der Übergang zum dritten Stadium war aber die Erklärung Masaryks vom 7. Februar 1918 (in seiner Eigenschaft als Vorsitzender des tschechoslowakischen Nationalrates), *wonach alle auf dem Gebiet des früheren russischen Staates weilenden tschechoslowakischen Truppen einen autonomen Bestandteil der tschechoslowakischen Armee in Frankreich bildeten.* Denn damit wurden sie, wie sich aus dem folgenden ergibt, völkerrechtlich zu französischen Truppen gemacht. Nach Benesch (S. 461) haben die sowjetischen zentralen Stellen gegen diese Erklärung keine Einwendung erhoben, sie vielmehr durch den Mund des Generals Murawjew anerkannt. Murawjew ließ am 16. Februar Masaryk durch ein Schreiben seines Stabschefs bekanntgeben, daß er, wie Benesch andeutet, nach Anfrage in Moskau gegen den Abzug der tschechoslowakischen Abteilungen nach Frankreich keine Einwände erhebe, noch dagegen, daß die Überführung auf Kosten anderer Regierungen geschehe.

b) Italien

An der italienischen Haltung kann man den Zusammenhang zwischen der österreichisch-ungarischen Frage und der völkerrechtlichen Seite der tschechoslowakischen Auslandsaktion besonders deutlich erkennen.

Der italienische Außenminister des Weltkrieges, Baron Sonnino, war ein in den Vorstellungen der Staatsraison denkender Staatsmann konservativ-monarchischer Färbung. Diese Grundeinstellung bestimmte in Verbindung mit seiner Einschätzung der Stärke Deutschlands und der Zentralmächte seine Haltung gegenüber Österreich-Ungarn und von da aus zur tschechoslowakischen Auslandsaktion. Sonnino bezweifelte die militärische und politische Möglichkeit, die Habsburgermonarchie zu zerschlagen. Er war daher „während der ganzen Dauer des Krieges in dieser Frage sehr zurückhaltend; nur Schritt für Schritt kam er langsam nach, betrachtete jedes Zugeständnis vor allem daraufhin, ob es einen taktischen Vorteil bot, eine Vermehrung der Schwierigkeiten Österreich-Ungarns sei und keineswegs, ob es als grundsätzliche politische Entscheidung gegen den Bestand der Monarchie gelte." (Benesch, S. 152). Daher verpflichtete sich Sonnino bis zum Oktober 1918 niemals gegenüber der tschechischen Auslandsaktion.

Als im September 1917 die Besprechungen, die das erste Mal im Januar desselben Jahres stattgefunden hatten, erneut aufgenommen wurden, wollte

Benesch, der auf das inzwischen abgeschlossene Militäreinverständnis mit Frankreich hinweisen konnte, zu drei Punkten die Zustimmung der italienischen Regierung haben.

a) Sie sollte den Nationalrat als Zentralorgan der gesamten politischen und militärischen Bewegung und als Vertreter der tschechoslowakischen Interessen anerkennen, mit dem sie allein fortan direkt alle tschechoslowakischen Fragen (die Armee und die Gefangenenfrage) verhandeln würde.

b) Sie sollte die Tschechen und Slowaken als „befreundete Nation" anerkennen und infolgedessen die auf italienischem Boden internierten tschechoslowakischen Zivilisten freilassen.

c) Sie sollte alle Soldaten, die in die tschechoslowakische Armee eintreten wollten, freigeben und ihrer Überführung nach Frankreich zustimmen, so wie es auch in Rußland geschehen war.

In den beiden ersten Punkten stimmte Sonnino zu. Zum dritten machte er Einwendungen. Einmal rechtlicher Natur: Als direkter Nachbar Österreich-Ungarns, das viele italienische Gefangene habe, müsse Italien die Haager Konvention achten. Es frage sich sehr, ob es überhaupt die Gefangenen in der erwarteten Weise freigeben dürfe. Wenn Italien den Abtransport der tschechischen Gefangenen nach Frankreich zulasse, sei damit zu rechnen, daß Österreich-Ungarn tausende von gefangenen Italienern nach dem verseuchten Balkan, nach Kleinasien, Syrien usw. schaffen lasse, die dort dann umkommen würden. Der dagegen entstehende innerpolitische Widerstand sei zu groß. Benesch hatte den Eindruck, daß darüber hinaus Italien seine Gefangenen für die Friedensverhandlungen behalten wollte, für den Fall, daß Österreich-Ungarn erhalten bliebe. Auf Beneschs Vorschlag, dann eine militärische Organisation nach französischem Muster in Italien zu gestatten, antwortete Sonnino ausweichend. Schließlich wollte das italienische Kriegsministerium die Gefangenen in folgender Form zur Verfügung stellen: Die Gefangenen würden freigegeben, unter eine gewisse Mitkontrolle des Nationalrates gestellt, in halbmilitärischen Abteilungen gesammelt werden, die nicht direkt an der Front kämpfen, sondern in der zweiten Linie militärische Arbeiten ausführen sollten. Sie hätten den Eid auf die tschechische Nation im Nationalrat abzulegen und trügen besondere Uniformabzeichen. Rechtlich blieben sie der Gefangenendisziplin und nicht der Armee unterstellt.

Tschechischerseits nahm man an zwei Punkten Anstoß: an den nur halbmilitärischen Verbänden, sodann an dem rechtlichen Gefangenenstatus.

Im Frühjahr 1918 kam es zu neuen Verhandlungen, die diesmal für den tschechoslowakischen Nationalrat Stefanik führte. Der entscheidende Standpunkt wurde nach langwierigen Besprechungen von Sonnino dahin präzisiert, Italien sei aus zwei Gründen gegen die Bewilligung einer tschechoslowakischen Armee, „1. einem humanitären Grund: Italien könne uns den Enderfolg im Kriege nicht verbürgen und daher Menschenopfer nicht annehmen, zumal diejenigen, die in österreichische Gefangenschaft geraten würden, für ihre Teilnahme an der Kriegsaktion hingerichtet werden könnten.

2. Furcht vor Repressalien gegen die italienischen Gefangenen."
Die Frage sollte dem obersten Kriegsrat in Versailles zur Entscheidung
überwiesen werden. Ehe dieser entschieden hatte, kam es aber doch am
21. April 1918 zu einer Einigung, in der die Bewilligung zur Aufstellung
von tschechoslowakischen Verbänden gegeben und zugleich deren Stellung
geregelt wurde. Das geschah auf der Grundlage des französischen Dekrets
über die tschechoslowakische Armee. Der Text der Vereinbarung wurde
„Konvention" genannt. (Benesch, S. 379). Stefanik bemühte sich, die
in Italien aufzustellenden Truppen als Teil der tschechoslowakischen
Armee in Frankreich auch durch die italienische Regierung anerkannt zu
sehen und erreichte das auch schließlich. Die italienische Regierung bedang
sich nur in der Organisationspraxis, im Kommando etc. die Unabhängigkeit
von Paris aus. „Auch die Anerkennung des Generals Janin als Generalissimus
unserer Truppen war nur theoretisch. Sie hatte politische, aber nicht auch
praktisch-militärische Bedeutung" (Benesch, S. 379).
Die Konvention gewährte den Truppen in Italien die Autonomie und
stellte sie unter die Autorität des Nationalrates. Sie sagte auch zu, daß sie
den tschechischen Angehörigen, d. h. den freigegebenen Gefangenen nach dem
Kriege den Abzug nach Frankreich oder die Erlangung der italienischen
Staatsbürgerschaft ermöglichen werde. So wollte Sonnino seinen ursprünglichen Standpunkt retten: „er wollte, daß unsere Leute nach Frankreich
nicht als Gefangene, sondern als befreite Staatsbürger abzögen; die Erlangung der italienischen Staatsbürgerschaft wollte er ihnen für den Fall ermöglichen, daß der Krieg mit einem Mißerfolg endigte und unsere Leute nicht
in Italien bleiben könnten". In einem zweiten Dokument wurde hauptsächlich die Ausübung der Militärjustiz geregelt.

c) Frankreich

Im Frühjahr 1917 war Masaryk nach Rußland gegangen und bemühte sich,
die Organisation einer aus österreichisch-ungarischen Gefangenen aufzu-
bauenden tschechischen Streitkraft zu beschleunigen. Der französische Minister Albert Thomas, der kurz darauf in Petersburg weilte, stellte im
Namen Frankreichs an die Russen das Ersuchen, den Transport dieser Truppen nach Frankreich zu gestatten. Masaryk und Thomas unterschrieben ein
darauf bezügliches Abkommen. Der russische Generalstab stimmte am 14. Mai
zu. Dadurch bekam der Plan einer tschechischen Streitkraft in Frankreich
bedeutenden Antrieb. Es wurde nötig, für die Organisation und Stellung
dieser Truppe geeignete Formen zu finden. Der Reihenfolge nach handelte
es sich um folgende Fragen:
1. das Verhältnis der tschechoslowakischen Nationalarmee zur französischen Regierung und Armee und zum tschechoslowakischen Nationalrat.

2. die Frage der Fahnen, Uniformen und Abzeichen, die den nationalen Charakter der Armee kenntlich machen sollten,
3. die Rekrutierung, Ernennung und Aufnahme von Offizieren,
4. die Frage der tschechischen Sprache beim Kommando und im Bürodienst,
5. die Frage der Armeegerichte,
6. Finanzierung der Armee und Löhnung der tschechoslowakischen Soldaten,
7. die Bedingungen für Frontverwendung,
8. die Frage der Gefangenen, die nicht in die Armee eintraten, sondern sich zur Munitionsarbeit meldeten, der Invaliden und der aus dem Armeeverband Entlassenen.

Benesch unterstrich, daß anfangs die Schwierigkeiten in Frankreich größer als in Rußland waren. Weder Kriegs- noch Außenministerium hätten an eine nennenswerte Autonomie der tschechischen Truppenkörper gedacht. Besonders hinderlich war das bestehende Präjudiz der polnischen Armee. Das polnische Nationalkomittee hatte an der Spitze seiner militärischen Verbände eine „Commission militaire franco-polonaise" und einen französischen General. Diese Kommission bestand aus französischen und polnischen Offizieren. Sie hatte Organisation und Führung und war zugleich Verbindungsstab zwischen französischer Regierung und polnischem Nationalkomitee. Aber die Tschechen steuerten von ihrer Grundorientierung aus einem anderen Ziel zu. „Wir wollten kein Mittelglied zwischen Nationalrat und Armee. Sie sollte ausschließlich uns gehören, ihre politische Führung uns als den Repräsentanten der nationalen Souveränität zuerkannt werden, die französische Regierung nur die Kontrolle ausüben, um ihre Vereinbarungen zu sichern." Beneschs Formel lautete: „Die tschechoslowakische Nationalarmee wird durch Dekret des Präsidenten der Republik als autonomer Truppenkörper im Rahmen der französischen Armee unter oberster politischer Führung des tschechoslowakischen Nationalrates als Vertreter der tschechoslowakischen Nation konstituiert." (Benesch, S. 225).

Dieses Prinzip wurde schließlich, wenn sich das Kriegsministerium auch ungern von den Analogien zur polnischen Organisation trennte, angenommen. Es wurde ferner eine Verständigung über Fahnen und Uniformen erzielt. Die Tschechen trugen auf französischen Uniformen besondere nationale Abzeichen. Als eines der Hauptzugeständnisse Frankreichs wurde gewertet, daß die Freiwilligen den Schwur auf die tschechoslowakische Nation ablegten. Die Rekrutierung lag in den Händen des Nationalrats. Die Offiziere wurden einvernehmlich mit der französischen Regierung durch den Nationalrat ernannt. Kommandosprache war tschechisch. An der Spitze sollte ein französischer General stehen, den Frankreich im Einvernehmen mit dem Nationalrat ernannte. Für die zum Militärdienst Untauglichen und die Invaliden sollte zwischen Nationalrat und Munitionsministerium ein besonderes Arbeitsstatut vereinbart werden. Die Arbeiter sollten als freie Bürger gelten, der Nationalrat für sie dieselben Konsularrechte ausüben, wie sie die alliierten Regierungen gegenüber ihren Staatsbürgern in Frankreich ausübten. In den Finanzfragen, deren prinzipielle Bedeutung sich gleich zeigen sollte, wurde als Grundsatz angenommen, daß die Soldaten die gleiche Löhnung erhalten wie die Franzosen; alle Ausgaben aber würden auf ein tschechoslowakisches Sonderkonto geschrieben werden, „damit ihre eventuelle Begleichung durch die tschechoslowakische Nation bei den Friedensverhandlungen gefordert werden könne".

Aufschlußreich sind Beneschs Hinweise auf die Träger des französischen Widerstandes. Den Militärs standen ihre militärischen Ziele vor Augen, sie machten allmählich politische Zugeständnisse. „Viel schwieriger war die Sache im Ministerium des Äußeren, wo de Margerie und Laroche alle international-rechtlichen und politischen Folgen der einzelnen Artikel zu Ende dachten." Es war die Formulierung des Artikels über die finanziellen Regelungen, in dessen Verlauf der prinzipielle Gegensatz auftauchte, und ein „bis hieher und nicht weiter" der französischen Diplomatie brachte. Benesch verlangte nämlich ausdrücklich die Zusage, daß die finanziellen Ausgaben für die tschechischen Soldaten auf besonderes Konto zu verbuchen seien, die „der tschechoslowakische Staat" nach Friedensschluß übernehmen würde. Der Sinn einer solchen Abmachung war klar. Bisher waren nirgendwo von tschechoslowakischem Staat oder tschechoslowakischer Regierung die Rede gewesen. Nun sollten sie bei einer scheinbar der französischen Regierung entgegenkommenden Regelung gewissermaßen bei der finanziellen Hintertür eingeführt werden. Aber hier stieß Benesch auf klaren Widerstand. Laroche sagte ihm: „Herr Generalsekretär, verlangen Sie das jetzt nicht von uns. Es würde bedeuten, daß man auf indirektem Weg, geheimnisvoll, in das Dokument über die Organisation der Truppen eine weittragende politische Verpflichtung einfügt, die nur feierlich, bei besonderem Anlaß und wenn die politische Lage dazu reif ist, gemacht werden kann. Das ist heute nicht der Fall. Die Anerkennung des Nationalrates, die Autonomie der Armee, die Verpflichtung, einen Teil der Armee für die Friedensverhandlungen zu erhalten, und dadurch ihren politischen Charakter zu betonen, sind folgenschwere Dinge. Ich sage Ihnen aufrichtig, daß wir wirklich den Willen und das Bestreben haben, Ihnen politisch zu helfen, um im gegebenen Augenblick in einer besonderen Deklaration eine solch feierliche Verpflichtung einzugehen. Doch wenn wir sie geben, werden wir unser Wort halten, und deshalb ist es nicht möglich, dies schon bei diesem Anlaß und in dieser Form zu tun." (Benesch, S. 228).

Man wird es daher wohl auch nicht als Zufall oder nur als Folge des Regierungswechsels, sondern als wohlerwogenen Schritt auffassen müssen, wenn *nicht zuerst* das Abkommen über die tschechoslowakische Armee, zwischen französischem Regierungschef und Kriegsminister einerseits und dem Vertreter des Nationalrates andererseits unterzeichnet, *und dann* das Präsidentendekret über die Konstituierung der Armee erlassen wurde, vielmehr die Reihenfolge umgekehrt war. Im ersteren Falle hätte das Dekret als eine Art von Durchführungserlaß dieses Abkommens erscheinen können. So kam es vorher und wahrte damit den Charakter des selbständigen Hoheitsaktes der französischen Regierung. Das Dekret erschien am 16. Dezember 1917. Das

Abkommen wurde erst hinterher am 7. 2. 1918 von Clemenceau und Benesch unterzeichnet. Das Dekret lautet:

Dekret über die Konstituierung der tschechoslowakischen Armee in Frankreich.

Art. 1. Die in einer autonomen Armee organisierten und in militärischer Beziehung die Autorität des französischen Oberbefehls anerkennenden Tschechoslowaken werden unter eigener Fahne gegen die Zentralmächte kämpfen.

Art. 2. In politischer Hinsicht steht die Leitung dieser Nationalarmee dem Nationalrat der tschechischen und slowakischen Länder mit dem Sitz in Paris zu.

Art. 3. Die Ausrüstung der tschechoslowakischen Armee sowie ihre weitere Wirksamkeit sichert die französische Regierung.

Art. 4. Bezüglich der Organisation und Rangordnung, Administration und Militärgerichtsbarkeit werden für die tschechoslowakische Armee die für die französische Armee gültigen Bestimmungen angewendet.

Art. 5. Die autonome tschechoslowakische Armee rekrutiert sich 1. aus Tschechoslowaken, die gegenwärtig in der französischen Armee dienen, 2. aus Tschechoslowaken anderer Herkunft, soweit ihnen der Übertritt in die tschechoslowakische Armee bewilligt wird und aus Freiwilligen, die für die Dauer des Krieges in diese Armee eintreten.

Art. 6. Dieses Dekret wird gemäß den ministeriellen Instruktionen durchgeführt, die später herausgegeben werden.

Art. 7. Dem Ministerpräsidenten, dem Kriegsminister und dem Minister des Äußeren wird aufgetragen, daß jeder innerhalb seiner Befugnisse dieses Dekret, das im Zentralorgan der französischen Republik veröffentlicht und im Gesetzanzeiger abgedruckt wird, in die Tat umsetzt.

Es ist vom Präsidenten der Republik, R. Poincaré, dem Ministerpräsidenten und Kriegsminister G. Clemenceau und dem Minister des Äußeren St. Pichon unterzeichnet[1]).

Diese Formulierung des Dekrets wich einer Frage aus, die in den Vorverhandlungen eine bedeutende Rolle gespielt hatte. Ihretwegen war es zu Meinungsverschiedenheiten zwischen Benesch und Stefanik, dem militärischen Leiter der tschechoslowakischen Auslandsaktion, gekommen. Die Franzosen hatten nach dem Vorbild des polnischen Dekrets vorgeschlagen, daß die französische Regierung die tschechoslowakische Armee konstituiere[2]). Eine solche Formulierung hätte den militärischen und politischen Hoheitsträger über die tschechoslowakischen Truppenverbände eindeutig aufscheinen lassen. Benesch hatte ihr angesichts bedeutenden französischen Entgegenkommens zugestimmt und wollte nicht zu weiteren Konzessionen drängen. Stefanik glaubte, daß die Franzosen auch noch konzedieren würden, daß der

---

[1]) Text nach Benesch, a. a. O., S. 229.
[2]) Benesch, a. a. O ., S. 351.

Nationalrat und die tschechoslowakische Nation die Armee konstituieren[1]).
„Der politische Sinn dieser Formulierung ist auf den ersten Blick klar."
Er war es auch für die Franzosen. Sie lehnten ab. Die französische
Regierung bestand zwar nicht darauf, daß das Dekret ihre Auffassung enthalte. Sie ließ aber auch die andere nicht zu. Das Dekret enthält überhaupt
keinen darauf bezüglichen Satz. Jedoch wurde der französische Standpunkt
in anderer Weise unzweideutig zum Ausdruck gebracht. Einmal wurde, wie
schon bemerkt, das Dekret als Hoheitsakt der französischen Regierung veröffentlicht. Erst zwei Monate darauf folgte das Abkommen, das ihm eigentlich vorausgehen sollte. Dann wurde die französische Auffassung, die die
Hoheitsrechte Frankreichs über die tschechoslowakischen militärischen Verbände außer Streit stellte, in einer Mitteilung der französischen Regierung an
den Präsidenten der Republik proklamiert. In dieser Mitteilung wurden die
politischen und militärischen Gründe angeführt, die *Frankreich* veranlaßten,
die tschechoslowakische Armee zu organisieren. Damit muß die Oberhoheit
der französischen Regierung über die tschechoslowakischen Verbände als
feststehend gelten.

Die sicherlich zurückhaltende Schilderung, die Benesch von den Verhältnissen und der Stimmung im tschechischen Ausbildungslager in Cognac gibt,
zeigt, daß sich die französische Auffassung durchaus auch in der Praxis durch-
zusetzten wußte. „Der Kriegsminister hatte den Befehl durchwegs in die
Hände französischer Offiziere gelegt. Die Tschechen sollten nur assistieren
und sich einarbeiten... Unsere Offiziere zogen daraus den für den Nationalrat nicht schmeichelhaften Schluß, daß unsere Armee in Frankreich eigentlich
nicht selbständig sei[2])."

Im April 1918 hatte in Rom ein Kongreß „der unterdrückten Nationen
Österreich-Ungarns" stattgefunden. Zwei Resolutionen waren dort angenommen worden. Die eine versuchte den italienisch-jugoslawischen Gegensatz,
der auch in die übrigen Emigrantenkomitees hineinwirkte, beizulegen, die
andere nahm die politische Souveränität für die Völker der Donaumonarchie
in Anspruch. Sie besagte insbesondere, daß jede der (ganz oder teilweise
Österreich-Ungarn angehörigen) Nationen es als ihr Recht erkläre, sich als
nationale Einheit zu konstituieren oder zu verbünden und ihr volle politische
und wirtschaftliche Selbständigkeit zu erlangen.

Die Kongreßresolution hatte insofern offizielle Bedeutung, als der an-
wesende Vorsitzende der französischen Kammermission für auswärtige Angelegenheiten seine Ermächtigung mitteilte, im Namen seiner Regierung die
volle Zustimmung zu der Aktion des Kongresses zu erklären. Der italienische
Ministerpräsident empfing die Teilnehmer des Kongresses und billigte die
Kongreßresolutionen. Dasselbe tat in Paris Ministerpräsident Clemenceau.
Im Namen Englands äußerte sich Balfour zustimmend, so auch die Vereinig-

---

[1]) Benesch, a. a. O.
[2]) Benesch, a. a. O., S. 356.

ten Staaten. Unter diesen Umständen schien eine alliierte Gesamtdeklaration gegen Österreich-Ungarn möglich. Aber dazu kam es immer noch nicht. So bemühte sich Benesch um individuelle Erklärungen in dieser Richtung. Zuerst trat er an Frankreich heran.

Die Verhandlungen, die der daraus entstandenen französischen Erklärung vom 5. Juni 1918 vorausgingen, sind vor allem im Hinblick auf die späteren Friedensverhandlungen bedeutsam. Denn *damals schon hat Frankreich seine Haltung zur böhmischen Grenzfrage und damit zum sudetendeutschen Problem festgelegt.* Im Sinne einer Art von historischer „Kontinuitätsdoktrin" hatte Benesch seine Vorschläge zum wünschenswerten Inhalt der französischen Erklärung den Franzosen schriftlich übermittelt. Er führte dort u. a. aus: „In jedem Falle ist es wichtig, daß die Erklärung, wenn sie bei uns in Böhmen von wirklicher Bedeutung sein soll, folgendes enthält: 1. die klare Erwähnung, daß die Tschechoslowakei viele Jahrhunderte selbständig war, um diese Selbständigkeit durch die Habsburger und Deutschen gebracht wurde, und daß *Frankreich ihre historischen Rechte anerkennt...* 4. Die Erwähnung, daß die Slowaken mit den Tschechen im tschechoslowakischen Staat vereinigt werden, der aus den vier historischen Provinzen: Böhmen, Mähren, Österreichisch-Schlesien und Slowakei bestehen soll.... 7. Am wichtigsten wäre es, die Erklärung in solcher Form zu verfassen, daß sie in Österreich den *Eindruck* hervorruft, daß hier, *auf alliiertem Boden,* ein Staat entstanden sei, dessen Tätigkeit sich zu organisieren beginnt — die Vorstellung von etwas Konkretem und Klarem zu erwecken[1]."

Die am 28. 6. von Pichon, dem französischen Außenminister, unterzeichnete Erklärung trug Beneschs Wünschen voll Rechnung.

Die Regierung der Republik heißt es da u. a. „betrachtet es als billig und notwendig, die Rechte Ihrer Nation auf Selbständigkeit zu verkünden und den tschechoslowakischen Nationalrat als höchstes Organ, das die sämtlichen Interessen der Nation verwaltet, als ersten Grundstein der künftigen tschechoslowakischen Regierung öffentlich und offiziell anzuerkennen".

„Lange Jahrhunderte hindurch erfreute sich die tschechoslowakische Nation des einzigartigen Segens der Selbständigkeit; sie wurde ihr durch die Gewalt der Habsburger, den Verbündeten deutscher Fürsten geraubt. Die historischen Rechte der Völker sind unverjährbar. Für ihre Verteidigung kämpft eben zusammen mit seinen Verbündeten das überfallene Frankreich. Die Sache der Tschechoslowaken ist ihm besonders teuer..."

„Treu ihren Grundsätzen der Achtung vor den Nationen und den Grundsätzen der Befreiung der unterdrückten Völker erachtet die Regierung der Republik die Ansprüche der tschechoslowakischen Nation als gerecht und begründet und wird aufs höchste bestrebt sein, im gegebenen Augenblick ihre Wünsche *nach Selbständigkeit in den historischen Grenzen* ihrer endlich vom Bedrückerjoch Österreich-Ungarns befreiten Länder durchzusetzen."

---

[1] Benesch, a. a. O., S. 497.

„... Im Namen der Republik spreche ich den aufrichtigsten und wärmsten Wunsch aus, der tschechoslowakische Staat möge durch die gemeinsamen Bestrebungen aller Alliierten in enger Verbindung mit Polen und dem jugoslawischen Staate der unüberschreitbare Wall gegen germanische Angriffe und ein Friedensfaktor in dem auf der Grundlage der Gerechtigkeit und der Rechte der Nationen neu aufgebauten Europa werden...[1].""

Die Bedeutung dieser Erklärung liegt in der Fixierung des französischen Kriegszieles in der böhmischen Frage einschließlich der Frage der „historischen Grenzen". Damit war aber auch die Haltung zur Donaumonarchie festgelegt. Frankreich machte sich darin das Ziel der tschechoslowakischen Auslandsaktion nach voller Selbständigkeit der Tschechoslowakei „in den historischen Grenzen" zu eigen. Es apostrophierte ferner den Nationalrat als „Grundstein der künftigen Regierung". Diplomatisch war damit die französische Haltung in der böhmischen Frage festgelegt. Der Schlußsatz umriß bereits das neue französische Mitteleuropakonzept. Benesch feierte die Erklärung vom 28. Juni 1918 als praktische, wenn auch nicht rechtliche Anerkennung der Selbständigkeit der Nation und des Nationalrates. Als solche wird man sie in der Tat werten dürfen.

Der Regierungserklärung folgte bei der Übergabe der Fahne eines tschechischen Regimentes eine prinzipielle Rede des Staatspräsidenten Poincaré. Ein Telegramm Balfours unterstrich die politische Bedeutung dieses Aktes, von dem es hieß, er repräsentiere eine Etappe in dem großen Ringen um die Freiheit und die Sicherheit der kleinen Nationen, besonders derjenigen, die in allen Teilen der österreichisch-ungarischen Monarchie unter der Tyrannei einer fremden Minderheit stehen.

An dieses Telegramm knüpfte Benesch an, um Anerkennungsverhandlungen mit England einzuleiten. Als sie ein gewisses Stadium erreicht hatten, wandte er sich, auf sie verweisend, nochmals an Frankreich, um mit ihm zu präziseren Abmachungen zu gelangen (August 1918). Er betonte die Notwendigkeit, in dem Vertrag mit Frankreich nicht nur die tschechoslowakische Teilnahme an den interalliierten Konferenzen, sondern auch die territorialen Forderungen zu formulieren. Aufschlußreich ist seine Charakteristik der Bedeutung des böhmischen Staatsrechts in dieser Phase der tschechoslowakischen Beziehungen:

„Die Frage unseres künftigen Territoriums lag mir natürlich stets am Herzen; ich erkannte ihre hervorragende Bedeutung und dachte oft darüber nach, wann und wie ich sie zu stellen hätte. Die alliierten Regierungen mußten sich – das wollte ich erzielen – bei der juristischen Anerkennung allmählich eine bestimmte Vorstellung von unserem Territorium bilden, so daß auch diese Frage in geeigneter Form verbindlich gelöst und für die Friedenskonferenz vorbereitet wäre. Deshalb hob ich bei allen Gelegenheiten die Wichtigkeit unseres historischen Rechts hervor. Ich muß nach meinen persönlichen Erfahrungen sagen, daß uns das historische Recht im juristischen und theoretischen Sinn verhältnismäßig wenig zur Anerken-

---

[1] Text bei Benesch, a. a. O., S. 499.

nung der Selbständigkeit geholfen hat; dagegen nützte es uns ausgiebig bei der Diskussion über unser Gebiet, als wir den Anspruch auf unseren Staat schon durchgesetzt hatten. Die Frage lautete dann einfach: Wenn dieser Staat schon existiert hat, in welchen Grenzen war es? In der Heimat lag die Betonung des Staatsrechts während des Krieges gleichfalls in dieser Richtung.

Ich machte schon bei den Verhandlungen über das Schreiben Pichons vom 28. Juni unsere historischen Grenzen geltend; und nun, als über die genaue Formulierung der juristischen Anerkennung, über einen politischen Allianzvertrag und die Konstituierung des Staates und der Regierung verhandelt wurde, hielt ich es für unerläßlich, die Frage des Territoriums verbindlicher als bisher zu lösen, und ein Präzedenz zu schaffen, das auch bei der kommenden Friedenskonferenz den Ausschlag geben konnte. Regierung und Staat, denen nicht ein bestimmtes Gebiet zuerkannt war, hätten leicht nur als theoretische Idee erscheinen können. Wir werden sehen, daß die Forderung unserer historischen Grenzen und unserer Vereinigung mit der Slowakei, die in den diplomatischen Dokumenten so nachdrücklich betont war, uns im Augenblick des Waffenstillstandes und des Zerfalls des Habsburger Reiches (besonders in dem Streit um die Slowakei mit der Regierung Karolyi) hervorragende Dienste erwies." (Benesch, S. 556/57).

Bei den mündlichen Verhandlungen im Außenministerium, denen ein von der Rechtsabteilung ausgearbeitetes Memorandum zugrundelag, vertrat Benesch den folgenden Standpunkt und hob hervor:

„1. die vertragliche Formulierung unserer militärischen Hilfe für Frankreich und die Alliierten, damit wir wirklich als gleichwertige Unterhändler angesehen würden, dem sich Frankreich reziprok verpflichtete, zur Wiederherstellung des freien Staates beizutragen, und der über seine Armee frei entschied;

2. der Nationalrat sollte nicht mehr nur Vertreter oder die Grundlage der künftigen Regierung sein, sondern die wirkliche provisorische Regierung und im Vertrag bereits als tschechoslowakische Regierung de facto anerkannt werden;

3. der Vertrag sollte eine verbindliche Erklärung über unsere künftigen Grenzen und das ganze Territorium enthalten und

4. unsere Teilnahme an den interalliierten Konferenzen und die Anknüpfung offizieller diplomatischer Beziehungen zwischen unserer neuen und der französischen Regierung bestätigen."

Der Text des Abkommens lautete schließlich:

(Abkommen zwischen der Regierung der französischen Republik und dem tschechoslowakischen Nationalrat über die Stellung der tschechoslowakischen Nation in Frankreich)[1]).

„Art. 1. Die tschechoslowakische Nation wird der Regierung der französischen Republik zur Führung des gegenwärtigen Krieges weiter die Unterstützung ihrer Armeen gewähren, deren oberste politische Leitung der tschechoslowakische Nationalrat inne hat und deren Verwendung auf den

---

[1]) Das „Abkommen" wird vom 28. 6. datiert, die Verhandlungen waren am 10. 9. abgeschlossen. Benesch, a. a. O., S. 562.

verschiedenen Kriegsschauplätzen nach der militärischen Lage durch Übereinkommen zwischen der französischen Regierung und dem Nationalrat geregelt wird.

Art. 2. Die Regierung der französischen Republik erkennt ihrerseits, mit denselben Beziehungen und unter denselben Bedingungen wie die anderen alliierten oder assoziierten Staaten, die tschechoslowakische Nation als verbündete und kriegführende Nation an, deren Souveränität durch den tschechoslowakischen Nationalrat repräsentiert wird als in Frankreich niedergelassene Regierung de facto, und verpflichtet sich, sie auch weiter in der Erreichung ihrer Freiheit und der Erneuerung des unabhängigen tschechoslowakischen Staates in den Grenzen seiner ehemaligen historischen Länder zu unterstützen.

Art. 3. Die Regierung der französischen Republik und der tschechoslowakische Nationalrat werden gegenseitig offizielle Beziehungen aufrecht erhalten. Die Regierung der französischen Republik erkennt der tschechoslowakischen Nation das Recht der Vertretung auf interalliierten Konferenzen zu, wo über Fragen, die die Interessen der Tschechoslowakei berühren, verhandelt wird.

Art. 4. Den tschechoslowakischen Bürgern, die als solche vom tschechoslowakischen Nationalrat anerkannt werden und in Frankreich wohnen, werden dieselben Rechte und dieselben Pflichten zuteil, wie sie den Angehörigen befreundeter Länder allgemein zuerkannt sind. Sie werden gleichfalls die besonderen Vorteile genießen wie die Angehörigen der alliierten Länder im Hinblick auf den Kriegszustand.

Art. 5. Durch dieses Übereinkommen wird die Verordnung vom 16. 12. 1917 (veröffentlicht im Amtsblatt der französischen Regierung vom 19. 12. 1917) ersetzt betreffend die Errichtung der tschechoslowakischen Armee in Frankreich, sowie die französische Verordnung vom 31. 5. 1918 (veröffentlicht im Amtsblatt vom 3. Juni 1918) betreffend das Militärgerichtsverfahren in der tschechoslowakischen Armee. Bis zum Abschluß des oben erwähnten Übereinkommens bleiben diese beiden Verordnungen vorläufig in Kraft.

Art. 6. Der tschechoslowakische Nationalrat erklärt, daß der Geldaufwand der Regierung der französischen Republick für militärische, politische und Verwaltungsauslagen ein Vorschuß ist, dessen Rückzahlung die tschechoslowakische Nation durch eine Anleihe im Jahre nach der Unterzeichnung des Friedensvertrages sichert. Die Bedingungen und Garantie dieser Anleihe werden den Gegenstand eines späteren Abkommens bilden."

d) Großbritannien

Das Balfour-Telegramm gab Benesch die Grundlage, von der aus er an *Großbritannien* Ende Juli 1918 herantrat. Die Gesamtlage schien ihm soweit fortgeschritten, daß „auch England für die Tschechoslowakei etwas dauernd Endgültiges tun sollte, um alle unsere bisherigen diplomatischen Ergebnisse – alle unsere rechtlichen und politischen Dokumente zusammenfassend – in einem ausschlaggebenden Akt auszudrücken, der vom Gesichtspunkt des internationalen Rechtes die Konstituierung des Staates und der Regierung unserer selbständigen Nation bedeuten und die Zentralmächte für alle Eventualitäten vor ein großes fait accompli stellen sollte" (Benesch, S. 521). Er begründete seine Forderung mehrfach. In Böhmen habe sich ein Nationalausschuß gebildet. Die Anerkennung des Pariser Nationalrates wäre von großer politischer Tragweite, würde in Wien Unruhe hervorrufen und das tschechische Volk in seinem Widerstande stärken. Auch die anderen Slawen würden durch ihn in ihrem Widerstand gegen Österreich-Ungarn gestärkt. Endlich seien bis jetzt alle Anerkennungen und Erklärungen von Frankreich oder Italien ausgegangen. Deshalb sei eine Stellungnahme Englands für den Nationalrat besonders wertvoll. Die Tschechoslowaken hätten in Sibirien England besondere Dienste erwiesen. *Vom Standpunkt des internationalen Rechts sind diese Helden noch immer Österreicher* und könnten, wann immer sie in Gefangenschaft gerieten, vom Feinde als Verräter hingerichtet werden. Durch die Anerkennung unserer Selbständigkeit würden sie aufhören, Untertanen Österreich-Ungarns zu sein." Benesch argumentierte also überwiegend politisch. Und es ist auch für die rechtliche Beurteilung der Position der tschechoslowakischen Auslandsaktion in diesem sehr fortgeschrittenen Zeitpunkt wesentlich zu hören, daß er sich, während er im Salon Balfours wartete, als nichts anderes fühlte, denn „als armer Bittsteller" (S. 527). Für den Pariser Nationalrat stünde die ganze tschechoslowakische Nation und tschechoslowakische Armee ein, die regelrechten Krieg gegen Österreich-Ungarn und Deutschland führe. Man könne deshalb in den Tschechoslowaken nicht Verräter erblicken, sondern eine selbständige Nation. Großbritannien habe keine tschechoslowakischen Truppen auf seinem Gebiet und sei daher nicht unmittelbar interessiert. Deshalb würde seine Anerkennung des Nationalrats als Regierung und der tschechoslowakischen Armee als kriegführende Armee doppelt gelten (S. 531). Balfours Antwort war zurückhaltend. Er wandte zunächst ein, es sei nicht sicher, ob man den Nationalrat so klar und ohne Vorbehalte als Regierung erklären und damit einen Staat konstituieren könne, der vom Feind besetzt sei und bisher international rechtlich und faktisch dem Feinde gehöre. *Für einen solchen Fall gebe es in der Geschichte und im internationalen Recht überhaupt keine Analogie und kein Beispiel.*

Es entstünden sodann aus der eventuellen Anerkennung der Tschechoslowakei Schwierigkeiten mit den Polen und Jugoslawen. Man könne nicht klar sehen, was in dieser Sache die Zentralmächte, was Sowjetrußland und Polen selbst tun würden. Besonders wäre es den Alliierten hier absolut unmöglich, irgendeine Initiative zu ergreifen. Vielleicht noch größere Schwierigkeiten gebe es mit den Jugoslawen, wegen des selbständigen Serbiens und der schweren Gegensätze zu Italien. Damit seien aber nicht einmal alle Schwierigkeiten des Problems der Habsburger Monarchie erschöpft. Es sei sehr schwierig, wenn nicht unmöglich, *nur die tschechoslowakische Angelegenheit aus dem mitteleuropäischen Komplex herauszureißen und isoliert zu lösen.* Balfour warf ferner die Frage auf, wie weit der Pariser Nationalrat wirklich die Meinung der Tschechen und Slowaken zu Hause repräsentiere, *wie weit er auch das Recht habe, in ihrem Namen aufzutreten oder gar ihre Regierung zu werden.* Er stelle diese Frage im Hinblick auf bestimmte Kundgebungen, die man von Zeit zu Zeit in Böhmen habe hören können[1]).

Die weiteren Besprechungen wurden mit Lord Robert Cecil geführt. In dem ihm vorgelegten Entwurf forderte Benesch „in einer entschiedenen und rechtlich genaueren Form" dasselbe, was das Schreiben Pichons vom 28. Juli enthielt. Auch Cecils Haltung war zurückhaltend. Ihm war der tschechische Entwurf zu entschieden, zu lang und zu theoretisch. Er sagte Benesch gleich, daß die britische Regierung kaum so weit gehen, kaum von einem neuen Staat und einer neuen Regierung würde reden können. „Sein Entwurf beschränkte sich daher auch auf Tatsachen der Auslandsaktion, *gebrauchte aber weder das Wort ‚Souveränität‘, noch ‚Staat‘ oder „tschechoslowakische Regierung".* Die britische Regierung verharrte auf dieser Haltung: „sie *lehnte unsere historischen Betrachtungen und rechtlichen Argumente ab und stützte ihre ganze Hilfe auf unsere realen Handlungen."* Dagegen wollte die britische Regierung darauf eingehen, daß zwischen ihr und dem Nationalrat ein vorläufig nicht für die Öffentlichkeit bestimmtes Abkommen getroffen werde, worin auch die Souveränität des Nationalrats der tschechoslowakischen Nation, sowie das Verhältnis zu den Alliierten „klarer und entschiedener" zum Ausdruck käme, als es unter den damaligen Umständen in einer öffentlichen Deklaration politisch und rechtlich möglich wäre. Die Anerkennung der Souveränität des Nationalrates, so formulierte Benesch, hätte nachstehende Folgen: 1. Die tschechoslowakischen Länder nähmen vom internationalen und rechtlichen Standpunkt etwa dieselbe Stellung unter den Alliierten ein wie Serbien und Griechenland. 2. Ihre Armeen würden *aufhören* vom französischen und italienischen *Kriegsministerum abhängig* zu sein, stünden einzig unter tschechoslowakischer Verwaltung und wären gleichwertig mit den Alliierten. 3. Die tschechoslowakischen Länder hätten ihren eigenen Etat zur Erhaltung der Administration und der Armeen. Sie würden die Alliierten um eine politische Anleihe ersuchen, an der sich auch England beteiligen sollte. 4. Die Alliierten würden unmittelbar mit der provisorischen Regierung alle die tschechoslowakische Sache und die Armeen betreffenden Fragen behandeln. 5. Die tschechoslowakischen Länder würden an den alliierten Konferenzen teilnehmen, soweit diese nicht nur auf Angelegenheiten der alliierten Großmächte beschränkt wären. 6. Für die tschechoslowakischen Länder würden Konsulatsbüros mit Paß- und Kurierdienst errichtet werden. Mit allen Tschechoslowaken, die als solche von den tschechoslowakischen Be-

---

[1]) Benesch, a. a. O., S. 532 ff.

hörden anerkannt wären, würde auf dem Gebiet der Entente wie mit Alliierten verfahren werden. 7. Um den Alliierten genügende Garantien zu geben, könnte eine gemischte Finanzkommission errichtet werden, die den tschechoslowakischen aus der alliierten Anleihe gedeckten Etat zu kontrollieren hätte.

Auf dieser Basis wurde ein Einverständnis erzielt. Benesch unterstreicht es jedoch als charakteristische Änderung seines Entwurfes, daß *sich die britische Regierung sträubte, vorbehaltlos zu sagen, daß sie den tschechoslowakischen Nationalrat als vorläufige Regierung anerkenne.* Sie ersetzte diesen Ausdruck dadurch, daß sie ihn als „Treuhänder" einer künftigen tschechoslowakischen Regierung anerkannte. Die englische Deklaration, die das Datum des 9. August 1918 trägt, lautete dann[1]):

„Seit Beginn des Krieges hat sich die tschechoslowakische Nation gegen den gemeinsamen Feind mit allen Mitteln zur Wehr gesetzt, die ihm zu Gebote standen. Die Tschechoslowaken stellten eine verhältnismäßig große Armee auf, die auf drei verschiedenen Kriegsschauplätzen kämpft und in Rußland und Sibirien die deutsche Invasion aufzuhalten versucht hat.

Im Hinblick auf dieses Bestreben, die Selbständigkeit zu erlangen, betrachtet Großbritannien die Tschechoslowakei als alliierte Nation und erkennt die drei tschechoslowakischen Armeen als einheitliches und alliiertes kriegführendes Heer an, das in regelrechtem Krieg gegen Österreich-Ungarn und Deutschland steht.

Großbritannien erkennt gleichfalls das Recht des tschechoslowakischen Nationalrates als oberstes Organ der tschechoslowakischen Nationalinteressen und als gegenwärtigen Treuhänder (trustee) der künftigen eigentlichen Regierung an, die höchste Autorität über dieses alliierte Heer auszuüben."

Die diplomatische Bedeutung dieser Erklärung liegt auf der Hand. Sie warf einen schweren Schatten über die Donaumonarchie. Der italienische Botschafter in London, dem der Text der Erklärung mitgeteilt wurde, fragte, Benesch zufolge, nach der Wirkung des Abkommens. Balfour soll ihm geantwortet haben, England habe es sich lange überlegt und gezögert, diesen Weg zu betreten. Aber es gäbe keine andere Möglichkeit: Die Erklärung bedeute die Vernichtung Österreich-Ungarns.

e) Die Vereinigten Staaten

Am 2. September 1918 traf die Erklärung der Vereinigten Staaten ein[2]). Sie war das Ergebnis der intensiven politischen Aktivität Masaryks in den Vereinigten Staaten, nach seinem dortigen Eintreffen über Sibirien und Japan. Er konnte insbesondere enge persönliche Beziehungen zum Präsidenten

---

[1]) Text bei Benesch, a. a. O., S. 538
[2]) Text ebenda, S. 558.

Wilson herstellen. „Masaryk bearbeitete seit Ende Juni 1918 die amerikanische Öffentlichkeit und ihre amtlichen Kreise systematisch durch seine Tätigkeit für anti-österreichische Entschließungen". Auch hier trugen die Londoner Ergebnisse vom August 1918 (Benesch, S. 557) ihre Früchte. Masaryk verwendete sie bei Lansing und begründete die Notwendigkeit der Anerkennung des tschechoslowakischen Nationalrates seitens der Vereinten Staaten in seinem Memorandum vom 31. August. Die Formulierung der Erklärung durch Lansing folgte, wie Benesch unterstreicht, dem Vorbild der Balfour-Erklärung und hatte zum Inhalt: Die Tschechoslowaken griffen zu den Waffen gegen das Deutsche und das Österreichisch-ungarische Kaiserreich und stellten organisierte Armeen ins Feld, die den Krieg gegen diese Kaiserreiche unter dem Kommando von Offizieren der eigenen Nationalität und in Übereinstimmung mit den Gesetzen und Gebräuchen der zivilisierten Völker führten.

Da die Tschechoslowaken in diesem Kriege zur Unterstützung ihres Strebens nach Selbständigkeit die souveräne politische Vollmacht dem tschechoslowakischen Nationalrat anvertraut haben, erkennt die Regierung der Vereinigten Staaten an, daß zwischen den so organisierten Tschechoslowaken und dem Deutschen und Österreichisch-Ungarischen Kaiserreiche der Kriegszustand besteht. Sie erkennt gleichfalls den Nationalrat als Regierung de facto an, die die gebührende Vollmacht zur Leitung der militärischen und politischen Angelegenheiten der tschechoslowakischen Nation genießt.

Die Regierung der Vereinigten Staaten erklärt ferner, daß sie bereit ist, mit der so anerkannten Regierung de facto zwecks Führung des Krieges gegen den gemeinsamen Feind in Beziehung zu treten.

f) Japan

Der Versuch, die tschechoslowakischen Truppen in Rußland über Sibirien nach Frankreich zurückzuführen, hatte das politische Interesse der *Japaner* erweckt, die nach der Revolution im asiatischen Rußland stärker Fuß gefaßt hatten. Masaryk hatte, bevor er nach den Vereinigten Staaten weiterreiste, mit der japanischen Regierung über eine Hilfeleistung (durch Verpflegung und Ausrüstung) für die tschechoslowakischen Verbände und die Errichtung einer Verbindungsstelle in Tokio Besprechungen gehabt. Die politische Entwicklung in Sibirien verstärkte das japanische Interesse an den dort befindlichen tschechischen Verbänden. Nach dem positiven Verlauf der Verhandlungen mit England im Sommer 1918 hoffte Benesch, der in dieser Auffassung von der französischen Regierung unterstützt wurde, daß Japan der Politik Großbritanniens folgen würde und begann über den japanischen Botschafter in London Besprechungen mit dem Ziel einer Anerkennung des Nationalrats und der tschechischen Truppen. Der mündlichen Versicherung, daß Tokio die Zustimmung zur Anerkennung gebe und die tschechoslowakischen Verbände als verbündete Armee ansehe, folgte am 9. September eine Erklärung, wonach

Japan die tschechoslowakische Armee als verbündete und kriegführende Armee, die in „regelrechtem Kampf gegen Österreich-Ungarn und Deutschland steht", anerkannte, ebenso die Rechte des tschechoslowakischen Nationalrates zur Ausübung der Souveränitätsrechte über diese Armee (Benesch, S. 546). Diese Formulierungen bewegen sich offensichtlich in den Bahnen der englischen Erklärung.

C. Völkerrechtliche Analysen
der tschechoslowakischen Auslandsorgane und ihrer Akte

Wir haben auf die Parallelität des Vorgehens der tschechoslowakischen Auslandsorganisationen in beiden Weltkriegen hingewiesen. Daraus ergibt sich eine Gleichartigkeit der dadurch aufgeworfenen völkerrechtlichen Probleme. Die Veröffentlichungen über diese Fragen des Zweiten Weltkrieges sind dürftig; sie waren außerdem dem Verfasser nur in geringem Umfang zugänglich. So schien es geboten, die Fragen der völkerrechtlichen Natur der tschechoslowakischen Auslandsorgane und ihrer Akte während des Ersten Weltkrieges eingehender zu untersuchen. Die Ergebnisse sind auch für die durch den Zweiten Weltkrieg aufgeworfenen parallelen Fragen von klärendem Wert.

Wir erinnern an diesen Punkt ferner erneut daran, daß es der tschechoslowakischen Auslandsaktion in beiden Kriegen darum ging, den Eindruck des Besitzes völkerrechtlich unantastbarer Positionen – selbständige Kriegsführung, selbständige Armee, Stellung einer anerkannten Regierung – aus politischen Gründen unter allen Umständen zu erwecken. Was in Punkt 7 des Memorandums zur Textierung der französischen Erklärung vom 28. 6. 1918 gesagt wurde: „sie solle den Eindruck hervorrufen, daß hier, auf alliiertem Boden, ein tschechoslowakischer Staat entstanden sei[1])", das sollte auch durch die Abkommen mit den anderen Staaten oder durch deren Erklärungen erreicht werden. Angesichts dieser von den maßgebenden tschechischen Stellen selbst betonten politischen Zielsetzung solcher Akte muß eine völkerrechtliche Qualifikation mit besonderer Genauigkeit operieren. Sie wird dabei von Hinweisen der kompetenten tschechischen Stelle, den Erinnerungen des Präsidenten Benesch, ausgehen können.

Dort finden sich mehrere, für unsere konkreten Zusammenhänge wesentliche Fingerzeige. Hinsichtlich der Militärverbände führte er z. B. aus, daß ihre Angehörigen vom Standpunkt des internationalen Rechts aus Angehörige Österreich-Ungarns seien; sie könnten, wenn sie in Gefangenschaft gerieten, von Österreich-Ungarn jederzeit als Verräter hingerichtet werden[2]). Das steht mit

---

[1]) Vgl. oben S. 72.
[2]) So zu Balfour, Benesch, a. a. O., S. 531

der in verschiedenen Erklärungen formulierten Behauptung in klarem Widerspruch, wonach nämlich diese Militärverbände als selbständige Armeen einen Kampf nach den Regeln des Völkerrechts führten. Kein Angehöriger einer nach Kriegsrecht kämpfenden Armee darf vom Feind „als Verräter" hingerichtet werden. Der Effekt einer englischen Anerkennung sollte, so argumentierte Benesch gegenüber Balfour weiter, die Abhängigkeit der tschechoslowakischen Armeen vom französischen und italienischen Kriegsministerium vermindern. So war er sich, muß man daraus folgern, pro foro interno darüber klar, daß eine solche Abhängigkeit bestand, die tschechischen Verbände also nicht, wie nach außen hin behauptet, unabhängige Armeen darstellten. Für die allgemeine Lage des tschechoslowakischen Nationalrats ist ferner bezeichnend das Geständnis, er habe sich in Balfours Salon doch nur als „umherziehender Emigrant", als „armer Bittsteller" gefühlt. Und das im August 1918, nach der französischen „Anerkennung" vom 28. Juni.

Eine nähere Prüfung kommt zu denselben Ergebnissen.

1. ZUR VÖLKERRECHTLICHEN STELLUNG DER MILITÄRVERBÄNDE

In der Art der Bildung der Militärverbände liegt schon ein erster Hinweis auf ihren völkerrechtlichen Charakter. In Rußland, wo die Aufstellung bewaffneter Einheiten begann, wendeten sich tschechische landsmannschaftliche Vereine mit einem G e s u c h an die zuständigen zaristischen Behörden. Natürlich stand der russischen Regierung frei, diesem Gesuch zu entsprechen oder nicht. Es stand ihr offensichtlich auch frei, evtl. solche Verbände wieder aufzulösen (das geschah zum Teil). Die Aufstellung solcher Verbände ist also in das souveräne Belieben der Regierung, an die sich die Petenten wenden, gestellt. Es handelt sich um einen hoheitlichen, widerruflichen Ermessensakt.

Dieser Umstand wird noch dadurch unterstrichen, daß der betreffende Staat sich zu einem völkerrechtlich schwerwiegenden Schritt entschließen muß. Er muß nämlich die neue Truppe aus bestimmten Kategorien von Kriegsgefangenen aufstellen. Also muß er diese Gefangenen erst aus der Gefangenschaft, aus seiner Verfügungsgewalt, entlassen. Die Kriegsgefangenschaft ist eine Art Sicherheitshaft, zu dem alleinigen Zweck, die weitere Teilnahme der Gefangenen am Kampf zu verhindern[1].

Hier sollen sie aber zu neuem Kampf in entgegengesetzter Richtung freigegeben werden. Die Haager Landkriegsordnung kennt nur eine Entlassung in den Heimatstaat oder eine sogenannte Hospitalisierung im neutralen Land. Die italienische Regierung hat immer wieder ihre Zweifel an der völkerrechtlichen Zulässigkeit der tschechischen Praxis geäußert. In der Tat hatte die

---

[1]) *Kunz*, Kriegs- und Neutralitätsrecht, Wien 1935, S. 71.

russische Regierung im Zusammenhang mit dem Protest gegen die Errichtung eines selbständigen Königreiches Polen durch die Zentralmächte die diesen unterstellte Absicht, in Russisch-Polen Soldaten zum Kampf gegen die Entente auszuheben, als völkerrechtswidrig bezeichnet[1]).

Auf jeden Fall ist aber zur Freistellung der Gefangenen ein souveräner Entscheid des Staates, in dessen Gewahrsam und unter dessen Verantwortung die Gefangenen stehen, erforderlich. Denn dieser Staat ist es auch, der in erster Linie die völkerrechtlichen Folgen zu vertreten und zu verantworten hat. Daher z. B. das italienische Bemühen, die völkerrechtliche Legalität dadurch zu wahren, daß man die tschechischen Gefangenen nicht in Kampf-, sondern in Arbeitsverbänden zusammenfaßt, sie zwar faktisch frei, rechtlich aber im Kriegsgefangenenstatus belassen wollte. Es ist also Sache der einzelnen kriegführenden Staaten, einem Ersuchen um Aufstellung solcher Verbände zu entsprechen oder nicht, weil die Gefangenen ihrer Verfügung unterstehen. Und es macht rechtlich keinen Unterschied, ob sich einige Kiewer tschechische Vereine an das russische Ministerium oder ein schon zu einiger politischer Bedeutung gelangter „tschechoslowakischer Nationalrat" (der aus ähnlichen Anfängen entstanden ist) an die französische oder italienische Regierung wendet. Im übrigen zeigen die Überlegungen, die wir über die Opportunität solcher Vorschläge von russischer und italienischer Seite hören, zwingend, auch über kriegsrechtliche Erwägungen hinaus, warum es sich hier um souveräner Entscheidung unterliegende Akte handelt. Entscheidungen im militärischen Bereich sind in diesem Stadium der Staatenbeziehungen stets ausschließlich staatliche Hoheitsakte. Dieser Charakter verschärft sich während eines Krieges, wo Erwägungen der militärischen Sicherheit vorangehen. Die Aufstellung fremdstämmiger Truppenverbände auf dem Gebiet eines kriegführenden Staates wirft von selbst Fragen politischer und militärischer Sicherheit höchsten Ranges auf. Ist z. B. unter allen Umständen die Loyalität dieser fremden Truppen gegenüber der Regierung des Gastlandes gewährleistet? Hat nicht allein bloßes Dasein unerwünschte Auswirkungen auf den eigenen Staat? In *Rußland,* das ja weitgehend Nationalitätenstaat ist, wurde z. B. die Frage sofort unter dem Gesichtspunkt eines Präzedenzfalles für die nicht großrussischen Völker, Ukrainer, Weißrussen, Kaukasier usw., gesehen und schon daher mit größter Zurückhaltung aufgenommen. Erst nach der Revolution konnte der Plan in größerem Maßstabe durchgeführt werden. Die Rolle der tschechischen Legionen im Kampf zwischen Rot und Weiß zeigt sodann sehr deutlich, welches zusätzliche Risiko ein Staat mit der Zustimmung zu solcher Truppenaufstellung eingeht. Die Erfahrungen sprechen daher durchaus für die Zurückhaltung. Denn z. B. auch die in Rußland aufgestellten polnischen Formationen, die gegen die Zentralmächte kämpfen sollten, kämpften dann zum Teil gegen die Russen[2]).

---

[1]) *Paul Roth,* Entstehung des polnischen Staates, S. 26.
[2]) Roth, a. a. O., S. 49/50.

In den *Vereinigten Staaten* kam es deshalb aus verwandten Gründen zu keiner Erlaubnis der auch dort beabsichtigten Rekrutierung von USA-Bürgern tschechischen oder slowakischen Volkstums. Die Vereinigten Staaten fürchteten, durch eine solche Einwilligung die sich neu bildende amerikanische Armee in ihrem Kern zu bedrohen. Wenn alle amerikanischen Nationen, deren ursprüngliches Vaterland am Krieg beteiligt war, zum Eintritt in Nationalarmeen auffordern würden, litt am Ende die eigene Armee der Vereinigten Staaten darunter. „Außerdem tauchte da eines der ernstesten Probleme für die Vereinigten Staaten auf: der Krieg könnte und sollte der Kitt für alle amerikanischen Staatsbürger sein, welchen Ursprunges auch immer sie waren, er sollte dazu beitragen, aus dem heterogenen Einwanderungselement die Nation der Vereinigten Staaten zu schaffen. Die vorgeschlagene Aktion hätte diesen Prozeß illusorisch gemacht[1]." Die amerikanische Regierung verweigerte daher die Zustimmung zu einer Werbung unter den US-Staatsbürgern tschechischen und slowakischen Volkstums; sie gestattete nur, daß jene Tschechen und Slowaken, die der amerikanischen Rekrutierung nicht unterlagen, sich als Freiwillige für die neuen Verbände meldeten. Bei der italienischen Regierung waren es wiederum Überlegungen, ob und in welchem Maße sie ihre zahlreichen Gefangenen Repressalien seitens Österreich-Ungarns aussetzen würde. Diese Befürchtung hat sie lange Zeit hindurch zur Zurückhaltung bewogen.

Mit der völkerrechtlichen Verantwortung und dem politischen Risiko, das die verfügungsberechtigten Staaten eingingen, hängt der Streit um den „pouvoir constituant" zusammen für den Fall, daß es zur Aufstellung von solchen Verbänden kommt. Das zaristische Rußland entschied diese Frage dadurch, daß es den Treueid für sich forderte. Solange dies galt, mußten diese tschechischen Verbände von vornherein als integraler Bestandteil der kaiserlich-russischen Armee angesehen werden. Die italienische Regierung bestand zunächst auf rechtlicher Fortdauer des Kriegsgefangenenstatus und hätte schon dadurch die jederzeitige Verfügung über die Angehörigen der Verbände in der Hand behalten. Später ließ sie dann den Eid auf den Nationalrat in Frankreich wie die formelle Eingliederung in den tschechischen Truppenverband im Rahmen der französischen Armee zu und bedang sich nur die Unabhängigkeit vom französischen Kommando aus. Auch das zeigt, daß sie die Verbände in ihrer Hand zu halten beabsichtigte. Noch Ende Juli 1918 führte Benesch in seinem Memorandum an Lord Cecil als eines der Motive zum Abschluß eines Geheimabkommens mit England an, daß dadurch die tschechischen Verbände aufhören würden, vom französischen und italienischen Kriegsministerium abhängig zu sein.

Der Streit um die konstituierende Instanz taucht insbesondere bei den französisch-tschechischen Militärbesprechungen auf. Der französische Entwurf des Dekrets über die tschechoslowakischen Truppen in Frankreich hatte

---

[1] Benesch, a. a. O., S. 213.

die Formel vorgesehen, die französische Regierung konstituiere die tschechoslowakische Armee. Wir zeigten, wie diese Frage im Dekret umgangen, der
französische Standpunkt aber trotzdem in der Mitteilung an den Präsidenten
der Republik gewahrt wurde. Dem Nationalrat war wohl ein p o l i t i -
s c h e s Lenkungsrecht eingeräumt, aber die oberste militärische und völkerrechtliche Verantwortung lag bei der französischen Regierung. Der erwähnte
Hinweis Beneschs im Memorandum an Lord Cecil beweist das auch. Und
anläßlich des Abkommens zwischen Frankreich und dem tschechoslowakischen
Nationalrat vom 28. 6. 1918 notiert er, dieses Dekret entspreche nicht mehr dem
Stadium der nunmehr erreichten politischen und rechtlichen Unabhängigkeit.
Daher sollte an seine Stelle gemäß Art. 5 des Übereinkommens ein Militärab-
kommen treten. Da das Dekret bis zu seinem Abschluß gelten sollte, ein Abkommen aber nicht mehr zustande kam, waren auch in der Zeit nach dem 28. 6. 1918
bis zum Kriegsende die Verbände Bestandteil der französischen Armee. Sie
besaßen wohl im politischen Sinn eine Sonderstellung, insofern über ihre Verwendung der tschechoslowakische Nationalrat entschied. Aber das ist keine
Selbständigkeit im Sinne des Kriegs-Völkerrechts. Das zeigt auch der Wortlaut des französischen, die ganze Kriegszeit geltenden Dekrets klar.

Der eigentliche Sachverhalt geht aus dem Text des französischen Originals
von selbst hervor, das von den tschechoslowakischen Verbänden als partie
autonome spricht: *es handelt sich nicht um eine selbständige, sondern um
eine autonome Stellung;* die deutsche Übersetzung der Benesch-Memoiren ist
in diesem Punkte einfach unrichtig.

Völkerrechtlich sind daher die tschechoslowakischen Verbände als Teil der
französischen bewaffneten Macht anzusehen, und zwar ohne Rücksicht auf
ihre örtliche Aufstellung, Gliederung und Verwendung. Denn durch Eingliederung (wie im Falle der in Rußland stehenden Verbände) oder durch
vorgängige Klarstellung ihrer Unterstellung (wie im Falle Italien) waren
diese auch nicht in Frankreich stehenden Verbände als Bestandteile der durch
das französische Dekret konstituierten Verbände anerkannt. Das galt für die
Verbände in Rußland seit der Erklärung Masaryks vom 7. 2. 1918, die
von den sowjetischen Stellen akzeptiert wurde. Das galt auch von den in
Italien aufgestellten Verbänden, wo die italienische Regierung sich zwar die
praktische Unabhängigkeit vom Pariser Oberkommando ausbedang, gegen
ihren rechtlichen und politischen Charakter als Teil des einheitlichen tschechoslowakischen Verbandes aber nichts einwandte. Stefanik, der Hauptunter-
händler in Italien, trug Sorge, diesen Charakter der Einheit der in Italien
aufzustellenden tschechischen Verbände mit den übrigen tschechoslowakischen
Truppen, den die italienische Regierung anerkannt hatte, auch dem italienischen Generalissimus Diaz persönlich darzulegen[1]).

Diese Ergebnisse werden durch einen Blick auf die ähnliche Rechtslage der
polnischen Truppenverbände in Frankreich bestätigt. Das französische Dekret

---

[1]) Benesch, a. a. O., S. 379.

vom 4. 6. 1917 hat ihren Rechtscharakter klar umrissen. Art. 1 bestimmte, daß für die Kriegsdauer in Frankreich eine autonome, unter französischem Oberkommando stehende und unter polnischer Fahne kämpfende Armee geschaffen wird. Sie unterstand einer französisch-polnischen Militärmission. Die Kriegsgerichte sprachen im Namen des polnischen Volkes Recht. Die Soldaten schworen dem einen und unteilbaren Polen Treue. Dmovski, der führende polnische Emigrationspolitiker, nennt in seinen Erinnerungen das Dekret einen *internen französischen Akt*. Auch als am 28. September 1918 eine dem französisch-tschechischen Abkommen des gleichen Monats ähnliche „Militärkonvention" zwischen dem polnischen Nationalkomitee und Frankreich abgeschlossen wurde, änderte sich dieser Charakter nicht. Art. 1 spricht von der „armée *autonome* alliée et belligérente sous commandement polonais unique". Art. 2 unterstellt diese Armee der obersten politischen Gewalt des polnischen Nationalkomitees in Paris. Das oberste Kommando wird im Einverständnis mit der französischen, evtl. auch mit andern alliierten Regierungen ernannt[1]).

Die Autonomie, nicht die Selbständigkeit, war offenbar das Grundschema für die Stellung der polnischen wie der tschechoslowakischen Verbände der französischen Armee.

2. DIE „TSCHECHOSLOWAKISCHE KRIEGSFÜHRUNG"

UND VÖLKERRECHTLICHE STELLUNG DES NATIONALRATES

a) In den Anerkennungen und Erklärungen der verschiedenen alliierten Regierungen sind die tschechoslowakischen Truppen als „kriegführend" bezeichnet, und tschechische Politiker und Schriftsteller haben daraus einen effektiven Kriegszustand zwischen dem späteren tschechoslowakischen Staat und Österreich-Ungarn abgeleitet. Die englische Erklärung sprach von den drei tschechoslowakischen Armeen als „einheitlichem und kriegführendem Heer", das in regelrechtem Krieg gegen Deutschland und Österreich-Ungarn stehe. Das Abkommen des Nationalrats mit der französischen Regierung vom 28. Juni 1918 anerkennt die „tschecho-slowakische Nation" als kriegführend (Art. 2), was die kriegführende Eigenschaft der „tschecho-slowakischen Armeen" (Art. 1) voraussetzt. In der amerikanischen Erklärung vom 2. 9. 1918 wird von den „organisierten Armeen" der Tschechoslowaken gesprochen, die den Krieg gegen das deutsche und österreichische Kaiserreich nach den Gesetzen und Gebräuchen der zivilisierten Völker führen, weiter wird anerkannt, daß zwischen den so organisierten Tschechoslowaken und den beiden Kaiserreichen der Kriegszustand bestehe. Die japanische, der englischen folgende Formel betrachtete die tschechoslowakische Armee als

---

[1]) Paul Roth, a. a. O., S. 50.

„verbündete und kriegführende Armee", im „regelrechten Kampf gegen Österreich-Ungarn und Deutschland".

Die Formulierungen sind, wie man sieht, nicht identisch. Nach der englischen steht die tschechoslowakische A r m e e im Krieg mit den beiden Kaiserreichen, so auch nach der japanischen. Nach der amerikanischen Formel besteht der Kriegszustand zu Deutschland und Österreich-Ungarn auch zwischen dem tschechoslowakischen *Nationalrat* als dem „politischen Bevollmächtigten der Tschecho-Slowakei". In der französischen Formel wird die tschechoslowakische N a t i o n als verbündet und kriegführend anerkannt. Was ist der Gehalt dieser verschiedenen Formulierungen?

Für das klassische Völkerrecht, das bis zum Ersten Weltkrieg unbestritten galt, ist Krieg ein bewaffneter Kampf zwischen Staaten. Ihrem Grunde nach ist diese Auffassung auch heute noch verbindlich[1]).

Wie ist nun der uns vorliegende Sachverhalt? Im Ausland lebende Tschechen und Slowaken, zum Teil österreich-ungarische Staatsbürger, sodann in der großen Überzahl in alliierte Kriegsgefangenschaft geratene k.u.k. Soldaten tschechischer und slowakischer Volkszugehörigkeit haben sich in der Gefangenschaft zum Kampf gegen ihre legitime Regierung bereit erklärt und werden in neu aufgestellten Verbänden zusammengeschlossen. Im Laufe des Jahres 1918 waren sämtliche solche Verbände Teile der französischen Armee gemäß Dekret vom 16. 12. 1917. Vom legitimen Souverän, der österreichisch-ungarischen Monarchie, aus gesehen, waren sie Deserteure. Die Treueverpflichtung zum Heimatstaat konnte durch die Aufnahme in die Streitmacht eines gegnerischen Staates, auch in Form eines autonomen Verbandes, nicht

---

[1]) Ein bekanntes völkerrechtliches Lehrbuch, *Oppenheim-Lauterpacht,* International Law, führte in der 6., während des Zweiten Weltkriegs erschienenen Ausgabe dazu aus: „Damit vom Kriege die Rede ist, muß ein Kampf zwischen Staaten vorliegen . . . Es mag natürlich auch ein Kampf zwischen der bewaffneten Macht eines Staates und einer Gruppe bewaffneter Individuen ausbrechen, aber das ist dann „nicht Krieg . . . Daher war der Kampf zwischen den „Dr. Jameson raiders" und der früheren Südafrikanischen Republik kein Krieg. Auch der Kampf gegen Insurgenten oder Piraten ist nicht Krieg" (II, 167). Hinsichtlich der aus solchen Unterscheidungen fließenden Folgen heißt es: „In Übereinstimmung mit einer allgemein anerkannten Regel des internationalen Rechts sind feindselige Akte privater Individuen nicht Akte legitimer Kriegsführung, und die Schuldigen können als Kriegsverbrecher behandelt und bestraft werden . . ." (II, 170). Es wird dann weiter von der Veränderung des völkerrechtlichen Status der Insurgenten durch Zuerkennung der Eigenschaft als „Kriegführende" gesprochen. „Durch eine solche Anerkennung erhält eine Gruppe von Einzelnen eine internationale Rechtsstellung, insofern sie für gewisse Teilbereiche und in manchen Punkten behandelt wird, *als wäre sie* Subjekt des Völkerrechts" (II, 173). Eine solche Anerkennung kann von der rechtmäßigen Regierung ausgehen, und dann werden die anderen Staaten in den meisten Fällen, obwohl dazu nicht verpflichtet, gleicherweise den Kriegszustand als bestehend anerkennen und die Neutralitätspflichten auf sich nehmen. Aber es mag vorkommen, daß die anderen Staaten Insurgenten als kriegführende Mächte anerkennen, bevor der Staat, auf dessen Territorium der Aufstand ausbrach, ihn als solchen anerkennt. In solchem Falle handelt es sich in den Augen dieser anderen Staaten um Krieg, *nicht aber in den Augen der legitimen Regierung* (II, 173).

beseitigt werden. Der einzelne hatte bei neuerlicher Gefangennahme eine kriegsrechtliche Behandlung als Deserteur zu erwarten. Sinn der Anerkennung der tschechischen Verbände sollte daher sein, ihnen vom Standpunkt der Alliierten aus zum Stand eines legitimen Kombattanten zu verhelfen. Die Wirkung einer solchen Hilfe, der „Anerkennung", bleibt aber naturgemäß auf die Anerkennenden beschränkt und hat keine Wirkung für den Heimatstaat. Für ihn handelt es sich nicht um legitime Kombattanten, sondern um Deserteure[1]). Die Möglichkeit der „regelrechten Kriegsführung" der tschechischen Verbände hätte nur ihre Anerkennung als Aufständische durch ihren Heimatstaat bewirken können. Zu einer solchen kam es nicht. Die Angehörigen der tschechischen Verbände waren daher keine legitimen Kombattanten, die im Falle der Gefangenschaft Anspruch auf eine dem internationalen Gefangenenrecht entsprechende Behandlung hatten. Sie waren unter fremder Fahne dienende Überläufer, die eine dafür vorgesehene Rechtsfolge zu erwarten hatten.

b) Es fragt sich weiter, ob die in Anspruch genommene Möglichkeit der regelrechten Kriegsführung durch eine *Erklärung des tschechoslowakischen Nationalrates* ausgelöst werden konnte.

Die Frage verweist zunächst auf die weitere nach dem völkerrechtlichen Charakter des Nationalrates und der von ihm repräsentierten Nation. Die Verhältnisse liegen hier durchaus analog. Wir sahen vorhin die Ursprünge des Nationalrats in privater Initiative politisch einflußreicher Emigranten, die den revolutionären Charakter ihres Unternehmens betonten. Politische Erfolge sind aber kein Ersatz für fehlende völkerrechtliche Positionen. Die „Anerkennungen" durch die alliierten Regierungen blieben einseitige Akte einer Kriegspartei. Nur wenn der Nationalrat eine von *beiden* Kriegsparteien anerkannte völkerrechtliche Position besaß, war die Möglichkeit einer alle Kriegsparteien bindenden Anerkennung als kriegführender Instanz ge-

---

[1]) Oppenheim-Lauterpacht führt (Band I, S. 200, § 76a) gerade unter Hinweis auf unseren Fall aus, daß diese Anerkennung keine Wirkung für den Heimatstaat hat und er die Aufständischen als Verräter behandeln darf. Er bezeichnet dann die Frage, ob das auch für Angehörige der bewaffneten Verbände galt, die von den Alliierten des Ersten Weltkrieges als kriegführend anerkannt worden waren (Tschechoslowaken, Polen), als kontrovers. Er selbst nennt es „die bessere Meinung", daß, falls vom Gegner einmal zahlenmäßig ins Gewicht fallenden Verbänden, die auf feindlichem Boden effektiv organisiert sind, Anerkennung ausgesprochen wurde, ein Punkt erreicht sei, wo der Kriegführende, der durch Desertion und Abneigung eine beträchtliche Zahl seiner Staatsangehörigen, die gegen ihn kämpfen, verlor, nicht das Strafgesetz länger als das einzige hiefür zuständige Element ansehen wird, ohne sich selbst einer Vergeltung auszusetzen.
Auch wenn man diesen Gesichtspunkt nicht als praktische Lösung abweist, muß man unterstreichen, daß es sich eben nicht um eine rechtliche, sondern um eine praktische Erwägung handelt. Das zeigen gerade auch die Ausführungen Beneschs, z. B. S. 531 u. 583.
Auch Fauchille a. S. 89 a. O., I, 312, der der tschechischen Auslandsaktion mit offensichtlicher Sympathie gegenübersteht, spricht von den tschechoslowakischen Verbänden als „formées avec des déserteurs de l'armée austro-hongroise".

geben. Da das nicht der Fall war, wirkte sie nur für die alliierte Gruppe, aber nicht für die Zentralmächte. Auch die in der letzten Phase des Krieges behauptete Erlangung des Status einer de facto-Regierung (durch die Vereinigten Staaten) konnte daran nichts ändern. Die Anerkennung von Staaten, die auf revolutionärem Weg entstanden sind, hängt – gerade nach einer langen Praxis der USA – allein von dem Umstand ab, ob ein Staat *tatsächlich* zum Dasein gelangt ist; die Probe besteht darin, ob der Konflikt mit dem Heimatstaat im wesentlichen gewonnen ist[1]). Aber, wie anschließend zu zeigen, es begann eine revolutionäre Erhebung in den tschechischen Gebieten erst am 28. Oktober 1918. Ende Juli und Anfang September gab es dort überhaupt keine organisierte Widersetzlichkeit gegen die k. k. Regierung. Die Auslandsorganisation hatte wohl eine enge Untergrundverbindung mit der Heimat und ein Netz verläßlicher Anhänger ihrer zu diesem Zeitpunkt rein westlichen Orientierung. Aber die rechtliche oder faktische Autorität des Pariser Nationalrats auch nur über den tschechischen Teil der böhmischen Länder war zu dieser Zeit gleich Null.

Die Entente-Mächte haben gegen die Errichtung des Königreiches Polen durch die Zentralmächte wegen Völkerrechtswidrigkeit protestiert und erklärt, daß aus einer militärisch erfolgreichen Operation niemals das Recht zu einem „transfer de la souveraineté" folgen könne. Daher erwachse auch niemandem ein Recht „de disposer de ce territoire au profit de qui que ce soit". Militärische Eroberung und Besetzung eines Landes vermitteln der erobernden Macht nur begrenzte interimistische Rechte, die sich normalerweise nach den Regeln der Haager LKO bestimmen. Sie kann einseitig keine definitiven Statusänderungen vornehmen; die von ihr gebildeten oder anerkannten Regierungen sind vom Standpunkt des Völkerrechts immer nur provisorischer Natur.

Wenn eine solche Begrenzung schon gegen die Macht gilt, die die wirkliche Herrschaft auf dem beanspruchten Gebiet nach Kriegsrecht ausübt, so muß der ihr zugrunde liegende Grundsatz a fortiori wirken, wenn ein solcher „transfer de la souveraineté" ohne auch nur teilweise Verfügung über das beanspruchte Gebiet erfolgt. Das war aber bei den alliierten Anerkennungen des tschechoslowakischen Nationalrats und der Zuerkennung des Status einer de facto-Regierung der Fall. Hier handelte es sich in Wirklichkeit um in völkerrechtliche Formen gekleidete *Entschlüsse oder Verpflichtungen politischer und moralischer Natur der fraglichen Regierungen, sich in einem Zeitpunkt wirklicher Handlungsfreiheit für die Selbständigkeit der „tschechoslowakischen Nation" einzusetzen.*

Auch für diese Frage ist der Blick auf die analoge polnische Situation lehrreich. Sie war dort insofern wohl komplizierter, als seit der Proklamation des Königreichs Polen durch die Zentralmächte (5. 11. 1916) ein Regent-

---

[1]) *Hyde,* International Law as chiefly interpreted and applied by the U. St. II. Aufl. 1, § 40, S. 152.

schaftsrat bestand, der im November 1918 Pilsudski die Regierungsgewalt übergeben hatte. Pilsudski bildete aus bodenständigen Kräften eine neue Regierung. Ihr Verhältnis zum Pariser Polnischen Nationalrat war nicht geklärt, im Gegensatz zu den Tschechen, die seit den Genfer Besprechungen Mitte Oktober 1918 ihre Inlands- und Auslandsaktion in Übereinstimmung gebracht hatten. Daher lehnte England noch im November 1918 den französischen Vorschlag ab, das Polnische Nationalkomitee in Paris als polnische de facto-Regierung anzuerkennen. Die Schlußsätze der englischen Note lauteten:

„The present suggestion, however, appears to H. M. Government to attribute to the Polish National Committee functions which are in reality those of a Government of a recognized independent State.

The therefore feel that it would be premature at the present moment and until more precise information, as to the political situation in Poland is available, to accord to the Polish National Committee the formal measure of recognition which they now seek. Such a step might risk the definite alienation of general opinion in Poland, whose wishes have never yet reached the Allies' Governments in any substantial form[1]).“

Indessen kam es nicht auf den Titel einer de facto-Regierung an, sondern auf die Beziehung der sich so nennenden oder genannten Körperschaft zu dem von ihr beanspruchten Territorium. Dmovsky charakterisiert die Lage des Polnischen Nationalkomitees folgendermaßen. „Das Nationalkomitee in Paris hatte nicht den Titel einer polnischen Regierung. Infolgedessen konnte es keine Verträge im Namen des ganzen Volkes abschließen, und Polen, formell betrachtet, trat nicht in ein Bündnis zu den Westmächten ein[2]).“

Die Anerkennung des Nationalrates als Organ eines tschechoslowakischen Staates konnte keine Rechtskraft entfalten, da der tschechoslowakische Staat sich erst vom 28. Oktober an zu bilden begann. Aber auch die versuchte Konstruktion des Nationalrates als Organ der tschechoslowakischen oder tschechischen N a t i o n ist ein Versuch am untauglichen Objekt. Ihn hat Fauchille[3]) unternommen. Er wollte dort die Möglichkeit einer zu der Anerkennung von Aufständischen und Kriegführenden hinzutretenden Form der Anerkennung als Nation darlegen. Die Voraussetzung sei das Bestehen einer gegen einen bestimmten Staat gerichteten Bewegung, „Mouvement d'Opinion", die jedoch nicht in feindlichen Handlungen auf dessen Gebiet, sondern durch eine Organisation im Ausland zum Ausdruck komme. So könne ein unterdrücktes Volk seinen Willen zur Bildung eines eigenen Staates zum Ausdruck bringen.

Der Versuch ist nicht überzeugend. Sicherlich können Verhältnisse der geschilderten Art eine sehr bedeutende politische Realität darstellen. Sie

---

[1]) Roth, a. a. O., S. 51.
[2]) Roth, a. a. O., S. 53.
[3]) Traité du Droit International B. I 320 ff.

entziehen sich aber ihrer Natur nach einer unmittelbaren Fixierung als völkerrechtlicher Tatbestand. Und außerdem spricht folgende Überlegung dagegen: Es ist unbestritten, daß sowohl im gegenwärtigen Völkerrecht, wie insbesondere in der bis zum Ersten Weltkrieg geltenden Völkerrechtsordnung, Volkstum oder Nation, verstanden als Einheit ethnisch gleicher Menschen, keine völkerrechtliche Existenz haben. Was aber kein völkerrechtliches Dasein hat, kann auch nicht völkerrechtlich durch Organe in Erscheinung treten[1]).

Daher konnte auch keine Erklärung des Nationalrates, weder vor noch nach einer „Anerkennung" als de facto-Regierung, den Zustand „regelrechter Kriegsführung" für die tschechoslowakischen Militärverbände mit Wirkung für die Zentralmächte herbeiführen.

3. ERGEBNISSE

Die Analysen der rechtlichen Position der tschechoslowakischen Militärverbände zeigten sie als kriegsdienstverpflichtete Angehörige der österreichisch-ungarischen Monarchie einerseits, sodann, als Überläufer zusammengefaßt in neuaufgestellten Verbänden, als autonome Teile der französischen Armee andererseits. So bestand völkerrechtlich keine aus der Tatsache des militärischen Einsatzes dieser Verbände fließende selbständige tschechoslowakische Kriegführung, vielmehr eine Teilnahme autonomer Verbände der französischen Armee am Kriege. So bestand entgegen den politisch bedingten Formulierungen in den verschiedenen Anerkennungen auch keine selbständige tschechoslowakische Armee, sondern es gab nur autonome Abteilungen der französischen Armee, bestehend aus tschechoslowakischen Soldaten.

Es bestand ferner keine selbständige tschechoslowakische Kriegsführung, etwa aus dem Titel einer Kriegsführung des tschechoslowakischen Nationalrates. Dieser war vor dem 28. Oktober kein Organ eines Staates, und die seiner politischen Direktive unterstehenden Verbände waren kriegsrechtlich Teile der französischen Armee. Das Völkerrecht kennt aber kein Organ einer rechtlich nicht existenten Nation als ethnischer Einheit[2]).

Die englische Formel vom tschechoslowakischen Nationalrat als „Treuhänder einer künftigen Regierung" trifft die Wirklichkeit am besten; sie ist indes, bei all ihrem politischen Gewicht, völkerrechtlich nicht faßbar. Un-

---

[1]) Vgl. dazu *A. P. Sereni*, La représentation en droit international im Recueil des Cours, 73, (1948) II, S. 80 ff.

[2]) Das gilt zum mindesten von dem damaligen Völkerrecht; die völkerrechtlichen Fragen, die sich aus den Problemen des völkerrechtlichen Daseins der jüdischen Nation wie des israelitischen Staates ergeben, gehören nicht hierher.

sere Untersuchung kommt somit zu demselben Ergebnis wie hervorragende Autoren des internationalen Rechts. Das auf dem Hintergrund der amerikanischen Völkerrechtspraxis formulierte Urteil *Hyde's* hat aus diesem Grunde besonderes Gewicht. Er lehnt die „Anerkennung" des tschechoslowakischen Nationalrates als de facto kriegführende Regierung durch die Vereinigten Staaten (September 1918) und den Ausdruck ihrer Bereitwilligkeit, in formelle Beziehungen zu treten, ab. Man müsse darin, meint er, eher einen Akt der Kriegsführung als den Fall der Ausübung des Rechts auf Anerkennung sehen[1]).

Anzilotti formuliert in seinem Lehrbuch des Völkerrechts:

„Was man Anerkennung der den Zentralmächten angehörenden Nationalitäten nennt, die während des Krieges in den Entente-Staaten nationale Komitees und sodann Deserteurlegionen gründeten, die zusammen mit den alliierten und assoziierten Armeen kämpften, dient in Wirklichkeit zur Bezeichnung einer Reihe von internen Akten rechtspolitischer oder militärischer Natur, von Akten beiläufig, die der zukünftigen Konstituierung neuer Staaten auf nationaler Grundlage vorausgingen, zu deren Gründung die erwähnten Mächte sich moralisch verpflichteten[2])."

Auch Erich *Kaufmanns* Meinung zielt im wesentlichen in diese Richtung[3]).

Kaufmann spricht von den außerhalb des heimatlichen Territoriums, durch Flüchtlinge und Emigranten gebildeten Nationalkomitees und den Formen ihrer Anerkennung durch die Alliierten des Ersten Weltkrieges. Die Wichtigkeit dieser Tatsachen werde dadurch nicht aufgehoben, daß es sich nur um Beziehungen zwischen Alliierten handelte, die nicht der anderen Kriegspartei entgegengehalten werden konnte. Mangels einer Gebietshoheit waren diese „Nationen", als deren offizielle Organisationen sie anerkannt waren, keine Staaten. Diese bildeten sich vielmehr auf den fraglichen nationalen Gebieten. Das ethnische Element konnte wohl eine gewisse isolierte Rolle spielen. Aber nur *nach seiner Vereinigung mit dem Element der Macht über ein Gebiet*, durch *Herstellung einer Willenseinheit zwischen Nationalkomitees und territorialen Regierungen* ist ein der Anerkennung fähiger Staat entstanden. Immerhin sei das Dasein dieser Nationalkomitees als Ausdruck des nationalen Willens angesehen worden und habe genügt, von Volksabstimmungen abzusehen. Kaufmann verweist in diesem Zusammenhang auf eine Entscheidung des Ständigen Internationalen Gerichtshofes[4]).

---

[1]) Hyde, a. a. O.

[2]) Nach der deutschen Ausgabe von *C. Bruns* und *Karl Schmid*, 1929, S. 93.

[3]) *E. Kaufmann*, Règles Générales du Droit de la Paix, in: Recueil des Cours 54, (1935), S. 369.

[4]) Das Urteil des St. I. G. Nr. 7 hatte zu analogen Fragen der Entstehungsgeschichte des polnischen Staates Stellung zu nehmen. Es ist daher auch für den tschechoslowakischen parallelen Tatbestand von Interesse. Das Gericht hatte u. a. zu entscheiden, ob sich Polen auf die Bestimmungen des Waffenstillstands zwischen Deutschland und den Alliierten berufen konnte. Für das Gericht war der entscheidende Umstand – die Frage nämlich, ob sich Deutschland mit Polen im Krieg

befunden habe – davon abhängig, ob Deutschland Polen als kriegführende Macht anerkannt habe. Die einschlägige Stelle des Urteils lautet: „. . . Nach Ansicht des Gerichtshofes gehört Polen weder zu den vertragschließenden Mächten des Waffenstillstandes noch des Protokolls von Spa. Im Augenblick des Abschlusses der beiden Abkommen war es von Deutschland nicht als kriegführende Macht anerkannt worden. Nur auf der Grundlage einer solchen Anerkennung aber hätte ein Waffenstillstand zwischen diesen beiden Mächten geschlossen werden können. Allerdings hatten die alliierten Hauptmächte die bewaffneten polnischen Kräfte als selbstständige, alliierte und gleichfalls mitkriegführende (oder: kriegführende) Armee anerkannt. Diese Armee stand unter der obersten politischen Aufsicht des polnischen Nationalkomitees in Paris. Ohne in die Prüfung der Frage einzutreten, welches damals die politische Bedeutung dieses Komitees war, stellt der Gerichtshof fest, daß diese Tatsachen Deutschland, *das daran keinen Teil hat,* nicht entgegen gehalten werden können. Andererseits befand sich das Polen, wie es sich in den von den Zentralmächten besetzen russischen Gebieten bildete, zweifellos nicht im Kriegszustand mit Deutschland; gerade das Nichtbestehen des Kriegszustandes zwischen Polen und Deutschland erklärt es, daß Polen, das in dem Versailler Vertrag als alliierte Macht erscheint, nicht den Art. 232 für sich in Anspruch nehmen kann, der diesen Mächten ein Recht auf Wiedergutmachung gibt." (Cour Permanente de Justice Internationale Serie A No. 7) (Affaire relative à certains intérêts allemands en Haute Silésie Polonaise p. 28.)

III. ABSCHNITT

Die Entstehung des tschechoslowakischen Staates und die Lage der Sudetengebiete bis zum Vertrage von St.-Germain

A. Der Auflösungsprozeß der Habsburger Monarchie

1. DAS MANIFEST KAISER KARLS VOM 18. OKTOBER 1918

Wir erwähnten den 28. Oktober 1918 bereits als das für das Entstehen des tschechischen Staates maßgebliche Datum. In der Tat haben diese Ereignisse endgültig die bisherige kaiserliche Autorität zerstört. Die böhmischen Länder, bis dahin Glieder im Gesamtgefüge der Habsburger Monarchie, trennten sich von ihr, wobei dieser Prozeß gegen Ende Oktober 1918 sichtbar zu werden begann.

Ihm ging ein Versuch des Kaisers voraus, durch einen radikalen Kurswechsel, einen vollkommenen Staatsumbau, die Monarchie zu retten. Kaiser Karl entschloß sich, Österreich-Ungarn auf verfassungsmäßigem Wege in einen Nationalitäten-Bundesstaat umzuwandeln. Sein Manifest lautet in den wesentlichen Stellen, nachdem der „Neuaufbau des Vaterlandes auf seinen natürlichen und daher zuverlässigen Grundlagen" angekündigt und versprochen wurde, „die Wünsche der österreichischen Völker hierbei sorgfältig miteinander in Einklang zu bringen":

„Ich bin entschlossen, dieses Werk unter freier Mitwirkung meiner Völker im Geiste jener Grundsätze durchzuführen, die sich die verbündeten Monarchen in ihren Friedensangeboten zu eigen gemacht haben. Österreich soll dem Willen seiner Völker gemäß zu einem Bundesstaat werden, in dem jeder Volksstamm auf seinem Siedlungsgebiet sein eigenes staatliches Gemeinwesen bildet . . . Diese Neugestaltung, *durch die die Integrität der Länder der heiligen ungarischen Krone in keiner Weise berührt wird,* soll jedem nationalen Einzelstaate seine Selbständigkeit gewährleisten. Sie wird aber auch gemeinsame Interessen wirksam schützen und überall dort zur Geltung bringen, wo die Gemeinsamkeit ein Lebensbedürfnis des einzelnen Staatswesens ist[1]."

---

[1] Text bei *K. F. Nowak*, Der Sturz der Mittelmächte, S. 412.

Dieses Manifest wurde durch dreierlei Umstände um seine Wirkung gebracht. Zuerst durch das Zurückweichen Kaiser Karls vor dem Verharren der ungarischen Regierung auf der staatsrechtlichen Ausgleichsposition von 1867. Der geforderte Vorbehalt, daß die Reformen die Integrität der Länder der heiligen ungarischen Krone nicht berühren sollten, mußte einen national-politischen Umbau aber von vornherein zum Torso machen und damit seinen politischen Erfolg in Frage stellen. Der Integritätsvorbehalt bedeutete z. B. für die Kroaten den Zwang zum Verbleib bei Ungarn unter den für sie unbefriedigenden Rechtsverhältnissen. Das hatte zur Folge, daß sich auch die zwischen Habsburg und Jugoslawien schwankenden Kroaten nunmehr dem letzteren zuwandten. In der Tagung des Jugoslawischen Kronrates in Agram (17. bis 19. 10. 1918) wurde eine Erklärung der Vertreter der Kroaten, Slowenen und Serben beschlossen. Sie glich der gleich zu erwähnenden Prager Entschließung, wies das Manifest zurück und verlangte für die vereinten Südslawen der Monarchie ein vereintes freies Südslawien. (Nach dem Zerfall der Monarchie versuchte die ungarische Regierung des Grafen Karolyi vergeblich, dieselben Reformen, die ihre Vorgängerin vor einigen Wochen erbittert bekämpft hatte, selbst durchzuführen.) Infolge der ungarischen Drohung, die Lebensmittelbelieferung Österreichs einzustellen und des dadurch erzwungenen ungarischen Integritätsvorbehaltes war das Manifest von vornherein halbseitig gelähmt. Der zweite, vernichtende Schlag gegen das Manifest kam von außen. In der Antwort des Präsidenten Wilson auf die Note der österreichischen Regierung vom 8. 10. 1918 wurde erklärt, daß die Vereinigten Staaten über die Formulierung der 14 Punkte hinausgehen müßten. Darin war für die Völker Österreichs die freieste Entwicklung zum autonomen Dasein gefordert worden. Unter Erinnerung an die amerikanische „Anerkennung" des tschechoslowakischen Nationalrates und seiner angeblichen „Kriegsführung" wurde nunmehr diese Forderung fallen gelassen und durch eine weitergehende ersetzt, in die auch die Jugoslawen einbezogen wurden. „Der Präsident", hieß es in der Zusammenfassung, „ist daher nicht mehr in der Lage, die bloße Autonomie dieser Völker als eine Grundlage für den Frieden anzuerkennen, sondern er ist gezwungen, darauf zu bestehen, daß sie und nicht er Richter darüber sein sollen, welche Aktion auf Seiten der österreichisch-ungarischen Regierung die Aspirationen und die Auffassung der Völker von ihren Rechten und von ihrer Bestimmung als Mitglieder der Familie der Nation ansehen wird[1]."

Diese Note war, wie Benesch voller Genugtuung nach Jahren schrieb, „Wilson's letzter Schlag gegen das Habsburger Reich", Grabgesang der österreichisch-ungarischen Monarchie.

Ihr innerpolitisches Echo, das dritte der das Schicksal des Manifestes bestimmenden Ereignisse endlich, war der Beschluß des tschechischen Nationalausschuß in Prag vom 19. 10. 1918. Dort lauteten die entscheidenden Stellen:

---

[1] Text bei Benesch, a. a. O., S. 601

„Der Nationalausschuß und mit ihm das gesamte tschechische Volk ohne Ausnahme verharren unverbrüchlich auf dem Standpunkt, daß es mit Wien für das tschechische Volk keine Verhandlungen über seine Zukunft gibt. Die böhmische Frage hat aufgehört, eine Frage der inneren Regelung Österreich-Ungarns zu sein. Sie ist zu einer internationalen Frage geworden und sie wird mit allen Weltfragen gemeinsam gelöst werden. Sie kann auch nicht ohne Zustimmung und Einverständnis jenes international anerkannten Teiles der Nation gelöst werden, welcher sich außerhalb der böhmischen Grenzen befindet . . . Das tschecho-slowakische Volk wollte überhaupt nie und wird nie national und kulturell eine zweite Nationalität im tschecho-slowakischen Staat bedrücken. Alle seine Traditionen, seine eigenen Leiden und die demokratischen Prinzipien seines Staates sind die beste Gewähr dafür[1])."

Die Wilson-Note hatte die Möglichkeit einer innerpolitischen Lösung des österreichischen Nationalitätenproblems, damit auch der tschechischen und sudetendeutschen Frage, für immer beendet. Die Prager Erklärung war ihre Konsequenz.

Die Textierung des tschechischen Aufrufes zeigt, welchen Grad die Schwenkung der tschechischen Politik innerhalb der Monarchie inzwischen erreicht hatte. Die loyale, der Dynastie ergebene Haltung war verlassen. Die Textierung zeigt auch das unterirdische Einvernehmen der leitenden Heimatkräfte in Prag mit den Leitern der Auslandsaktion in Paris. Hierin kündigte sich die Verschmelzung der Auslandsaktion mit dem nunmehr auch revolutionären Kurs der tschechischen Politik in der Heimat an, wie er dann in Art. 1 des 1. tschechoslowakischen Gesetzes vom 28. 10. 1918 mit seinem Hinweis auf Dasein und Kompetenz des Pariser Nationalrates zum ersten Male rechtlich Ausdruck findet. In der Erklärung des Prager Nationalausschusses kommt schon die Übereinstimmung zwischen revolutionärer Inlands- und Auslandsaktion zum Vorschein, wie sie dann, gewissermaßen formell, in der entscheidenden Begegnung zwischen der Vertretung des Pariser Nationalrates und der tschechischen Delegation aus Prag, der die kaiserliche Regierung die Erlaubnis zur Reise in die Schweiz gegeben hatte, hergestellt wurde.

2. EINVERNEHMEN ZWISCHEN PRAGER DELEGATION UND AUSLANDSAKTION (GENF, 16.–17. 10. 1918)

Benesch bezeichnet diese Besprechungen als die wichtigsten, „weil sie erst die Gewißheit brachten, daß, was die Auslandsaktion *auf eigene Faust* unternommen hatte, auch von den Vertretern der *wirklichen Nation* in der Hei-

---

[1]) Text bei K. F. Nowak, a. a. O., S. 414.

mat gebilligt wurde". Die Begegnung fand am 16. Oktober 1918 in Genf statt. Beneš unterrichtete die Heimatdelegation über die Entwicklung der Auslandsaktion bis zum damaligen Zeitpunkt. Besonders beschäftigte er sich mit den „Anerkennungen" durch die alliierten Regierungen. Er erwähnte, daß die Delegation insbesondere durch den tschechoslowakisch-französischen Vertrag vom 28. Juni 1918 beeindruckt war. Sodann legte er ihr Fragen und Forderungen vor. Er forderte einmal:

„die feierliche Beglaubigung, daß die tschechische Nation unserer ganzen Politik voll zustimme, sich für immer gegen die Habsburger ausspreche und daß für sie die österreichisch-ungarische Monarchie nicht mehr bestehe.

Zweitens die Erklärung, daß unsere heimischen Politiker, auch jene die daheim geblieben waren und vertreten wurden, alle Schritte billigten, die wir während unserer Tätigkeit im Ausland unternommen und alle Verpflichtungen übernehmen, die wir im Namen des Nationalrates und der provisorischen Regierung gegen die Alliierten auf uns genommen hatten." (Beneš S. 611).

Die Antwort der Prager Delegation lautete, daß sie zu einer formellen Erklärung keine ausdrückliche Ermächtigung habe, sich aber angesichts der Lage in der Heimat dazu für berechtigt halte. Diese Erklärung wurde mit der Vereinbarung unterzeichnet, sie offiziell den Alliierten zu übergeben, aber einstweilen mit Rücksicht auf die Verhältnisse in Österreich, wohin die Delegation zurückkehrte, nicht zu veröffentlichen.

Die kapitale Bedeutung dieser Verhandlungen wird von Beneš entsprechend gekennzeichnet. Er bezeichnet sie als „Verschmelzung der Auslandsaktion mit der politischen Aktion in der Heimat" und stellt fest:

„So erlangte die Pariser provisorische Regierung, nach den Anerkennungen durch die alliierten Großmächte noch die letzte und wichtigste, die Prager Anerkennung. Die Einheit unseres Befreiungskampfes im Inland und im Ausland war feierlich festgestellt und bekräftigt, unsere nationale Revolution so ideell und rechtlich erfüllt. Der 28. Oktober 1918 in Prag erfüllte sie dann auch praktisch" (Beneš, S. 611).

Außer diesen Fragen überwiegend außenpolitisch-diplomatischer Natur wurde in Genf auch das Problem und die Technik des Umsturzes in den tschechischen und slowakischen Heimatgebieten durchgesprochen. Das 192. Kapitel in Beneš's Erinnerungen zeigt, wie ausführlich diese Fragen in Genf erörtert wurden, insbesondere der gesamte Umkreis der neueren gesetzgeberischen Maßnahmen.

Nach der Proklamierung der provisorischen tschechoslowakischen Regierung in Paris hatte Beneš nach Prag eine dringende Warnung vor Verhandlungen mit Wien und Budapest gesandt. Genaue Richtlinien, die er nachfolgen ließ, gelangten zwar irrtümlich ins k. k. Innenministerium in Wien. Aber die Verbindung zwischen Auslandsaktion und Untergrundkräften in Prag war so eng, daß die Prager Kundgebung vom 19. 10. 1918 auch so der Linie des Nationalrats entsprach.

Das Verhalten der tschechischen Politiker in der Heimat hielt sich fortan strikt an den Nationalratsbeschluß vom 19. Oktober. Nach Eintreffen der Wilson-Note hatte der k.u.k. Außenminister Graf Burian u. a. den führenden tschechischen Politiker Dr. Stransky aufgefordert, das Wiener Parlament möge einen 26köpfigen ständigen Ausschuß wählen, der die Verbindung mit der k.u.k. Regierung halten sollte. Stransky hatte mit der Begründung abgelehnt, die Tschechen würden an solchen Wahlen und der Tätigkeit des Hauptausschusses nicht teilnehmen, „da die Entente unseren Nationalrat in Paris als tschechoslowakische Regierung und die tschechoslowakische Armee als Grundlage des tschechoslowakischen Staates anerkannt habe. Das sei im Hinblick auf die Friedensverhandlungen geschehen. Die tschechischen Abgeordneten könnten daher die Entente nicht übersehen und seien nicht allein zu Verhandlungen berechtigt" (Benesch, S. 622).

Der Anstoß zur weiteren Entwicklung kam von der Lage an den Fronten. Der Rückzug des deutschen Heeres an der Westfront drückte auch auf die übrigen Fronten der Zentralmächte. Auch die Südfront des k.u.k. Heeres geriet ins Wanken. Nicht ein übermächtiger Gegner warf sie nieder, wie die Deutschen im Westen, sondern Not und Entbehrung und die Auswirkung der Nationalitätenfragen auf die Armee (Benesch, S. 632).

Benesch schreibt hierzu:

„Der Zusammenbruch der österreichisch-ungarischen Armee wird von allen Teilnehmern und Militärfachmännern ziemlich gleich erklärt.

Der Hauptgrund war die Not, der Mangel, der Hunger, die seit Juli 1918 in ein höchst akutes Stadium getreten waren. Es fehlte an nahrhaften Lebensmitteln, Kleidung und Wäsche, die Malaria wütete . . . In dieser Hinsicht ließ sich schon seit Sommer 1918 von einer wahren Erschöpfung aller Kräfte der österreichisch-ungarischen Armee und ihrer fortschreitenden Zersetzung sprechen . . . Das Ersuchen Deutschlands und Österreich-Ungarns um Waffenstillstand lähmte begreiflicherweise die Bereitschaft der Soldaten, sich weiter der Gefahr auszusetzen, da man jeden Tag den Beginn der Waffenstillstandsverhandlungen und das Ende des Krieges erwartete. Kaiser Karl's Manifest über die Föderalisierung der Monarchie wirkte nach dem Eingeständnis der militärischen Führung in der Armee wie eine Bombe. Es wurde als Anfang einer inneren Revolution von oben und als erster Schritt zur Scheidung der Armee in nationale Truppen angesehen" (Benesch, S. 632).

Der tschechoslowakische Nationalrat in Paris war von dieser Entwicklung genau unterrichtet. Er erhielt am 27. aus Wien genaue Nachrichten über die Frontlage. Verhandlungen zwischen dem k.u.k. Kriegsministerium über die Zusammenarbeit mit dem Prager Nationalausschuß in Ernährungsfragen ergaben die Möglichkeit, daß sich die Prager tschechische Führung am 28. Oktober der böhmischen Getreideverkehrsanstalt bemächtigte und somit über die Ernährung verfügte. Am 28. Oktober früh wurde die Note Andrassy's bekannt, in der er namens der Wiener Regierung die Zustimmung zur Wilson-Note erklärte. Daraufhin ging die tschechische Bevölkerung in Prag auf die Straße. Vertreter des Nationalausschusses verlangten in der Kaiserlichen Statthalterei die Übergabe der politischen Staatsverwaltung. Der Statthalter Graf Coudenhove war anläßlich der Regierungsumbildung in Wien – während der militärische Stadtkommandant verfügte, die Truppen dürften nur zur Aufrechterhaltung der Ordnung in Zusammenarbeit mit dem Nationalausschuß verwendet werden. Die Furcht vor einem bolschewistischen Umsturz, wie er kurz darauf in Budapest zur Errichtung der Räte-Regierung erfolgte, war die Ursache solcher Zurückhaltung. Versuche des Statthalters, nach seiner Rückkehr die kaiserliche Autorität aufrechtzuerhalten, scheiterten. Auch ein verspäteter ähnlicher Versuch der Militärstellen blieb erfolglos. Die Truppen der Prager Garnison, auf die sie sich hätten stützen müssen, gehörten verschiedenen Nationalitäten an; sie waren an den Ereignissen uninteressiert. Am 30. Oktober konnte der Prager Umsturz als gelungen angesehen werden. Die Frage, ob „die Liquidierung der alten Ordnung in der Monarchie nach den Intentionen Wiens im Sinne des Kaiserlichen Manifests, mit der Möglichkeit, die Dynastie in den neuen Staaten zu erhalten, vor sich gehen, oder nach den revolutionären Wünschen der Nationen im Sinne ihrer vollständigen Unabhängigkeit und der Loslösung von Wien und Budapest verwirklicht werden sollte", war für die Tschechen in letzterem Sinne entschieden (Benesch, S. 644).

Mit dieser Erhebung Prags, der die tschechischen Teile Böhmens folgten, war der Kern einer staatlichen tschechischen Macht entstanden. Damit begann sich jene Autorität zu bilden, die das internationale Recht zur unabdingbaren Voraussetzung jeder völkerrechtlich korrekten Anerkennung als Regierung eines Staates macht.

Wir konnten schon sehen, wie entscheidend für Benesch die „Prager Anerkennung" – wie er die Zustimmung der tschechischen Heimatdelegierten zu den Handlungen der Auslandsaktion in Genf nannte – war. Er nannte sie die letzte und wichtigste. Und in der Tat stellte sie ja Verwirklichung der in Genf vereinbarten Vereinigung der politischen Kräfte und Ziele im In- und Ausland her und ersparte den Tschechen die Schwierigkeiten, mit denen sich z. B. Polen und Jugoslawien später herumschlugen.

Aber auch das, was er „Prager Anerkennung" nannte, war im Augenblick der Genfer Abmachung nur eine Art von pactum de contrahendo. Es war eine Gleichrichtung und Abstimmung der politischen Aktion. Es war eine Abrede, wie man sich in der Heimat, insbesondere für den Fall des Endes der Monarchie verhalten sollte. Aber dieses Ende war noch nicht da. „Alle (Mitglieder der Heimatdelegation) hatten das Bewußtsein, daß Österreich noch fortbestand und daß sie dahin zurückkehren mußten. Alle lebten unter der Last dieses Bewußtseins" (Benesch, S. 608).

3. ENTSTEHUNG UND ANERKENNUNG DES TSCHECHOSLOWAKISCHEN STAATES

Die Doktrin von der vorgängigen Entstehung des tschechoslowakischen Staates, dessen Ursprung bis in die Kriegszeit zurückreiche, ist auch später noch als amtliche Regierungsauffasung prinzipiell festgehalten worden. „Die tschechoslowakische Regierung hat immer verteidigt und verteidigt auch jetzt noch den Standpunkt, daß der Ursprung des *Staates* mindestens bis zum 28. Juni 1918 zurückreicht." So A. Hobza, Professor des Völkerrechts an der Universität Prag und Leiter der Rechtsabteilung des tschechoslowakischen Außenamtes, in einem Aufsatz von 1922[1]). Hobza war sich im klaren, daß eine solche Auffassung mit der feststehenden Völkerrechtsdoktrin und Praxis in Fragen der Staatsentstehung in Widerspruch steht. Danach müssen organisierte Gewalt, Bevölkerung und Gebiet in einer Hand vereinigt sein, bevor von einem Staat und seiner Anerkennung die Rede sein kann. Hobza bringt dagegen die Überlegung vor, nirgendwo sei gesagt, daß die tatsächliche Existenz des Staates seiner Anerkennung vorausgehen müsse. Die Doktrin fordere für die Bildung eines neuen Staates zwar bestimmte Bedingungen, aber keineswegs eine bestimmte Reihenfolge ihrer Verwirklichung. Gewöhnlich sei die internationale Anerkennung der Schlußakt des Prozesses, es könne aber auch umgekehrt die internationale Anerkennung der Beginn der Aktion sein. Ausnahmsweise könne man einen Staat (nicht wie üblich von unten nach oben, sondern) von oben nach unten bauen. Die internationalen Autoritäten könnten das Bestehen eines Staates anerkennen, bevor ein tatsächliches Regime auf dem vorgesehenen Gebiet besteht. Außerdem könne man eine gewisse Analogie zwischen der rechtlichen Lage des „regime tschéchoslovaque" zwischen dem 28. 6. und dem 28. 10. 1918 und der eines Staates unter totaler feindlicher Besetzung nicht leugnen. Während eines Krieges sei es schwer, von der zur Unabhängigkeit reifen Nation die Ausübung der effektiven Souveränität über ihre Gebiet zu verlangen, weil alles vom Stande der militärischen Operationen abhänge. Unter diesem Gesichtspunkt könne man die Lage der tschechoslowakischen Regierung vor dem 28. Oktober mit der des besetzten Serbien vergleichen. Hier tritt nicht in voller Klarheit, aber doch deutlich durchscheinend, die auch in den Denkschriften schon vorkommende Behauptung auf, daß die böhmischen Länder als vom „Feind" – der österreichisch-ungarischen Regierung und ihren Truppen – (also den in Wirklichkeit legitimen Autoritäten) – „besetzte" Gebiete anzusehen sind.

Diese Konstruktionen sind vor geraumer Zeit schon von ungarischer Seite zurückgewiesen worden.

Der Fall, den Hobza als Beispiel einer vorgängigen Anerkennung eines Staates, ohne faktische Herrschaft auf dem vorgesehenen Gebiet anführt –

---

[1]) La République tschéchoslovaque – Rev. gén. du droit intern. t. XXIX, S. 386.

die Anerkennung Albaniens durch die Londoner Botschafterkonferenz von 1912 – sei anders gelegen. „Eine solche Anerkennung ist keine Erklärung gegenüber dem anzuerkennenden Staat, sondern eine gegenüber den übrigen fremden Staaten, ihr Inhalt ist nicht der, daß der anerkennende Staat mit dem neuen Staat in völkerrechtliche Berührung tritt ... Mit dieser Willenserklärung übernehmen die fremden Staaten *untereinander* Verpflichtungen zu solchem aktiven und evtl. passiven Verhalten, das die tatsächliche Konstituierung des neuen Staates ermöglichen soll." Die „Anerkennung" vom 28. 6. 1918 könne nur als die einer provisorischen Regierung gewertet werden. Vor allem sei es ein ungelöster Widerspruch, wenn Hobza einerseits Gebiete des tschechoslowakischen Staates durch Zession (Österreichs und Ungarns) erlangen läßt, die völkerrechtliche Persönlichkeit der Tschechoslowakei trotzdem aber unabhängig von den Friedensverträgen von einem dem Abschluß der Verträge vorangehenden Zeitpunkt behandle. „Das gleiche Gebiet kann zu gleicher Zeit völkerrechtlich nur das Gebiet e i n e s Staates sein." Und wenn das heutige tschechoslowakische Territorium völkerrechtlich bis zum Inkrafttreten des betreffenden Friedensvertrages österreichisches, ungarisches oder deutsches Staatsgebiet war, so konnte die Tschechoslowakei über die Gebietshoheit de jure nicht verfügen und die fremden Staaten konnten mit der tschechoslowakischen Regierung nur als einer der facto-Regierung in Verkehr stehen[1]).

Faßt man im Lichte der vorangegangenen Analysen die Akte der tschechoslowakischen Auslandsaktion und die Oktoberereignisse in Böhmen unter völkerrechtlichem Gesichtspunkt ins Auge, so ergibt sich folgendes Bild:

1. Ein Kriegszustand zwischen einer tschechoslowakischen Armee und den Zentralmächten war nicht gegeben. Die Zuerkennung der Rechte der Kriegführenden an Aufständische kann mit *allgemeiner* Wirkung immer nur von der legitimen Regierung ausgehen. Außerdem waren die tschechischen Verbände nicht selbständig, sondern nur *autonome* Gliederungen der französischen Armee.

2. Die Anerkennung des Nationalrates als provisorische oder de facto-Regierung war bis zum 28. Oktober 1918 völkerrechtlich ebenfalls ohne allgemeine Wirkung, weil einseitiger Akt von Gliedern einer Kriegspartei. Wohl aber begründete sie politische und moralische Verpflichtungen dieser Mächte gegenüber der tschechoslowakischen Emigration. Sie hatten großes diplomatisch-politisches, aber kein völkerrechtliches Gewicht.

3. Am 28. Oktober rissen sich die *tschechischen* Gebiete der böhmischen Länder vom habsburgischen Gesamtstaat los. Die für diesen Fall getroffene Vereinbarung der heimatlichen tschechischen Machthaber, daß die tschechische Revolutionsregierung in Prag den Nationalrat in Paris als Teil der Regierung betrachten würde, trat damit in Kraft; von diesem Augen-

---

[1]) Ladislaus *Buza*, Die Entstehung der tschechoslowakischen Republik, Zeitschrift für Völkerrecht, XIII (1926), S. 112 ff.

blick an war der tschechoslowakische Nationalrat in Paris eine effektive Regierung.

4. Von diesem Augenblick an verwandelte sich auch seine vorher bloß politische Stellung als „trustee of the future government" in die Position einer de jure-Anerkennung. Die Situation, auf die die vorzeitigen Anerkennungen gezielt hatten, war nunmehr eingetreten. Unter diesem Gesichtspunkt bestand die Entscheidung der Reparationskommission, den tschechoslowakischen Staat mit Wirkung vom 28. 10. 1918 als bestehend anzuerkennen, zu Recht.

5. Die *förmliche* Kollektivanerkennung wird in Übereinstimmung mit der bei Temperly[1]) ausgedrückten Meinung in der 1. Zulassung zur Sitzung der Friedenskonferenz vom 18. 1. 1919 zu erblicken sein.

6. Der tschechoslowakische Staat war zu diesem Zeitpunkt ein anerkannter Staat mit anerkannter Regierung; aber ohne völkerrechtlich verbindlich festgelegte Grenzen. Sollten die vorhin angeführten Ausführungen Buzas bedeuten, daß die tschechoslowakische Regierung in Prag aus diesem Grunde auch nach dem 28. 10. 1918 als de facto-Regierung zu betrachten sei, so wären sie irrig. Die *tschechischen* – nicht die sudetendeutschen – Gebietsteile der Monarchie haben sich an diesem Tage revolutionär verselbständigt. Die neue Prager Regierung hat diese Gebiete tatsächlich beherrscht, sie war in dieser Machtausübung von den Alliierten anerkannt, somit de jure-Regierung eines anerkannten Staates. Rechtlich offen blieb zu diesem Zeitpunkt der geographische Machtbereich dieser anerkannten Regierung *über die tschechischen Gebietsteile hinaus.* Wie später zu zeigen, unterschied sich auch ihre Rechtsstellung sowohl gegenüber den Sudetendeutschen als den früher ungarischen Gebieten der Slowakei: Dort übte sie die Gewalt als *Besatzungsmacht* nach den Bestimmungen des Waffenstillstandsvertrages mit Österreich-Ungarn aus. Sie *erwarb* diese Gebiete erst definitiv durch die Friedensverträge von St. Germain und Trianon.

7. Diese Rechtslage ist von der Tschechoslowakei vertraglich anerkannt worden.

In der Präambel zum tschechoslowakischen Minderheitenschutzvertrag vom 10. September 1919 wird – hinsichtlich der Sudetendeutschen, wie wir sahen, in vollkommenen Widerspruch mit der Wirklichkeit und zutreffend nur für das tschechische Volk – erklärt, daß nach dem Ende der „Union" zwischen Böhmen, Mähren und Schlesien und den übrigen habsburgischen Ländern „die Völker dieser Länder und der Slowakei" sich aus freiem Willen zu dem einen, souveränen und unabhängigen Staat der tschechoslowakischen Republik vereinigt hätten. Es wird dann weiter ausdrücklich erklärt, daß dieser Staat de facto seine Herrschaft über die erwähnten Gebiete ausübt:

„Considérant, que la République tschechoslovaque exerce *en fait* la souveraineté sur les territoires visées ci-dessus. . ."

---

[1]) History of the Peace Conference (Namier) IV, S. 128.

Erst mit dem Inkrafttreten des Vertrages von St. Germain hat die Tschechoslowakei die Sudetengebiete de jure erworben. Die Formulierung der Präambel beinhaltet die Anerkennung der de facto-Herrschaft über die Sudetengebiete durch die Tschechoslowakei selbst in unanfechtbarer Weise[1]).

B. Die sudetendeutsche Gebietsfrage bis zur Unterzeichnung des Friedensvertrages von St.-Germain

Das Kaiserliche Manifest vom 18. 10. 1918 hatte die Umwandlung der Monarchie in einen Nationalitäten-Bundesstaat angekündigt, „in dem jeder Volksstamm auf seinem Siedlungsgebiet sein eigenes Nationalwesen bildet".

Glaise-Horstenau zufolge waren in einem der Entwürfe für das Manifest Deutsch-Böhmen und die deutschen Erbländer als staatsrechtliche Einheit, als *einer* der geplanten Bundesstaaten, aufgeführt.

Die deutsch-österreichische Nationalversammlung (worunter man zunächst die Vereinigung aller deutschen Abgeordneten des k. k. Reichsrates, daher auch der Sudetendeutschen, verstand) beschloß in Übereinstimmung damit am 21. Oktober die Bildung eines deutsch-österreichischen Staates, der die Sudetendeutschen mit umfassen sollte. Eine Verständigung mit den anderen auf dem Gebiet der österreichsich-ungarischen Monarchie entstehenden Staaten war beabsichtigt, im übrigen wurde für Österreich ein Zugang zum Meer gefordert.

Parallel mit den Prager Ereignissen am und nach dem 28. Oktober hatten sich die Gebiete Deutsch-Böhmen und Sudetenland als Bestandteile DeutschÖsterreichs konstituiert. Die deutschen Abgeordneten Seeliger und Lodgmann suchten, wie Benesch erwähnt, am 30. Oktober den Prager Nationalausschuß auf, „was mit einem Mißerfolg endete". Die sudetendeutsche Haltung stützte sich auf die von Wilson formulierten Prinzipien des Selbstbestimmungsrechts der Nationen. Ihre genauere Begründung findet sich in der von den sudetendeutschen Vertretern bei der deutsch-österreichischen Friedensdelegation verfaßten und unterzeichneten Note. Die dort entwickel-

---

[1]) Vgl. dazu Erich *Kaufmann* (Studien zum Liquidationsrecht, Berlin 1925, S. 17): „Eine genaue Prüfung der territorialen Bestimmungen der Friedensverträge sowie der Formulierungen, die in anderen Verträgen ... über die territoriale Neugestaltung Europas gewählt worden sind, zeigt, daß gerade diese Formeln mit äußerster juristischer Schärfe und höchster Sorgfalt stilisiert sind. Stets wird auf das genaueste angegeben, in welchem Zeitpunkt und auf Grund welchen „Rechtstitels ein bestimmtes Gebiet von einem bestimmten Staate erworben worden ist ... die Großmächte waren peinlich darauf bedacht, daß sowohl *der Zeitpunkt, an dem ein bloßer de factoZustand in einen de jure-Zustand verwandelt wurde, als auch der für diesen konstitutive Rechtstitel scharf herausgearbeitet wurden.*"

ten Gesichtspunkte hatten, von den Tagen des Zusammenbruchs an, die sudetendeutsche Haltung bestimmt.

Die Rechtslage sprach nach den Gesichtspunkten der Wilson-Note klar für die sudetendeutsche These. Indessen begannen die aus dem Krieg stammenden politischen Abreden des tschechoslowakischen Nationalrates schon vor dem Friedensvertrag ihre Wirkung zu entfalten. „Die Lösung zweier weitreichender Fragen", schreibt Benesch (S. 684), „geschah, wenn nicht rechtlich, so doch faktisch *vor der Friedenskonferenz*, so daß wir zu dieser Konferenz gingen, nachdem wir unsere territorialen Probleme, bis auf den Streit um Teschen und Karpatho-Rußland, zur günstigen Lösung vollkommen vorbereitet hatten". Mit diesen beiden weittragenden Problemen waren die *slowakische* und *sudetendeutsche* Frage gemeint. Die Frage der vorläufigen Zugehörigkeit der *Slowakei* zum tschechoslowakischen Staat erhob sich im Dezember 1918, zeitlich vor der so folgenschweren, nur scheinbar interimistischen Lösung der Sudetenfrage; die dafür gefundene Lösung diente im sudetendeutschen Fall als Präjudiz. „Die Frage der deutschen Gebiete Böhmens erhob sich prinzipiell einen Monat darauf und wurde ebenso gelöst" (Benesch, S. 677). Sie verdient daher auch hier unsere Aufmerksamkeit.

Das Abkommen des tschechoslowakischen Nationalrates mit Frankreich vom 28. 6. 1918, „unser erster Allianz-Vertrag mit Frankreich" (Benesch, S. 555), hatte Frankreich verpflichtet, den Nationalrat „bei der Erneuerung des unabhängigen tschechoslowakischen Staates in den Grenzen seiner ehemaligen historischen Länder zu unterstützen". Obwohl nun die Slowakei unter keinerlei Gesichtspunkt als „historisches", den böhmischen Ländern vergleichbares und verbundenes Land bezeichnet werden kann, gab die versprochene Unterstützung bei der Erneuerung eines tschechoslowakischen Staates der neuen Prager Regierung nach dem Zusammenbruch Österreich-Ungarns eine Art politischer Anwartschaft auf das slowakische Volksgebiet des ungarischen Staates. „Unter dem ersten Eindruck der revolutionären Ereignisse" hatten unter der Führung eines späteren tschechoslowakischen Ministers, des pragfreundlichen Slowaken Srobar, kleine tschechische Militärverbände und Sokoln slowakische Landesteile besetzt, Ämter übernommen und die Verwaltung an sich gezogen. Nach dem 10. November hatten sich die Magyaren gefaßt, sie setzten Militär dagegen ein; Mitte November waren die Tschechen wieder aus der Slowakei entfernt und hinter die mährisch-slowakische Grenze zurückgedrängt.

Diese militärische Aktion nahm die ungarische Regierung des Ministerpräsidenten Graf Karolyi gestützt auf Art. 17 des Waffenstillstandes vor, der am 12. November in Belgrad zwischen Ungarn und dem französischen General Franchet-D'Esperey abgeschlossen wurde, ohne Rücksicht auf den seinerzeitigen Waffenstillstand mit Österreich-Ungarn, der auch für Ungarn bindend war. (Die österreich-ungarische Monarchie war inzwischen zerfallen.) Dieser Art. 17 bestimmte, daß das ungarische Gebiet, ausgenommen Kroatien und Slawonien, vorläufig unter der lokalen Verwaltung der magyarischen

Behörden stehen sollte. Die Slowakei war nicht, wie Kroatien und Slawonien, ausgenommen. Die Nachricht von dem Karolyi-Waffenstillstand „schlug in Prag wie eine Bombe ein" (Benesch, S. 677).

In dieser Lage entschloß sich Benesch, „bei den Alliierten noch vor der Friedenskonferenz eine grundsätzliche Lösung herbeizuführen". Karolyi hatte in Prag in einer Note vom 17. 11. 1918 gegen die Besetzung der Slowakei protestiert. Der tschechoslowakische Ministerpräsident Kramař antwortete am 19. mit der tschechischen These, der tschechoslowakische Staat sei von den Alliierten „mitsamt dem von Slowaken bewohnten Gebiet" anerkannt worden; die magyarische Regierung habe daher einen Waffenstillstand für die Slowakei, „einem Teil des tschecho-slowakischen Staates", nicht abschließen können. Bei der Friedenskonferenz werde es sich nur um die detaillierte Grenzziehung handeln, keineswegs um die grundsätzliche Frage der Slowakei. Der Versuch militärischer Besetzung der Slowakei durch tschechische Verbände sei daher „als eine Sicherheitsbesetzung anzusehen, zu der sie aus diesen Gründen das Recht haben". Benesch verhandelte gleichzeitig mit den alliierten Stellen in Paris, vor allen Dingen mit Marschall Foch. Er wußte dort den tschechischen Standpunkt durchzusetzen. Er entwarf die Demarkationslinie, hinter die sich die Ungarn zurückzuziehen hätten[1].

Die französischen Generale auf dem Balkan wurden entsprechend angewiesen. Der tschechoslowakische Agent in Budapest, Dr. Hodza, erhielt vom französischen Militärbevollmächtigten in Budapest folgende Mitteilung:

„Der tschechoslowakische Staat ist von den Alliierten anerkannt. Der tschechoslowakische Staat hat daher das Recht, die tschecho-slowakischen Gebiete u n t e r d e m T i t e l e i n e r k r i e g f ü h r e n d e n M a c h t zu besetzen, die sich an der Durchführung des Waffenstillstands beteiligt, der die Besetzung des Gebietes der ehemaligen österreichisch-ungarischen Monarchie verfügt. Die magyarische Regierung wird aufgefordert, ihre Truppen aus dem slowakischen Gebiet zurückzuziehen[2]."

Die ungarische Regierung weigerte sich und verwies auf interimistische Abkommen mit dem tschechoslowakischen diplomatischen Agenten. Sie wurde durch die militärische Ententebehörde gezwungen, bis zu einer von der französischen Regierung bezeichneten Linie zu räumen. An dieser Entscheidung ist über den Anlaß hinaus zweierlei wichtig:

1. Die Prager Regierung wurde ermächtigt, das von ihr beanspruchte slowakische Gebiet einstweilen und aus Sicherheitsgründen zu besetzen.

2. Die Besetzung erfolgte als eine Maßnahme nach Kriegsrecht, zur Durchführung der Bestimmungen des Waffenstillstands mit Österreich-Ungarn, der

---

[1] Die Notwendigkeit, das künftig als „slowakisch" geltende Gebiet erst geographisch zu umreißen, ist von prinzipiellem Interesse. Schon daraus zeigt sich, daß der Begriff der Slowakei eben keine staatsrechtlich historische, sondern eine nach vielen Jahrhunderten politischer Überlagerung durch den ungarischen Staat neu ins politische und rechtliche Dasein wieder eintretende völkliche Größe war.

[2] Text bei Benesch, a. a. O., S. 680.

eine Besetzung des Gesamtgebietes der Monarchie anheimstellte. Sie legte also rechtlich einen zwischen Ungarn und der Tschecho-Slowakei bestehenden Kriegszustand zugrunde. Vor dieser Pariser Entscheidung und der ihr nachfolgenden tschechoslowakischen Besetzung hatten die französische und amerikanische Regierung, wie Benesch berichtet, bei der tschechoslowakischen Vertretung in Paris Vorstellungen gegen die Entsendung tschechoslowakischer Beauftragter nach Wien und Budapest erhoben. Die Tschechen hätten kein Recht, sich mit den Magyaren über territoriale Fragen zu verständigen; darüber könnten nur die Alliierten gemeinsam entscheiden.

Diese diplomatischen Vorgänge um die Slowakei entfalteten ihre Wirkung auf die Sudetenfrage, als am 13. Dezember 1918 der damalige österreichische Außenminister Dr. Otto Bauer gegen den Versuch, die Sudetendeutschen zur Tschechoslowakei zu schlagen, protestierte und die Anordnung einer Volksabstimmung forderte. Dem Protest waren fruchtlose Versuche zu Verhandlungen mit Prag vorausgegangen. In einer Note vom 16. 12. 18 verlangte Bauer die Festlegung der österreichisch-tschechoslowakischen Grenzen durch Schiedsgericht (Benesch, S. 685). Dieser Initiative gegenüber war es nur Benesch, der dagegen „mündlich und schriftlich bei den Franzosen, Engländern und Amerikanern intervenierte" (Benesch, S. 685). Er wies darauf hin, daß rings um die Tschechoslowakei, in Deutschland, Österreich und Ungarn, der Bolschewismus drohe. Eine Währungsreform werde vorbereitet. Es sei daher bedingungslos nötig, den Tschechen „wenigstens zunächst" die historischen Grenzen ebenso wie das zu bestätigen, was über die Slowakei schon verfügt wurde. Als Ergebnis seiner Demarche ergingen drei im wesentlichen gleichlautende Noten der französischen, englischen und italienischen Regierung an die österreichische Regierung[1]). Benesch berichtet dazu, daß die Verhandlungen mit den Engländern anfangs schwierig waren, daß sie aber nach einigen Tagen auf die französische Linie einschwenkten. Am schwierigsten seien die Verhandlungen mit den Amerikanern gewesen. Sie hätten gut auf die Argumente acht gegeben, die sich auf die historischen Grenzen der neuen Staaten bezogen; würde man sie bei den Tschechen anerkennen, so gäbe das ein Präjudiz für andere Fälle. Vor der Friedenskonferenz wollten sie sich nicht binden. Gäben sie jetzt schon die Zustimmung zur Besetzung der geforderten Gebiete, so wäre das tatsächlich schon eine Entscheidung der Hauptfrage. „Schließlich gaben aber auch sie ihre Zustimmung, als ich verbindlich erklärte, daß die tschechoslowakische Regierung sich bedingungslos dem endgültigen Spruch des Friedenskongresses unterwerfen würde" (Benesch, S. 687).

Am 22. Dezember wurden die verlangten alliierten Zustimmungen nach Prag mitgeteilt. Daraufhin führte die tschechoslowakische Regierung die völlige Besetzung der Sudetengebiete durch. Es war wohl bereits vorher zu Besetzungen durch Nationalausschüsse und Sokoln gekommen. „Sie hatten

---

[1]) Diese drei Noten sind in dem Bericht der deutsch-österreichischen Delegation in St. Germain veröffentlicht; Benesch veröffentlichte lediglich die französische Note.

daher einen revolutionären Charakter. Durch die Entscheidung der Alliierten wurden sie legal."

An dieser Darlegung ist vor allem der Passus wichtig, wo Benesch auch für die Sudetengebiete von den alliierten Hauptmächten eine Stellungnahme verlangt, wie sie für die Slowakei schon ergangen war. Die französische Regierung nahm in der Tat sowohl zur Sudeten- wie zur slowakischen Grenzfrage in ein und derselben Note Stellung. Auch die italienische und englische Note hielten sich in diesem Rahmen.

Hieraus ergibt sich:

Es handelte sich bei dem Einmarsch der tschechoslowakischen Kräfte in die Sudetengebiete um einen Akt, der völkerrechtlich nicht endgültige, sondern einstweilige Verhältnisse schuf. In der Tat wurden auf der Friedenskonferenz über bedeutende Teile des von den Tschechen besetzten Sudetengebietes Vorschläge zur Übertragung an Deutschland gemacht. Noch am 22. März 1919 forderte Lloyd George, wie noch zu erwähnen, eine Neufestlegung der deutsch-tschechischen Grenzen. Das war lediglich möglich, wenn die Gebiete nur unter tschechischer Verwaltung, im übrigen aber in der Verfügung der alliierten Hauptmächte standen, die sie sich hinsichtlich der gesamten strittigen österreichisch-ungarischen Gebiete hatten übertragen lassen. Da für sie die Republik Deutsch-Österreich Rechtsnachfolger des kaiserlichen Österreich war, waren diese Gebiete also de jure bis zur Beendigung des interimistischen Zustandes – d. h. bis zur Unterzeichnung des Vertrages von St. Germain, der die Abtretung an die Tschecho-Slowakei verfügte – österreichisches Gebiet.

C. Die sudetendeutsche Frage auf der Friedenskonferenz

1. DIE KONFERENZSTELLUNG DER TSCHECHOSLOWAKEI

In den letzten Kriegsmonaten hatte sich die bis dahin unbestimmte Stellung des tschechoslowakischen Nationalrates zu einer diplomatisch-protokollarisch klaren Position konsolidiert. Er war von Frankreich, England und Amerika in verschiedenen Nuancierungen als Kommandostelle der Aufständischenverbände anerkannt. Diesen selbst war die Stellung einer kriegführenden Gruppe innerhalb der Alliierten zuerkannt, der Nationalrat weiter als Kern und Treuhänder einer künftigen Regierung.

Im September 1918 war in Paris eine provisorische tschechoslowakische Regierung gebildet worden. Nach Verhandlungen mit den alliierten Regierungen teilte Benesch die Errichtung dieser vorläufigen Regierung mit dem Sitz in Paris offiziell mit. Sie erhielt die Anerkennung der französischen, italienischen, englischen, amerikanischen und serbischen Regierungen.

Über die weitere Stellung der kleineren Staaten, einschließlich der Tschechoslowakei, auf der Friedenskonferenz heißt es in der englischen Darstellung der Versailler Konferenz von Temperley: „Am 18. Januar wurden die Vertreter

Polens und der Tschechoslowakei zur 1. Plenarsitzung der Friedenskonferenz zugelassen. Die formale Anerkennung ihres Bestandes durch diesen feierlichen Akt war von großer Bedeutung. Italien widersetzte sich der Ausdehnung der Anerkennung auf den SHS-Staat, dessen Vertreter als Vertreter Serbiens ihre Sitze einnahmen und erst am 1. Mai anerkannt wurden. Gleichwohl bedeutete die Anerkennung nicht alles. Unmittelbare Teilnahme an den Entscheidungen war natürlich von höchster Bedeutung für die vier kleinen Staaten, die direkt durch den Zerfall Österreich-Ungarns betroffen waren, während Griechenland an dem Schicksal Bulgariens vital interessiert war. Es kann daher nicht überraschend wirken, wenn sie alle in der zweiten Plenarsitzung am 25. Januar schärfstens protestierten, als sie dahinterkamen, daß sie *von den wirklichen Entscheidungen ausgeschlossen* waren. Daß diese fünf kleinen osteuropäischen Staaten protestieren wollten, mag man natürlich finden. Aber es ist von bemerkenswertem Interesse, daß sie dabei im Namen Belgiens von Huysmans und im Namen Kanadas von Sir Robert Borden unterstützt wurden. Clémenceau behandelte ihre Ansprüche mit Schroffheit und gab zu verstehen, daß die Großmächte 12 Millionen Soldaten kontrollierten und den Krieg gewonnen hätten. Als die Völkerbundskommission am 27. Januar gebildet wurde, wurde Serbien allein von den fünf kleinen Mächten zugelassen. Nach einem Protest wurden auch die anderen vier am 5. Februar zugelassen, ferner zu einigen anderen wichtigen Kommissionen. Sie hatten ferner alle die Erlaubnis, ihre Sache vor der Territorialkommission zu vertreten. Aber sie hatten niemals Anteil an den Entscheidungen."

Die Tschechoslowakei war auf der Versailler Konferenz ein „Etat à intérêt limité". Ihre Vertreter wurden zu den sie betreffenden Konferenzversammlungen zugelassen; sie konnten in den Plenarsitzungen wie vor den Vertretern der Großmächte ihre Angelegenheiten mündlich in voller Ausführlichkeit vortragen.

In diesen mündlichen Ausführungen ergänzten sie ihre in einer Reihe von ausführlichen Memoranden der Konferenz vorgelegten schriftlichen Darlegungen. Die tschechoslowakische Delegation hatte ferner vollkommene private Bewegungsfreiheit. Jedes ihrer Mitglieder hatte ständig die Möglichkeit, im privaten Verkehr und bei gesellschaftlichen Zusammentreffen die Mitglieder der übrigen Delegationen von ihren Gesichtspunkten zu unterrichten[1]).

2. DIE KONFERENZSTELLUNG ÖSTERREICHS

Die österreichische Vertretung war demgegenüber von vornherein die ganze Zeit ihrer Anwesenheit in Paris über in einer völlig anderen Lage. Österreich und die Tschechoslowakei befanden sich nicht in gleicher, sonder in unter-

---

[1]) Hinweise bei H. Nicolson, Peace maker. Wichtige Grenzfragen wurden bei Zusammenkünften privaten Charakters besprochen und geklärt.

schiedlicher Stellung der Konferenz gegenüber, da der österreichischen Delegation eine Reihe von wesentlichen Rechten, über die die Tschechoslowakei verfügte, vorenthalten war.

Bereits in der Einladung Österreichs zur Pariser Konferenz, die im Namen des Konferenzpräsidenten Clémenceau der französische Gesandte Allizé in Wien dem damaligen deutsch-österreichischen Staatssekretär für Äußeres Dr. Otto Bauer am 2. Mai 1919 übermittelte, war der Passus enthalten, die österreichische Delegation „habe sich streng auf ihre Rolle zu beschränken und dürfe nur aus Personen bestehen, welche für ihre besondere Aufgabe geeignet seien. Die österreichische Delegation, die am 16. Mai in St. Germain-en Laye eintraf, wurde in einigen Villen untergebracht, und sie erhielt einen für das Publikum abgesperrten Rayon zum Aufenthalt zugewiesen[1]“. Das heißt, die Delegation hatte keinerlei Bewegungsfreiheit, war von der Außenwelt vollständig isoliert und interniert[2]). Als am 30. Mai Staatskanzler Dr. Renner, der Chef der österreichischen Delegation, an Clémenceau als Präsidenten der Konferenz die Bitte übermittelte, ihm im Hinblick auf blutige Zusammenstöße in den strittigen Gebieten Deutsch-Österreichs eine Unterredung zu gewähren, erhielt er sofort einen ablehnenden Bescheid: „Nach den Richtlinien, auf die sich die Konferenz für die Führung der Verhandlung festgelegt hat, soll der Meinungsaustausch ausschließlich auf schriftlichem Wege vor sich gehen. Wenn daher die österreichische Delegation den Wunsch hat, Einwände vorzubringen, so hat sie volle Freiheit, dies in an den Präsidenten der Konferenz gerichteten Noten zu tun." Sie hatte also, im Gegensatz zur Tschechoslowakei nicht das Recht, ihre Sache in unmittelbaren mündlichen Ausführungen, in freier Diskussion zu vertreten.

In der Ansprache des Präsidenten Clémenceau anläßlich der Übergabe der Friedensbedingungen an die österreichische Delegation – eine Ansprache, die, im Befehlstone gehalten, sich lakonischer Kürze befleißigte und im ganzen 225 Worte benötigte – wurde dies noch einmal ausgeführt: „Ich beehre mich, Ihnen den Vorgang bekanntzugeben, der einzuhalten sein wird: eine mündliche Erörterung findet nicht statt, und Ihre Bemerkungen sind schriftlich in Vorlage zu bringen. Sie erhalten eine Frist von 14 Tagen, um Ihre schriftlichen Bemerkungen über die Vertragsteile, deren Korrekturbogen Ihnen übergeben werden, vorzunehmen. Sollten etwelche Ihrer Bemerkungen vor Ablauf obiger Frist fertiggestellt sein, so werden wir uns beeilen, sie zu prüfen."

---

[1]) Bericht über die Tätigkeit der deutschösterreichischen Delegation auf der Konferenz von St. Germain-en-Laye (Beilage zu den stenogr. Protokollen der deutschösterreichischen Nationalversammlung, S. 3).

[2]) R. *Laun,* ein seinerzeitiges Mitglied der Delegation erinnert daran, daß die deutsche und die deutschösterreichische Delegation, in Paris wenige Kilometer voneinander entfernt wegen ihrer Internierung untereinander durch Kurier über Berlin und Wien verkehren mußten. (R. Laun, Das Recht auf die Heimat, S. 16.)

3. DIE STELLUNG DER GROSSMÄCHTE AUF DER KONFERENZ

Im Gegensatz zu den Klein- und Mittelstaaten beanspruchten und betätigten die Konferenz-Großmächte grundsätzlich allumfassende Interessen. Sie, die alliierten und assoziierten Hauptmächte, waren es auch, die in letzter Instanz alle Streitfragen entschieden. Sucht man nach dem letzten Titel für ihre Entscheidungen, so wird man ihn in den Worten Clémenceau's finden, daß sie den Krieg gewonnen hätten und 12 Millionen Soldaten unter ihrem Befehl stünden[1]. Waffenerfolg und militärische Stärke waren also nach den Erklärungen des Präsidenten der Friedenskonferenz die durchschlagenden Titel, die den Großmächten die Entscheidungsgewalt in den Weltangelegenheiten verliehen.

Hinsichtlich des Gebietes der ehemaligen Donaumonarchie, daher auch gegenüber den sudetendeutschen Gebieten, nahmen die Konferenzgroßmächte besondere Rechte in Anspruch. Sie übten darüber das aus, was Namier in seinem Beitrag in Temperleys Gesamtdarstellung der Pariser Konferenz „Legal Control" nannte[2]. Das heißt, sie faßten das gesamte Gebiet der früheren österreichisch-ungarischen Monarchie als ihrer Verfügungsgewalt unterstehend auf. Aus dieser Auffassung entsprang Art. 91 des Vertrages von St. Germain: Darin verzichtete Österreich, soweit es in Betracht kommt, zu Gunsten der alliierten und assoziierten Hauptmächte auf alle seine Rechte und Ansprüche auf die Gebiete, die früher zur österreich-ungarischen Monarchie gehörten und die jenseits der neuen Grenzen Österreichs, so wie sie im Art. 27 Teil II beschrieben sind, dermalen den Gegenstand keiner anderen Zuweisung bilden. Österreich verpflichtete sich in diesem Artikel ferner, die Bestimmungen anzuerkennen, welche die alliierten und assoziierten Hauptmächte bezüglich dieser Gebiete, vor allem mit Rücksicht auf die Staatsangehörigkeit der Bewohner, treffen würden.

Dieser Art. 91 sanktionierte den de facto-Zustand, der sich an das Ende der Donaumonarchie im Herbst 1918 anschloß. Damals hatten die einzelnen Siegerstaaten oder die mit ihnen verbündeten neuen Staaten auf Grund von Verträgen oder Zusicherungen während des Krieges sich gewisser Teile des früheren k. k. Reichsgebietes bemächtigt. Italien z. B. nahm außer dem Trentino den deutschen Teil von Südtirol bis zum Brenner, das von Warschau aus regierte neue Polen Galizien.

Gestützt auf die letzte kaiserliche Willensäußerung, hatte die deutschösterreichische Nationalversammlung die Staatsgebietserklärung für die neue österreichische Republik in der Weise vorgenommen, daß die deutschen Teile der sogenannten Erblande, d. h. die deutschen Gebiete Böhmens, Mährens und

---

[1] Vgl. oben S. 107.
[2] IV, S. 134.

Schlesien, zusammen mit den übrigen deutschen Kronländern der Erblande, den Alpenländern, den neuen deutschen Nachfolgestaat der Donaumonarchie unter der Bezeichnung „Deutsch-Österreich" bilden sollte[1]). Faktisch hat die einstweilige Entscheidung der endgültigen wesentlich vorgegriffen.

Gegenüber dem Gesamtkomplex der strittigen Gebiete der früheren Donaumonarchie im allgemeinen wie dem sudetendeutschen Gebiet im besonderen standen die alliierten und assoziierten Hauptmächte in einer Art treuhänderischer Stellung. Natürlich bildete diese nur den zeitlichen und rechtlichen Übergang zu ihrem schließlichen Schiedsrichteramt.

Dieses Schiedsrichteramt der Großmächte wurde besonders in den Noten und Erklärungen der österreichischen Delegation formuliert. „Sie, die *Schiedsrichter* der großen Welt, werden auch über unsere kleine Welt richten[2])" sagte Kanzler Renner in seiner Rede anläßlich der Überreichung der Friedensbedingungen. „Die friedliche Nachbarschaft der österreichisch-ungarischen Sukzessionsstaaten ist auf die Dauer nur zu erwarten, wenn ihre Interessen im Wege der Verhandlung und Vereinbarung unter dem *schiedsrichterlichen* Urteil der Großmächte ausgeglichen sind", heißt es in einer der rechtspolitisch interessantesten Noten der österreichischen Delegation[3]). Ein *Schiedsrichter* sei nötig, der die Erörterungen der streitenden Nationen jeweils rechtzeitig zum Abschluß bringt, Entscheidungen fällt und auch genügend Macht besitzt, um seine Entscheidungen durchzuführen. Auch in den Schlußfolgerungen des Memorandums der sudetendeutschen Vertreter und Delegationsmitglieder ist auf die Verantwortung der Großmächte hingewiesen worden[4]). Diese Schiedsrichterrolle der Konferenzgroßmächte ist auch von tschechischer Seite, wenngleich mit Appellen an sie als Alliierte verbunden, apostrophiert worden.

So der Schluß des tschechischen Memorandums Nr. 3, das die Sudetenfrage behandelte: „Wir bringen einfach die These vor; den daran Interessierten obliegt es, die Dokumente zu prüfen und die Entscheidung zu fällen[5])." In der Teschener Frage (die zwischen Polen und der Tschechoslowakei stand) wird ausdrücklich die schiedsrichterliche Entscheidung entweder der Friedenskonferenz oder eines von ihr speziell eingesetzten Schiedsgerichtes angerufen.

Auch das Memorandum über die Ruthenen „stellt die These und die verschiedenen Lösungen dar" und fordert die Konferenz zur Prüfung und Entscheidung auf. Ebenso wird die Konferenzentscheidung über die geforderte

---

[1]) Gesetz v. 22. 11. 1918 (Umfang, Grenzen und Beziehungen des Staatsgebiets von Deutschösterreich). Staats-Ges.-Bl. für Deutschösterreich, Nr. 40.
[2]) Bericht, Beilage 17.
[3]) Ber., Beil. 54, S. 439.
[4]) Ber., Beil. 27 (A), S. 102.
[5]) Die tschechoslowakischen Denkschriften für die Friedenskonferenz von Paris (Beiträge z. ausl. öff. Recht und Völkerrecht, Heft 24), eingeleitet von *Raschhofer*, III, S. 109.

Angliederung der Lausitz angerufen. Dieser formelle Anruf einer schiedsrichterlichen Prüfung und Entscheidung wandelt sich freilich öfters zum Anruf der verbündeten Mächte. So, wenn es bei der Forderung nach der Abtretung des Glatzer Beckens heißt, die Konferenz solle prüfen, welche der Vorschläge am besten „den *Interessen der Verbündeten*" dienten, oder wenn es im Hinblick auf die tschechische Forderung nach Reparationen heißt, es obliege *den Alliierten,* hier zu entscheiden.

4. DIE ÖSTERREICHISCHEN KONFERENZTHESEN

a) Grundthese der österreichischen Delegation: Selbstbestimmungsrecht für Völker

Die österreichische Delegation hat, entsprechend der Stellung minderen Rechts, die ihr auf der Konferenz zugewiesen wurde – Verbot mündlicher Diskussion, der direkten Vertretung und Diskussion ihrer Interessen vor der Konferenz, Verbot direkten und gesellschaftlichen Verkehrs –, ihre Thesen nur in schriftlichen Noten darlegen können. Eine einzige Ausnahme ergab sich nur anläßlich der Entgegennahme der Friedensbedingungen am 2. Juni 1919. In der damaligen Ansprache des Delegationsführers, des Staatskanzlers Dr. Renner, wurde der allgemeine Rahmen gezogen, innerhalb dessen die einzelnen Probleme später ihre Behandlung in Spezialnoten fanden.

Die vom Staatskanzler entwickelten Grundthesen lauteten: 1. Die Donaumonarchie, mit der allein die alliierten Mächte Krieg geführt haben, hat am 12. November 1918 zu bestehen aufgehört. An diesem Tag bestand weder ein Monarch mehr, noch eine Großmacht, der ein solcher vorstand.

2. Es gab von diesem Zeitpunkt an „nur mehr acht Nationen ohne Staat", und diese schufen sich über Nacht eigene Parlamente, eigene Regierungen und eigene Heere, kurz ihre eigenen Staatswesen. „Unsere junge Republik ist wie alle anderen entstanden und ist ebensowenig wie diese der Nachfolger der Monarchie." Der Name „Deutschösterreichische Republik" wurde eigens gewählt, um den Unterschied zwischen dem alten vielsprachigen und neun Nationalitäten bezeichnenden Staat und der neuen Republik, die nur eine dieser Nationalitäten umfaßt, zum Ausdruck zu bringen. (Note über die internationale Rechtspersönlichkeit Deutschösterreichs[1].)

3. Gebiet und Bevölkerung der früheren Monarchie *insgesamt* tragen daher die Verantwortung für die Folgen des Krieges. „Es ist durch historische Tatsachen klar erwiesen, daß der Krieg, was Österreich-Ungarn betrifft, ein Krieg der Dynastie für die Vorrechte ihres Hauses, ein Krieg der Ungarn gegen die

---

[1]) Ber., Beil. 27, S. 164.

Serben, der Polen gegen ihre Erbfeinde und Unterdrücker, namentlich Rußland, dem Hauptbeteiligten an der Teilung Polens, ein Krieg der Ukrainer
gegen den Zarismus, ein Krieg der Kroaten und Slowenen einerseits gegen die
Italiener, ihre natürlichen Rivalen in der Adria, andererseits um die
Vorherrschaft der katholischen Südslawen über die orthodoxen Völker des
Balkans gewesen ist... Die hohe Konferenz wird aus diesen Darlegungen
entnehmen, daß Deutschösterreich sich als Kriegführender wie als Rechtsnachfolger in der vollkommen gleichen Lage befindet wie seine Nachbarn, die
ebenso aus der österreichisch-ungarischen Monarchie hervorgegangen sind[1])."
  Die internationale Persönlichkeit (des neuen deutschösterreichischen Staates) kann unter gar keinen Umständen mit der ehemaligen österreichisch-
ungarischen Monarchie oder mit dem ehemaligen Österreich identifiziert
werden: er befindet sich im Gegenteil als Nachfolger in den erworbenen
Rechten und in den zugezogenen oder vertragsmäßigen Verpflichtungen
genau in derselben Lage wie alle übrigen aus der Monarchie hervorgegangenen
Staaten. Die deutschösterreichische Republik hat sich seit ihrer Errichtung
mit keiner anderen Macht in Kriegszustand befunden, sie kann daher keinen
Friedensvertrag abschließen. Das ihr überreichte Vertragsinstrument kann
daher nur als Entwurf eines internationalen Vertrages betrachtet werden, der
die Lage eines neuen Staates zu regeln hat, auf dem ein Teil der Erbschaft
eines Staates lastet, der infolge eines Krieges zusammengebrochen ist[2]).
  4. Die Frage der Kriegsschuld ist eine Frage der früheren Machthaber,
nicht eine Schuld der Völker.
  5. Die Sukzessionsstaaten sind alle völkerrechtlich erst nach Einstellung
der Feindseligkeiten entstanden. Die Republik Deutschösterreich hat als
solche niemals einen Krieg erklärt, niemals einen Krieg geführt und zu den
Mächten des Westens niemals im Verhältnisse einer kriegführenden Macht
gestanden. Sicherlich hat aber unsere Republik niemals im Kriegszustand mit
den Nationalstaaten gelebt[3]).
  6. Die Aufgabe gegenüber den Sukzessionsstaaten besteht daher nicht in
der Ausarbeitung eines Friedensvertrages. Zwischen ihnen und uns handelt
es sich nicht um einen Friedensschluß, sondern darum, unter der Intervention
und Garantie der Großmächte, um die wir hiermit bitten, die frühere Gemeinschaft zu liquidieren und die künftigen Beziehungen positiv zu regeln[4]).
  7. Der Kanzler berief sich sodann auf das „unveräußerliche Selbstbestimmungsrecht". „Wir hoffen, daß das Gewissen der Welt auch unserem Volk
jenes unveräußerliche Selbstbestimmungsrecht nicht verweigern und verkür-
zen lassen wird, welches die assoziierten Mächte gegen die Habsburger und
Hohenzollern-Monarchie als ihr Kriegsziel verkündet haben, welches für
unsere Nachbarvölker mit unserer sofortigen und freudigen Zustimmung

---

[1]) Ber., Beil. 40, S. 217.
[2]) Ber., Beil. 47, S. 326.
[3]) Ber., Beil. 41, S. 17.
[4]) Ber., Beil. 17, S. 41.

verwirklicht worden ist und das unser Volk im Vertrauen auf jene Grundsätze der alliierten Mächte zur Grundlage seiner neuen Staatsbildung gemacht hat[1]). "

Der Kanzler erklärte zum Schluß, sich im klaren darüber zu sein, daß er den Frieden aus den Händen der Sieger zu empfangen habe. Diese Thesen wurden in nachfolgenden Spezialnoten näher ausgeführt.

b) Die Thesen zur Sudetenfrage

In den übermittelten Friedensbedingungen waren mit einigen Modifikationen die Kronländergrenzen zwischen Ober- und Niederösterreich auf der einen, Böhmen und Mähren auf der anderen Seite als österreichisch-tschechoslowakische Grenzen vorgesehen. Das war gleichbedeutend mit der Gesamtabtretung der deutschen Sudetengebiete Deutschösterreichs an die Tschechoslowakei.

Bereits in der ersten Beantwortung der Friedensbedingungen wurde dagegen Stellung genommen. Im diplomatischen Kampf um die Grenzen des neuen Staates nahm von da an die Frage der sudetendeutschen Gebiete den ersten Platz ein. Erst später trat Südtirol an seine Stelle.

„Die außerordentliche Bedeutung der Frage" mache es nötig, so hieß es in der ersten Erwiderung, auch schon in dieser summarischen Beantwortung sich ausführlicher damit zu befassen. „Es sei unklar, unter welchen Gesichtspunkten diese Maßnahmen sich mit jenen Grundsätzen der Billigkeit, die von den Großmächten als die einzigen, um den Preis blutiger Opfer errungenen Früchte des Krieges erklärt wurden, vereinbaren ließen. Es handle sich bei Deutschböhmen, Deutschschlesien und den deutschen Gegenden Mährens, die dem tschechoslowakischen Staat unterworfen werden sollen, um geschlossene Staatsgebiete, die von nahezu 3 Millionen Deutschen in kompakten Massen bewohnt werden, ohne auf die bedeutenden Sprachinseln in Böhmen und Mähren Rücksicht zu nehmen, die nach dem allgemeinen Volksempfinden ebenfalls Teile des deutschen Österreichs seien. Man wolle auch den Böhmerwaldgau einschließlich der Gegend von Neubistritz und den Znaimer Kreis vom deutschösterreichischen Gebiet trennen, man wolle Tausende von Bewohnern Niederösterreichs unterjochen, aus dem einzigen Grund, weil ihre Heimat sich zu wirtschaftlichen Unternehmungen eines Nachbar eignet, dem daran gelegen ist, uns unserer letzten Zuckerraffinerie, sowie der für das Handelsleben wichtigsten Eisenbahnknotenpunkte zu berauben. Dort berufen sich die Tschechoslowaken auf die historischen Grenzen, hier treten sie das historische Recht Niederösterreichs mit Füßen" (Beil. 22, S. 75). Die wirtschaftliche Bedeutung der Sudetengebiete wird gestreift. Österreich müßte zahlreiche Rohstoffe und Industrieartikel einführen. Es könnte diese

---

[1]) Ber., Beil. 17, S. 41.

Waren nicht durch die Ausfuhr seiner Produkte decken, weil ihm mit den deutschen Gebieten Böhmens, Mährens und Schlesiens fast alle Exportindustrien entrissen werden, so die Braunkohlenlager, die Baum-, Schafwoll- und Leinenwebereien, die Glas- und Porzellanfabriken, die Zucker- und chemischen Fabriken. Auch in dieser ersten Replik wird auf den fundamentalen Widerspruch der tschechischen Argumentation: hier historisches Recht, hier Volksrecht hingewiesen.

c) Memorandum der Vertreter der Sudetenländer

Die zusammenfassende Darlegung des österreichischen Standpunktes zur sudetendeutschen Frage findet sich in der umfangreichen Note vom 15. Juni über „Deutschböhmen, Sudetenland und die Neutralisation des Beckens von Ostrau" (Beil. 27, S. 88). Diese Note ist mit ihren Beilagen und Annexen die umfangreichste der Konferenz-Materialien. Auch dieser Umstand deutet den Rang an, den die sudetendeutsche Frage in der österreichischen Diplomatie auf der Friedenskonferenz einnahm. Die Note ist ferner auch in formeller Beziehung interessant. Die österreichische Delegation hat in der Frage der staatlichen Zugehörigkeit der Sudetengebiete nicht selbst die eigentlichen Ausführungen vorgelegt. Sie hat diese Aufgabe vielmehr den durch unmittelbare Volkswahl bestellten Vertretern des sudetendeutschen Volkes überlassen, die der österreichischen Friedensdelegation gleichzeitig als „Experten für die Abgrenzungsfragen und die Angelegenheiten der besetzten und bedrohten Gebiete" angehörten. Die Experten und Delegationsmitglieder der sudetendeutschen Gebiete waren für Deutschböhmen: Landeshauptmann *Dr. Rudolf von Lodgman-Auen,* Landeshauptmannstellvertreter *Josef Seliger;* für Sudetenland: Landeshauptmann *Dr. Robert Freissler;* für den Böhmerwaldgau: *Anton Klement;* für den Kreis Znaim und das deutsche Gebiet um Neubistritz: *Hieronymus Oldofredi* (Ber., S. 2).

Diesen durch Volkswahl zu Sprechern und Vertretern ihrer Heimat gewählten Männern, die zugleich Delegationsmitglieder waren, wurde die Aufgabe übertragen, zu den die tschechischen Ansprüche bejahenden Grenzvorschlägen der Friedensbedingungen Stellung zu nehmen. Sie taten das in dem ausführlichen *„Memorandum der Vertreter der deutschen Sudetenländer in Erwiderung auf die Friedensbedingungen der alliierten und assoziierten Mächte."* Dieses Memorandum wurde als Beilage der vom Delegationsführer, Staatskanzler Renner, unterzeichneten Note, aber mit den besonderen Unterschriften der sudetendeutschen Vertreter übersandt.

Die einleitende, vom Staatskanzler gefertigte Note entwickelte die allgemeinen Gesichtspunkte des sudetendeutschen Memorandums. Sie behandelte die Fragen in ihren einzelnen Aspekten. Darlegung und Verteidigung der sudetendeutschen Interessen erfolgte also durch die politischen Vertrauensmänner des Sudetendeutschtums selbst.

„Was die Zukunft der Deutschen in Böhmen und in den Sudetenländern betrifft", so führt die österreichische Note zunächst aus, „so gestatte ich mir, den allgemeinen Eindruck wiederzugeben, der durch die Friedensbedingungen in ganz Deutschösterreich hervorgerufen wurde und zu dessen Dolmetsch die unterzeichnete Delegation berufen erscheint.

Die alliierten und assoziierten Mächte sind bezüglich der Bevölkerung der genannten Gebiete und aller Deutschösterreicher im Begriffe, ein *klar zutageliegendes Unrecht zu begehen*, sowie das *tschechoslowakische Volk* zu einer *abenteuerlichen und äußerst gefährlichen Politik zu verleiten.* Wenn sich die tschechoslowakische Republik auf die Gebiete begrenzte, welche in Wahrheit den Wohnsitz der Tschechen und Slowaken bedeuteten, so könnte sie sich in jeder Hinsicht einer befriedigenden Entwicklung ihres wirtschaftlichen und sozialen Gedeihens erfreuen. Sie wäre in Wahrheit auch bei Beschränkung auf das ihren Völkern eigene Gebiete eines der reichsten Länder von Europa. Wenn man jetzt hingegen diesem wohlhabenden und fruchtbaren Staat auch noch Deutschböhmen, den Böhmerwaldgau, das Sudetenland und den Znaimerkreis hinzufügt und auf diese Weise diese reindeutschen Gebiete entgegen dem Willen ihrer Bewohner einverleibt, so *ersetzt man auf diese Weise,* was das *Verhältnis der Deutschen und Tschechoslowaken anbelangt,* die *alte Monarchie durch zwei Kleinstaaten, welche ständig miteinander im Streite liegen würden.* Die Mächte würden auf diese Weise im Zentrum von Europa einen Herd des Bürgerkrieges schaffen, dessen Glut für die ganze Welt und ihren sozialen Aufschwung noch gefährlicher werden könnte, als es die ständigen Gärungen auf dem Balkan waren."

Die Note zieht dann einen Vergleich zwischen der vorgesehenen Abtretung des Sudetengebietes und dem Frankfurter Frieden und fährt fort: „Die alliierten und assoziierten Mächte, welche das Frankreich im Jahre 1870–71 angetane Unrecht wiedergutmachen wollen, sind dabei nahe daran, ein zweites Elsaß zu schaffen. Sie *proklamieren einerseits das freie Selbstbestimmungsrecht der Völker* und sprechen auf der andern Seite das politische Todesurteil über eine Bevölkerung, welche zahlreicher ist als jene von Norwegen oder Dänemark. Elsaß-Lothringen ist von Deutschland auf Grund eines Krieges annektiert worden. Das war, obwohl jetzt durch die internationale Moral erst recht zurückgewiesen, damals immerhin ein Rechtstitel der Annexion, welchen das Völkerrecht durch Jahrtausende als gesetzmäßigen Erwerbstitel anerkannt hat. Jetzt sind die Deutschen in Böhmen, Mähren und Schlesien unterworfen worden, ohne sich im Kriegszustande mit den Tschechoslowaken zu befinden. Wie könnte ein Volk jemals dieses grausame und unerhörte Vorgehen vergessen... Niemals würde die unterworfene Nation diese Herrschaft ertragen können, niemals würde die herrschende Nation im Stande sein, ihre Aufgabe zu erfüllen, welche sich aus ihrer Stellung ergibt... Viel weniger noch als für das Elsaß der Frankfurter Friede, könnte ein auf solchen Prinzipien aufgebauter Friede nunmehr eine dauerhafte Rechtsgrundlage bilden... Die *österreichische Friedensdelegation schließt sich also vorbehalt-*

los der Meinung der Verfasser der beiliegenden Denkschrift an und bittet, daß den genannten Ländern die Freiheit wiedergegeben werde, indem man ihnen gestattet, auf der Grundlage freier Abstimmung der Einwohner von Deutschböhmen einerseits und der Sudetenländer andererseits für jede dieser beiden Provinzen einen konstituierenden Landtag zu wählen, der dazu berufen wäre, mit eigener Machtvollkommenheit über das Schicksal des Volkes zu entscheiden, welches er repräsentiert."

Das der Note beigefügte selbständige *Memorandum der sudetendeutschen Vertreter* gliedert sich in acht Abschnitte, denen als Anlage eine Liste der Bezirke und Gemeinden von Deutschböhmen und Sudetenland, eine Exposé über die deutsche Bevölkerung der Sudetenländer, ein Überblick über die geschichtliche Entwicklung Böhmens und ein Entwurf über die Neutralisierung des Kohlenbeckens von Mährisch-Ostrau beigefügt war.

Der erste Abschnitt, „Grundprinzipien des Friedens", ging darauf aus, die beabsichtigte Trennung der deutschböhmischen Gebiete vom deutsch-österreichischen Staat und ihre Einverleibung in die Tschechoslowakei auf ihre *Vereinbarkeit mit den Prinzipien* des amerikanischen Präsidenten hin zu prüfen. Es wurden dazu Punkt 10 der Kongreßbotschaft vom 18. 1. 1918 (Forderung der autonomen Entwicklung für die Völker Österreich-Ungarns) zitiert, ferner die Rede Wilsons vom 4. 7. 1918 (Regelungen aller Fragen territorialer Art müßten im Interesse und zum Vorteil der daran interessierten Bevölkerung auf der Grundlage der freien Annahme erfolgen), sowie die Kongreßrede vom 12. Februar 1918 mit den Hauptforderungen, daß jede territoriale Regelung des künftigen Friedens nicht als ein Teil einer einfachen Vereinbarung oder eines Kompromisses wechselseitiger Ansprüche rivalisierender Staaten erfolgen dürfe; alle klar umschriebenen nationalen Aspirationen müßten die weitestgehende Befriedigung finden.

Der Abschnitt II skizziert von dieser Grundlage aus die *Entstehung des deutsch-österreichischen Staates.* Die Prinzipien des amerikanischen Präsidenten gipfeln in der These, daß der souveräne Wille der Regierten in Gegenwart und Zukunft als ausschlaggebende Kraft für die Errichtung eines Staates betrachtet werden soll. Die Bildung des deutschösterreichischen Staates und seiner Provinzen habe sich in diesem Sinne vollzogen. Die Abgeordneten der deutschen Wahlkreise im alten Parlament, gewählt im Jahre 1911 auf Grund des allgemeinen und direkten Wahlrechts, haben sich zu einer provisorischen Nationalversammlung von Deutschösterreich vereinigt und konnten sich dabei auf die allgemeine Zustimmung der Bevölkerung stützen. Die Vereinigung der von deutschsprechender Bevölkerung bewohnten Gebiete in einem einzigen Staat wurde einstimmig beschlossen. Die dieser Versammlung angehörenden Abgeordneten der geschlossenen deutschen Sprachgebiete Nordböhmens, Mährens und Schlesiens haben die Schaffung der Provinzen Deutschböhmen und Sudetenland proklamiert, sie als Teile Deutschösterreichs erklärt, den Gesetzen dieses Staates unterstellt und Provinzialregierungen eingesetzt. Außerdem hat sich der deutsche „Böhmerwaldgau" mit dem angrenzenden Oberösterreich vereinigt, während Südmähren, als unabhängiger Bezirk konstituiert, sowie der Bezirk von Neu-Bistritz und die deutschen Teile des Bezirkes Neuhaus sich mit dem angrenzenden Niederösterreich vereinigt haben. Ferner hat sich auch die Sprachinsel von Iglau-Stecken an Niederösterreich angeschlossen.

Durch die deutschösterreichischen Gesetze vom 12. und 22. November 1918 sei diese Entwicklung bestätigt worden.

Der Abschnitt III beleuchtet die ethnographischen Verhältnisse dieser von der Abtrennung bedrohten Gebiete. Er gibt zunächst die Ziffern der letzten Volkszählung von 1910 wieder. Hiernach ergeben sich folgende Verhältnisse:

Gebiet	km²	Deutsche	Tschechen
Deutschböhmen	14 496	2 070 438	116 275
Sudetenland	6 435	643 804	25 028
Böhmerwald	3 281	176 237	6 131
Südmähren	2 225	180 449	12 477
Iglau	374	38 402	9 769
Zusammen	26 911	3 109 825	169 680

Abschnitt IV entwickelt dann eine *völkerrechtliche Qualifikation der Entwicklung im Sudetenland nach dem Waffenstillstand*. Die deutsch-österreichische Nationalversammlung sei sich bewußt gewesen, daß die Festsetzung der endgültigen Grenzen gegenüber den anderen Nachfolgestaaten durch die erwähnten Gesetzesakte, obwohl sich diese vollkommen auf die Grundsätze der Demokratie und der Nationalitäten stützen, doch nicht vollendet war; daß vielmehr die Festlegung dieser Grenzen den *Gegenstand von Verhandlungen über die Liquidierung der alten Monarchie hätte bilden sollen*. Den deutschösterreichischen Staat treffe keine Verantwortung, wenn seine Absichten einer geordneten Liquidierung der alten Monarchie, vor allem in den territorialen Fragen, bisher nicht verwirklicht werden konnten. Die tschechische Regierung habe sich bei der Abgrenzung des tschechischen Staates von völlig entgegengesetzten Grundsätzen leiten lassen. „Ohne zu allgemeinen Wahlen zu schreiten, ohne bisher gesetzmäßige Regierungsgewalt zu errichten, hat sie den Krieg selbst dann noch fortgesetzt, als die Großmächte ihn durch Abschluß des Waffenstillstandes beendigt hatten."

Völkerrechtlich war demnach nach der Auffassung der deutschösterreichischen Delegation die Lage der sudetendeutschen Gebiete zwischen 10. November 1918 und 10. September 1919 die eines Provisoriums; es handelte sich um deutschösterreichische Gebiete unter militärischer Okkupation der Tschechoslowakei.

Im Abschnitt V wird daher festgestellt, daß die tschechoslowakische Regierung auf der Friedenskonferenz Territorien vertritt, hinsichtlich deren sie sich auf keine Weise, weder jetzt noch später, auf die freie Zustimmung oder den souveränen Willen der beherrschten Völker zu berufen vermöchte.

Der Abschnitt schildert dann weiter das *Verhalten der Sudetendeutschen* und schließt mit der Feststellung: „Die Gründung der deutschösterreichischen Republik kann demnach als die reinste und vom historischen Standpunkt aus klarste Anwendung der demokratischen Prinzipien moderner Staatenbildung angesehen werden. Allerhöchstens könnte es in Frage kommen, diesen Gründungsakt durch eine Volksabstimmung einer neuerlichen Prüfung zu unterziehen."

Die „*Vorgangsweise der tschechischen Regierung*" schildert Abschnitt VI. Ihr Vorgehen sei sowohl mit den Grundsätzen der Demokratie als auch mit dem Nationalitätenprinzip unvereinbar und mit einem dauernden und gerechten Frieden nicht in Einklang zu bringen. Ebenso gewiß sei, daß die Bestätigung dieser Fremdherrschaft durch die Friedenskonferenz neue Elemente der Zwietracht schaffen würde, gerade im Gegensatz zu den Grundsätzen, die Präsident Wilson für die Entscheidungen der Konferenz vorgezeichnet hat.

Die Einwände des sudetendeutschen Memorandums sind in drei Feststellungen zusammengefaßt.

1. Die tschechische Regierung hat in Mißachtung des Selbstbestimmungsrechtes das Sudetengebiet gewaltsam besetzt, dadurch die friedliche Entwicklung und die schiedsgerichtliche Regelung der Verhältnisse in diesen Gebieten gestört.

2. Die tschechische Regierung hat unter dem Deckmantel des Waffenstillstandes das deutsche Gebiet besetzt und das Sudetenland, entgegen den Grundsätzen des Völkerrechts, ihrer Souveränität unterstellt; sie hat die bestehenden Behörden beseitigt und an ihre Stelle neue Behörden gesetzt. Durch Bedrohung der öffentlichen Beamten mit Vertreibung oder Gefangenschaft hat sie diese genötigt, dem okkupierenden Staat den Eid zu leisten.

3. Dadurch hat die tschechoslowakische Regierung die Beziehungen der beiden Nationen unheilvoll vergiftet und die Hoffnung auf eine friedliche Verständigung zerstört.

Der VII. Abschnitt analysiert die *Natur und die Grundlagen eines nach den tschechischen Vorschlägen ausgestatteten tschechischen Staates* und zeigt dessen Schwächepunkte klar auf. In einem so organisierten Staat würde zunächst über den politischen Willen eines großen Teils seiner Bevölkerung hinweggegangen. „Schon aus den ziffernmäßigen Verhältnissen würde sich die geringe Kohäsion ergeben. Es würden im neuen tschechischen Staate wohnen:

Tschechen	6 291 237 oder	48%
Deutsche	3 719 147 oder	28%
Slowaken	1 770 614 oder	14%
Magyaren	878 643 oder	7%
Ruthenen	437 000 oder	3%

„Das alte Österreich mußte zugrunde gehen, weil seinen Nationalitäten ein einheitlicher politischer Gedanke fehlte. Diese Erkenntnis, wie auch die Anziehungskraft der demokratischen und nationalen Idee lassen es voraussetzen, daß der tschechische Staat in der Form, wie ihn der Entwurf des Friedensvertrages abgrenzt, auf die Dauer dem Verlangen seiner einzelnen Teile nach dem freien Selbstbestimmungsrechte nicht Widerstand leisten könnte."

Der VIII. und letzte Abschnitt zieht die Schlußfolgerungen. Er erinnert daran, daß der tschechische Staat zu seiner gesicherten Existenz keinerlei fremden Besitzes bedürfe, während die Friedensbedingungen Deutschösterreich „seiner in wirtschaftlicher und intellektueller Beziehung bedeutendsten Besitze berauben würde".

In der Überzeugung, daß die Friedenskonferenz die Aufgabe habe, auf dem Gebiete der ehemaligen Monarchie „allen klar ausgesprochenen nationalen Ansprüchen" zu entsprechen, „erklärt die deutschösterreichische Delegation feierlich, daß der ihr übergebene Vertragsentwurf in vollem Gegensatz zum souveränen Willen der Sudetendeutschen steht und von ihnen als schwerste Ungerechtigkeit empfunden wird". Sie erinnert an das Wort eines der Mitglieder der Friedenskonferenz, „daß die Großmächte mit vollem Bewußtsein die ganze Verantwortung für den Frieden und die Herrschaft der Gerechtigkeit übernommen haben", und unterbreitet schließlich den Vorschlag, auf den deutschen Gebieten der Sudeten gemeindeweise, unter neutraler Kontrolle, in Abwesenheit der tschechischen Truppen, nach einem näher zu bestimmenden Vorgang, eine *Volksabstimmung* zu veranstalten, deren Ergebnis klarstellen soll, welchem Staate diese deutsche Bevölkerung anzugehören wünscht.

d) Alternativ-Vorschläge

Die deutschösterreichische Delegation hat sich nicht damit begnügt, ihre grundsätzlichen Auffassungen unmittelbar sowie durch den Mund der sudetendeutschen Sprecher darzulegen. In die Erwägung der Möglichkeiten hat sie auch den Fall einbezogen, daß „Deutschösterreich auf die Alpenländer beschränkt und als Republik der Ostalpen organisiert würde", somit „für diesen Staat Grenzen festgesetzt würden, die vom nationalen Standpunkt aus ungerecht sind". Unter dieser Annahme hat sie Alternativ-Vorschläge unterbreitet.

Dazu wurde in der Note vom 16. Juni 1919[1]) ausgeführt: „Die in Aussicht genommene Nordgrenze zwischen Deutschösterreich und der tschechoslowakischen Republik fällt nicht mit der Sprachgrenze zusammen, sonst müßte sie in gleicher Linie mit der von Deutschösterreich auf Grund früherer Abgrenzungsentwürfe vorgezeichneten Grenzlinie verlaufen. Der Böhmerwaldgau, die deutschen Gebiete von Neu-Bistritz sowie Deutsch-Südmähren würden uns zufallen."

---

[1]) Ber., Beil. 28, S. 128 ff.

„Für den Fall, daß dem gesamten Sudetendeutschtum das Selbstbestimmungsrecht verweigert werden sollte, wird *wenigstens die Vereinigung der deutschen Teile Südböhmens und Südmährens mit unserem Staate gefordert.*" Diese Vorschläge gehen von der Erwägung aus, daß sich die Unversehrtheit der deutschösterreichischen Gebiete wenigstens „auf die zusammenhängende Gesamtheit aller Gemeinden erstreckt, welche von Angehörigen ein- und derselben Nationalität bewohnt sind, sowie auf einige angrenzende Gegenden, die durch Bande ökonomischen Interesses und politischer Solidarität mit der ersteren verbunden sind". Um dieses „Fundamentalprinzip jeder Abgrenzung" zur Durchführung zu bringen, kündigt die deutschösterreichische Delegation die Vorlage eines Abkommens betreffend die Volksabstimmung an. „Es ist eine der hauptsächlichsten Forderungen jeder internationalen Gerechtigkeit, die von den Großmächten anerkannt wurde und die gewissermaßen die Moral der traurigen Kriegserfahrungen bildet, daß kein Gebiet ohne Zustimmung seiner Bevölkerung einem fremden Staat untergeordnet werde. Da Deutschösterreich nur auf jene Gebiete Anspruch erhebt, in welchen der Wille des Volkes, im Schoße desselben Vaterlandes zu bleiben, klar und deutlich festgestellt wurde, erhebt es seine territorialen Ansprüche nur unter dem ausdrücklichen Vorbehalt des Ergebnisses der vorzunehmenden Volksabstimmung[1])."

Die deutschösterreichische Delegation legte ferner in diesem Zusammenhang den Entwurf einer „Kantonalverwaltung im tschechoslowakischen Staat" vor. Auch dieser Entwurf wurde auf das Recht der Bevölkerung, frei über ihr nationales Schicksal zu bestimmen, gegründet[2]).

------

[1]) *„Denkschrift über die Grenzen Deutschösterreichs"* (Anlage zur Note vom 16. 6. 1919), Bericht, S. 135 ff.

[2])   I.
In den Ländern, welche den tschechoslowakischen Staat bilden, wird auf Grund des Rechtes ihrer Bevölkerung, frei über ihr nationales Schicksal zu bestimmen, die Kantonalverwaltung eingeführt. Das Gebiet einer jeden Nationalität, die den tschechoslowakischen Staat bewohnt, wird in Kantone untergeteilt. Die Bewohner dieser Kantone bilden das Gebiet ein und derselben Nationalität und dürfen sich zu Korporationen zusammenschließen, welche berufen sind, sie in allen Fragen zu vertreten, die ihre nationalen Interessen betreffen.
                                                          II.
Der Staatsgewalt des tschechoslowakischen Staates werden folgende Vorrechte vorbehalten:
Das Recht der Kriegserklärung und des Friedensschlusses,
der Abschluß von Bündnissen, Verträgen und Übereinkommen mit dem Auslande,
die Gesetzgebung in nachstehenden Materien:
Grundrechte der Staatsbürger, Organisation der öffentlichen Gewalt des Staates, Wahl seiner Vertreter, bürgerliches- und Handelsrecht, Strafrecht, Staatsfinanzen, Bankwesen, Münz- und Zollwesen, indirekte Steuern und Monopole; überdies, soweit es sich um über das ganze Staatsgebiet wirksame Maßnahmen handelt, soziale Fürsorge, öffentliche Gesundheitspflege, Viehseuchen, Handel- und Industrie, Ausbeutung der Wasserkräfte und des elektrischen Stromes, Post und Telegraph, Eisenbahnen und Schiffahrtsverkehr, Luftschiffahrtswesen.

5. DIE TSCHECHOSLOWAKISCHEN KONFERENZTHESEN

Die tschechoslowakischen Konferentzthesen sind bereits in den politischen Abmachungen des Pariser Nationalrates vorbereitet. Frankreich hatte sie in verschiedenen Erklärungen anerkannt. Für die Konferenz sind ferner die tschechischen Ansprüche in der sudetendeutschen Frage in Denkschriften formuliert worden, die die tschechoslowakische Delegation vorlegte und die als Grundlage für ergänzende Besprechungen und mündliche Ausführungen gedacht waren; sie wurden durch schriftliche Einzelnoten nach Bedarf ergänzt. Entsprechend der bevorrechteten Stellung, die die Tschechoslowakei auf der Pariser Konferenz im Vergleich zu Österreich einnahm, hatten die Tschechen ferner die Möglichkeit, ihre schriftlichen Darlegungen durch mündliche Ausführungen vor der Konferenz zu ergänzen. Außerdem stand ihnen der ganze inoffizielle Spielraum an Beeinflussung offen, der sich aus einem freien und ungezwungenen gesellschaftlichen Verkehr zwischen Konferenzdelegierten und dem diplomatischen Corps überhaupt ergibt und dessen Bedeutung oben an schlagenden Beispielen gezeigt wurde.

Die tschechischen Denkschriften bilden eine Art von System. Die ihnen zugrundeliegenden allgemeinen Ideen zeigen deutlich die mitteleuropäische Atmosphäre an, der sie entstammen. Theoretisch steht im Mittelpunkt das Nationalitätsprinzip. Die ethnographisch verstandenen Völker sind die Träger des politischen Geschehens. Der Einfluß der Herder'schen Schule, in Verbindung mit der demokratischen westlichen Gedankenwelt ist unver-

---

In allen anderen Belangen kommt den Vertretungen der Nationalgebiete oder der Kantone die gesetzgebende und exekutive Gewalt zu. Durch von den autonomen Gesetzgebungen der besagten Gebiete und Kantone votierte Gesetze sind insbesondere ihre eigenen Organisationen sowie die Wahl ihrer Mitglieder, die Ernennung für Zivil- und Militäranstellungen sowie der Unterhalt einer Territorialmiliz zwecks Aufrechterhaltung der öffentlichen Sicherheit, der Ordnung und Ruhe in ihren Gebieten zu bestimmen.

Eine Quote des Zollerträgnisses sowie der indirekten Steuern und Monopole und anderen Auflagen kommt den Gebieten oder Kantonen zu; die Höhe der Quote ist im Verhältnis zur betreffenden Bevölkerungszahl zu bestimmen.

Etwaige Kompetenzstreite zwischen der gesetzgebenden und der exekutiven Gewalt des Staates einerseits oder jener des Nationalgebietes oder Kantons andererseits werden vom Gerichtshof für verfassungsmäßige Streitigkeiten entschieden. Die Mitglieder dieses Gerichtshofes werden von den Kantonen mittels Proportionalwahlen gewählt. Die Senate des Gerichtshofes, welche über die sich ergebenden Fälle zu erkennen berufen sind, haben aus Richtern zusammengesetzt zu sein, welche in gleicher Anzahl aus den Mitgliedern des Gerichtshofes ausgewählt werden, die von jeder der beiden Vertretungen oder Behörden zu bezeichnen sind, welche die sachliche Zuständigkeit für sich beanspruchen oder ablehnen.

III.

Die Gleichheit der drei Nationalitäten sowie ihrer Mitglieder hinsichtlich des Genusses der öffentlichen und privaten Rechte wird ausdrücklich anerkannt.

Die Vertretungen für die Mitglieder dieser Nationalitäten müssen sich sowohl in

kennbar. Die Völker durchlaufen nach dieser Auffassung eine mehr oder weniger gleichartige Entwicklung, bis sie dazu gelangen, einen „harmonischen und modernen Organismus in sozialer, politischer und wirtschaftlicher Beziehung" zu bilden. An diesem Punkt der Entwicklung verlangt das Volk nach einer eigenen politischen Organisation, „dem unabhängigen nationalen Staat". In diesem allgemeinen Schema wird nun die besondere Situation des tschechischen Volkes geprüft. Es wird festgestellt, daß alle diese Bedingungen bei ihm vollkommen gegeben sind. „Es ist zu verstehen, daß dieses (tschechische) Volk, dem es gelungen ist, durch seinen großen Kampf auf allen Gebieten des sozialen Lebens und im besonderen durch seine geistige und wirtschaftliche Entwicklung den ersten Platz unter allen slawischen Nationen zu erringen, heute seine Stimme erhebt, um angesichts der ganzen Welt zu rufen, daß neben den anderen freien Nationen es auch selbst das Recht auf politische Unabhängigkeit hat[3])."

Es habe sich zudem das Recht auf politische Freiheit durch seinen aktiven Kampf gegen Österreich-Ungarn und Deutschland an der Seite der Entente erworben. „Die wahre Freiheit erwirbt man nur durch Blut". (Memorandum 11, S. 315.)

Der vollständige Triumph, die Erringung der Eigenstaatlichkeit, sei freilich nur durch den Endsieg der Entente verwirklicht worden[4]).

Diese Anschauung zeigt schon, daß bei aller Betonung der Bedeutung des geschichtlichen Rechts, namentlich bezüglich der sogenannten historischen Länder Böhmen, Mähren und Schlesien, das Nationalitätenprinzip – auch Selbstbestimmungsrecht der Völker genannt – im Vordergrund steht. Wie

---

ihrem gegenseitigen Verkehr als auch gegenüber den Staatsorganen nach Wunsch ihrer eigenen Sprache bedienen können.

Jeder Kanton sowie auch jede andere öffentliche Körperschaft bestimmt durch Entscheidung seines Vertretungskörpers oder mangels einer solchen Entscheidung durch eine Bestimmung seiner Organe die Sprache, deren er sich für die Abwicklung seiner Geschäfte sowie im Verkehr mit den Behörden und der Einzelpersonen bedient.

IV.

Elementarschulen und Mittelschulen gehören dem Kanton an, auf dessen Gebiet sie sich befinden. Gleichartige gesetzliche Bestimmungen regeln die Errichtung von Privatschulen für die Mitglieder einer der Nationalitäten. Jede Nationalität darf beantragen, daß die höheren Schulen ihrer Nationalität auf das Gebiet ihrer Kantone übertragen werden.

V.

Jeder Kanton genießt volle Verwaltungsautonomie.

VI.

Versicherungen in Sachen sozialer Fürsorge werden getrennt nach Nationalitäten und Kantonen organisiert.

VII.

Die Nationalitäten nehmen an der Staatsgesetzgebung teil, eine jede nach dem Verhältnis der Anzahl ihrer Angehörigen, welche auf dem Gebiet des tschechoslowakischen Staates ihren Wohnsitz haben. Jede Nationalität ist berechtigt, mit aufhebender Wirkung gegen die votierten Gesetze, welche ihre nationalen Interessen bedrohen oder schmälern könnten, Einspruch zu erheben. Der Rat des Völkerbundes hat über besagte Proteste zu erkennen.

für die zugrundeliegende Geschichtsbetrachtung die Völker, so steht für die Frage der Legimität des Staates und der Staatenordnung das Recht des Volkes auf den eigenen Staat im Mittelpunkt. Die theoretisch beherrschende Stellung des Nationalitätsprinzips zeigt sich gerade auch in den grundsätzlichen Teilen der Denkschrift Nr. 3, die sich mit der sudetendeutschen Frage beschäftigt. Dieses Memorandum spiegelt deutlich die alte tschechische Linie wider, die sich bereits 1848 zeigte und fortwährend geschichtliches Recht und Volksrecht, die sich ja prinzipiell widersprechen, gleichzeitig in Anspruch nehmen wollte. Diese Forderung wird also auch auf das Prinzip des historischen Rechts mit gestützt. Die Vertretung dieses Prinzips steht mit der Grundlinie der tschechoslowakischen Diplomatie, wie sie aus der Tätigkeit des Nationalrates im Ersten Weltkrieg herauswuchs, in engem Zusammenhang und bildet einen ganz wesentlichen Bestandteil von ihr.

Wir lernten die Befürchtungen kennen, daß sich an der Emigration des Ersten Weltkrieges das Schicksal der böhmischen Exulanten nach dem Dreißigjährigen Krieg wiederholen könnte.

Daher ihr zähes, fast fieberhaftes Suchen, allen politischen und diplomatischen Erfolgen einen scheinbar unerschütterlichen völkerrechtlichen Grund zu unterlegen.

Wort und Begriff der Tschechoslowakei waren in der damaligen politischen und diplomatischen Welt ein völliges Novum. So kam es darauf an, ihnen eine Art von politischer und diplomatischer Anciennität zu verschaffen. Aus der politischen Doktrin des böhmischen Staatsrechtes ließ sich dergleichen gewinnen. Ganz klar kommen diese Motive in der Zuschrift Beneschs an

---

VIII.

Die nationalen Minderheiten genießen in allen Kantonen und in den Gemeinden, aus denen diese bestehen, den gleichen Schutz. Unabhängig vom Beschwerderecht des einzelnen, welches auf gesetzlichem Wege zu bestimmen ist, hat jede Nationalität das Recht, im Wege der sie vertretenden Körperschaft den Schutz des Rates des Völkerbundes anzurufen.

IX.

Die Stadt Preßburg bildet mit ihrer Umgebung, im Falle sie dem tschechoslowakischen Staat einverleibt werden sollte, einen besonderen Kanton, in welchem die Mitglieder der tschechischen, der slowakischen, der deutschen und der magyarischen Nation hinsichtlich des Gebrauches ihrer Muttersprache vollkommene Gleichberechtigung genießen.

Der Donauhafen wird internationalisiert und zum Freihafen erklärt.

Der nationale Charakter der Gemeinden ebenso wie der Kantone, dem sie anzugehören wünschen, wird durch Volksabstimmung festgesetzt, deren Unabhängigkeit auf Grund eines Spezialvertrages durch Überwachung und Kontrolle einer neutralen Macht garantiert wird.

Zusatz: Sollte das Kantonalsystem in den Gebieten des tschechoslowakischen Staates nicht angenommen werden, so könnten die oben dargelegten Prinzipien immerhin in Erwägung gezogen werden, um den Bewohnern des Gebietes einer jeden Nationalität die nationale Autonomie zu gewährleisten.

³) Denkschrift Nr. 1, S. 33.
⁴) Denkschrift Nr. 1, S. 33.

Pichon vom 5. Juli 1918 zum Ausdruck, welche die Vorschläge für die Details der französischen Erklärung über die Rechtsstellung des tschechoslowakischen Nationalrates und die Haltung Frankreichs zur künftigen Tschechoslowakei enthält.

Diese historische Motivierung verdient auch nach einer weiteren Richtung Aufmerksamkeit. Denn auch hier tritt wieder die Figur der rechtshistorischen „Kontinuität" auf, die in der tschechischen Rechtspolitik des Zweiten Weltkrieges eine so große Rolle spielen sollte. In den Memoranden wie auch in den mündlichen Ausführungen vor der Konferenz wird dieselbe Linie, die Doktrin der staatsrechtlichen Kontinuität des „böhmischen Staates", der hier als *Etat tchèque* auftritt, eingehalten. Was als „böhmisches Staatsrecht" eine unter mehreren Doktrinen der tschechischen Parteipolitik zwischen 1867 und 1918 bildete, wird hier als außenpolitisches Staatsprogramm und Staatsdoktrin vertreten. „Praktisch wurde", heißt es in der *Denkschrift Nr. 2, S. 41*, (nach der Schlacht am Weißen Berge) „der tschechische Staat vernichtet, die Verfassung beseitigt und die tschechischen Länder vom österreichisch-ungarischen Staate einverleibt.. Theoretisch aber waren die verschiedenen, den Ferdinanden und Maria Theresia nachfolgenden Herrscher des Hauses Habsburg genötigt, bei ihren Regierungsakten das rechtliche Dasein des tschechischen Staates und die Unabhängigkeit der Krone Böhmens zumindest stillschweigend anzuerkennen und diese Krone Böhmen als einen Staat für sich anzusehen.

Das war der Fall bei Josef II., Franz I. und Ferdinand V. Franz Josef hat es mehrere Male getan. *So existierte also der tschechische Staat,* bestehend aus seinen historischen Ländern Böhmen, Mähren und Schlesien – man muß hinzufügen, daß Maria Theresia an Preußen einen Teil des alten tschechischen Schlesiens abgetreten hat und daß die Lausitz schon vorher verlorengegangen war – nicht mehr in der Wirklichkeit, *wohl aber noch rechtlich weiter.*

Diese besondere Lage lieferte den Tschechen die nötigen Waffen, als sie im Laufe des 19. Jahrhunderts begannen, die Befreiung ihrer alten Provinzen zu fordern. Das rechtliche Dasein des tschechischen Staates, bestehend aus Böhmen, Mähren und Schlesien, war geschichtliche Überlieferung, die nie aus dem Herzen der Tschechen geschwunden war. Noch vor dem Krieg erklärten die Tschechen jederzeit ganz laut: Rechtlich bleiben wir stets unabhängig und unser Staat setzt sich aus Böhmen, Mähren und Schlesien zusammen.

Böhmen, Mähren und Schlesien als nationales Gebiet zu verlangen, ist damit eine klassische, durch 12 Jahrhunderte Geschichte geheiligte Forderung. Die Grenzen dieser Provinzen sind geschichtliche Grenzen, woran zu rühren kein Tscheche gestatten wird. Böhmen, Mähren und Schlesien müssen die erste Grundlage der tschechoslowakischen Republik bilden[1]."

---

[1] Vgl. dazu die Formulierung in den Vorschlägen an die französische Regierung zur Erklärung vom 5. 6. 1918 (oben S. 74). Hier wird die Slowakei ebenso als „historische Provinz" angeführt, obwohl sie zu Ungarn gehörte.

Die Tschechoslowaken, so heißt es in der Zusammenfassung, formulieren heute ihre territorialen Forderungen auf der Grundlage dieser geschichtlichen Überlieferungen und in Anbetracht dessen, daß der tschechische Staat (bestehend aus seinen drei Provinzen) niemals rechtlich zu bestehen aufgehört hat. Daher stellen kraft dieser geschichtlichen Überlieferungen Böhmen, Mähren und Schlesien (mit der Slowakei) die wesentliche Grundlage des nationalen, von der tschechoslowakischen Republik geforderten Gebietes dar[1].“

In dem mündlichen Vortrag vor dem Rat der Zehn am 5. 2. 1919 kehren diese Thesen wieder. Böhmen, Mähren und Schlesien, so führte Dr. Benesch aus, waren seit dem 6. Jahrhundert *ein* Staat. Die „tschechische Dynastie“ dauerte bis 1747, als unitarische Regierungsformen gegenüber nationalen und föderalitsischen Tendenzen den Sieg davontrugen. 1526 wurden die Habsburger zu Königen von Böhmen gewählt; und obwohl sie de jure bis heute die tschechischen Institutionen anerkannten, gingen sie von Anfang an auf die Zentralisierung aus. Man könne sagen, daß die tschechische Unabhängigkeit bis 1746 gedauert habe. Obwohl die juristische Existenz des tschechischen Staates weiter anerkannt wurde, war sie ohne praktische Bedeutung. Deswegen sei es zum tschechischen Aufstand von 1848 und zu der mit Beginn des Ersten Weltkriegs einsetzenden Bewegung gekommen[2].

Indessen wurden doch die entscheidenden Überlegungen aus dem politischen und strategischen Bereich gewonnen, die ihrerseits nur als Glied einer panslawischen Betrachtung der mitteleuropäischen Geschichte überzeugen[3]. Hiernach sind die Tschechen der vorgeschobenste Posten der Slawen gegenüber den Germanen, sie habe der stärkste Druck der Deutschen getroffen. Das sei der eine Umstand, dem Rechnung getragen werden müsse. Der andere liege in ihrer Nachbarschaft zu den Magyaren, die wiederum in der ganzen letzten Epoche mit den Deutschen verbündet gewesen seien. Daher müsse der neue tschechoslowakische Staat so ausgestattet werden, daß er als eine Barriere zwischen Deutschen und Magyaren dienen könne.

Die dritte Denkschrift war der Frage des Sudetendeutschtums im einzelnen gewidmet. Sie bemüht sich um den Nachweis der These, daß das Problem der Deutschen in Böhmen viel weniger verwickelt sei, als es scheine, daß es vielmehr im Grund sehr leicht zu lösen sei. Man habe es oft als Argument gegen die Lebensfähigkeit des tschechoslowakischen Staates angeführt, daß er zu viel Feinde innerhalb seiner Grenzen habe. Den Nachweis, daß das Problem viel einfacher liege, versucht die Denkschrift vor allem dadurch zu

---

[1]) Denkschrift Nr. 2, S. 43. Ausführlich ist diese These noch einmal in der Denkschrift Nr. 11, S. 321, im Hinblick auf den Ersten Weltkrieg aufgestellt worden.

[2]) Victor *Bruns*, Die Tschechoslowakei auf der Pariser Friedenskonferenz. In: Zeitschrift für ausl. öff. Recht und Völkerrecht, Bd. VII, S. 697 ff., insbes. S. 717 (nach D. H. Miller).

[3]) J. Pekař und seine Schule haben eine völlig andere unbefangene Auffassung des deutsch-tschechischen Verhältnisses entwickelt, die die Fruchtbarkeit des Verhältnisses unterstreicht. Vgl. *Pekař*, Der Sinn der tschechischen Geschichte.

führen, daß sie die Nationalitätenstatistik des k. k. Österreich in ihrer Zuverlässigkeit angreift. Die Zahl der Deutschen in Böhmen, die sich nach den österreichischen Statistiken auf 2 467 724 beläuft, müsse um 800 000 bis 1 Million vermindert werden. Als weiteres Argument führte sie die geographische Siedlung der Deutschen in Böhmen an. „Die deutsche Bevölkerung zerfällt entlang den Grenzen Böhmens in drei verschiedene geographische Gruppen, die keine genügenden Verbindungen und keine gemeinsamen wirtschaftlichen Interessen haben. Die drei Gruppen können wegen ihrer geographischen Lage administrativ keine autonome Provinz bilden. Aus denselben Gründen können sie nicht wieder an Deutschösterreich angeschlossen werden. Blieben sie nicht bei Böhmen, müßten sie also an Deutschland angegliedert werden. Diese Lösung aber würde sehr schwere Unzuträglichkeiten mit sich bringen[1]).

Es folgen die w i r t s c h a f t l i c h e n Gründe: Die enge Verbindung der sudetendeutschen Gebiete mit dem tschechischen Landesinneren, die geringen Verbindungen mit Deutschland. Als Beweis für diese enge wirtschaftliche Verbindung zwischen sudetendeutschen Rand- und den tschechischen Kerngebieten wurde merkwürdigerweise auch die Tatsache angeführt, daß die Tschechen während des „jetzigen Krieges (Erster Weltkrieg) sich weigerten, die deutschen Bewohner der deutschen Gebiete Böhmens zu verpflegen, die darunter entsetzlich litten, weil sie weder von Deutschland, noch von dem deutschen Österreich etwas bekommen konnten."

Vor allem aber sind es auch hier die s t r a t e g i s c h e n Gründe, die die Denkschrift ins Feld führt. „Böhmen bildet eine geographische Einheit, wunderbar geschützt von den es umgebenden Gebirgen. Nimmt man diesen Gebirgsgürtel den Tschechen, so liefert man sie den Deutschen aus[2])." Nur die strategische Lage Böhmens habe die Tschechen vor dem traurigen Schicksal der Elbslawen bewahrt. Die natürlichen Grenzen, die Böhmen von Deutschland trennen, sind daher, so heißt es in den Schlußfolgerungen, für Böhmen aus strategischen Gründen unerläßlich[3]). Im übrigen würden die Sudetendeutschen selbst den Verbleib vorwiegend aus wirtschaftlichen Gründen in einem tschechoslowakischen Böhmen wünschen.

Die Frage der staatsrechtlichen Zugehörigkeit der sudetendeutschen Gebiete wird also in den Denkschriften wie auch in den mündlichen Darlegungen, also immer im Hinblick auf *Deutschland*, behandelt, während damals der konkurrierende Staat ja nicht Deutschland, sondern die deutschösterreichische Republik war. Nur im Abschnitt 7 der dritten Denkschrift wird nicht lediglich die Frage der Angliederung des Sudetengebietes an Deutschland, sondern auch an Österreich behandelt und abgelehnt, und zwar mit der Begründung, die geographische Gestalt des sudetendeutschen Siedlungsgebietes schließe das aus. Zusammenfassend heißt es dort, es ergebe

---

[1]) Denkschrift Nr. 3, S. 89.
[2]) Denkschrift Nr. 3, S. 93.
[3]) Denkschrift Nr. 3, S. 95.

sich, 1. daß die Deutschen Böhmens kein geeintes, organisiertes und in der Richtung auf ein bestimmtes Ziel geleitetes Element darstellen, 2. daß sie keine Führer haben, denen die Masse der Bevölkerung ihr Vertrauen entgegenbrächte, und daß es in Böhmen keine Volksbewegung von wirklicher Kraft gibt, die berechtigt wäre, sich auf das Rechtsprinzip, über ihr Schicksal selbst zu bestimmen, zu berufen, 3. daß im Gegenteil jene unter den Deutschen Böhmens, die derzeit im Stande sind, eine politische Idee klar auszudrücken, wohl oder übel erklären, daß die wirtschaftlichen Interessen die Deutschen Böhmens dazu antreiben, den tschechoslowakischen Staat einem Großdeutschland vorzuziehen, und daß die Vereinigung Deutschböhmens mit Deutschland eine Illusion ist.

Die mündlichen Ausführungen nun, mit denen Dr. Benesch am 5.2.1919 vor dem Rat der Zehn den tschechischen Standpunkt vertrat, zeigen gewisse Schwerpunktverschiebungen, in einem Punkt völlige Abweichung. Einleitend berief sich Benesch auf den politischen Wirklichkeitssinn der Tschechen, der ihnen die Schätzung der Alliierten gewonnen habe. Die Tschechen hätten gegen eine mittelalterliche Dynastie gekämpft, die die Unterstützung der Bürokratie, der Militärs, der katholischen Kirche und bis zu einem gewissen Grade der Hochfinanz für sich hatte; sie hätten nicht für Gebietsforderungen, sondern für die gemeinsamen Grundsätze mit den Alliierten gekämpft. Der Hauptwunsch der Nation gehe dahin, das eigene Geschick in der Hand zu behalten. Sie fühle sich als europäische Nation und als Glied der westlichen Staatengesellschaft. Bei der Erörterung der Gebietsfragen forderte Benesch als erstes Böhmen, Mähren und Schlesien. Die Begründung hält sich an das aus den Denkschriften bekannte Schema. Die Forderung wird aus der allgemeinen politischen Lage der Tschechen und ihrer Rolle innerhalb der slawischen Welt, rechtspolitisch aus dem böhmischen Staatsrecht, entscheidend schließlich auch hier mit militärisch-strategischen Überlegungen begründet.

Interessant ist, daß im Gegensatz zu den schriftlichen Darlegungen Dr. Benesch in der Diskussion eine abweichende Meinung über den vermutlichen Willen der Sudetendeutschen hinsichtlich ihrer staatlichen Zugehörigkeit aussprach, indem er nämlich dort ihren Willen zugab, sich mit ihren Stammesverwandten zu vereinen. In der Denkschrift Nr. 3, die sich mit dem sudetendeutschen Problem befaßte, war ausgeführt worden, daß lediglich zahlenmäßig geringfügige „pangermanistische" Kreise (Intellektuelle, Beamte, Lehrer, Professoren, Angestellte) diese Verbindung wünschten.

In der seinen Darlegungen folgenden Diskussion fragte ihn der englische Ministerpräsident Lloyd George gerade heraus, ob die Sudetendeutschen, wenn sie die Wahl hätten, für oder gegen Einverleibung in die ČSR stimmen würden. Dr. Benesch erwiderte, sie würden gegen die Einverleibung stimmen, und diesmal zwar hauptsächlich unter dem Einfluß der *sozialdemokratischen* Partei, welche annehme, daß Deutschland künftig ein sozialdemokratisches

Regime haben würde. Die tschechische Regierung sei aber eine Koalitionsregierung und habe in ihren Augen den Charakter einer Bourgeoisherrschaft.
Aus Gründen dieser Art und aus nationalen Überlegungen eher als aus wirtschaftlichen Gründen würden die Sudetendeutschen sich wohl lieber mit
ihren Stammesgenossen außerhalb Böhmens zusammenschließen.

D. Die Entscheidung der Friedenskonferenz
in der sudetendeutsche Frage

1. Aus den Veröffentlichungen von Teilnehmern an der Versailler Konferenz geht hervor, daß die Entscheidung über die sudetendeutsche Frage
längst vor der Ankunft der österreichischen Delegation in St. Germain gefallen war. Die Noten, Denkschriften, die gesamte Arbeit der österreichischen
Delegation hat daher überhaupt keinen Einfluß darauf. Sie fand sich in
Wirklichkeit einer res judicata gegenüber. Das zeigt ein Blick auf die wesentlichen Daten.

Das Exposé Dr. Beneschs, von dem vorher die Rede war, fand am 5. 2.
1919 statt, die Sitzung des Ausschusses für tschechoslowakische Fragen, in
der erstmalig über die Grenzziehung entschieden wurde, am 27. 2. 1919.

Die westlichen Grenzen der Tschechoslowakei wurden am 1. April 1919
festgesetzt. Wie D. H. Miller berichtet, hat *der Rat der Vier* noch *vor dem
8. April 1919 den endgültigen Beschluß* gefaßt, die bestehende deutschböhmische Grenze als Grenze zwischen Deutschland und der Tschechoslowakei
im Versailler Vertrag festzulegen, und alle Abänderungsvorschläge abgelehnt.

Die deutschösterreichische Regierung erhielt die Einladung am 2. Mai 1919;
die Delegation der Republik traf am 14. Mai abends in St. Germain ein.

Aus einem Schreiben Beneschs an den Generalsekretär der Friedenskonferenz vom 9. Mai 1919 geht hervor, daß das Schicksal der Deutschen in
Böhmen damals bereits entschieden war. Es heißt dort, daß die auf das
deutschböhmische Gebiet bezüglichen Entscheidungen bereits gefällt und der
deutschen Delegation in den vorläufigen Friedensbedingungen übergeben seien.
Die Frage der Deutschen in Böhmen sei als endgültig geregelt anzusehen, die
Deutschen Böhmens werden als tschechoslowakische Bürger betrachtet.

In der Tagesordnung für die Sitzung des tschechoslowakischen Ausschusses
vom 27. 2. 1919 heißt es:

C. Deutsche Frage.

„Die Frage der Einbeziehung der in den früheren österreichischen Provinzen Böhmen, Mähren und Schlesien lebenden Deutschen wurde aufgeworfen.
Man einigte sich schließlich darauf, daß im Prinzip die politischen Grenzen
Böhmens und Mährens von 1914 als Grenzen der neuen Republik angenommen werden sollten, vorbehaltlich solch geringfügiger Berichtigungen, Zu-

gaben oder Wegnahme von Gebieten, die sich in späteren Untersuchungen als wünschenswert herausstellen sollten[1]).«

Aus den Aufzeichnungen Cambons[2]) geht hervor, daß die Italiener das Prinzip strategischer Grenzziehung in der böhmischen Frage unterstützten, und zwar, um sich bei anderen Anlässen darauf auch zu ihren Gunsten berufen zu können. Frankreich machte gegenüber amerikanischen Vorbehalten ebenfalls Vorbehalte. Es könne nicht zugeben, daß Deutschland durch Bevölkerungszuwachs gestärkt werde, und zwar durch eine Bevölkerung, die einem früheren österreichischen Besitztum, Böhmen, genommen würde, das – wie es hoffe – ein Verbündeter Frankreichs bleiben würde. Es waren die Amerikaner, die gegen die Einverleibung der Deutschen in den neuen Staat Widerstand zu leisten versuchten. Bereits in der Sitzung des Ausschusses für die tschechoslowakischen Angelegenheiten am 27. 2. 1919 hatte der amerikanische Delegierte erklärt, sein Land weigere sich, strategischen Überlegungen in der vorliegenden Frage Gewicht einzuräumen. In der Sitzung des Rates der Vier am 1. 4. 1919 widersetzte sich der amerikanische Delegierte Lansing der Gesamtmethode, Grenzlinien nach strategischen Grundsätzen zu ziehen. Auch in dieser Sitzung wandte sich Cambon dagegen, „Deutschland gratis zusätzliche Bevölkerung zu verschaffen" und damit einen Präzedenzfall für die Zuweisung weiterer Deutschösterreicher aufzustellen. Als Cambon weiter ausführte, daß zweifellos die fragliche deutsche Bevölkerung Böhmens lieber bei Böhmen verbleiben wolle, regte Lansing eine Volksabstimmung an. Laroche, ein anderer französischer Delegierter, erwiderte, diese Frage sei in der Kommission geprüft worden, und sie habe beschlossen, man könne nicht gut eine Volksabstimmung wegen eines einzelnen Gebietsvorsprungs anordnen (es handelte sich um einen von Deutschen bewohnten Vorsprung nach Deutschland hinein in der Rumburger Gegend), ohne sie auf den gesamten Rest Deutschböhmens auszudehnen. Täte man das, so würde der tschechoslowakische Staat nur zu ziemlich dünnen Formen kommen. Lansing fand, das sei kein genügender Grund, um eine Ungerechtigkeit zu begehen.

Zu einem weiteren amerikanischen Widerspruch kam es aus Anlaß der staatsrechtlichen Zugehörigkeit des sog. »Ascher Zipfels«. Die Tschechoslowakei hatte sich bereit erklärt, die Gebiete westlich von Asch an Deutschland abzutreten. Die Kommission nahm das zur Kenntnis. Der amerikanische Delegierte schlug vor, einen wesentlich größeren Teil zu Deutschland zu geben. England, Frankreich und Italien waren dagegen. Auch in diesem Punkt machte Lansing in der Sitzung des Rates der Vier Vorbehalte. Für seinen abweichenden Vorschlag brachte er vor allem verkehrstechnische Gründe vor.

Bruns, der der Behandlung der sudetendeutschen Frage auf der Friedenskonferenz in einem ausführlichen Aufsatz nachgegangen ist, weist dort auf die weittragenden Folgen der für die Sachverständigen-Delegierten nicht

---

[1]) D. H. *Miller* Diary, Bd. 17, S. 88, bei Bruns, a. a. O., S. 724.
[2]) Bruns, a. a. O., S. 725.

einsichtigen Verfahrensordnung hin und bemerkt dazu: „Wenn auch die Verhandlungen über die Abgrenzung des neuen tschechoslowakischen Staates gegenüber Ungarn und Österreich noch viel Mühe machten und viel Zeit in Anspruch nahmen, so war doch die Entscheidung über die Einverleibung der dreieinhalb Millionen Sudetendeutschen in dieser ersten Sitzung (des tschechoslowakischen Ausschusses vom 27. 2. 1919) bereits gefallen. Der Bericht von Cambon läßt keinen Zweifel darüber, daß diese Entscheidung in erster Linie aus strategischen Gründen gefällt worden ist, gefällt gegen den Widerspruch der amerikanischen Delegierten, die die Berechtigung zu einem solchen Vorgehen der Konferenz abstritten, aber offenbar nicht die nötige diplomatische Geschicklichkeit hatten.... Diese Entscheidung des Ausschusses für die tschechischen Angelegenheiten bedeutete die endgültige Entscheidung über das Los der Sudetendeutschen. Wir wissen wieder von Nicolson, daß die Mitglieder der Sachverständigenausschüsse über Territorialfragen der Meinung waren, ihre Aufgabe sei lediglich, die Prüfung und Entscheidung des obersten Rates vorzubereiten und zu erleichtern. Die Territorialausschüsse sollten nach der Fassung, in der ihnen der oberste Rat seinen Auftrag erteilte, als eine Art erster Instanz die Prüfung der von den Vertretern der kleineren und mittleren alliierten Staaten vorgebrachten Forderungen vornehmen und die zur Entscheidung stehenden Fragen auf ein möglichst geringes Maß beschränken und Empfehlungen für eine gerechte Regelung machen. *So glaubten denn auch die Mitglieder dieser Ausschüsse, daß es über ihre Empfehlung in letzter Instanz zu einer abschließenden Verhandlung kommen würde, bei der die interessierten Parteien zu Worte kommen würden.* Sie rechneten also offenbar damit, daß zu diesen Verhandlungen die Vertreter der unterlegenen Staaten zugezogen würden und auf Grund einer solchen Diskussion eine gerechte Lösung vereinbart werden würde..."

Es gab noch einen Versuch von höchster angelsächsischer Seite, der die Entscheidung in Übereinstimmung mit den ursprünglichen Konferenzprinzipien Wilsons bringen wollte. Hölzle weist in seiner schon erwähnten Darstellung[1]) darauf hin, daß Lloyd George und Wilson Anstalten gegen die französisch-tschechische Lösung trafen. Lloyd George stellte die Frage in dem Zusammenhang des Hauptproblems der mitteleuropäischen Verhältnisse, wie er sie sah, nämlich des Übergreifens des Bolschewismus nach Mitteleuropa. Es bestehe die höchste Gefahr, daß sich Deutschland dem Bolschewismus in die Arme werfe. „Ist dies einmal geschehen, dann wird das ganze Osteuropa in die Bahn der bolschewistischen Revolution geschleudert werden, und in einem weiteren Jahr werden wir das Schauspiel eines fast 300-Millionen-Volkes erleben, das unter deutschen Instruktoren und deutschen Generalen, ausgerüstet mit deutschen Kanonen und Maschinengewehren, zu einer ungeheuren roten Armee organisiert und bereit zu einem neuen Angriff auf Westeuropa ist." Der bolschewistische Imperialismus bedrohe die Welt. Deutsch-

---

[1]) Hölzle, a. a. O., S. 205.

land solle daher durch gemäßigte Bedingungen gewonnen werden. Zu diesen gemäßigten Bedingungen gehöre auch, daß die „Denkschrift von Fontainebleau" vom 26. 3. 1919, der die vorstehenden Sätze entstammen[1]), eine Berichtigung der böhmischen Grenze vorschlug. Doch war der Vorschlag nicht näher ausgeführt. So wurde er bei der Erörterung im Viererrat nicht behandelt. Und am 1. April, als Lansing seine Vorbehalte zum Bericht der Tschechenkommission vortrug, kam Wilson selbst im Rahmen einer Erörterung der allgemeinen Konferenzlage auf die unbefriedigende Lösung der Nationalitätenfrage zu sprechen. Der Friede mit Deutschland beseitige nicht alle Schwierigkeiten. „Ich fürchte diejenigen sehr, die aus der Lage aller dieser in Bildung begriffenen Nationalitäten Mitteleuropas entstehen können. Es gibt dort eine unerschöpfliche Quelle von Unruhen und Kriegen, wenn wir nicht Acht haben." Und so schlug er vor, daß die Territorialkommission ihre Berichte unter der Berücksichtigung „unserer Fundamentalprinzipien" überprüfen sollte. Auch die tschechoslowakischen Grenzvorschläge sollten also an Hand der 14 Punkte des Selbstbestimmungsrechtes neu geprüft werden. Wenige Tage hernach aber brach Wilson physisch und psychisch zusammen und erholte sich nicht wieder. Oberst House, sein Vertreter, wird als ein den Franzosen „stets nachgiebiger Helfer" geschildert. Die von Wilson selbst für nötig gefundene Revision unterblieb.

Die Mitglieder dieser Territorialausschüsse machten sich, wie Nicolson ausführt, kein Bedenken daraus, Kompromisse einzugehen und Entscheidungen zu befürworten, von denen sie innigst hofften, daß sie von der letzten Instanz nicht gebilligt werden würden. In dieser falschen Vorstellung befangen, ließen sich die Territorialausschüsse bereitfinden, viel mehr von den Forderungen der kleinen Mächte, die als Maximalforderungen gedacht waren, anzunehmen, als sie es getan haben würden, wenn sie gewußt hätten, daß der oberste Rat die einstimmigen Berichte der Ausschüsse meist ohne weitere Diskussion annehmen würde.

Fragt man nach der völkerrechtlichen Natur des Aktes, der über die Zugehörigkeit der sudetendeutschen Gebiete auf der Friedenskonferenz von Paris entschied, so kennzeichnet er sich als ein Akt völkerrechtlicher Adjudikation. Darunter wird ein völkerrechtlicher Gebietserwerb verstanden, auf dessen Bedeutung in der deutschen Literatur insbesondere Walter *Schaetzel*[2]) hingewiesen hat. *Schaetzel* erinnert, daß im Römischen Recht ein besonderer Eigentumserwerb, nämlich durch richterliche Zuweisung, vorkam. Während nun die übrigen römisch-rechtlichen Erwerbstitel in das Völkerrecht aufgenommen wurden, habe der eben erwähnte der „adjudicatio" keinen Eingang gefun-

---

[1]) Text in: Archiv der Friedensverträge, Mannheim-Berlin-Leipzig, Bd. I, S. 68 ff.
[2]) Artikel A d j u d i k a t i o n in *Strupps* Handbuch des Völkerrechts. Jetzt auch: Die Annektion im Völkerrecht (Archiv des Völkerrechts II 1950 S. 11: „Die Adjudikation wird wahrscheinlich berufen sein, in der Zukunft eine erhebliche Rolle zu spielen").

den. Die neuere Geschichte zeige aber Fälle, welche kaum unter den sonstigen Erwerbstiteln untergebracht werden könnten. So glichen Gebietszuteilungen des Wiener und Berliner Kongresses bereits einer Adjudikation, wenn auch nicht in Form von Richtersprüchen, sondern von völkerrechtlichen Verträgen gekleidet. Als wirkliche Adjudikationen könne man die Zuweisung von Skutari an Albanien durch die Großmächte 1913 bezeichnen, zumal die Weigerung Montenegros, sie anzuerkennen, zu einer internationalen Vollstreckungsaktion führte. Aus jüngster Zeit seien der Åland-Streit und die Wilna-Frage als weitere Fälle der Adjudikation anzusehen[1]). Auch V e r d r o ß legt der Figur der Adjudikation Bedeutung bei[2]). Sie ist für ihn der Erwerb der territorialen Souveränität über ein bestimmtes Gebiet durch Entscheidung eines Schiedsgerichts oder einer anderen völkerrechtlichen Entscheidungsorganisation. Sie könne entweder ein Feststellungsurteil sein, wonach einem bestimmten Staat die Souveränität auf Grund anerkannten Völkerrechtstitels zusteht, oder aber ein gestaltendes Urteil, das einem Staat die Souveränität über ein bestimmtes Gebiet nach freiem Ermessen zuerkennt, adjudiziert.

Die Geschichte der Sudetenfrage auf der Friedenskonferenz von 1919 zeigt, daß es Gebietsentscheidungen auch außerhalb der angeführten Formen gibt. Der Unterschied der bei Verdroß erwähnten Mossul-Entscheidung zur Sudetenentscheidung scheint uns lediglich darin zu liegen, daß in der ersteren nicht die bestimmten Staaten der Friedenskonferenz, sondern ein von ihnen eingesetztes Organ über diese Gebiete verfügte. Hinsichtlich des Sudetengebietes waren es die alliierten und assoziierten Hauptmächte selbst. Es zeigt sich in dieser Haltung u. E. die Fortwirkung der Vorstellungen und Gepflogenheiten des europäischen Konzerts auch in einer Zeit, wo es durch die weltpolitische Entwicklung immer mehr in eine globale internationale Rechtsgemeinschaft überführt wurde. Die europäischen Großmäche bildeten bis zum Ausgang des 19. Jahrhunderts den Kern eines europäischen Staatensystems, in dem die mittleren und Kleinstaaten nach wie vor nur die einflußlosen Glieder waren[3]). Ähnlich waren auf der Pariser Konferenz die kleineren Staaten in der Position der Etats à intérêt limité. Daß zusätzlich Österreich auf der Konferenz gegenüber der Tschechoslowakei in einer Stellung geminderten Rechts war, haben wir gesehen. Aus dem Vorbringen beider Staaten geht auch hervor, daß sie die Konferenzmächte als Schiedsrichter in ihrem Gebietsstreit auffaßten, wobei die diplomatischen Beziehungen der Tschechoslowakei, namentlich zu Frankreich, letzteres mehr als interessierten Protektor und Verbündeten handeln ließen denn als Schiedsrichter.

---

[1]) Erich *Kaufmann* (Studien zum Liquidationsrecht, Berlin 1925, S. 23 u. 27) unterstreicht ähnlich den Rechtsgrund der Gebietsübertragungen im Falle Oberschlesien sowie die Österreichs an Italien bzw. Jugoslawien als „Großmächteentscheidung" bzw. „Zuweisung".

[2]) *Verdroß*, Völkerrecht, 2. Auflage S. 189.

[3]) Paul *Herre*, Artikel „Europäisches Konzert" in: Politisches Handwörterbuch S. 1028. Dazu *Bruns*, Fontes juris gentium, Diplomatische Korrespondenz I, S. 5 ff.

E. Die Stellungnahme der österreichischen Nationalversammlung zur Abtretung der Sudetengebiete

Die Friedensbedingungen für Österreich, zu denen die Abtretung der Sudetengebiete an die Tschechoslowakei gehörte, wurden in der Nationalversammlung in Wien am 6. September 1919 behandelt[1]). Staatskanzler Dr. Renner, zugleich Führer der Delegation in St. Germain, berichtete. In seinen Darlegungen unterstrich er noch einmal die Behauptung eines Kriegszustandes zwischen Österreich und den jetzt verselbständigten Teilen des gemeinsamen Staates u. a. der Tschechoslowakei als Rechtsfiktion. Für die Delegation hätte es unübersteigbare Hindernisse gegeben, so z. B. Abmachungen hinsichtlich der sogenannten historischen Grenzen der Tschechoslowakei. Auch bei dieser Gelegenheit wies der Kanzler auf den flagranten Widerspruch zwischen dem verkündeten nationalen Selbstbestimmungsrecht und den „toten Rechten" der Vergangenheit hin[2]). Von den Parteienvertretern spielte der Sprecher der christlichsozialen Partei, Prälat *Hauser* auf die Internierung und das Verbot mündlicher Verhandlungen für die österreichische Delegation an. Es sei am allerschwersten, jemandem beizukommen, der einen nicht einmal anhörte. Die Hohe Entente und der Hohe Fünferrat hätten es mit ihrer Würde nicht vereinbar gefunden, mit den österreichischen Delegierten zu sprechen oder ihnen eine Aussprache zu gewähren[3]). Der sozialdemokratische Abgeordnete *Leuthner* hob den springenden Punkt hervor, wenn er daran erinnerte, daß im Grunde eine Diskussion durch das Parlament zwecklos sei, weil die österreichische Antwort bis zum 9. September 1919 um 19 Uhr vorliegen müsse und sich der Hohe Rat *alle Maßnahmen vorbehalten habe,* die er für notwendig halte, um seine Bedingungen *zwangsweise* durchzuführen[4]). Die Nationalversammlung nahm schließlich mit Mehrheit den Vorschlag des Hauptausschusses vom 6. September 1919 betreffend die Ratifikation des Friedensvertrages von St. Germain an. Darin hieß es:

„Die Nationalversammlung der Republik Deutschösterreich nimmt den Bericht des Staatskanzlers über den Verlauf und die Ergebnisse von St. Germain zur Kenntnis ... In schmerzlicher Enttäuschung legt sie ihre Verwahrung ein gegen den leider unwiderruflichen Beschluß der alliierten und assoziierten Mächte, dreieinhalb Millionen Sudetendeutsche von den Alpendeutschen, mit denen sie seit Jahrhunderten eine politische und wirtschaftliche Einheit bildeten, gewaltsam loszureißen, ihrer nationalen Freiheit zu berauben und unter die Fremdherrschaft eines Volkes zu stellen, das sich in demselben Friedensvertrag als ihr Feind bekennt.

---

[1]) Stenograph. Protokolle über die Sitzungen der konstituierenden Nationalversammlung der Republik Österreich 1919. Sitzung vom 6. September 1919.
[2]) S. 765.
[3]) S. 767.
[4]) S. 776.

Ohne alle Macht, dieses Unheil abzuwenden und Europa die unvermeidlichen Wirkungen zu ersparen, die aus dieser Versündigung an dem heiligsten Rechte der Nation erwachsen müßten, legt die deutschösterreichische Nationalversammlung die geschichtliche Verantwortung für diesen Ratschluß auf das Gewissen jener Mächte, die ihn trotz unserer ernstesten Warnungen vollziehen . . . Die Nationalversammlung erwartet, daß der Völkerbund das unfaßbare Unrecht, das an den Sudetendeutschen verübt werden soll, baldigst wieder gut machen wird. Die abgetrennten Volksgenossen im Norden und Süden geleitet in ihre kampfreiche Zukunft der heißeste Segenswunsch der deutschösterreichischen Nationalversammlung. So innig wie die natürliche Gemeinschaft des Blutes und der Sprache, welche den Wechsel der Staatsform überdauern, wird uns mit ihnen jene tiefen Sympathieen verbinden, die aus den Jahren gemeinsamer Geschichte und gleicher Schicksale erwachsen ist."

In der Entschließung wird auf die Zwangslage der Nationalversammlung verwiesen. Dazu heißt es: „Es bleibt ihr auch sachlich keine Wahl, weil unser Land in der Versorgung mit Nahrungsmitteln und industriellen Rohstoffen, wie in der Wiederherstellung des Kredites in seiner Währung von den Großmächten abhängt . . . Dieser Zwangslage muß die Nationalversammlung leider Rechnung tragen, obschon sie den Frieden von St. Germain für national ungerecht, politisch verhängnisvoll und wirtschaftlich undurchführbar hält. Politisch und national muß sie die Verantwortung den Mächten überlassen. Sie erwartet, daß die in der Antwort gegebenen Zusicherungen von den Mächten erfüllt werden, sie sieht im Völkerbund jene Instanz, die berufen sein wird, auch unserer Republik ihr Recht wieder zu geben und dauernd zu sichern, und beauftragt den Kanzler, den Friedensvertrag zu zeichnen."

IV. ABSCHNITT

Die Sudetenfrage im tschechoslowakischen Staat

A. Die völkerrechtliche Stellung der Sudetendeutschen
nach den Verträgen von Versailles und St.-Germain

Durch den Vertrag von St. Germain sind die sudetendeutschen Gebiete der Republik Deutschösterreich entzogen und der Tschechoslowakei zugesprochen worden. Das geschah, wie ausgeführt, durch einen Akt autoritärer Adjudikation der Großmächte auf der Friedenskonferenz, für den sie auch die Verantwortung übernahmen. Wie es der Protest der österreichischen Nationalversammlung festhielt, setzten sich die Großmächte dabei über die Grundsätze des nationalen Selbstbestimmungsrechtes hinweg, die Wilson als Regulativ für die territoriale Neuordnung aufgestellt hatte. Frankreich, dessen Haltung für die übrigen Alliierten ein besonderes Gewicht hatte, faßte dabei seine Entscheidung als Erfüllung des Vertrages mit der provisorischen tschechoslowakischen Regierung vom 6. Juni 1918 auf. Also wurden die Westgrenzen der Tschechoslowakei wesentlich als Konsequenz eines Kriegs- und Allianzvertrages festgelegt. Die diplomatische Situation der Tschechoslowakei ist in dieser Hinsicht gegenüber Frankreich dabei mit der zu vergleichen, die Italien aus dem Londoner Vertrag von 1915 erwarb. Die Stellung des Schiedsrichters, welche das Konzert der Großmächte in derartigen Territorialfragen in Anspruch genommen hatte, ging hier – je nach der Lage in verschiedenem Maße – in die des Interessenten und Verbündeten über. Frankreich allerdings geriet in die Rolle des entschiedenen Freundes und Protektors, schon hier zeichnete sich das spätere Bündnissystem der „kleinen Entente" mit seiner Orientierung nach Paris ab. Demgegenüber war Italien mehr an der Schaffung eines erwünschten Präzedenzfalles interessiert, und England nahm wohl oder übel die Konsequenzen aus seiner Entscheidung im Frühsommer 1918 hin. Lediglich die Vereinigten Staaten hatten ohne Erfolg – offenbar fehlte die Absicht der Unnachgiebigkeit – eine Schiedsrichterrolle zu spielen versucht. Aber auch sie hatten durch den Mund Lansing's Masaryk ja die Zusicherung gegeben, daß ihr Programm im ganzen dem tschechischen Standpunkt nahekäme[1]). Und dadurch waren sie in der Hauptsache gebunden. Das Ergebnis dieser Situation ist die völkerrechtliche Lage der Sudetendeutschen, wie sie in den Verträgen von St. Germain und Versailles niedergelegt ist.

---

[1]) Hölzle, a. a. O., S. 199.

135

Die Vorenthaltung des Rechtes nationaler Selbstbestimmung hatte an anderen Orten zur Zuerkennung autonomer nationaler Rechte (z. B. Memel) geführt. Auch die tschechoslowakischen Denkschriften haben ganz allgemein von einem solchen Ersatz für die Vorenthaltung dieses Rechtes gesprochen. Aber solche Vorschläge im Falle der Tschechoslowakei, die über den normalen Minderheitenstatus hinausgingen, fanden sich doch nur anläßlich der Erörterung des Anschlusses der Karpato-Ukraine. Hierfür wurde klar ausgesprochen, daß es den demokratischen Prinzipien am besten entspräche, angesichts der nationalen Verschiedenheit daraus eine autonome Provinz zu machen und sie also solche anzuschließen. Vorausgesetzt war, daß Karpato-Rußland sich nur mit seiner freien Zustimmung dem neuen Staat anschließen sollte[1]).

Für die Sudetendeutschen hat man sich zu keinem analogen Entschluß bereitgefunden. Indessen besaßen auch sie einen völkerrechtlich geschützten Status, der sich aus Rechtsquellen verschiedener Ordnung herleitete.

Die erste lag in den Bestimmungen des *Vertrages zum Schutze der rassischen, sprachlichen und religiösen Minderheiten*[2]). Er hielt sich – mit Ausnahme der Sonderregelung der territorialen Autonomie für Karpato-Rußland – an den Typus der Verträge, wie sie auch den übrigen neuen Staaten zum Schutze der nationalen und religiösen Minderheiten auferlegt worden waren. Er begründete völkerrechtlich ein Verpflichtungsverhältnis zwischen der Tschechoslowakei und den Signatarstaaten, das durch Verpflichtungen gegenüber Völkerbund und Völkerbundrat ergänzt wurde. Staatsrechtlich war daran wesentlich, daß gewisse Vorschriften des Vertrages mit dem Charakter von Verfassungssätzen und gleichzeitigem Geltungsvorrang vor allen übrigen innerstaatlichen Normen ausgestattet waren.

Eine zweite für die Sudetendeutschen bedeutsame Rechtsquelle wurde durch die auf die Tschechoslowakei bezüglichen *Artikel des Versailler Vertrages* gebildet. Art. 86 des Versailler Vertrages gab dem Deutschen Reich das Recht, die Durchführung der Minderheitenschutzbestimmungen nicht bloß von den alliierten und assoziierten Hauptmächten, sondern unmittelbar von der Tschechoslowakei zu verlangen. Der spätere Richter am ständigen internationalen Gerichtshof in Haag, M. O. Hudson, der selbst Mitglied des Ausschusses für die neuen Staaten auf der Versailler Konferenz war, drückte dies dahin aus, daß dieser Artikel Deutschland einen „locus standi" einräume, der es berechtige, darauf zu sehen, daß die übernommenen Garantien auch verwirklicht würden[3]).

Die dritte Gruppe wird aus den *zusätzlichen Erklärungen* gebildet, die der tschechoslowakische Außenminister anläßlich der Verhandlungen über den

---

[1]) Denkschrift Nr. 2, S. 57.

[2]) Traité entre les Etats-Unis d'Amérique, l'Empire britannique, la France, l'Italie et le Japon et la Tchécoslowaquie, signé à St. Germain en Laye, le 10. sept. 1919.

[3]) What really happened at Paris, S. 211, bei Bruns a. a. O., S. 741.

Minderheitenschutzvertrag gegenüber den Konferenzmächten abgab. Sie waren, nach ihrer rechtlichen Tragweite umstritten, wohl überwiegend politischen Charakters und bildeten insbesondere in den Jahren 1936–1938 den Gegenstand ausführlicher rechtlicher und politischer Kontroversen[1]).

Die schon behandelte Denkschrift Nr. 3 der tschechoslowakischen Delegation, die sich mit der Frage des Sudetendeutschtums befaßte, enthielt auch Ausführungen über die künftige Rechtslage des tschechoslowakischen Staates. Diese Ausführungen bilden den allgemeinen Untergrund, den dann die wichtigste grundsätzliche Erklärung, niedergelegt in der Note vom 20. Mai 1919, konkretisiert. Abschnitt 6 der Denkschrift Nr. 3 befaßte sich mit dem „Schicksal der Deutschen in der tschechoslowakischen Republik". „Es ist absolut notwendig", heißt es dort, „genau zu wissen, wie die Deutschen in dem tschechoslowakischen Staat behandelt werden. Nicht nur ist die tschechoslowakische Republik bereit, gegebenenfalls jede internationale rechtliche Regelung, die zugunsten der Minderheiten durch die Friedenskonferenz festgesetzt wird, anzunehmen, sondern sie ist außerdem noch bereit, über eine solche Regelung hinauszugehen und den Deutschen alle Rechte zu geben, die ihnen zukommen.

Die tschechoslowakische Republik wird ein absolut demokratischer Staat sein; alle Wahlen werden nach dem allgemeinen, direkten und gleichen Wahlrecht vor sich gehen; alle Ämter werden allen Staatsbürgern zugänglich sein; die Sprache der Minderheiten wird überall zugelassen sein; das Recht, ihre eigenen Schulen, ihre Richter und ihre Gerichtshöfe zu haben, wird niemals irgendeiner Minderheit bestritten werden. Hinzugefügt muß noch werden, daß die Tschechen, obwohl sie sich dessen bewußt sind, daß die Deutschen unter dem alten Regime übermäßig bevorrechtigt waren, keineswegs daran denken, beispielsweise die Schulen, Universitäten, technischen Hochschulen der Deutschen, die übrigens vor dem Kriege wenig besucht waren, zu unterdrücken.

Um zusammenzufassen: Die Deutschen würden in Böhmen dieselben Rechte haben wie die Tschechoslowaken. Die deutsche Sprache würde die zweite Landessprache sein, und man würde sich niemals irgendeiner Unterdrückungsmaßnahme gegen den deutschen Bevölkerungsteil bedienen. Das Regime würde ähnlich dem der Schweiz sein.

Dieses Regime wird in Böhmen nicht nur deshalb eingeführt werden, weil die Tschechen immer ein tiefes Empfinden für Demokratie, Recht und Gerechtigkeit hatten und diese Rechte selbst ihren Gegnern loyal zuerkennen, sondern auch, weil die Tschechen der Ansicht sind, daß diese den Deutschen günstige Lösung auch den politischen Interessen ihres eigenen Landes und ihrer eigenen Nation günstig ist.

---

[1]) Von deutscher Seite vor allem die Aufsätze von V. *Bruns* in der Zeitschrift für ausl. öff. Recht und Völkerrecht 1937 und 1938, von tschechischer Seite die Aufsatzreihe in der „Prager Presse" von „XY", (ein Pseudonym für Staatspräsident Benesch [Oktober 1937]). Dazu auch *meine* Einleitung zu den „Tschechoslowakischen Denkschriften etc.".

Im 19. Jahrhundert haben sie viel praktischen, vor allem aber politischen Sinn bewiesen. Sie sind viel zu sehr Realisten und haben zu viel gesunden Menschenverstand, um nicht zu sehen, daß Gewalttätigkeiten und Ungerechtigkeiten die Ursachen des Untergangs Österreich-Ungarns gewesen sind und daß eine ähnliche Politik nur ihrem eigenen Staate und ihrer Nation schaden könnte . . .[1]"

Die im Sinne dieser Denkschrift gehaltene Note des tschechoslowakischen Außenministers Dr. Benesch vom 20. Mai 1919 ist an den Ausschuß der Konferenz für die neuen Staaten gerichtet. Der Ausschuß, der kurz vorher den Minderheitenschutzvertrag mit Polen ausgearbeitet hatte, beriet eben über dieselbe Materie für die Tschechoslowakei. Es fand darüber eine Besprechung zwischen dem tschechischen Außenminister und dem französischen Delegierten Berthelot statt. Berthelot hat dann Benesch gebeten, die ihm mündlich gemachten Erklärungen hinsichtlich des künftigen Minderheiten-Regimes schriftlich zu wiederholen. Das geschah in der an Berthelot übersandten Note vom 20. Mai. Sie lautet: „1. Es ist die Absicht der tschechoslowakischen Regierung, bei der Organisation des Staates als Grundlage der nationalen Rechte die in der Verfassung der schweizerischen Eidgenossenschaft zur Durchführung gelangten Grundsätze anzunehmen, d. h. aus der tschechoslowakischen Republik eine Art von Schweiz zu machen, wobei sie natürlich die besonderen Verhältnisse in Böhmen in Betracht zieht.

2. Es wird ein allgemeines Wahlrecht unter dem Proporzsystem geben, das den verschiedenen Nationalitäten der Republik proportionale Vertretung in allen gewählten Körperschaften sichern wird.

3. Die Schulen werden auf dem gesamten Gebiet vom Staat aus öffentlichen Mitteln erhalten werden und für die verschiedenen Nationalitäten werden in allen Gemeinden, wo aus der gesetzmäßig festgestellten Anzahl der Schüler sich die Notwendigkeit der Schulerrichtung ergibt, solche Schulen errichtet werden.

4. Alle öffentlichen Einrichtungen, in denen das Zweisprachigkeitsprinzip Geltung haben wird, wird den verschiedenen die Republik bewohnenden Nationalitäten offen stehen.

5. Die Gerichtshöfe werden gemischt sein, die Deutschen werden das Recht haben, vor dem höchsten Gericht in ihrer Sprache zu verhandeln.

6. Die örtliche Verwaltung (der Gemeinden und der Kreise) wird in der Sprache der Mehrheitsbevölkerung erfolgen.

7. Es gibt keine religiöse Frage in der Tschechoslowakei, daher werden sich in diesem Bereich keine Schwierigkeiten ergeben.

8. Die Staatssprache wird tschechisch sein, und im Ausland wird der Staat als tschechoslowakischer Staat bekannt sein. Praktisch aber wird die deutsche Sprache zweite Landessprache werden, und man wird sie ständig in der Verwaltung, vor den Gerichten und im Zentralparlament auf gleichem Fuß wie

---

[1]) Die tschechoslowakischen Denkschriften etc., S. 101.

das Tschechische gebrauchen. Es ist die Absicht der tschechoslowakischen Regierung, die Bevölkerung in der Praxis und in täglicher Übung zufriedenzustellen, wobei sie der tschechoslowakischen Sprache und dem tschechoslowakischen Element eine gewisse Sonderposition vorbehalten will.

9. Anders gesprochen können wir sagen: Der gegenwärtige Zustand, in welchem die Deutschen ein überwältigendes Übergewicht haben, wird bestehen bleiben, nur die Vorrechte, die die Deutschen bisher hatten, sollen auf ihren angemessenen Umfang beschränkt werden (z. B. wird man die Zahl der deutschen Schulen herabsetzen, weil sie überflüssig sein werden). Es wird ein ausgesprochen liberales Regime errichtet werden, das außerordentlich dem der Schweiz ähneln wird[1])."

Daß diese offizielle Mitteilung auf den Ausschuß nicht ohne Wirkung blieb, zeigt das Protokoll der Sitzung des Ausschusses für die neuen Staaten, in dem diese Mitteilung in der folgenden Weise zu den Akten genommen wurde: „Herr Berthelot verlas eine Note, die er von Dr. Benesch empfangen hatte, die sich mit den Vorrechten befaßt, die der tschechoslowakische Staat den Minderheiten innerhalb seiner Grenzen zuzuerkennen vorschlägt. Man hat bemerkt, daß diese Erleichterungen beträchtlich weiter als alle Verpflichtungen gehen würden, die der Tschechoslowakei durch Vertrag auferlegt werden sollten[2])." Sie ist ferner in dem Bericht zusammen mit einem Hinweis auf ihre Bedeutung erwähnt, den der Ausschuß über seine Tätigkeit an den obersten Rat sandte. Das Komitee, so heißt es darin, habe eine Mitteilung von Dr. Benesch, dem Vertreter der Tschechoslowakei bei der Friedenskonferenz, empfangen, worin er es informiert hat, daß es die Absicht der gegenwärtigen Regierung sei, die Deutschen mit größter Freiheitlichkeit zu behandeln. „Die von ihm gemachten Vorschläge gehen weit über alles das hinaus, was das Komitee vorzuschlagen sich für berechtigt gefühlt hätte." Man erachte es unter diesen Umständen für klüger, daß kein besonderer Hinweis auf die Deutschen gemacht werde; die mehr allgemein gehaltenen Vorschläge, die dem ausgearbeiteten Vertrag eingefügt würden, seien so maßvoll, daß vorausgesetzt werden kann, daß sie ohne jede Einwendung von der tschechoslowakischen Regierung angenommen würden.

Wie immer man die rechtliche Seite der Verpflichtungskraft dieser Erklärungen beurteilen will, sicherlich trifft zu, was Bruns dazu sagt, aus den vorstehenden Dokumenten ergebe sich, daß die Entscheidung der Pariser Konferenz in Kenntnis und unter Berücksichtigung der Versprechen der tschechoslowakischen Delegation über die Behandlung der diesem Staat zugesprochenen Deutschen getroffen wurde. Die allgemeinen Zusagen der dritten Denkschrift sind in der Note zum 20. Mai 1919 erneuert und präzisiert. Sie waren für den Ausschuß von solchem Gewicht, daß er im Hinblick auf sie von besonderen, über die allgemeinen Bestimmungen des Minderheitenschutz-

---

[1]) Text bei Bruns, a. a. O., S. 738.
[2]) Text ebda.

vertrages hinausgehenden Verpflichtungen für die Sudetendeutschen abgesehen hat[1]).

Die Gesamtauffassung über Charakter und Gewicht des sudetendeutschen Problems im tschechoslowakischen Staat seitens des zuständigen Ausschusses der Friedenskonferenz ist klar umrissen in dem eben erwähnten Bericht. Der einschlägige Teil lautet: „Im Falle der Tschechoslowakei belaufen sich die in Betracht zu ziehenden Minderheiten erstens auf Deutsche, die ungefähr 3 Millionen erreichen, zweitens auf Magyaren mit ungefähr 800 000 an der Zahl, drittens auf ungefähr 150 000 Ruthenen. Die Lage der Magyaren und der Ruthenen ist nicht unähnlich der der Deutschen und Ruthenen in Polen, und sie können in derselben Weise behandelt werden wie diese.

Die Position der Deutschen in Böhmen ist natürlich vollkommen davon verschieden. Sie haben bis in die neueste Zeit den beherrschenden Einfluß im Staat gehabt, sie stellen ein hochentwickeltes, außerordentlich fähiges Element dar und waren in der Vergangenheit eine angriffslustige Bevölkerung. Es liegt auf der Hand, daß das Gedeihen und vielleicht sogar das Dasein des neuen Staates von dem Erfolg abhängt, mit welchem er sich die Deutschen als willige Bürger eingliedert. Die ausgesprochene Größe dieser Aufgabe macht sie in ihrem Wesen vollkommen verschieden von dem reinen Schutz anderer Minderheiten, womit sich das Komitee zu beschäftigen hatte. Sie reicht so tief ins Herz der gesamten Einrichtungen, daß die Lösung wahrscheinlich am besten den Tschechen selbst überlassen bleibt[2]).“

Das Gewicht solcher Feststellungen steht außer Frage. Der Bericht zeigt einmal, daß der Ausschuß seine Auffassungen über das Ausmaß der der Tschechoslowakei vertraglich aufzuerlegenden Verpflichtungen in Kenntnis und unter Berücksichtigung der Erklärungen des tschechoslowakischen Außenministers festgelegt hat. Das Ausmaß dieser Erklärungen schien ihm weit darüber hinaus zu reichen, was er selbst zusätzlich vorgeschlagen hätte. Die Kargheit der vertraglichen Verpflichtungen des tschechoslowakischen Minderheitenschutzvertrages geht also zurück auf die Annahme der Friedensmacher, daß angesichts der Grundsatzerklärungen des tschechoslowakischen Vertreters bei der Friedenskonferenz über die Staatsstruktur und Nationalitätenpolitik weitere Minderheitenverpflichtungen für die Deutschen unnötig wären. Der Bericht zeigt aber auch, daß die Natur des deutschen Problems in der Tschechoslowakei offenbar nicht als ein solches angesehen wurde, das auch durch weitere Vertragsverpflichtungen wesentlich zu lösen gewesen wäre. Es wurde als eine vitale politische Angelegenheit, als eine Existenzfrage ersten Ranges für den neuen Staat angesehen. Die Gewinnung der Sudetendeutschen als willige Staatsbürger ist als Kardinalfrage des Problems erkannt und bezeichnet worden. Die politische Zukunft der Tschechen, das war die Auffassung des Ausschusses, hängt weitgehend mit ihrer Fähig-

---

[1]) Bruns, a. a. O., S. 740.
[2]) Text bei Bruns, a. a. O., S. 739.

keit zur Lösung dieser Frage zusammen. Die Sudetendeutschen sind einem neuen Staate zugesprochen worden. Diejenigen, die den Staat wesentlich in der Hand haben, sollen in erster Linie auch für die Lösung des damit gestellten Problems verantwortlich sein.

B. Das Nationalstaatskonzept der Tschechoslowakei und seine rechtlichen Folgen

Die Schilderung der Entwicklung der Sudetenfrage in der Tschechoslowakei liegt außerhalb des Rahmens dieser Untersuchung; hier werden nur die rechtlich greifbaren Positionen bezeichnet, an denen sich der spätere Konflikt entwickelte.

Der fundamentale Unterschied der rechtlichen wie der politischen Struktur der böhmischen Länder vor und nach 1918 lag im *nationalstaatlichen Charakter* der tschechoslowakischen Republik. Art. 19 des Staatsgrundgesetzes vom 21. 12. 1867 hatte die österreichische Reichshälfte der habsburgischen Monarchie zu einem „Nationalitätenstaat" gemacht. Die dort festgelegte „Gleichberechtigung der Volksstämme des Staates" richtete eine rechtliche Barriere auf und schuf zugleich eine Grundlage, deren Bedeutung in zahllosen Entscheidungen der höchsten Gerichte anerkannt war und den politischen Charakter der österreichischen Reichshälfte prägte.

Die neue politische Ordnung in den böhmischen Ländern nach 1918 dagegen bezeichnete sich selbst als die eines „Nationalstaates", das war gleichbedeutend mit der Auffassung vom Dasein politisch bevorrechteter und minderberechtigter Völker im Staat. Nach allgemeinem Sprachgebrauch war die tschechoslowakische Nation die „Staatsnation", alle übrigen die „Minderheiten". Das tschechoslowakische Volk erklärte sich im Verfassungsvorspruch zur Quelle der staatlichen Ordnung. Damit war aber nicht Volk im staatsrechtlichen Sinn, als Gesamtbevölkerung des Staates verstanden, sondern im nationalpolitischen, d. h. die Tschechen und Slowaken innerhalb des Staates. (In dem Augenblick, wo die Mehrheit der Slowaken sich gegen die nationalpolitische Identität mit den Tschechen wandte, war auch die slowakische Frage zu einem Nationalitätenproblem geworden.) Dieser Tatbestand ist von verschiedensten Seiten, wenn auch mit verschiedener Bewertung, anerkannt worden. Von einer solchen Auffassung aus wurde es von tschechischer Seite als ganz natürlich angesehen, daß z. B. die Vertretung der 3½ Millionen Sudetendeutschen an der Schaffung der tschechoslowakischen Verfassung nicht beteiligt war. So führt z. B. ein bekannter tschechischer Autor aus[1]): „Die Nationalversammlung war ein aus der revolutionären

---

[1]) *Weyr,* Der tschechoslowakische Staat, seine Entstehung und Verfassung, Jahrbuch des öffentlichen Rechts, Bd. VII, 1922, S. 351.

Machtvollkommenheit des Nationalausschusses eingesetztes Revolutions-parlament, dessen Machtvollkommenheit ähnlich wie die des Nationalaus-schusses vom Standpunkt der österreichischen Rechtsordnung usurpiert war. Diese erste revolutionäre Nationalversammlung war ausschließlich von tschechischen politischen Parteien beschickt, insbesondere waren darin die eine relativ starke Minorität repräsentierenden Deutschen nicht vertreten, die daher politisch entrechtet waren." Auch Weyr erklärt diesen Umstand mit der vorherrschenden Bedeutung des staatsrechtlich-historischen Prinzips in Böhmen und fährt fort: „Dieses steht nun, wie nicht zu leugnen, in scharfem Gegensatz zu dem modernen Prinzip der Selbstbestimmung der Nationen als dem eigentlichen Leitpunkt der Staatsbildung." Ähnlich ist das Urteil des Kommentars zum tschechoslowakischen Verfassungsrecht von Schranil-Janka. Wie Weyr hat er auf die vom Nationalstaatskonzept aus beherrschten Ver-hältnisse des neuen Staates und der Nationalversammlung und deren Folgen verwiesen. Wohl sei bereits in dem Gesetz vom 9. November 1918 von einer bevorstehenden Nationalversammlung die Rede. Die Erweiterung des Na-tionalausschusses zu einer Nationalversammlung sei aber erst mit der provi-sorischen Verfassung vom 13. 11. 1918 Ges.slg. 37 geschehen. „Auch diese Körperschaft, zusammengetreten am 15. 11. 1918, war nicht gewählt, sondern entstand durch Erweiterung des Nationalausschusses auf 250 Mitglieder nach Art und Schlüssel des Nationalausschusses, also durch Ernennung seitens der tschechischen politischen Parteien. Mit Gesetz vom 11. 3. 1919 Ges.slg. 138 wurde die Nationalversammlung auf 270 Mitglieder verstärkt. Darin war auch eine größere Anzahl Slowaken aufgenommen, so daß sie sich mit grö-ßerem Recht „tschechoslowakisch" nennen konnte. Aber die nicht zu den Tschechen und Slowaken zählenden Bevölkerungsteile waren darin überhaupt nicht vertreten. Sudetendeutsche Bemühungen um Verhandlungen zwecks Mitarbeit am Neubau des Staates wurden vom Minister Raschin brüsk ab-gelehnt. *Die Nationalversammlung der Jahre 1918–1920 hat also keine demokratische Grundlage gehabt.* Sie wurde auch nachträglich nicht gesucht, als infolge der Unterzeichnung der Friedensverträge von Versailles und St. Germain im Juli bzw. September 1919 die sudetenländischen Grenzen bereits feststanden . . ."

„Gegenüber den Bevölkerungsteilen, die in der Nationalversammlung nicht vertreten waren, etwa ein Drittel der Gesamtbevölkerung des Staates, er-scheint die gesamte Tätigkeit der Nationalversammlung als *oktroyierter fremder Wille*, so grundlegend sie auch später für die Gesetzgebung wurde[1])."

Dieselbe Bewertung des Nationalstaatskonzepts als der neuen Grundkate-gorie findet sich in der rückblickenden Betrachtung über den „politischen Weg der Sudetendeutschen in der Tschechoslowakei" von dem ehemals führenden

---

[1]) *Schranil-Janka:* Das öffentl. Recht der Tschechoslowakischen Republik. I. Teil: Die Verfassungsgesetze, Prag 1934, S. 68.

Mitglieds der sudetendeutschen sozialistischen Partei, E. Franzel[1]). Auch er rückt die fundamentale Bedeutung dieses Wechsels der Staatsidee in den Vordergrund. Im Hinblick auf die Verkündung des Selbstbestimmungsrechtes durch den amerikanischen Präsidenten Wilson und auf böhmische verfassungsrechtliche Traditionen, meint er, es hätte im Sinne der „föderalistischen böhmischen Staatsidee" gelegen, daß die Sudetendeutschen zwar theoretisch das Recht der Selbstbestimmung gefordert, praktisch aber erklärt hätten, als freie und autonome Nation im Staate verbleiben zu wollen. Das hätte aber auch die tschechische Bereitschaft vorausgesetzt, nicht einen tschechoslowakischen Nationalstaat, sondern einen übernationalen föderalistischen Staat zu schaffen. Es stehe dahin, ob sich tschechische Politiker ernsthaft mit solcher Absicht trugen. Franzel zeigt einige Konsequenzen für den Fall der Übernahme des Schweizer Beispiels auf. „Das hätte bedeutet, daß die knapp 50% Tschechen gegenüber den rund 25% Deutschen, den Slowaken, Ukrainern, Magyaren und Polen nicht mehr Rechte beansprucht hätten als in der Schweiz die 75% Deutschschweizer gegenüber den 18% französisch Sprechenden und den 9% italienisch und räthoromanisch sprechenden Eidgenossen beanspruchen. Das hätte bedeutet, daß es keine Staatsnation und keine Staatssprache, keine Minderheiten und keine zentralistische Verwaltung, sondern gleichberechtigte Völker mit dem gleichen Anspruch auf Geltung und Gebrauch ihrer Sprache, und daß es national abgegrenzte Kantone mit weitestgehender Selbstverwaltung gegeben hätte. Ja, es hätte bedeutet, daß die Präsidentschaft der Republik abwechselnd ein Tscheche, ein Deutscher und ein Slowake innegehabt und daß die Regierung, wie in der Schweiz, von einem kollegialen Bundesrat ausgeübt worden wäre, in dem sämtliche Nationen vertreten waren." Franzel meint, in einem solchen Fall wäre die Mehrheit der Sudetendeutschen zur Zusammenarbeit und zu entsprechender Auslegung des Selbstbestimmungsrechts bereit gewesen. „Da aber die Tschechen ihren Staat als einen Nationalstaat, sich selbst als die staatsgründende, darum zur Herrschaft berufene Nation, ihre Sprache als die Staatssprache proklamierten, war von allem Anfang die Brücke zur Verständigung blockiert. Die Tschechen forderten nicht Ausgleich, sondern Unterwerfung. Sie erklärten die deutschen Gebiete Böhmens, Mährens und Schlesiens als untrennbare Bestandteile ihres Staates und leiteten daraus das Recht ab, über die Bewohner des gesamten Staatsgebietes die Souveränität auszuüben." Dieser nationalstaatliche Charakter der Republik wurde auch durch eine spätere Beteiligung sudetendeutscher Parteien verschiedener politischer Richtungen an einer Koalitionsregierung nicht geändert. Von tschechischer Seite wurde diese Regierungszusammensetzung, besonders im Ausland, als Beweis des gelungenen nationalen Ausgleichs verwendet. Die sudetendeutsche Beurteilung war anders. „Von aktivistischer Seite – die an der Regierung beteiligten deutschen Parteien

---

[1]) *E. Franzel*, Der politische Weg der Sudetendeutschen 1918–1938 in: Die Deutschen in Böhmen und Mähren. Herausgegeben von *Helmut Preidel*, 1950, S. 333 ff.

wurden Aktivisten genannt – wird bis auf den heutigen Tag (1934) erklärt, die Mitwirkung habe nur die Bedeutung, größeres Übel zu verhüten, nicht jedoch, daß die verantwortlichen Leiter der aktivistischen Politik sich mit den Aktionen der Regierung und der Parlamentsmehrheit in jeder Beziehung identifizieren. Diese Abschwächung und das Widerspruchsvolle in der aktivistischen Richtung hatte den Grund in dem Widerspruchsvollen der ganzen Staatsauffassung der Tschechoslowakei, welche formal und offiziell sich als eine Demokratie mit Gleichheit und Freiheit der Staatsbürger erklärt hat, in Wahrheit aber durchweg tschechoslowakisch nationalstaatlich eingestellt ist, also die Ungleichheit der Staatsbürger je nach ihrer nationalen Stellung zu ihrem Grundprinzip gemacht hat[1]).« „Der Vorsitzende der Regierungskoalition brachte in seiner Regierungserklärung die Stellung der Deutschen auf die dehnbare Formel, sie würden als Gleiche unter Gleichen mitarbeiten. Tatsächlich haben die deutschen Regierungsparteien auf dem Wege der Gesetzgebung nichts erreicht. Ihre Erfolge beschränkten sich darauf, Schlimmeres zu verhüten und durch persönliche Intervention im Einzelfall dies oder jenes herauszuschlagen[2]).«

C. Die Sudetenfrage zu Beginn des Jahres 1938

Das Grundproblem des tschechoslowakischen Staates lag von Anfang an im Widerspruch zwischen nationalstaatlicher Legitimierung und soziologischer Wirklichkeit. Die Bestimmung als tschechischer Nationalstaat sollte seinen Charakter als Nationalitätenstaat verdecken. 1918/1919 war dieser Tatbestand durch die politische Schwäche der Sudetendeutschen und die Bereitwilligkeit der Slowaken, sich dem neuen Staat einzufügen, verdeckt. Seither waren rund zwanzig Jahre vergangen. Bei beiden, den wichtigsten Nationalitäten des Staates, hatten sich die Verhältnisse wesentlich, und zwar zu ungunsten der offiziellen Staatsauffassung geändert. Das Nationalitätenproblem wurde langsam aber unaufhaltsam zur Lebensfrage des Staates. Die Tschechoslowakei sah sich im zweiten Jahrzehnt ihres Bestandes vor denselben Problemen des „nationalen Ausgleichs", die aus der Verfassungsgeschichte Östereich-Ungarns bekannt sind. Anfang April 1938 hatte die französische Regierung ihren früheren Prager Botschafter Noel in die Tschechoslowakei zur vertraulichen Berichterstattung über die Lage entsandt. Noel kannte die dortigen Verhältnisse aus seiner dreijährigen Botschaftertätigkeit. In seinem Bericht hob er besonders das gestiegene Selbstbewußtsein der Nationalitäten als einen für ihn offenbar neuen Faktor hervor[3]). Das galt,

---

[1]) Schranil-Janka, a. a. O., S. 68/69.
[2]) Franzel, a. a. O., S. 352.
[3]) *R. G. D. Laffan,* The Crisis over Czechoslovakia, Survey of International Affairs, 1938, II. Issued under the auspices of the Royal Institut of Intern. Affairs.

wie sich später zeigen wird, nicht nur für die Sudetendeutschen, sondern auch für die Slowaken, machte sich aber bei den ersteren besonders bemerkbar, da die Verhältnisse jetzt vollkommen verschieden von denen der Jahre 1918/1919 waren. Der Hauptunterschied lag hier in dem Dasein der starken „Sudetendeutsche Partei" unter Konrad Henlein seit 1935[1]).

Die Partei hatte das Problem einer Angleichung der tschechoslowakischen Staatsstruktur an die soziologische Wirklichkeit des Nationalitätenstaates als Grundsatzforderung gestellt. Ein Zeichen dafür waren die sogenannten Volksschutzgesetzentwürfe, die sie dem Parlament im April 1937 vorlegte und die von den nationalitätenrechtlichen Gedanken des altösterreichischen Staates getragen waren[2]). Die Partei war also, wie es den Anschein hat, ursprünglich überwiegend autonomistisch, d. h. sie erstrebte einen Verfassungsumbau des gegebenen Staates. Von da aus hatte die Partei auch zum nichtdeutschen Ausland Verbindungen gesucht und gefunden. Sie hatte in diesen Jahren ein von Berlin unabhängiges außenpolitisches Konzept entwickelt. Einer der Mitarbeiter Henleins, Dr. Brand, hat nach 1945 in einer kleinen Studie dargelegt[3]), daß für die Sudetendeutschen außenpolitische Hilfe innenpolitisch nur dann wertvoll war, wenn sie nicht von Deutschland, sondern von den nichtdeutschen Staaten kam. Aus diesen Gründen wurde besonders die Verbindung zu hohen diplomatischen Stellen Englands, später auch Frankreichs gepflegt[4]).

1. Das Jahr 1938 brachte nun drei völlig neue Momente in die sudetendeutsche Situation. Das eine war die Bekundung des direkten Interesses der Außenpolitik Hitlers für die an Deutschland unmittelbar geschlossen angrenzenden Deutschen in der Tschechoslowakei und Österreich. In seiner Reichstagsrede vom 20. 2. 1938 erwähnte er 10 Millionen Deutsche, die in den zwei an Deutschland grenzenden Staaten lebten – Österreich und die Tschechoslo-

---

[1]) Die Schnelligkeit, mit der sie entstanden und erstarkt ist, wird auf mehrere Ursachen zurückgeführt. Einmal die Auswirkungen der äußerst heftigen Wirtschaftskrise, die im größten Maß von den Sudetendeutschen getragen wurde – von 800 000 Arbeitslosen waren 500 000 Sudetendeutsche –, die geringen Erfolge der Beteiligung sudetendeutscher Parteien an der tschechoslowakischen Koalitionsregierung, endlich der Reflex der Verhältnisse im Deutschen Reich mit seiner Einparteien-Struktur. Alles das wirkte für Henleins Argument, nur eine große Sammelpartei könne Änderung bringen. Eine gewisse Führungslosigkeit der Anhänger der früheren deutschen Nationalpartei und der schon aus der österreichischen Zeit herstammenden Sudetendeutschen Nationalsozialistischen Arbeiterpartei seit der Auflösung dieser beiden Parteien im Jahre 1933 begünstigte ebenfalls die Sudetendeutsche Partei (SdP).

[2]) Dazu *mein* Aufsatz in Zeitschrift für ausl. öff. Recht und Völkerrecht, VII.

[3]) Walter *Brand*: Die sudetendeutsche Tragödie, insbes. S. 58.

[4]) Laffan erwähnt, daß Henlein mit Lord Vansittart, dem damaligen diplomatischen Berater der englischen Regierung, in Verbindung stand, ebenso wird seine Beziehung zu dem britischen Luftattaché, Oberst Christie, erwähnt, diese Verbindungen gingen in London z. T. über Dr. Brand. In Paris bestanden Verbindungen über den Prinzen Hohenlohe zu Massigli im französischen Außenministerium (Laffan a. a. O., S. 139/140, 266/267).

wakei – und bis 1866 verfassungsmäßig mit dem deutschen Volk verbunden gewesen seien. Der Schutz ihrer persönlichen, politischen und weltanschaulichen Freiheit gehöre zu den Interessen des Deutschen Reiches. Das zweite Moment war der Einmarsch Hitlers in Österreich und die darauffolgende Annexion durch Deutschland. Dieser gewaltsame Akt mußte zugleich als nicht zu übersehender Kommentar der Erklärung vom 20. 2. 1938 aufzufassen sein. Er wirkte sowohl auf die SdP-Führung als – über sie hinweg – auch massenpsychologisch unmittelbar auf das gesamte Sudetendeutschtum[1]). Die sudetendeutsche Agrar- und die Christlichsoziale Partei resignierten und verschmolzen mit der SdP. Als zweite sudetendeutsche parlamentarische Vertretung verblieben nur die deutschen Sozialdemokraten. Auch sie revidierten ihr Verhältnis zum Staat. Ihr neuer Parteiführer Jaksch erklärte sich für die Unabhängigkeit und den Bestand des Staates, war aber oppositionell in der Frage der Rechte der Sudetendeutschen[2]).

Diese Situation löste nun eine doppelte Aktivität aus: eine innerstaatliche und eine außenpolitische. Die SdP verschärfte ihr Programm, das die bisherige nationalstaatliche Ordnung der Tschechoslowakei beenden und an seine Stelle ein Nationalitätenstaatskonzept, verbunden mit außenpolitischer Kursänderung, setzen sollte[3]). Sie forderte – ausgedrückt in der Terminologie des altösterreichischen Staatsrechts – die Eröffnung von Ausgleichsverhandlungen.

Zu dieser innerpolitischen trat nun aber – und hier lag das Neue – eine außenpolitische Aktivität, die in erster Linie Großbritannien zum Träger hatte. Englands Ziel war offenbar, einerseits einen einseitigen gewaltsamen Akt Hitlers nach Art des Einmarsches in Österreich zu verhindern, andererseits Verhältnisse durchgreifend zu ändern, die offensichtlich aus sich selbst heraus Spannungen internationalen Ausmaßes erzeugten. Lloyd George hatte, wie wir wissen, noch auf der Friedenskonferenz von 1919 eine Überprüfung auch der tschechoslowakischen Grenzvorschläge verlangt. 1938 schwenkte die englische Diplomatie wieder in diese Richtung ein. Jedoch waren ihre Bemühungen zunächst auf das Gelingen einer innerpolitischen Lösung in den Formen des Staats- und Nationalitätenrechts gerichtet; eine internationale, damit völkerrechtliche Lösung strebte sie direkt erst nach dem Scheitern der innerstaatlichen Versuche an. Da auch die Art der von England erwarteten staatsrechtlichen Lösung gewisse außenpolitische Akte einschließen sollte (Aufgabe des tschechoslowakischen Bündnisses mit Moskau, eine Art Neutralitätspolitik), so wird man die englische Politik auch als Ganzes mit dem zeitgenössischen Ausdruck „revisionistisch" nennen dürfen.

---

[1]) Siehe dazu Laffans Kapitel: Effects of the Anschluß in Czechoslovakia, a. a. O., S. 77.

[2]) Laffan, a. a. O., S. 79.

[3]) So z. B. die Rede des sudetendeutschen Senators Enhofer im tschechoslowakischen Senat am 15. 3. 1938; ein Brief K. H. Frank's an den Daily Telegraph vom 11. 4. forderte einen Föderativstaat mit autonomen nationalen Gruppen.

Die diplomatische Schwierigkeit bestand einmal darin, Frankreich, das durch einen Bündnisvertrag mit der Tschechoslowakei verbunden war und als Vertreter der antirevisionistischen Richtung galt, für eine solche Politik zu gewinnen. Die zweite Schwierigkeit war methodischer Art. Das Völkerbundssystem der internationalen Beziehungen war seit dem Scheitern der Sanktionen im Abessinienfall unwirksam[1]). Damit ergab sich für die englische Regierung die Notwendigkeit, ihr Eingreifen mit den Methoden der Vor-Völkerbundsära zu vollziehen, d. h. zu den Traditionen der europäischen Großmächte zurückzukehren. Dieser Punkt ist für den weiteren Verlauf von Bedeutung.

2. Die Grundpositionen zeichneten sich in verschiedener Reaktion der englischen und der französischen Regierung auf den Anschluß Österreichs an das Deutsche Reich unter dem Gesichtspunkt möglicher Folgen für die Tschechoslowakei ab. Während der österreichischen Krisentage war Frankreich ohne Regierung. Der Außenminister der am 13. März gebildeten neuen Regierung Blum, Paul Boncour, versicherte dem tschechoslowakischen Gesandten, sein Land könne für den Fall eines deutschen Angriffes auf Frankreichs Militärhilfe zählen. Frankreich würde „effectivement, immédiatement, et intégralement" seine Verpflichtungen erfüllen. Nach einem Bericht der deutschen Botschaft ging die französische Formel so weit, daß sich Frankreich im Kriegszustand mit Deutschland betrachten wollte schon auf die Erklärung der Tschechoslowakei hin, sie sei Opfer eines unprovozierten deutschen Angriffs geworden[2]). Der französische Botschafter in London hatte ferner den Auftrag, eine gemeinsame englisch-französische Politik gegenüber Deutschland festzulegen. Frankreich erwartete eine britische Erklärung, daß bei einem deutschen Angriff auf die Tschechoslowakei und bei französischer Hilfe für diesen Staat England an Frankreichs Seite treten würde[3]). Paul Boncour beabsichtigte nicht, dem Nationalitätenproblem der Tschechoslowakei näherzutreten. Er hatte von Benesch die Versicherung, die dortigen Deutschen würden besser behandelt als in anderen Staaten; es genüge, wenn Frankreich und England in Prag zur Mäßigung rieten[4]).

Die englische Auffassung war völlig anders. England wollte Frankreich zwar keine Ratschläge für Prag geben. Der dortige britische Gesandte hatte einmal die Auffassung seiner Regierung so formuliert, daß im Fall eines Krieges weder Frankreich noch England die Tschechoslowakei vor einem Überranntwerden durch die Deutschen schützen könnten. Aber auch abgesehen vom Kriegsfall könnten sie ihr auch gegen einen wirtschaftlichen Druck Deutschlands keinen Schutz bieten. Die nationalen wie die geographischen Verhältnisse des Staates rieten daher zu einer Verständigung mit

---

[1]) Außenminister Lord Halifax an die französische Regierung 12. März 1938, Chamberlain im Unterhaus am 24. März 1938.
[2]) Laffan, a. a. O., S. 68.
[3]) Laffan, a. a. O., S. 70.
[4]) Laffan, a. a. O., S. 73.

Deutschland. Frankreich könne, wenn es wolle, versuchen, den status quo zu verewigen. England aber hätte ein Recht, sich aus einem daraus entstehenden Kriege herauszuhalten[1]).

Die Rede Chamberlains am 24. März breitete diese englische Auffassung auch vor der Öffentlichkeit aus. Daraus ging hervor, daß die Tschechoslowakei nicht mit einer geographischen Region zu vergleichen sei wie Belgien und Frankreich, wo Englands Interessen unmittelbar berührt werden. Käme es aber zu einem Krieg, so würden schließlich die Teilnehmer nicht allein auf den Kreis von Bündnispartnern beschränkt. „Es wäre hier unmöglich zu sagen, wo er ende und welche Regierungen darin verwickelt würden." Chamberlain gründete schließlich seine Hoffnungen darauf, die tschechoslowakische Regierung würde sich entschließen, den vernünftigen Wünschen der Sudetendeutschen Rechnung zu tragen. Zugleich erklärte er sich für die britische Regierung bereit, an einer Lösung der zwischen Deutschland und der Tschechoslowakei möglichen Schwierigkeiten mitzuhelfen.

Die englische Auffassung der Lösung sah also zweierlei vor. Einmal die Einsicht der Prager Regierung in die Notwendigkeit einer bis zu den Wurzeln der Schwierigkeiten vordringenden Lösung und die Bereitschaft, sie zu verwirklichen. Sodann entsprechende Vermittlung zwischen Berlin und Prag. Das Ausmaß der Reformbereitschaft der Prager Regierung war also für diesen Plan von entscheidender Bedeutung. Sie war nach der Formulierung des englischen Botschafters gleichbedeutend mit der Frage, ob Prag bereit war, die Tschechoslowakei von einem zentralisierten Nationalstaat in einen Nationalitätenstaat umzuwandeln. Alles was darunter lag, müsse ein Fehlschlag werden[2]).

Die Tschechoslowakei mußte ferner unter Aufgabe ihres Bündnisses mit der Sowjetunion und, wie die britischen Vertreter in Berlin und Prag meinten, auch des Bündnisses mit Paris eine Art außenpolitisch neutraler Stellung einnehmen. Die Resultate beider Schritte könnten die Grundlage eines Abkommens mit Hitler bilden[3]).

Die englische Position wurde durch einen Regierungswechsel in Frankreich verbessert. Der neue Außenminister Bonnet stand in tschechoslowakischen Dingen der englischen Auffassung näher. Er war bereit, in Prag entsprechende Vorstellungen erheben zu lassen. Halifax ließ zur selben Zeit insbesondere Benesch vor Illusionen auf automatische englische Hilfe warnen[4]).

Anfang Mai legte die tschechoslowakische Regierung in Paris und London ein Memorandum über ihre Nationalitätspolitik vor. Es bestand aber ledig-

---

[1]) Laffan, a. a. O., S. 72.
[2]) Laffan, a. a. O., S. 87.
[3]) Wie heute aus den Akten feststeht, war Hitler zum damaligen Zeitpunkt nicht an einem raschen Aufgreifen der Sudetenfrage interessiert. Das war offenbar der englischen Regierung bekannt. Die Änderung dieser Disposition brachte erst die tschechoslowakische Mobilisierung vom 20. Mai.
[4]) Laffan, a. a. O., S. 91.

lich „in einer Wiederholung und Rechtfertigung der bisherigen tschechoslowakischen Nationalitätenpolitik, ergänzt durch eine Liste von Maßnahmen – nicht ganz klar und auch nicht detailliert – auf sprachenrechtlichem Gebiet, Schutz gegen Entnationalisierung, Beteiligung an der öffentlichen Verwaltung, am Staatsbudget, Schulbauten, Bildung von Inspektoraten für tolerante Nationalitätenpolitik . . ." Das eigentliche Hindernis kam in der Schlußbetrachtung zutage: sämtliche Maßnahmen müßten vor einer territorialen Autonomie Halt machen, ebenso vor jeglicher Verfassungsänderung. In einem Augenblick, wo die ganze Kraft der SdP mindestens auf Selbstverwaltung, wenn nicht auf Eingliederung in das Deutsche Reich gerichtet war, mußte eine solche Politik von vornherein zum Scheitern verurteilt sein[1]).

Demgegenüber bezog die sudetendeutsche Partei ihre Position. Am 24. April formulierte Henlein in Karlsbad seine Forderungen[2]). Sie beinhalteten: 1. Die Herstellung der vollen Gleichberechtigung und Gleichrangigkeit mit dem tschechischen Volk. 2. Anerkennung der Volksgruppe als Rechtspersönlichkeit zur Wahrung dieser gleichberechtigten Stellung im Staat. 3. Feststellung und Anerkennung des deutschen Siedlungsgebietes. 4. Aufbau einer deutschen Selbstverwaltung im deutschen Siedlungsgebiet in allen Bereichen des öffentlichen Lebens, soweit es sich um Interessen und Angelegenheiten der Deutschen Volksgruppe handelt. 5. Schaffung gesetzlicher Schutzbestimmungen für jene Staatsangehörigen, die außerhalb des geschlossenen Siedlungsgebietes ihres Volkstums leben. 6. Beseitigung des dem Sudetendeutschtum seit 1918 zugefügten Unrechts und Wiedergutmachung des ihm dadurch entstandenen Schadens. 7. Anerkennung und Durchführung des Grundsatzes: im deutschen Gebiet deutsche öffentliche Angestellte. 8. Volle Freiheit des Bekenntnisses zum deutschen Volkstum und zur deutschen Weltanschauung. Henlein forderte ferner die Aufgabe der deutschfeindlichen Außenpolitik und eine Umorientierung in Richtung einer mitteleuropäischen Zusammenarbeit.

Der sudetendeutsche und der tschechische Regierungsstandpunkt standen sich nach dieser Klärung der beiderseitigen Positionen schroff gegenüber. Die tschechoslowakische Regierung hatte nach Paris und London die Unannehmbarkeit des Karlsbader Programmes mitteilen lassen. „Zu diesem Zeitpunkt war klar, daß die Lösung des tschechoslowakischen Problems bei den Großmächten lag[3])."

3. In dieser Lage erhielt die französische Regierung die Einladung zu einer Besprechung nach London für den 28./29. April. Für die völkerrechtliche Beurteilung der damit angebahnten, schließlich zum Münchener Abkommen führenden Entwicklung ist die heute aus den Aktenpublikationen mögliche Kenntnis der damaligen englisch-französischen Überlegungen wichtig; da-

---

[1]) Laffan, a. a. O., S. 91.
[2]) Texte der dortigen Reden in: Der Lebenswille des Sudetendeutschtums. Bericht über die Hauptagung der Sudetendeutschen Partei vom 23./24. April 1938. Karlsbad 1938.
[3]) Laffan, a. a. O., S. 101.

mals wurde die Gemeinsamkeit des englisch-französischen Vorgehens erreicht und festgelegt.

Der englische Außenminister eröffnete am zweiten, der tschechoslowakischen Frage gewidmeten Besprechungstag die Aussprache. Er betonte, daß England die Lage vom militärischen Gesichtspunkt aus beurteile. Es sei dementsprechend beunruhigt. Offensichtlich könne jeden Augenblick ein schwerer Zwischenfall den Krieg herbeiführen. Träte das ein, so müßte Frankreich kämpfen und England würde wahrscheinlich mit verwickelt. Dabei sei die militärische Situation denkbar ungünstig. Die Tschechoslowakei sei außerordentlich schwach. Sie hätte größte Schwierigkeiten mit ihrer Verteidigung. Die englisch-französischen Kräfte wären in jedem Fall weit von einer Bereitschaft entfernt. Von den Nachbarn der Tschechoslowakei sei nicht viel zu hoffen, man könne weder mit einer russischen Unterstützung, noch mit einer polnischen rechnen. Daraus folge, daß Deutschland nicht gehindert werden könnte, die Tschechoslowakei zu überrennen, sobald es einmal angegriffen hatte. Die Tschechoslowakei hätte dann, vielleicht für lange Zeit, auf das Ende des darauffolgenden Krieges zu warten, bevor es zur Wiederherstellung käme. Darüber hinaus äußerten die Engländer *offen ihren Zweifel, „ob es auch im Falle eines siegreichen Kriegs möglich wäre, die Tschechoslowakei auf ihrer gegenwärtigen Grundlage wiederherzustellen[1]"*. Bei solcher Lage sei es wesentlich, daß Benesch eine Verständigung mit Henlein suche, England und Frankreich sollten zu solchem Zweck vereint mit ihrem Einfluß dazu helfen.

Die französische Haltung stand zunächst der englischen schroff gegenüber. Der französische Botschafter Noel hatte zwar nach seinem informativen Besuch in Prag seiner Regierung eine klare Linie vorgeschlagen. Frankreich solle den Tschechen sagen: Bis 15. Juni oder 1. Juli ist noch Zeit. Bis dahin stünde Frankreich zu seinen Verpflichtungen, komme was da wolle. Die Tschechen müßten daher eilig ein Abkommen mit den Sudetendeutschen treffen, das zumindest Zeit verschaffe. Nach diesem Datum könnten sie nicht auf Frankreichs Hilfe rechnen[2]. Ministerpräsident Daladier sah die militärische Lage günstiger als die Engländer. Man solle wohl Benesch zu Konzessionen raten, aber sie brauchten nicht zu weit zu gehen. Frankreich blicke nach Berlin. Wolle man den Krieg vermeiden, so müsse man Hitler klarmachen, daß man, wenn nötig, für die Tschechoslowakei kämpfe. Bonnet, der französische Außenminister, plädierte ebenfalls für die Notwendigkeit solidarischer Verteidigung der Tschechoslowakei.

Die fundamentale Differenz der Auffassungen beider Mächte faßte Halifax dahin zusammen, die Franzosen gingen davon aus, daß die militärische Lage von der politischen abhinge, die britischen Minister dächten umgekehrt. England wolle sich nicht auf den Gebrauch von Gewalt verlassen, deren es

---

[1]) Laffan, a. a. O., S. 103.
[2]) Laffan, a. a. O., S. 101.

ermangle[1]). Halifax hielt diplomatische Anstrengungen, nicht Gewalt, für das beste Mittel zur Lösung. Könnte er die private Zusicherung von Benesch erhalten, daß dieser bis zu einem bestimmten Punkt gehen wollte, so würde er sich an die Deutschen wenden und ihnen eine solche Formel als seine, Halifax, eigene Formel vorschlagen. Man gelangte indes doch zu einer Einigung. Und zwar einigte sich die Konferenz schließlich dahin, daß Berlin und Prag gleichzeitig angesprochen werden sollten. Berlin von den Engländern allein, Prag zusammen mit den Franzosen. In Berlin hatte der britische Botschafter zu sagen, die englische Regierung wolle ihr Bestes tun, um eine Lösung zu finden, möchte aber die deutschen Gesichtspunkte kennenlernen. Er sollte ferner auf Deutschland einen Druck dahin ausüben und angesichts der englischen Intervention die Notwendigkeit eines deutschen Eingreifens entkräftigen. Gleichzeitig sollte in Prag Benesch zu „maximalen Zugeständnissen" veranlaßt werden. Kam keine friedliche Lösung zustande, dann, aber nur dann, sollte England in Berlin erklären, es habe alles ihm Mögliche getan, falls Deutschland Gewalt anwende, sei es vor den Folgen gewarnt worden. Der britische Außenminister informierte selbst den deutschen Geschäftsträger über die Besprechungen sowie den tschechoslowakischen Gesandten Jan Masaryk. Die Aufnahme dieses Schrittes durch Masaryk und seine Bemerkungen zum Sudetenproblem aus diesem Anlaß verdienen besondere Erwähnung.

Halifax hatte ihm die Notwendigkeit auseinandergesetzt „to go a very long way". Masaryk meinte, daß Benesch sich dazu wohl verstehen würde, aber Zeit benötigte. Zur Sache machte er die gerade in einem solchen Zeitpunkt gewichtige Mitteilung, sein Vater habe niemals die Einbeziehung der Sudetendeutschen in die Tschechoslowakei gewünscht, aber Lloyd George hätte darauf bestanden. Er deutete eine mögliche Lösung nach Schweizer Vorbild an und meinte ferner, daß jede Konzession an die Sudetendeutschen auch der ungarischen und polnischen Minderheit gewährt werden müsse – mit einer sehr bedeutsamen Einschränkung. „Er überraschte Halifax durch seine Bemerkung, daß eine eventuelle Abtretung der sudetendeutschen Gebiete an Deutschland keine Wiederholung bei den ungarischen oder polnischen Minderheiten zu finden brauche[2])." Der Gesandte fügte hinzu, daß ein etwa notwendiger Druck auf seine Regierung nicht übelgenommen würde, vorausgesetzt, er ginge von Frankreich und England, aber nicht von Deutschland aus.

Die ungewöhnliche Bedeutung einer solchen Erklärung für die englische Regierung im gegebenen Zeitpunkt liegt auf der Hand. Sie mußte England das Gefühl geben, von der Tschechoslowakei nichts Ungebührliches zu verlangen, käme es auch zur äußersten Lösungsform durch Gebietsabtretungen. Alle die von Masaryk angedeuteten Möglichkeiten – Schweizer Lösung, Gebietsabtretung – kehrten später als Vorschläge der britischen Regierung wieder.

---

[1]) Laffan, a. a. O., S. 106. Auch das folgende nach Laffan.
[2]) Laffan, a. a. O., S. 108.

Die diplomatischen Schritte der englischen Vertreter in Berlin und Prag ergaben folgendes Bild. Der deutsche Außenminister erklärte, Deutschland habe kein Vertrauen zu Benesch und nur ein geringes zu den Franzosen. Henleins Karlsbader Programm stelle eine vernünftige Verhandlungsgrundlage dar. Lehnten die Tschechen ab und käme es zu blutigen Zusammenstößen, so müsse Hitler eingreifen. Der tschechische Außenminister fand die militärische Beurteilung durch die Engländer zu pessimistisch. Er legte ferner besonderen Wert darauf, man solle nicht in der Öffentlichkeit den Charakter der Tschechoslowakei als Nationalitätenstaat hervorheben, da das die tschechischen Empfindlichkeiten wecken würde. In dem tschechischen Kommunique über die englisch-französische Demarche hieß es, die englischen und französischen Vertreter hätten der Tschechoslowakei zu verstehen gegeben, sie erwarteten, daß sie bis zu den äußersten Grenzen der Konzessionen gegenüber vernünftigen Vorschlägen der deutschen Minderheit gehen würden. Halifax ließ den englischen Gesandten wissen, daß er Kroftas Antwort für mager halte und von den noch ausstehenden Unterhaltungen mit dem Staats- und dem Ministerpräsidenten mehr erwarte. Der Ministerpräsident erklärte sich zwar am 11. 5. mit dem englisch-französischen Schritt als weiterer Verhandlungsgrundlage einverstanden, aber sein Hinweis auf die Einräumung voller Selbstverwaltung im Rahmen der Verfassung bedeutete nach englischer Auffassung keinen wirklichen Fortschritt[1]). Ebenso wenig die Unterredung mit Dr. Benesch vom Tage darauf. Benesch bat den Gesandten, seine – wörtlich – „aufrichtigsten, kategorischsten und formellsten Zusicherungen" an Halifax zu übermitteln, daß die Regierung ohne Zeitverlust zu einem Übereinkommen mit den Deutschen kommen wolle. „Aber der Gesandte behielt, als eine Besprechung mit Henlein angesetzt wurde, den Eindruck, die tschechoslowakische Regierung rüste sich eher zur Abgabe von Erklärungen über ihre Absichten, als zu ernsthaften Verhandlungen" (Laffan).

4. Völkerrechtlich lag in dem Beschluß der französischen und englischen Regierung, in Prag und Berlin vorstellig zu werden, das *Angebot guter Dienste und der Vermittlung* in einem Minderheitenkonflikt[2]). Denn noch war die Sudetenfrage innerstaatlicher Natur. Die Forderungen der Volksgruppe bewegten sich im Rahmen des tschechoslowakischen Staates. Aber schon war der Hinweis auf das ruhende Recht der Selbstbestimmung gefallen. Bei der ersten Zusammenkunft formulierte auf Wunsch des Regierungschefs Hodža K. H. Frank das Ziel offen mit den Worten: Vollkommene Föderalisierung; gelingt das nicht, Plebiszit. So konnte sich der Konflikt, besonders angesichts der Erklärungen Hitlers vom 20. 2. 1938, jederzeit in einen zwischenstaatlichen verwandeln.

---

[1]) Laffan, a. a. O., S. 112.
[2]) Jan Masaryk, tschechoslowakischer Gesandter in London, spricht schon am 25. 3. von den „good offices" Englands und Frankreichs. Chamberlain am 24. 3. von „Hilfe bei Überbrückung von Schwierigkeiten" zwischen Tschechoslowakei und Deutschland; Runciman kam als „investigator and mediator".

Von der Tschechoslowakei her bedeutete das Eingehen auf die englischen und französischen Anregungen die *Annahme der guten Dienste*. Das zeigen z. B. die Verhandlungen des tschechoslowakischen Londoner Gesandten Jan Masaryk und seine Berichte nach Prag nach dem 24. 3., Kroftas Vorschläge vom 5. 4., die Vorlage des Memorandums über die tschechoslowakische Nationalitätenpolitik[1]).

Die Annahme bedeutete aber zugleich ein weiteres. Diese guten Dienste galten der Lösung eines politischen Problems, das entsprechend dem damaligen Völkerrecht als „Minderheitenproblem" anzusehen war und für dessen Regelungen ausschließlich völkerrechtliche Übereinkünfte bestanden. Ihre Grundlagen waren die Minderheitenverträge. Keine Macht, auch keine Großmacht, sollte hiernach, aus welchem Titel auch immer, außerhalb der Verträge direkt eingreifen können[2]). Indem nun die tschechoslowakische Regierung die englisch-französische Demarche nicht zurückwies, trug sie dem Wandel der Lage Rechnung, die sich seit der Lähmung des Völkerbundes durch die abessinische Krise auch im Bereich des Minderheitenproblems vollzogen hatte. Ein Anzeichen für diesen Wechsel in der tschechischen Haltung war Beneschs Interview für die Londoner „Times" vom 6. 3. 1938. Dort hatte er den innerstaatlichen Charakter der nationalen Minderheitenfrage zwar betont. Er anerkannte aber auch ein „moralisches Recht Europas" auf Interesse an den tschechoslowakischen Minderheitenfragen. Die öffentliche Meinung Europas habe ein Recht darauf, in allen Ländern alles zu kontrollieren, was für Europa von Belang sei. Er erklärte seine Bereitschaft, England und Frankreich jede gewünschte Information über Minderheitenfragen zu geben und auch an einer allgemeinen Regelung teilzunehmen, wenn eine solche Regelung, zu der jeder Staat beizutragen hätte, durch die Großmächte bewerkstelligt werden könnte. Laffan, der dieses Interview Beneschs mitteilt[3]), findet es schwierig, die gleichzeitig verteidigte tschechoslowakische Souveränität mit einer solchen „löblichen, aber unbestimmten Auffassung von einem moralischen Recht Europas zur Vertretung des Friedensinteresses zu vereinigen". „Solche Worte schienen ähnliche, in der Vergangenheit gebrauchte Begriffe wieder aufleben zu lassen, die die europäische Aktivität in der orientalischen Frage rechtfertigen sollten; sie stellten die Tschechoslowakei dem türkischen Reich des 19. Jahrhunderts gleich." Wie immer die hier richtig bezeichneten Schwierigkeiten lagen, sicher kann man diese Erklärungen nicht anders verstehen, als daß Benesch damit seine grundsätzliche Zustimmung zum Aufgreifen der Minderheitenfragen der Tschechoslowakei durch die Großmächte ausdrückte. Einem intimen

---

[1]) Laffan, a. a. O., S. 87, 92.
[2]) Zur alleinigen Zuständigkeit des Völkerbunds vgl. die Note Cleménceau's an Polen vom 24. 6. 1919: „Les clauses qui ont trait aux garanties ont été redigées avec le plus grand soin, de façon à marquer que la Pologne ne se trouvera en aucune façon placée sons la tutelle des puissances signataires du traité." (Kraus, Das Recht der Minderheiten, Berlin 1927, S. 47.)
[3]) Laffan, a. a. O., S. 61.

Kenner und Verteidiger des Genfer Systems im ganzen und seiner Minderheitenordnung im besonderen wie Benesch, mußte die grundsätzliche Natur seiner Erklärung bewußt sein. Hier war, wenn nicht die Abkehr von der Genfer Ordnung für Minderheitenfragen, so auf alle Fälle die Bereitschaft zum Beschreiten eines konkurrierenden diplomatischen Weges ausgesprochen. Dieser Weg war durch die Großmächtepraxis des „europäischen Konzert's" des 19. Jahrhunderts in Fragen von gesamteuropäischer Bedeutung gewiesen. Er baute auf dem politischen Rangunterschied zwischen Großmächten und Nicht-Großmächten auf. Das Gremium der europäischen Großmächte nahm für sich eine Führungs- und Schlichtungsrolle in europäischen Fragen in Anspruch. Der Vertrag über die Satzung des Völkerbundes hatte versucht, ein von anderen Ideen ausgehendes, zugleich weltumfassendes System an seine Stelle zu setzen, das aber in der zweiten Hälfte der dreißiger Jahre seinem offensichtlichen Verfall entgegen ging. (Diese Aktionsunfähigkeit des Genfer Bundes, eine der Voraussetzungen der damaligen englischen Diplomatie, wird uns noch beschäftigen). Das Münchener Abkommen, das am Ende der tschechoslowakischen Krise steht, hing in seiner konstruktiven Funktion von dem Willen der damaligen deutschen Führung ab, sich in den dadurch gewiesenen diplomatischen Rahmen zu fügen, der vor allem die Achtung der übernommenen völkerrechtlichen Bindungen verlangte.

Der von England im Frühjahr 1938 beschrittene Weg bedeutete jedenfalls eine Abkehr vom Völkerbundmechanismus, insbesondere in Minderheitenfragen hochpolitischen Charakters. Die Erklärungen Benesch's, England und Frankreich auf diesem Weg zu folgen, eröffneten die Aussicht auf die analoge Bereitschaft der Tschechoslowakei. Die Annahme der englisch-französischen Demarche vom 7.–17. 5. durch den tschechoslowakischen Staats- und den Ministerpräsidenten bestätigen sie.

Die Ausgleichsverhandlungen im Rahmen der Tschechoslowakei zeigen unter diesen Umständen ein doppeltes Gesicht. Sie gingen auf auswärtigen Druck zurück. Aus freien Stücken hätte die tschechoslowakische Regierung, wie die Akten zeigen, niemals die in ihrem 1. Memorandum bezeichneten Grenzen – Verfassung 1920, Nationalstaat[1]) – überschritten. Die oktroyierte Verfassung von 1920, das Nationalstaatsdogma bildeten eine Art religiösen

---

[1]) Ganz im Sinne der Nationalstaatsdoktrin trat – in bemerkenswertem Gegensatz zu ähnlichen Ausgleichsverhandlungen im Rahmen des altösterreichischen Staates – die Regierung hier nicht als Treuhänder der Gesamtstaatsinteressen, sondern als Exekutive des tschechischen Nationalinteresses, damit aber im Grunde als Partei auf. Die Nichtbeteiligung tschechischer Regierungsmitglieder an den Versammlungen zu den Gemeindewahlen im Jahre 1938, die sie als Zeichen der „Überparteilichkeit" gewertet wissen wollten, kann natürlich diese Tatsache nicht entkräften. Eine augenfällige Bestätigung liegt auch darin, daß die englische Regierung Sorge trug, sich zu vergewissern, daß die Mission Lord Runcimans als „Untersucher und Vermittler" nicht nur die Zustimmung der tschechoslowakischen Regierung, sondern auch der sudetendeutschen Partei hatte. Schärfer konnte die Stellung der Regierung als nationalpolitischer Partei kaum zutage treten.

Glaubensartikel. Aber gerade sie mußten bei einer wirklichen Staatsreform fallen. Auf der andern Seite stand die offen ausgesprochene Absicht der SDP, die innerstaatliche Lösung nur als e i n e n Weg zu sehen, unter Umständen aber auch außenpolitisch zu operieren. Schon die Erweiterung des Umfangs der beabsichtigten Staatsreform durch die tschechoslowakische Regierung infolge auswärtigen Druckes zeigt, daß man auch vor der Entsendung Runcimans, und auch noch vor dem 12. September, nicht von rein innerpolitischen Verhandlungen sprechen kann. Eine der wichtigsten, wenn nicht die wichtigste Kraft dabei war die ganze Zeit über England, sekundiert von Frankreich. Die Unterscheidung zwischen der Zeit vor und nach dem 12. 9. rechtfertigt sich insofern, als trotz offensichtlich sehr erheblicher Zweifel England die ganze Zeit über die innerpolitische Lösung grundsätzlich zäh betrieb.

5. Wenn wir uns nun den „Ausgleichs"-Verhandlungen zuwenden, so kann hier wiederum keine Schilderung des Verlaufes im einzelnen gegeben werden[1]). Im (überwiegend) innerpolitischen Verhandlungsstadium ist die Zeit vor und nach der Ankunft Lord Runcimans zu unterscheiden. Seit dem 24. 3. und insbesondere nach der englisch-französischen Konferenz vom 19./20. 4. fand eine ständige Einflußnahme dieser beiden Regierungen auf Prag mit dem Ziel einer Staatsreform statt. Die ständige gleichzeitige Verbindung englischer Regierungsstellen mit der SdP hatte England faktisch schon vor der Runciman-Mission in die Rolle einer vermittelnden Macht versetzt. Runcimans Ankunft machte diese formell sichtbar. Zwischen der Abreise Runcimans und der Münchener Konferenz liegt dann die völkerrechtliche Vermittlung durch den englischen Ministerpräsidenten. Sie bewegte sich zwischen der deutschen und der tschechoslowakischen Regierung und trägt somit eindeutig völkerrechtlichen Charakter. Mitten in den ersten Zeitabschnitt fällt die tschechoslowakische Mobilisierung vom 20. Mai, die, wie heute aus den Akten ersichtlich, entschieden die Haltung Hitlers änderte.

Die SDP führte ihre Verhandlungen von vornherein auf der Grundlage, daß nur eine Umwandlung des Staates in eine Föderation von Nationalitäten samt den schon erwähnten außenpolitischen Konsequenzen sie davon abhalten werde, die Frage auf die internationale Ebene zu verschieben. Sie wurde in dieser Haltung durch maßgebliche Stimmen aus dem Ausland unterstützt.

Die tschechischen Möglichkeiten faßt Laffan folgendermaßen zusammen: Es gab entweder ein ausgedehntes Entgegenkommen, wie es von England und Frankreich gewünscht wurde[2]), in diesem Falle die englisch-französische Unter-

---

[1]) In Laffan's Darstellung liegt jetzt eine englische Schilderung vor. Von deutschen Darstellungen immer noch wertvoll: K. O. *Rabl,* Lösung der sudetendeutschen Frage, Zeitschrift für ausl. öff. Recht und Völkerrecht, Bd. 8, S. 624 sowie *Korkisch,* Vorbemerkung zu: Dokumente zur Lösung der Sudetenfrage, ebenda, S. 759.

[2]) Als Mindestentgegenkommen hatte Lord Halifax dem tschechoslowakischen Gesandten in London am 25. 5. die Annahme eines Schweizer Verfassungsmodells und einer Neutralitätsposition in internationalen Fragen bezeichnet. Laffan, a. a. O., S. 149.

stützung. Oder aber nur geringfügige Konzessionen, dann ohne englisch-französische Unterstützung; oder schließlich den Versuch, mit Deutschland direkt zu verhandeln und dessen Bedingungen für den Weiterbestand des Staates zu erfahren (das war der Vorschlag der tschechischen Agrarpartei). Die tschechische Linie war, nach Laffan, aber: geringfügige Konzessionen, trotzdem aber Weiterrechnen auf die westlichen Freunde. Drastische Änderungen gegenüber der Verfassung, erklärte Benesch am 17. Mai dem britischen Gesandten, könnten ohne Revolution schwerlich gemacht werden.

Während einer Verhandlungspause im Mai 1938 war Sir William Strang, einer der leitenden Männer des englischen Außenamtes, in Prag eingetroffen, um sich ein Bild von der Lage zu machen. Hauptsächlich diskutiertes Thema – innerhalb der britischen Gesandtschaft (es wurde kein Kontakt zu tschechischen oder sudetendeutschen Stellen gesucht) – war der Gedanke des englischen Außenministers: das Beste, was England tun könne, wäre der Vorschlag eines Plebiszits. Den englischen Diplomaten in Prag wie Berlin schien dies angesichts der wahrscheinlichen Reaktion des tschechoslowakischen Generalstabs damals noch bedenklich.

Der zweite Diskussionspunkt Strangs galt der Zweckmäßigkeit der Entsendung eines Beobachters, sei es einer internationalen Kommission oder einer Einzelpersönlichkeit, zur Berichterstattung über die Sudetenfrage, wie sie dann die Mission Runcimans verwirklichte. Der englische Gesandte fühlte hier mit Erfolg bei der tschechoslowakischen Regierung vor; am 8. Juni stimmte diese der Entsendung von lokalen Beobachtern zu. Dazu wurden Major R. Sutton-Pratt und der britische Konsul in Reichenberg bestellt. Die Besprechungen der tschechoslowakischen Regierung mit den Sudetendeutschen gingen indes in einem äußerst schleppenden Tempo vonstatten und schlugen die gefährliche Richtung eines parlamentarischen Oktrois ein.

Am 25. 5. hatte Halifax erneut gegenüber dem tschechoslowakischen Gesandten eine Autonomie nach Schweizer Modell als Minimum bezeichnet. Am 6. Juni wurde ein ausführliches sudetendeutsches Memorandum zur Erläuterung der Karlsbader Punkte vorgelegt. Am 23. Juni fand die erste Zusammenkunft zwischen deutschen und tschechischen Verhandlungspartnern statt. „Das Maß der Übereinstimmung wurde durch die Feststellung der ,Times' vom 24. 6. illustriert, daß die tschechische öffentliche Meinung noch nicht genügend von dem Umfang des notwendigen Entgegenkommens an die SdP unterrichtet sei." Das galt auch nach sudetendeutscher Auffassung für den am 30. Juni in Grundsatzform gefaßten, nicht paraphierten Entwurf, der die Durchführung des am 28. März verkündeten Nationalitätenstatuts verwirklichen sollte[1]). Um den 20. Juli waren die Arbeiten an den umgearbeiteten Regierungsvorschlägen nahezu abgeschlossen. Sie sahen Landtage für Böhmen, Mähren-Schlesien, die Slowakei und Karpato-Ruthenien mit nationalen Kurien vor, deren Zuständigkeit allerdings unklar blieb. Was

---

[1]) Rabl, a. a. O., S. 632.

die Regierung nicht ändern wollte, war die zentralisierte Staatskontrolle über alles, was nicht als kulturelle oder private Nationalitätensache gelten konnte, ebenso wenig wollte sie die Schaffung national-autonomer Regierungen, seien sie nun territorial oder personal abgegrenzt[1]). Garvin schrieb im „Observer", das Gesetz sei auf Eindruck im Ausland hin redigiert, der entscheidenden Aufgabe weiche es aber aus, die in der Auflösung der historischen Einheiten und ihrer Neugliederung in nationale Territorien bestünde[2]). Die englische Besorgnis wuchs. Halifax hatte schon am 14. Juli dem Prager Gesandten mitgeteilt, er erwarte einen Plebiszitvorschlag Henleins, und das sei alles andere als unvernünftig. Zu echten Verhandlungen war es auch bis zu diesem Zeitpunkt nicht gekommen. Am 20. Juli erklärte das offizielle Parteiorgan der SDP „Die Zeit", bis jetzt habe es keine Verhandlungen, sondern nur Rekognoszierungen gegeben. Die sudetendeutschen Bedenken wurden durch den am 30. Juli vorgelegten Gesetzesentwurf der Regierung keineswegs behoben. Unter diesen Umständen mußte die Nachricht von der Einberufung des Parlaments zur Behandlung der Gesetzesvorlagen auf den Plan eines parlamentarischen Oktrois deuten. Man sprach von der Absicht, die Regierungsentwürfe trotz ihrer völligen Verwerfung durch die SDP von einer tschechoslowakischen Parlamentsmehrheit verabschieden zu lassen. Dieser Punkt war in den Vorstellungen der englischen Regierung der letzten Monate wiederholt berührt worden. Nunmehr war nach ihrer Auffassung der Zeitpunkt zum Eingreifen gekommen, die Entsendung Lord Runcimans wurde beschlossen.

Am 18. Juli erhielt der englische Gesandte den Auftrag seiner Regierung, dem tschechoslowakischen Staatspräsidenten die Entsendung eines Vermittlers vorzuschlagen. Es handelte sich um die Anbietung der Dienste

„einer Person von Rang und Ansehen, die im richtigen Augenblick nach der Tschechoslowakei entsendet würde mit der doppelten Aufgabe der Untersuchung und Vermittlung, und zwar in Unabhängigkeit von der britischen oder jeder anderen Regierung. Ihre Funktion würde darin bestehen, sich mit dem Charakter des Problems, mit den Gründen der Uneinigkeit der beiden Parteien vertraut zu machen und danach zu trachten, durch ihren Rat und Einfluß den Kontakt zwischen diesen beiden Parteien aufrecht zu erhalten oder ihn im Falle eines Bruches wiederherzustellen. Es würde natürlich wesentlich sein, daß die vorgesehene Persönlichkeit mit der Zustimmung, und wenn möglich auf Bitten sowohl der tschechoslowakischen Regierung, als auch der sudetendeutschen Vertreter vorgehen sollte, und daß beide Seiten ihr alle Erleichterung gewähren und ihr voll und ganz ihre eigenen Gesichtspunkte und ihre Schwierigkeiten auseinandersetzen wollten[3])."

---

[1]) Laffan, a. a. O., S. 185.
[2]) Laffan, a. a. O., S. 187.
[3]) Laffan, a. a. O., S. 194.

Der englische Gesandte hatte den Auftrag, Benesch mitzuteilen, daß eine von der tschechoslowakischen Regierung ausgehende Anforderung einen günstigen Eindruck machen würde; im Falle eines Zusammenbruchs der innerstaatlichen Verhandlungen würde die englische Regierung ihren Vorschlag und Beneschs Antwort veröffentlichen. Die französische Regierung hatte dem englischen Schritt zugestimmt. Benesch war zunächst außerordentlich erregt und faßte eine Regierungskrise ins Auge, da es sich um eine weitreichende Intervention handelte. Ministerpräsident Hodža, tags darauf vom Gesandten besucht, war dagegen sehr entgegenkommend, begrüßte den Vorschlag als Zeichen des englischen guten Willens und versprach, für die Annahme durch die Regierung Sorge zu tragen. In der Tat bat die tschechoslowakische Regierung, entsprechend dem britischen Wunsch, die englische Regierung um die Entsendung einer geeigneten Person, die mit ihrer Meinung und ihrem Rat helfen könnte, eventuell noch auftretende Schwierigkeiten zu überwinden[1]. Die von England gewünschte Zustimmung des anderen Streitteils wurde in einem vom Klubobmann der SdP, dem Abgeordneten Kundt, der Essener Nationalzeitung am 27. Juli gegebenen Interview mitgeteilt. Am 3. August traf Lord Runciman in Prag ein und wurde am Bahnhof von den Vertretern der Regierung und von denen der SdP begrüßt. Die tschechische Zustimmung zu seiner Mission behob zunächst einmal die Gefahr eines parlamentarischen Oktrois, die Behandlung der Entwürfe im Abgeordnetenhaus wurde verschoben.

Unter Runcimans Einfluß kam es zu zwei Änderungen der bisherigen tschechischen Vorschläge. Die Regierung legte einen sogenannten dritten Plan vor – ein Kompromiß zwischen dem ursprünglichen Regierungsvorschlag und dem SdP-Memorandum vom 7. Juni. Er sah proportionalen Anteil der Nationalitäten an den Staatsstellen vor, in den deutschen Gebieten sollte zumindest die Hälfte der Beamtenstellen von Deutschen besetzt sein, vorgesehen war ferner proportionale Verteilung der öffentlichen Aufträge, Hilfe für Notgebiete, Regelung der Sprachenfrage auf der Grundlage der Gleichheit, Neuorganisation der Lokalverwaltung durch Schaffung neuer „Gaue" (drei deutsche), direkte Wahl der Vertreter in die Selbstverwaltungskörper. Am 30. August händigte Benesch den SdP-Vertretern ein neues Memorandum aus mit der Bemerkung, es stelle den Beginn der Verwirklichung der Karlsbader Punkte dar. Aber Runciman hatte einen ungünstigen Eindruck und war gegen Veröffentlichung. Die SdP lehnte die Vorschläge ebenfalls ab.

Eine Prüfung des am 30. Juli vorgelegten Regierungsentwurfes durch die sudetendeutsche Verhandlungsdelegation ergab (nach deren Bericht), „daß diese Vorschläge keine bemerkenswerte formale, noch viel weniger eine materielle Verbesserung der bisherigen Rechtsstellung der nicht-tschechischen Bürger- und Volksgruppen enthalten. Vielmehr ist der Versuch zu erkennen, die auf einigen Gebieten bisher einseitig zugunsten des tschechischen

---

[1] Laffan, a. a. O., S. 179.

Bevölkerungselements gehandhabte Praxis nunmehr unter dem Titel einer neuen nationalitätenrechtlichen Ordnung für alle Zukunft zu legalisieren." Im einzelnen wurde festgestellt:

„1. Die sudetendeutsche Forderung auf rechtliche Anerkennung der Volkszugehörigkeit als unabdingbare persönliche Eigenschaft sowie die technische Sicherung der Unveränderlichkeit des Volkstumbekenntnisses durch die Einrichtung von Katastern blieb unberücksichtigt.

2. Die Bestimmungen über nationale Selbstverwaltung, über Schulverwaltung verblieben im Rahmen unverbindlicher Verheißungen im Sinn der Richtlinien vom 18. Februar 1937.

3. Der Begriff der staatsbürgerlichen und nationalen Gleichheit wurde durch die ausdrückliche Rezeption des Begriffs der staatlichen Unzuverlässigkeit weiterhin durchlöchert und praktisch wertlos gemacht.

4. Der Grundsatz der Proportionalität wurde zwar als geltend erklärt, durch die nachfolgenden Einzelbestimmungen jedoch seiner praktischen Bedeutung völlig beraubt.

Die sudetendeutsche Delegation stellte abschließend fest, daß der Regierungsentwurf auch weiterhin grundsätzlich vom Gedanken des tschechischen Nationalstaates ausgehe[1])."

Für sie war entscheidend, daß die dauernde Minderheit, in der sie sich kraft ihres Bevölkerungsanteils mit 22,3% im Zentralparlament befand, nicht aus der Welt geschafft, sondern nur noch akzentuiert worden wäre.

Ferner waren die den Organen der Länder und Bezirke zugedachten Zuständigkeiten geringfügig, ebenso die Zuständigkeit der nationalen Kurien der Landes- und Bezirksvertretungen.

„Die Unvereinbarkeit des sudetendeutschen und des tschechischen Standpunktes war damit gegeben. Sie wurde vollends offenbar, nachdem Dr. Hodža der sudetendeutschen Verhandlungsdelegation am 11. August mitgeteilt hatte, daß die Regierung die am 30. Juni und 30. Juli übermittelten Entwürfe trotz der von sudetendeutscher (und auch magyarischer) Seite daran geübten Kritik aufrecht erhalte, in ihnen den Beitrag der Regierung zu den nationalpolitischen Verhandlungen zwischen Tschechentum und Minderheiten erblicke und sie zur Grundlage weiterer Verhandlungen zu machen wünsche. Demgegenüber sprach Abgeordneter Kundt am 17. August in einer gemeinsamen Sitzung des politischen Ministerkomitees und der sudetendeutschen Verhandlungsdelegation aus, daß die Regierungsvorschläge mit den sudetendeutschen Wünschen im „unüberbrückbaren Gegensatz" stünden.

Der Plan Dr. Benesch' vom 21. und 23. August fand also sowohl auf Seiten der Mission Lord Runcimans wie auch auf sudetendeutscher Seite ablehnende Kritik, umsomehr als bekannt war, daß der Präsident sich zur gleichen Zeit einem deutschen und einem tschechischen Universitätsjuristen gegenüber dahin geäußert hatte, er sei sich darüber klar, daß die Deutschen heute nicht

---

[1]) Rabl, a. a. O.

mehr mit dem zufrieden sein könnten, was er selbst vor 30 Jahren in seiner Dissertation über das österreichische Problem und die tschechische Frage vertreten habe. Ein Vergleich seiner damaligen Anschauungen, die auf eine völlige administrative Trennung des deutschen vom tschechischen Bevölkerungselementes hinausliefen, und des nunmehr von ihm vorgelegten Plans zeigte jedoch, daß dieser Plan nicht etwa mehr, sondern ganz erheblich weniger enthielt[1]).

„Zu diesem Zeitpunkt war die Mission zu dem Schluß gekommen, daß keine Entscheidung in der Tschechoslowakei mehr erreicht werden könne. Das entscheidende Wort würde in Deutschland gesprochen werden. So wurde Henlein von Runciman gebeten, Hitler aufzusuchen[2]).“ Henlein berichtete nach Rückkehr, Hitlers Haltung sei nicht völlig negativ, er hätte aber Zweifel an der Autonomielösung und halte ein Plebiszit für den einzigen Weg, zur Mission Runciman habe er sich positiv ausgesprochen. Der englische Vermittler verhandelte darauf erneut mit Benesch. Er führte erneut den englischen Gedanken aus, daß im Kriegsfall die Tschechoslowakei unweigerlich für längere Zeit von den Deutschen besetzt würde. Und er wiederholte die schon von Halifax gegenüber den französischen Ministern gebrauchte Formel, auch bei günstigem Kriegsausgang sei ihre Wiederherstellung in der gegenwärtigen Form zweifelhaft. So erklärte sich die Regierung bereit, nunmehr einen weiteren, diesmal „endgültigen“ Plan auszuarbeiten, der den Karlsbader Punkten „fast völlig“ entsprechen sollte.

Die Meinungen über diesen Entwurf, den sogenannten 4. Plan und sein Verhältnis zu den Karlsbader Punkten, waren geteilt. Lord Runcimans Auffassung ging dahin, daß er in den wesentlichsten Punkten dem Karlsbader Programm entsprach und somit eine Verständigungsmöglichkeit geboten hätte. Aber dieses Urteil wird eingeschränkt durch seine gleichzeitige Feststellung, daß angesichts des gegebenen psychologischen Stadiums an eine endgültige Lösung innerhalb des Staates nicht mehr zu denken war[3]).

Laffan, der an sich eine günstige Beurteilung gibt, weist aber auch auf wesentliche Differenzen hin zu den SdP-Forderungen, die zugleich auch nach englischer Auffassung berechtigte Minimalforderungen waren. Das Junimemorandum der SdP hatte entsprechend dem Karlsbader Programm *eine einzige Selbstverwaltung* für das gesamte deutsche Gebiet gefordert. Plan 4 sah mehrere unter sich nicht zusammenhängende Kantone vor, auch keine autonome Exekutive. Die Zusammenfassung der deutschen Volksgruppe als Rechtspersönlichkeit war unklar, und die von der SdP vertretene korporative verfassungsmäßige Gleichheit der Deutschen mit den Tschechen war wiederum nicht vorgesehen. Offen blieb ferner der Punkt 8 mit der sogenannten Freiheit der deutschen Weltanschauung[4]).

---

[1]) Rabl, a. a. O.
[2]) Laffan, a. a. O., S. 234.
[3]) Siehe dazu unten S. 169.
[4]) Laffan, a. a. O., S. 246.

Das zeitgenössische Urteil Rabls, eines deutschen Juristen und speziellen Kenners der Nationalitätenrechtsfragen des Staates, ist wesentlich zurückhaltender. „Es ist fraglich", meint er, „ob das überaus günstige Urteil (Lord Runcimans) seine Berechtigung hat. Der Plan enthielt nichts über die Anerkennung der körperschaftlichen Existenz der sudetendeutschen Volksgruppe, nichts über die organschaftliche Stellung ihrer gewählten politischen Vertreter, nichts über den Aufbau einer volkseigenen Selbstverwaltung neben dem staatlichen Ämterwesen, nichts von der Sektionierung der öffentlichen Verwaltung, soweit sie nicht in die völkische Selbstverwaltung übergeführt wurde – vor allem fehlten in diesem Plan jene politischen und rechtlichen Garantien, ohne die es dem Sudetendeutschtum schwer sein mußte, den Zusagen und Versprechungen der Regierung und besonders Dr. Beneschs das nötige Vertrauen entgegenzubringen[1])." Prüft man den Plan von der Grundfrage aus, ob er die auch von der englischen Regierung als Minimum bezeichnete Umwandlung der Republik von einem Nationalstaat in einen Nationalitätenbundesstaat bedeute, so wird man eher negativ antworten. Außerdem ließ er die außenpolitische Fragen beiseite.

Die kompetenteste Bewertung des Planes 4 stammt aber von Dr. Benesch selbst. Er sprach darüber zu Beginn des Zweiten Weltkrieges mit einem Vertreter der sudetendeutschen Emigration in London. Als einer ihrer Sprecher, *W. Jaksch,* mit Dr. Benesch in Besprechungen über eine mögliche Staatsgestaltung der Tschechoslowakei nach dem Zweiten Weltkrieg eintreten wollte und dabei vorschlug, den 4. Plan als Ausgangspunkt zu nehmen, lehnte das Dr. Benesch kategorisch mit der Begründung ab, dieser Plan sei von ihm damals nur zur Demaskierung Henleins vorgelegt worden.

Verhandlungen über den Plan 4 wurden infolge gewisser, größtes Aufsehen erregender Zwischenfälle in Mährisch-Ostrau suspendiert. Nach ihrer Beilegung wurde die Wiederaufnahme der Verhandlungen für den 13. September vereinbart.

Indes griff am 12. September Hitler vor dem Parteitag in Nürnberg die Sudetenfrage direkt auf. Nach heftigsten Angriffen gegen die Tschechoslowakei und Benesch im besonderen erklärte er, daß sich Deutschland nicht am Schicksal der dreieinhalb Millionen Sudetendeutschen desinteressieren könne, es müsse ihnen das Selbstbestimmungsrecht zuerkannt werden. Damit war die Sudetenfrage zum ausschließlich internationalen Problem geworden, das Stadium der staatsrechtlichen Lösungsmöglichkeiten abgeschlossen. Wie wir sahen, war gerade in England bereits seit dem Frühjahr 1938 auf diese Alternative immer wieder verwiesen worden. Auch die Karlsbader Punkte hatten nicht nur einen Staatsumbau, sondern eine neutralitätsähnliche neue Außenpolitik gefordert. Während der Mährisch-Ostrauer Krise war in der Londoner „Times" ein neuer aufsehenerregender Leitartikel im Sinne des Selbstbestimmungsrechtes erschienen. Die durch den Rundfunk auch im

---

[1]) Rabl, a. a. O., S. 640.

Sudetengebiet verbreitete Hitlerrede hatte zu lokalen Aufständen, z. B. im Egerland, geführt. Das Standrecht wurde verkündet. Die Führer der sudetendeutschen Partei verließen mit Ausnahme der in Prag wohnhaften die Hauptstadt. Das Verhandlungskomitee der SdP wurde aufgelöst. In einer Unterredung mit Henlein stellte Ashton-Gwatkin, ein Mitglied der Runciman-Mission, die Frage, ob diese Schritte einer Absage an die Mission gleichkommen, was Henlein verneinte. Die Verhandlungen sollten weitergehen, aber auf der neuen Grundlage des Selbstbestimmungsrechtes, da die Sudetenfrage das Stadium der innerstaatlichen Verhandlungen überschritten habe und zu einem Gegenstand des Selbstbestimmungsrechtes geworden sei. In Prag gab der Abgeordnete Kundt Runciman gegenüber vor dessen Abreise am 16. September dieselbe Erklärung ab[1]).

---

[1]) Erwägt man heute die Frage nach der Ernsthaftigkeit der beiderseitigen Verhandlungsabsichten, so ist zunächst der Hinweis notwendig, daß diese Frage nur in größerem Rahmen behandelt werden kann und in erster Linie Sache der historischen Forschung ist. Allmählich dürfte die Zeit für eine objektive, von der leidenschaftlichen Parteinahme der ersten Nachkriegsjahre freie Überprüfung gekommen sein. Dazu gehört, daß interessierte Partei-Darstellungen zunächst einmal als solche erkannt und gewertet werden. So sind z. B. die Darlegungen des Nürnberger interalliierten Militärgerichtes keineswegs als überparteilich im Sinne einer echten völkerrechtlichen Entscheidungsinstanz anzusehen. Sie sind vielmehr die Darlegungen einer Kriegspartei. Eine Instanz, die die Ermordung von mehreren tausend polnischen Offizieren in Katyn unter den Tisch fallen läßt, qualifiziert sich damit, wie jüngst auch im amerikanischen Kongreß festgestellt, als einseitiges Siegertribunal. Die im Nürnberger Urteil gegebene Darstellung von der Vorbereitung der deutschen Angriffshandlung auf die Tschechoslowakei erweist sich heute bereits auf Grund der Aktenlage in sehr wesentlichen Punkten als unrichtig.
Die Klärung folgender Fragen erscheint ferner für den engeren Tatbestand der Sudetenfrage im Frühjahr 1938 wesentlich. *Erstens:* Hitlers Absichten gegenüber der Tschechoslowakei nach der Einverleibung Österreichs. Weizsäcker teilt in seinen Erinnerungen (S. 163) eine Bemerkung Hitlers zu Neurath mit, er, Hitler, glaube, er habe jetzt (an seinem Geburtstag am 20. April 1938) den Höhepunkt seiner außenpolitischen Erfolge erreicht. Das deutet auf keinen Plan zu umsturzenden Unternehmungen hin, sondern eher auf eine Art Gefühl des „Saturiertseins". Ähnliche Schlüsse ergeben sich aus den Tagebüchern des Generals Jodl. Bis zur tschechoslowakischen Mobilisierung vom 21. Mai deutet nichts auf aggressive Absichten Hitlers gegenüber diesem Staat. Eine solche Disposition gab der SdP einen weiten Spielraum zu ernstgemeinten Einigungsverhandlungen auf innerpolitischer Basis, wozu die Karlsbader Punkte immer noch das außenpolitische Moment einer Art Neutralitätspolitik hinzugefügt hatten.
Zweitens war das Verhältnis der SdP zum Reich, zur NSDAP und Hitler komplex und bedarf sorgfältiger Entwirrung. Gerade diese Frage kann nur durch eingehende historische Forschung geklärt werden. Dokumente wie ADAP., Bd. II, vom 19. November 1937 können nur durch den Blick auf die verwickelte Lage der SdP richtig interpretiert werden. In dieser Partei hatten frühere Mitglieder des sogenannten „Kameradschaftsbundes" die wichtigsten Stellen besetzt. Diese Vereinigung war von den Gedanken des damaligen Wiener Professors Spann stärkstens beeinflußt, der wiederum von der NSDAP und insbesondere der SS als einer ihrer gefährlichsten Gegner angesehen wurde und dessen Lehren man schärfstens bekämpfte. Die SdP mußte aus diesem Grunde bei höchsten Stellen des Dritten Reiches in hohem Maß ver-

Hält man an diesem Punkt der Sudetenfrage im tschechoslowakischen Staat inne, um einen vergleichenden Blick auf die Entwicklung der tschechischen Frage in ihrer Schlußphase im Rahmen der österreichisch-ungarischen Monarchie zu werfen, so fallen die Parallelen des Ablaufes ins Auge. Zwar hatten die Verhandlungen zwischen den tschechischen Vertretern in Prag und den Wiener Zentralstellen nicht diesen ausgedehnten Verlauf wie die Sudetenverhandlungen 1938. Aber in grundsätzlichen und in den wichtigsten Punkten sind sie gleich. Auch hier war die tschechische Haltung zuerst auf ein Staatsreform-Programm gerichtet. Im Jahre 1918 begann dann die tschechische Politik die Orientierung nach der zuerst allein von der Auslandsaktion vertretenen Losung der staatlichen Unabhängigkeit. Die innerpolitische Lösung allerdings, die die kaiserliche Regierung im Oktober 1918 auch den Vertretern

---

dächtig sein. Dieser Verdacht wurde ferner durch ihre guten außenpolitischen Beziehungen nach London weiter genährt. Dazu kam, daß Führer der nach 1933 aufgelösten deutschen nationalsozialistischen Arbeiterpartei in der tschechoslowakischen Republik – eine Partei, die dort noch aus der altösterreichischen Zeit stammte – inzwischen im Reich auf einflußreichen Posten saßen und ein Interesse am Mißtrauen der Reichsstellen gegen die Henleinbewegung hatten. Ausführungen wie in dem erwähnten Memorandum, aber auch in der Rede Henleins vom 4. März 1941 in Wien, die Laffan zitiert, müssen daher entscheidend, wenn nicht vielleicht in erster Linie unter dem Gesichtspunkt gewertet werden, die vollkommene Vertrauenswürdigkeit der Partei in den Augen der obersten Stellen der NSDAP auch post festum zu beweisen. Die erwähnte Henlein-Rede muß u. E. politisch psychologisch als umgekehrte Parallele zu den Selbstbezichtigungen führender Männer der Satellitenstaaten verstanden werden, die damit das Wohlwollen Moskaus sich zu erhalten hoffen, nicht aber als Geschichtsquelle an sich. Daß Laffan diesen Gesichtspunkt überhaupt nicht bemerkt hat, vermindert den Wert seiner sehr sorgfältigen Darstellung in diesen Punkten wesentlich.

Drittens muß die Frage des innerpolitischen Verhandlungswillens der SdP auch unter dem Gesichtspunkt ihrer Einschätzung der eigentlichen Absichten *Dr. Beneschs* gesehen werden. Daß dieser Persönlichkeit gegenüber ein kaum überwindliches Mißtrauen herrschte, hat auch *Runciman* als politische Gegebenheit ersten Ranges festgestellt. Die Erklärung, die *K. H. Frank Hodža* gegenüber auf dessen Frage bei Beginn der Gespräche nach dem Ziel der SdP abgab, „entweder Föderalisierung oder Volksabstimmung", dürfte der Wahrheit entsprechen. Die Berechtigung zum Mißtrauen in die Absichten *Beneschs* ist durch die Mitteilungen *Jakschs,* über *Beneschs* Bewertung des Planes 4 noch verstärkt worden.

Es ist ferner nötig, die vollkommene Verschiedenheit in der zeitgenössischen und nachträglichen Auffassung bestimmter Möglichkeiten der Verwirklichung der Karlsbader Punkte festzuhalten. Die „Freiheit der deutschen Weltanschauung", d. h. das Bekenntnis zum Nationalsozialismus, das heute in allen Darstellungen als Beweis der Unmöglichkeit eines ernstgemeinten Ausgleichswillens gewertet wird, erfuhr z. B. damals eine ganz andere Beurteilung. Die Londoner *„Times"* (vom 26. und 27. April 1938) meinte dazu: Die Tschechoslowakei könne zwischen einem reduzierten Nationalstaat und der Umwandlung ihres Landes in einen Nationalitätenstaat wählen. Sie könne sich durchaus für das letztere entscheiden, in welchem Fall das Bekenntnis zum Nationalsozialismus die Sudetendeutschen nicht weniger davon abhalten würde, gute Staatsbürger zu sein, als die Religion römische Katholiken davon in gewissen Staaten abhält. „Zwei Weltanschauungen können durchaus in einem Staat zusammen bestehen" (Laffan).

des tschechischen Volkes anbot, war wesentlich umfassender als das Angebot des Planes 4 (auch wenn man von seiner späteren Dementierung und dem damit fraglich gewordenen zeitgenössischen Wert absieht). Österreich-Ungarn bot damals dem tschechischen Volke die Umwandlung des großen Reiches in einen Föderativstaat der Nationalitäten an. Aber mit der Erklärung, im Oktober 1918 habe die tschechoslowakische Frage aufgehört, Gegenstand der österreichischen Innenpolitik zu sein und gehe nunmehr auf das Feld der internationalen Politik über, wurden die Verhandlungen mit Wien gegenstandslos. Auch in diesem Punkt ist die Parallele zu der Situation nach dem 12. September 1938 gegeben.

D. Die Mission Lord Runciman's

a) Auftrag und Stellung Lord Runciman's fallen aus dem Rahmen üblicher völkerrechtlicher Kategorien. Der Umstand, daß er als auswärtiger Staatsmann, wenngleich ohne rechtliche Abhängigkeit von der englischen Regierung, handelte, der weitere, daß formal die tschechoslowakische Regierung seine Entsendung erbeten hatte, ferner seine Bezeichnung als „Investigator und Mediator" würden nahelegen, ihn als internationales Untersuchungs- und Vermittlungsorgan aufzufassen. Dem steht entgegen, daß es sich bei solchen um Aktionen handelt, die zwei oder mehrere Staaten berühren. In einer Vermittlungsaktion nach Völkerrecht kann es sich nur um zwischenstaatliche Angelegenheiten handeln, auch wenn die Untersuchung nur in einem einzelnen Staate stattfindet; die kontroversen Parteien sind beide Staaten oder andere Völkerrechtssubjekte.

Bei der Mission Runciman's handelte es sich um etwas davon verschiedenes. Er selbst bezeichnete seine Aufgabe als „task of mediation in the controversy between the czechoslovak government and the sudetengerman Party". Es handelte sich also rechtlich um Vermittlung in einem innerstaatlichen Gegensatz.

Das war die Begrenzung seiner Aufgabe; sie hat Runciman auch konsequent im Auge behalten. Er bleibt nur so lange tätig, als Verhandlungen zwischen der Prager Regierung und der Sudetendeutschen Partei dauern; als er ihr endgültiges Scheitern erkennt, bricht er seine Tätigkeit ab: „Der Gegensatz war nicht mehr interner Natur; es gehörte jedoch nicht zu meinen Aufgaben, zwischen Deutschland und der Tschechoslowakei zu vermitteln."

Daraus geht mit genügender Klarheit hervor, daß hier keine völkerrechtliche *Vermittlung* vorlag. Nicht der diplomatische Charakter des Vermittlers, allein die zwischenstaatliche Natur des Streites ist dafür entscheidend. Die Tatsache, daß faktisch und politisch ein interner Gegensatz zu einem erstrangigen Problem werden kann, ist dafür unwesentlich.

Trotzdem handelte es sich auch bei der Mission Runciman's um eine Tätigkeit völkerrechtlichen Charakters. Ihre Natur ergibt sich aus der Frage, in welche Zuständigkeit nach Völkerrecht die Angelegenheiten fielen, in denen Runciman untersuchte und vermittelte. Die Antwort muß lauten, daß es sich, abgesehen von Verpflichtungen aus minderheitenrechtlichen Verträgen, um Angelegenheiten handelte, die nach Völkerrecht zur „domaine réservée" der Staaten rechnen. Eine Befassung ohne Zustimmung des zuständigen Staates durch ausländische Stellen hätte somit den Charakter einer *unerlaubten* Intervention. Nun sahen wir aber, daß in seinem „Times"-Interview Benesch einmal grundsätzlich ein europäisches Interesse an geordneten Nationalitätenverhältnissen in der Tschechoslowakei anerkannte; darüber hinaus hatte die tschechoslowakische Regierung formell die englische Regierung um die Entsendung Lord Runciman's ersucht. Damit ist auch der Charakter der Tätigkeit Runciman's klar: es handelte sich um eine e r b e t e n e Intervention; auf Grund des tschechoslowakischen Ersuchens hat Runciman, dazu gebeten, im Nationalitätenstreit zwischen tschechoslowakischer Regierung und Sudetendeutscher Partei interveniert.

Daß sich die Vermittlung auf einen Streit zwischen einer Regierung einerseits und einer Volksgruppe ohne völkerrechtlichen Charakter andererseits bezog, war das ungewöhnliche an diesem englischen Schritt. Es würde aber u. E. wertlos sein, aus der Gleichartigkeit der englischen Verhandlungen mit der Sudetendeutschen Partei wie mit der tschechoslowakischen Regierung eine quasi völkerrechtliche Anerkennung der Volksgruppe konstruieren zu wollen. Solche Konstruktionen verwirren die völkerrechtlichen Tatbestände mehr als sie sie erhellen. Sie würden zudem an dem erklärten Zweck der Mission vorbeigehen, die Vermittlung gerade im Rahmen des tschechoslowakischen Staates zu versuchen. Es kam den Engländern sicher nicht darauf an, den Sudetendeutschen eine quasi völkerrechtliche Stellung zu verschaffen. Sie handelten aus der realistischen Erkenntnis heraus, daß die Regierung, formal die Vertretung des Gesamtstaates, in Wirklichkeit zu einem Organ der tschechischen nationalistischen Teilinteressen (samt dem tschechischen Staatszentralismus) reduziert war. Die nationalstaatliche Begründung des Staates, wie sie 1918/19 mit Bewußtsein vollzogen worden war, hatte so in seiner Existenzkrise zu einer wohl vollkommen unerwarteten, wenn auch sicherlich entsprechenden Konsequenz im Handeln einer auswärtigen Großmacht geführt, die auf dieser Grundlage operierte.

Man wird sagen können, daß die Entsendung Lord Runciman's als Vermittler im Sudetenstreit zeigte, wie sehr diese Frage, formell noch innerstaatlich tschechoslowakische Angelegenheit, ihrem politischen Gewicht nach durch die Konsolidierung des Sudetendeutschtums einer- und der Slowaken andererseits den Nationalstaat zum Nationalitätenstaat veränderte und zu einer Angelegenheit von erstrangigem außenpolitischem Interesse geworden war. Dem Wandel zum Nationalitätenstaat suchte Runciman zum

Durchbruch zu verhelfen. Die geschichtliche Frage ist, ob die Zeit hierfür nicht schon abgelaufen war.

b) Der Bericht, den Lord Runciman aus eigener Initiative dem englischen Ministerpräsidenten vorlegte (auch Präsident Benesch erhielt ein ähnliches Schreiben)[1]), ist eines der wichtigsten Dokumente zum böhmischen Problem als einer modernen internationalen Frage. Er ist daher mehr als ein bloß zeitgeschichtliches Dokument, obwohl er auch dies im höchsten Grade ist. Insbesondere werden die außenpolitischen Ausblicke zu Ende seiner Ausführungen gerade heute unter gänzlich anderen Verhältnissen große Aufmerksamkeit finden. Lord Runciman beginnt mit der Erinnerung, die Frage der politischen, sozialen und wirtschaftlichen Beziehungen zwischen Deutschen und Slaven in jenem, „derzeit Tschechoslowakei genannten Raum" sei kein erst jetzt aufgetauchtes neues, vielmehr ein jahrhundertealtes Problem, wo Zeiten vergleichsweisen Friedens mit Zeiten ausgesprochenen Kampfes gewechselt hätten. Wenn das Problem nicht neu, vielmehr uralt ist, so seien doch im gegenwärtigen Stadium neue Momente hinzugekommen, und es wirkten daran alte und neue Faktoren mit.

Nach diesem gewichtigen Hinweis auf den jahrhundertealten Charakter des Völkergegensatzes im böhmischen Raum unterscheidet Runciman zwei Stadien der seinen Bericht zeitlich interessierenden Auseinandersetzung. Im ersten, das bis Ende August 1938 reichte, blieb der Gegensatz im Rahmen des tschechoslowakischen Staates; es handelte sich um Fragen der Verfassung und um politische und wirtschaftliche Probleme. Die verfassungspolitische Seite des Problems forderte damals die Ermöglichung eines gewissen „home rule" für die Sudetendeutschen. Die Frage der Selbstbestimmung sei „in akuter Form" noch nicht gestellt worden. Nach einer Reihe erfolgloser Vorschläge und Gegenvorschläge seien die Verhandlungen Mitte August unterbrochen worden, bis die tschechoslowakische Regierung den 4. Plan als neue Verhandlungsgrundlage vorlegte. Dieser 4. Plan erfüllte nach Meinung Runcimans und, wie er meinte, auch nach der Meinung verantwortlicher sudetendeutscher Vertreter fast alle Forderungen der Karlsbader Punkte und hätte sie mit einiger Erweiterung und Klärung zur Gänze verwirklichen können.

Runciman führt den Umstand, daß auf dieser neuen, seiner Meinung nach aussichtsreichen Basis keine neuen Verhandlungen aufgenommen wurden, darauf zurück, daß sie den Führern des radikalen Sudetenflügels mißfielen. Er meinte, daß die damals großes Aufsehen erregenden Zwischenfälle bei dem Besuch sudetendeutscher Abgeordneter im Zusammenhang mit einer Waffenschmuggelaffäre in Mährisch-Ostrau zum Zweck des Abbruches der Verhandlungen arrangiert worden seien und daß auch weitere Zwischenfälle, insbesondere nach der Hitlerrede vom 12. September, organisiert wurden. Als die tschechische Regierung die hierauf erhobene Forderung nach Rückziehung

---

[1]) Der englische Originalbericht ist abgedruckt bei Korkisch, Dokumente zur Lösung der Sudetenfrage.

der Staatspolizei und der Beschränkung der Truppen auf militärische Dienstleistungen ebenfalls nachgekommen war, seien die Verhandlungen dadurch zum endgültigen Stillstand gekommen, daß kein Vertreter der Sudetendeutschen Partei nach Prag zu der von der Regierung über die Frage, auf welche Weise die Ordnung aufrecht erhalten werden sollte, erwünschten Besprechung erschien. Er belastet mit der Verantwortung für diesen endgültigen Abbruch der Verhandlungen namentlich den Führer der Sudetendeutschen Partei, Henlein, und seinen Stellvertreter K. H. Frank sowie „diejenigen ihrer in- und ausländischen Helfer, die sie zu radikalen und verfassungswidrigen Schritten drängten".

Diese positive Beurteilung der Möglichkeit einer konstruktiven Lösung des Sudetenproblems innerhalb des tschechoslowakischen Staates auch zu diesem Zeitpunkt schränkt nun aber Runciman selbst ganz entscheidend ein, und zwar durch die Feststellung, daß angesichts der ganzen politisch-psychologischen Atmosphäre ein solcher Ausgleich nur von vorübergehender, nicht aber von dauernder Kraft hätte sein können. „Zur Zeit meiner Ankunft wünschten die gemäßigten Sudetenführer noch eine Lösung innerhalb der tschechischen Staatsgrenzen. Sie begriffen, daß ein Krieg im Sudetengebiet geführt würde, das zum Hauptkampfgebiet würde."

Sowohl vom nationalen als auch vom internationalen Standpunkt aus würde eine solche Lösung leichter sein als eine Gebietsabtretung. Er habe sein Bestes getan, um sie zustande zu bringen, und auch mit einigem Erfolg, wäre sich aber im klaren darüber gewesen, daß auch mit dem Gelingen eines Übereinkommens seine Durchführung stets zu einer neuen Serie von Verdächtigungen, Gegensätzen, Anklagen und Gegenanklagen führen würde. „Ich fühlte, daß jede solche Regelung nur von vorübergehender, nicht bleibender Bedeutung gewesen wäre."

Angesichts des Abbruches der Besprechungen durch die sudetendeutsche Parteiführung, zugleich in der Erkenntnis, daß kein wirklicher dauerhafter Ausgleich im Rahmen des tschechoslowakischen Staates mehr möglich sei, stellte Lord Runciman das Ende seiner Mission fest.

Er kam als Vermittler zwischen tschechoslowakischer Regierung und sudetendeutscher Partei; „mit der Ablehnung der tschechoslowakischen Regierungsvorschläge vom 13. September und dem Abbruch der Verhandlungen durch Henlein war meine Aufgabe als Vermittler in der Tat zu Ende. Direkt und indirekt war die Beziehung zwischen den hauptsächlichen sudetendeutschen Führern und der Reichsregierung zur bestimmenden Gegebenheit der Lage geworden. Der Gegensatz war nun nicht mehr länger innerstaatlicher Natur."

Runciman geht dann zur Schilderung seiner Auffassung des Sudetenproblems über. Er selbst habe viel Sympathie mit dem sudetendeutschen Fall. „Es ist eine harte Sache von einer fremden Rasse regiert zu werden, und ich habe den Eindruck, daß die tschechoslowakische Herrschaft der letzten 20 Jahre in den sudetendeutschen Gebieten – obwohl nicht aktiv unterdrückend und sicher nicht terroristisch – gekennzeichnet ist durch Taktlosig-keit, Mangel an Verständnis, kleinliche Unduldsamkeit und Diskriminierung, und das bis zu einem Punkt, wo sie die Deutschen unausweichlich zum Auf-stand reizen mußte. Die Sudetendeutschen fühlten, daß ihnen in den letzten 20 Jahren die tschechoslowakische Regierung manche Versprechungen ge-macht hatte, denen unbedeutende oder keine Taten gefolgt waren. Diese Er-fahrungen erzeugten ein unverhülltes Mißtrauen gegenüber den führenden tschechoslowakischen Staatsmännern. Ich kann nicht absehen, wie weit dieses Mißtrauen berechtigt oder unberechtigt ist."

Sicher war auch für ihn, „daß auch die versöhnlichsten Erklärungen den Sudetendeutschen jetzt keinerlei Vertrauen mehr einflößen. Dazu kam, daß zwar bei den Wahlen von 1935 die sudetendeutsche Partei die meisten Stimmen von allen Parteien im Staate erhalten hat, sie bildete die zweitstärkste Fraktion im Parlament und ist jetzt, nach weiterem Zuwachs, die stärkste. Aber jederzeit kann sie niedergestimmt werden, daher herrscht dort mancherorts die Empfindung von der Nutzlosigkeit konstitutioneller Aktivität vor."

Runciman schildert dann weiter die örtlichen Erschwernisse. „Tschechische Beamten und Polizisten ohne deutsche Sprachkenntnisse wurden in größerer Zahl in rein deutschen Bezirken angestellt. Tschechische Siedler, die Land aus der Bodenreform erhielten, wurden ermutigt, sich mitten unter der deutschen Bevölkerung anzusiedeln; für die Kinder dieser tschechischen Ein-dringlinge sind tschechische Schulen größerer Zahl gebaut worden; allgemein herrsche die Überzeugung, daß tschechische Firmen den deutschen bei der Vergebung von Staatsaufträgen vorgezogen werden und daß der Staat Tschechen bedeutend leichter Arbeit und Unterstützung gewährt als Deut-schen. Ich glaube, daß diese Klagen in der Hauptsache gerechtfertigt sind. Sogar zu einem so vorgerückten Punkt als dem meiner Mission konnte ich keine Bereitwilligkeit auf Seiten der tschechischen Regierung zur Abhilfe auf angemessener Stufe finden." Alle diese und andere Bedrängnisse seien durch die Rückwirkungen der Weltwirtschaftskrise auf die Sudetenindustrie, die einen so wesentlichen Teil des Volkslebens bilde, verstärkt worden. Es sei nicht unnatürlich, daß die Regierung für die daraus entstehende Verarmung getadelt wurde.

Aus „verschiedenen Gründen, einschließlich der obigen, herrschte unter den Sudetendeutschen bis vor drei oder vier Jahren Hoffnungslosigkeit. Aber die Erhebung des nationalsozialistischen Deutschland gab ihnen neue Hoffnung. Ich sehe es für eine natürliche Entwicklung an, wenn sie nach Hilfe bei ihren Stammesverwandten ausblickten und gegebenenfalls wünschen, mit dem Reich vereinigt zu werden".

Angesichts dieser Gesamtentwicklung, die er in ihren näheren und ent-fernteren Ursachen zu schildern versuchte, kam er zu praktischen Vor-schlägen. Sie gingen von der Erkenntnis aus, daß man nicht mehr zu dem Punkt zurückkehren könne, an dem man vor 2 Wochen gestanden habe, vielmehr die neue Lage ins Auge fassen müsse. Die Empfehlungen Lord Runcimans erstreckten sich auf dreierlei:

1. In der Hauptsache rät er, die Grenzgebiete mit sudetendeutscher Mehrheit an Deutschland zu übergeben und empfiehlt eine Methode der „unmittelbaren und drastischen Durchführung".

„Für mich wurde es selbstverständlich, daß denjenigen Grenzbezirken zwischen der Tschechoslowakei und Deutschland, wo die Sudetenbevölkerung in überwiegender Mehrheit ist, sofort das volle Selbstbestimmungsrecht gegeben werden soll. Wenn, wie ich glaube, eine Abtretung unvermeidlich ist, so soll sie prompt und ohne Zaudern erfolgen. Die Fortdauer des ungewissen Zustandes bedeutet eine wirkliche Gefahr, sogar Gefahr des Bürgerkrieges. Daher bestehen tatsächliche Gründe für eine Politik des unmittelbaren und drastischen Handelns. Jegliche Art von Plebiszit oder Referendum würde im Hinblick auf diese überwiegend deutschen Bezirke eine reine Formalität sein. Eine sehr starke Mehrheit ihrer Einwohner wünscht die Vereinigung mit Deutschland. Die mit der Ansetzung einer Volksabstimmung notwendig verbundene Frist würde nur zur Erhitzung des Volkes führen mit wahrscheinlich äußerst gefährlichen Ergebnissen. Ich denke daher, daß diese Grenzgebiete sofort von der Tschechoslowakei an Deutschland übereignet werden sollten und daß ferner Maßnahmen für einen friedlichen Übergang einschließlich von Sicherungsvorkehrungen für die Bevölkerung unter den beiden Regierungen getroffen werden sollten."

2. Auch mit dem Übergang dieser Grenzgebiete würde die Frage, wie Tschechen und Deutsche künftig in Frieden leben sollen, keineswegs gelöst. „Auch wenn alle Gegenden mit deutscher Mehrheit an Deutsche übertragen würden, bliebe immer noch in der Tschechoslowakei eine große Anzahl von Deutschen zurück und in den an Deutschland übertragenen Gebieten eine gewisse Anzahl von Tschechen. Die wirtschaftlichen Beziehungen sind so enge, daß eine absolute Trennung nicht nur unerwünscht, sondern unmöglich ist. Und ich wiederhole meine Überzeugung, daß die Geschichte bewiesen hat, daß die Völker in friedlichen Zeiten miteinander in freundlichen Beziehungen leben können. Ich glaube, daß es gleicherweise im Interesse aller Tschechen und aller Deutschen liegt, daß sich diese freundschaftlichen Beziehungen wieder von selbst einstellen, und bin überzeugt, daß dies der Wunsch der durchschnittlichen Tschechen und Deutschen ist. Beides sind gleicherweise anständige, friedsame, fleißige und einfache Leute. Wenn die politischen Reibungen auf beiden Seiten hinweggefallen sind, glaube ich daran, daß sie in Ruhe zusammenleben können."

Aus diesen Überlegungen zieht Runciman die Grundlinie der Nationalitätenordnung, die auch in der verbleibenden Tschechoslowakei eingeführt werden soll. „Für diejenigen Gebietsteile innerhalb der tschechoslowakischen Republik, wo die deutsche Mehrheit nicht so bedeutend ist, empfehle ich nach einer Grundlage für eine örtliche Autonomie zu suchen, die den Grundzügen des Planes 4 mit jenen Veränderungen entspricht, die den aus der Abtretung der überwiegend deutschen Gebiete sich ergebenden neuen Umständen Rechnung tragen. Gewiß besteht immer die Gefahr, daß eine Einigung im Grundsätzlichen zu weiteren Gegensätzen im Praktischen führt." Aber er glaube, daß in einer friedlicheren Zukunft diese Gefahr verringert werden könne.

Als eine Maßnahme für sich schlägt er weiter vor, daß ein Vertreter der Sudetendeutschen einen ständigen Sitz auch in der Regierung dieser verkleinerten tschechoslowakischen Republik einnehmen soll.

Und nun wendet er sich schließlich der außenpolitischen Seite des Problems zu, nämlich der Frage der Integrität und Sicherheit der neuen teschoslowakischen Republik im Verhältnis zu ihren unmittelbaren Nachbarn. Er unterstreicht, daß mit diesem Problem ein zentraler Punkt der politischen Reibungen in Mitteleuropa berührt sei. Daher sei ständig darauf zu sehen, daß der tschechoslowakische Staat im Frieden mit seinen Nachbarn lebe, seine gesamte in- und auswärtige Politik solle auf dieses Ziel gerichtet sein. Er hält eine annähernde außenpolitische Neutralität der neuen Tschechoslowakei für unerläßlich. „Genau so wie es für die internationale Position der Schweiz wesentlich ist, daß sie ihre Politik vollkommen neutral hält, genau so ist eine analoge Politik für die Tschechoslowakei nötig. Nicht nur für ihr eigenes Dasein in der Zukunft, sondern auch für den Frieden Europas."

Um eine solche politische Neutralitätslinie zu sichern, scheut sich Runciman nicht, sehr weitgehende Vorschläge zu formulieren. „Zur Erreichung dieses Zieles empfehle ich" 1., daß die tschechoslowakische Regierung denjenigen Parteien und Personen, die vorsätzlich eine Politik des Gegensatzes zu den Nachbarn der Tschechoslowakei ermutigt haben, eine Fortsetzung ihrer Agitation verbieten soll; wenn nötig, sollte solcher Agitation durch gesetzliche Maßnahmen ein Ende bereitet werden.

2. Die tschechoslowakische Regierung sollte ihre auswärtigen Beziehungen so ändern, daß sie ihren Nachbarn die Sicherheit bietet, daß sie unter keinen Umständen angreifen und sich auch nicht an den Angriffsaktionen beteiligen wird, die ihr aus Verpflichtungen zu anderen Staaten entspringen,

3. daß die Hauptmächte im Interesse des europäischen Friedens der Tschechoslowakei Garantien für Unterstützung im Falle eines gegen sie gerichteten unprovozierten Angriffes geben sollten,

4. daß ein Handelsvertrag mit Präferenzzöllen zwischen Deutschland und der Tschechoslowakei abgeschlossen werden sollte, falls dieses den Wirtschaftsinteressen beider Länder entspricht.

Der Bericht schließt, nachdem er die Verantwortlichkeit Deutschlands für die Sanierung der wirtschaftlichen Notstandsgebiete im Falle einer Gebietsübertragung festgestellt hat, mit einigen praktischen Vorschlägen technischer Natur im Hinblick auf die empfohlenen Gebietsabtretungen.

Die Sudetenfrage erneut ein internationales Problem

1. DIE VERMITTLUNGSAKTION CHAMBERLAINS

Mit dem Ende der Mission Runciman verlor die sudetendeutsche Frage ihren bislang wesentlich staats- und nationalitätenrechtlichen Charakter und wurde erneut, wie in den Jahren 1918/19, ein Gegenstand der Außenpolitik und des Völkerrechts.

In der Reichstagsrede vom 20. Februar 1938 hatte Hitler die Sudetendeutschen in die Interessensphäre des Deutschen Reiches einbezogen. Bis zum 20. Mai läßt sich indes aus den Akten keinerlei Absicht oder Vorbereitung für eine gewaltsame Lösung in der nächsten Zeit finden. Heute scheint es festzustehen, daß erst als Reaktion auf die unbegründete tschechische Mobilisierung Hitler Dispositionen für rasches, militärisches Handeln traf, und damals ist das Datum des 1. Oktober als Tag auch eventuell gewaltsamen Eingreifens festgesetzt worden[1]). Seine Rede auf dem Parteitag in Nürnberg am 13. September akzentuierte nunmehr seinen Standpunkt in schroffster, drohender Form. Die damit eingeleitete diplomatische Phase zwischen dem

---

[1]) Laffan erörtert zwei Möglichkeiten der Haltung Hitlers vor dem 21. Mai. Die erste: Ein plötzlicher deutscher Angriff auf die Tschechoslowakei sei nur durch die tschechoslowakische Mobilisierung und deren diplomatische Unterstützung durch London und Paris abgewehrt worden. Die zweite: Hitler hatte bis dahin überhaupt keine Absicht, die Tschechoslowakei militärisch anzugreifen. Die Sudetenführer hofften in Kürze, von Prag solche Autonomie zu erhalten, daß eine friedliche Loslösung kraft Selbstbestimmungsrechtes möglich würde. Laffan, der die Begründung der Mobilisierung durch die Tschechen im Detail untersucht, hält die angebliche deutsche Truppenkonzentration – der tschechischerseits vorgegebene Anlaß dafür – für wahrscheinlich falschen Alarm. So hatte aber die Mobilisierung einen entscheidenden Einfluß auf die weitere Entwicklung. In der Festlegung der deutschen Politik vom 20. Mai gegenüber der Tschechoslowakei, also gerade einen Tag vor der tschechischen Mobilisierung heißt es: „Es besteht nicht die Absicht, die Tschechoslowakei in naher Zukunft durch militärische Aktion ohne Provokation zu zertrümmern" .... Im Tagebuch des Generals Jodl heißt es einen Tag darauf – also nach der Mobilisierung –: „Die Absicht des Führers, das tschechische Problem nicht anzurühren, ist durch die tschechische Truppenkonzentration vom 21. Mai verändert worden, die ohne irgend eine deutsche Drohung und ohne den geringsten Grund dafür erfolgte. Die Folgen der deutschen Zurückhaltung führten zu einem Prestigeverlust für den Führer, den er nicht noch einmal hinnehmen will." Am 28. Mai scheint Hitler den Beschluß gefaßt zu haben, die Sudetenfrage bis zum 2. Oktober, wenn nötig auch durch militärischen Angriff, zu regeln. Vgl. dazu auch Paul Schmidt, a.a.O., S. 392, sowie ADAP., Serie D, Bd. IV, S. 185 (im Mai 1938 seien die Tschechen „unrichtigen Einflüsterungen der Engländer aufgesessen").

12. und 29. September hat dramatische Höhepunkte. Man stand unmittelbar vor dem Kriegsausbruch. Für unsere Arbeit ist nicht dieser Ablauf als solcher wichtig, vielmehr die zur rechtlichen Beurteilung der Position der Beteiligten und des am Ende stehenden Abkommens von München wesentlichen Punkte.

Die kritische Lage, die sich in der Tschechoslowakei im Anschluß an die Hitlerrede entwickelt hatte, in Verbindung mit den Nachrichten über die militärischen Vorbereitungen Deutschlands, veranlaßten den englischen Ministerpräsidenten Chamberlain, am 14. September Hitler das Angebot zu machen, ihn in Deutschland zu einer Unterredung aufzusuchen. Die Vermittlungsaktion Chamberlains vollzog sich also in zwei Schritten, dem Besuch in Berchtesgaden am 15. September und dem Zusammentreffen in Godesberg am 23. September, sie wurde abgeschlossen mit der Viermächtekonferenz in München am 29. September. Über die Unterredung sind wir jetzt aus den Aktenveröffentlichungen und den Erinnerungen des deutschen Diplomaten Paul Schmidt unterrichtet, der in Berchtesgaden als Dolmetscher der Unterredung beiwohnte.

Hitler brachte dort zunächst den Gesamtkomplex der deutsch-englischen Beziehungen zur Sprache und legte dann seinen Standpunkt in der tschechoslowakischen Frage dar. In den für unseren Zusammenhang wesentlichen Punkten erklärte er, er würde nunmehr das Verhalten Beneschs gegenüber den Sudetendeutschen und Deutschland nicht länger hinnehmen. Benesch sei es gewesen, der im Mai mobilisiert habe, nicht er. Er lasse sich das nicht mehr bieten und werde in kürzester Frist diese Frage „so oder so" aus eigener Initiative regeln. Chamberlain fragte daraufhin, warum er ihn dann überhaupt habe nach Berchtesgaden kommen lassen, und deutete die Absicht der Abreise an. Daraufhin lenkte Hitler ein. Wenn Chamberlain den Grundsatz des Selbstbestimmungsrechtes der Völker für die Behandlung der Sudetenfrage zur Grundlage nehme, dann könne man sich darüber unterhalten, wie jener Grundsatz in die Praxis umgesetzt werden könne. Chamberlain erwiderte, er müsse sich wegen der ungeheuren Schwierigkeiten, die sich aus einer solchen Anwendung des Selbstbestimmungsrechtes auf die Tschechoslowakei ergeben, erst mit seinem Kabinettskollegen beraten. Persönlich könne er erklären, daß er den Grundsatz der Selbstbestimmung anerkenne. An diesem Punkt wurde die Unterhaltung abgebrochen und ein neues Treffen vereinbart. Hitler gab auf Chamberlains Wunsch die Versicherung ab, daß er inzwischen bei normalem Verlauf keine Gewaltmaßnahmen gegen die Tschechoslowakei ergreifen werde.

Die Sitzung des britischen Kabinetts fand am 16. statt. Lord Runciman nahm als Sachverständiger teil. Er empfahl in der Sitzung – entsprechend seinem Bericht –, den von einer sudetendeutschen Mehrheit bewohnten Bezirken sofort das Selbstbestimmungsrecht zu gewähren. Das Kabinett stimmte zu, jedoch hielt man angesichts des bisherigen Vorgehens gerade auch in diesem entscheidenden Stadium die Verständigung mit der französischen Regierung für nötig. So wurden Daladier und sein Außenminister für den 18. September nach London gebeten. In einer Besprechung wurden die französischen Minister mit der sich für England ergebenden Lage bekanntgemacht, wie sie Hitlers Forderung nach Anwendung des Grundsatzes des Selbstbestimmungsrechtes und die Auffassungen, zu denen Lord Runciman gekommen war, ergab.

Die Konferenz hatte sich also, da Runciman ebenfalls die Lösung durch Zession vertrat, mit den Möglichkeiten einer solchen Lösung und den dafür zur Verfügung stehenden Methoden zu befassen.

Der Gedanke der Abtretung von sudetendeutschen Gebietsteilen – schon früh vom tschechoslowakischen Gesandten Masaryk in die Diskussion geworfen – war in den vorhergehenden Tagen Gegenstand diplomatischer Erörterungen zwischen der englisch-französischen Regierung einerseits und der tschechoslowakischen Regierung andererseits gewesen. Bonnet berichtet in seinen Erinnerungen[1]) von einem Brief des tschechoslowakischen Gesandten in Paris, der besagte, daß seine Regierung den Gedanken eines Plebiszits zurückweise. Die tschechoslowakische Regierung habe keine rechtliche Autorität für eine solche Lösung, jeglicher Regierungsakt in dieser Richtung wäre verfassungswidrig. Dem englischen Gesandten wurden von Außenminister Krofta im einzelnen die Gründe der Ablehnung eines Plebiszits dargelegt. Die Verfassung enthielte dafür keine Bestimmungen. Sodann würde sie auch nicht nur von den Deutschen, sondern auch von den übrigen Nationalitäten verlangt werden. Endlich würde dadurch das Land dem Deutschen Reich ausgeliefert. Auf der andern Seite erschien dem realistischeren Regierungschef Hodža der Gedanke irgendeiner Zession unvermeidlich. Im offensichtlichen Gegensatz zu seinem Außenminister, dem Vertrauensmann Beneschs, erklärte Hodža dem englischen Gesandten im Vertrauen, man könnte letzlich das Egerland und andere Gebiete mit etwa rund einer Million Sudetendeutscher abtreten. Auch Benesch habe auf der Friedenskonferenz eine solche Abtretung für möglich gehalten. Er, Hodža, habe, sagte er zu Newton am 14. September, eine solche Lösung befürwortet, jedoch habe kein anderes Mitglied seiner Delegation sie ernsthaft diskutiert.

Laffan befaßt sich ausführlich mit einem unaufgeklärten, für diese Londoner Besprechung wesentlichen Punkt. Nach Bonnet hatte der französische Gesandte in Prag am 15. September eine weitere Unterredung mit Benesch, in der die Abtretungsfrage erörtert wurde. Bonnet zufolge habe Benesch dem Gesandten die Abtretung von ungefähr 900 000 Sudetendeutschen für möglich erklärt und ihm auf der Karte die fraglichen Gebiete bezeichnet. De Lacroix, der Gesandte, habe diese Nachricht aber erst am 17. nach Paris weitergegeben. Bonnet führt in seinen Erinnerungen aus, Lacroix' Bericht habe als französische Diskussionsgrundlage bei der englisch-französischen Besprechung vom 18./19. September gedient, als Beweis einer grundsätzlichen tschecho-

---

[1]) Laffan, a. a. O., S. 338.

slowakischen Zessionsbereitschaft. Die Frage der Gebietsabtretung war somit bereits vor den englisch-französischen Verhandlungen vom 18./19. September mit der tschechoslowakischen Regierung erörtert worden, nach französischer Darstellung lag darüber hinaus die tschechoslowakische Erklärung einer begrenzten Zessionsbereitschaft vor.

Chamberlain berichtete nun über sein Gespräch mit Hitler in Godesberg, ferner über ein Gespräch zwischen Henderson und Göring in Berlin, der, obwohl als gemäßigt betrachtet, ebenfalls das Selbstbestimmungsrecht als die einzige noch bleibende Lösung bezeichnete. Chamberlain ging ferner auf die Schlußfolgerungen Runcimans ein. Es waren in der Hauptsache zwei, nämlich: Deutsche und Tschechen würden nicht mehr in einem Staat zusammenarbeiten, und zweitens, die einzig mögliche Lösung wäre irgendein auf der Grundlage des Selbstbestimmungsrechtes aufbauendes Schema[1]). Der französische Regierungschef sprach sich gegen das Selbstbestimmungsrecht als einer zu gefährlichen Waffe in Hitlers Händen aus; da wäre kein Ende mit Plebisziten; Polen, Ungarn und Slowaken möchten ebenfalls solche fordern. Selbstbestimmungsrecht und Volksabstimmung seien aber praktisch dasselbe. Frankreich erklärte sich auch nach einer Beratung innerhalb der eigenen Delegation nochmals dagegen. Chamberlain deutete daraufhin die Möglichkeit einer Abtretung ohne Abstimmung an, und hier bahnte sich eine Übereinstimmung an. Es wurde sodann die Lage der Rest-Tschechoslowakei besprochen. Irgendeine internationale Garantie mit Deutschland als Teilnehmer mußte gefunden werden. Chamberlain befürwortete aber die Garantierung eines neutralisierten Staates nach Art Belgiens. Nach Wiederaufnahme der Besprechungen legte Chamberlain einen Vorschlagsentwurf vor, den Daladier vor dem französischen Ministerrat vertreten wollte. Dieser nahm ihn nach bewegter Debatte schließlich einstimmig an[2]). Das britische Kabinett billigte ihn am 19. Er wurde noch am selben Tage schriftlich dem tschechoslowakischen Präsidenten überreicht.

Aus diesen Verhandlungen wird die Formulierung einer der entscheidenden Punkte der anglo-französischen Vorschläge vom 21. September, des zweiten Artikels, verständlich. Aus ihrer Fassung geht auch hervor, daß über die Frage der Abtretung bereits mit der tschechoslowakischen Regierung verhandelt wurde. Denn es ist davon die Rede, daß den von ihr dagegen erhobenen Einwänden Rechnung getragen wurde. Die „weitreichenden Forderungen" aus dem Grundsatze des Selbstbestimmungsrechtes, die sie vermieden wissen wollte, waren offenbar die schon von Daladier befürchteten Volksabstimmungsbegehren weiterer Nationalitäten der Tschechoslowakei. So wurde die Regelung der Sudetenfrage als isolierter Fall, „as a case for itself", im Interesse der tschechoslowakischen Regierung selbst liegend bezeichnet und vorgeschlagen. Das Comuniqué betonte die Übereinstimmung der beiden

---

[1]) Laffan, a. a. O., S. 342.
[2]) Laffan, a. a. O., S. 345.

Regierungen im Hinblick auf die erstrebte friedliche Lösung der tschechoslowakischen Frage. Chamberlain interpretierte nachträglich den Zweck der
Besprechungen dahin, daß die beiden Regierungen dabei von dem Wunsche
nach einer Lösung geleitet waren, die nicht zu einem Kriege führen würde,
also auch Frankreich nicht automatisch verpflichten würde, entsprechend seinen
Verpflichtungen einzugreifen.

Diese Entscheidungen der anglo-französischen Besprechungen vom 18. September 1938 wurden der Tschechoslowakei am 19. in einer gleichlautenden
Note beider Gesandten in Prag übermittelt. Die Note lautete[1]):

The representatives of the French and British Governments have been
in consultation to-day on the general situation, and have considered the
British Prime Minister's report of his conversation with Herr Hitler.
British Ministers also placed before their French colleagues their conclusions
derived from the account furnished to them of the work of his Mission by
Lord Runciman. We are both convinced that, after recent events, the
point has now been reached where the further maintenance within the
boundaries of the Czechoslovak State of the districts mainly inhabited by
Sudeten Deutsch cannot, in fact, continue any longer without imperilling
the interests of Czechoslovakia herself and of European peace. In the light
of these considerations, both Governments have been compelled to the con-
clusion that the maintenance of peace and the safety of Czechoslovakia's
vital interests cannot effectively be assured unless these areas are now
transferred to the Reich.

2. This could be done either by direct transfer or as the result of a
plebiscite. We realise the difficulties involved in a plebiscite, and we are
aware of your objektions already expressed to this course, particularly the
possibility of far-reaching repercussions if the matter were treated on the
basis of so wide a principle. For this reason we anticipate, in the absence
of indication to the contrary, that you may prefer to deal with the Sudeten Deutsch problem by the method of direct transfer, and as a case by
itself.

3. The area for transfer would probably have to include areas with over
50 per cent. of German inhabitants, but we should hope to arrange by
negotiations provisions for adjustment of frontier, where circumstances
render it necessary, by some international body, including a Czech repre-
sentative. We are satisfied that the transfer of smaller areads based on a
higher percentage would not meet the case.

4. The international body referred to might also be charged with
questions of possible exchange of population on the basis of right to opt
within some specified time-limit.

5. We recognise that, if the Czechoslovak Governments is prepared to
concur in the measures proposed, involving material changes in the con-

---

[1]) Korkisch, Dokumente, a. a. O., S. 769.

ditions of the State, they are entitled to ask for some assurance of their future security.

6. Accordingly, His Majesty's Government in the United Kingdom would be prepared, as a contribution to the pacification of Europe, to join in an international guarantee of the new boundaries of the Czechoslovak State against unprovoked aggression. One of the principal conditions of such a guarantee would be the safeguarding of the independence of Czechoslovakia by the substitution of a general guarantee against unprovoked aggression in place of existing treaties which involve reciprocal obligations of a military character.

7. Both the French and British Governments recognise how great is the sacrifice thus required of the Czechoslovak Government in the cause of peace. But because that cause is common both to Europe in general and in particular to Czechoslovakia herself they have felt their duty jointly to set forth frankly the conditions essential to secure it.

8. The Prime Minister must resume conversations with Herr Hitler not later than Wednesday, and earlier if possible. We therefore feel we must ask for your reply at the earliest possible moment.

Nach ausgedehnten Beratungen des tschechoslowakischen Kabinetts kam die tschechoslowakische Antwort am 20. September. Sie war negativ und beanstandete, daß die anglo-französischen Vorschläge ohne Beiziehung tschechoslowakischer Vertreter zustande gekommen wären und sich gegen die Tschechoslowakei ohne deren Anhören richteten, obgleich die Tschechoslowakei festgestellt habe, daß sie keine Verantwortung für eine ohne ihre Zustimmung abgegebene Erklärung übernehmen könne. In der Sache selbst schlug sie ein Schiedsverfahren vor und verwies auf den deutsch-tschechoslowakischen Schiedsgerichts- und Vergleichsvertrag vom 16. Oktober 1925[1]). Daraufhin erging am 21. September um Mitternacht von der britischen Regierung folgende Instruktion an ihren Prager Gesandten: „Sie wollen sich sogleich mit ihrem französischen Kollegen zu der Darlegung an die tschechoslowakische Regierung vereinen, daß deren Antwort in keiner Weise der kritischen Lage gerecht wird, die die anglo-französischen Vorschläge vermeiden wollen und die, wenn nicht Folge gegeben würde, nach unserer Meinung zur sofortigen deutschen Invasion führen würde. Sie wollen die tschechoslowakische Regierung zu einer Zurücknahme ihrer Antwort und zur Erwägung einer Alternative veranlassen, die der Wirklichkeit gerecht wird. Die anglofranzösischen Vorschläge bleiben nach unserer Auffassung die einzige Chance zur Vermeidung eines unmittelbaren deutschen Angriffes. Auf der Grundlage der bisherigen Antwort würde ich keinerlei Hoffnung auf irgendein nützliches Ergebnis eines zweiten Besuches bei Herrn Hitler sehen und der Minister-

---

[1]) Nach Laffan, a. a. O., S. 353, hoffte die Prager Regierung auf Gegenströmungen im englischen und französischen Kabinett und glaubte, Frankreich würde sie nicht verlassen. Außerdem hatte sie von Moskau Hilfe erbeten und zugesichert erhalten, das mochte ihre Entscheidung beeinflußt haben.

präsident würde genötigt sein, die diesbezügliche Verabredung zu widerrufen. Wir bitten daher die tschechoslowakische Regierung dringlich und ernstlich, mit sich zu Rat zu gehen, bevor sie eine Lage schafft, für die wir keine Verantwortung übernehmen können. Wir wären natürlich bereit gewesen, den tschechoslowakischen Schiedsgerichtsvorschlag der Deutschen Regierung vorzulegen, hätten wir gedacht, daß im gegenwärtigen Zeitpunkt irgendeine Aussicht auf seine förderliche Erwägung bestünde. Wir können jedoch nicht einen Augenblick lang glauben, er wäre jetzt annehmbar. Ebensowenig denken wir, die Deutsche Regierung würde den vorliegenden Vorschlag als geeignete Grundlage für eine schiedsgerichtliche Regelung ansehen, die die tschechoslowakische Regierung anregt. Fühlt sich nach neuerlicher Erwägung die tschechoslowakische Regierung zur Zurückweisung unseres Rates verpflichtet, ist sie natürlich frei, so zu handeln, wie sie es zur Meisterung der daraus entstehenden Lage für geeignet hält. Handeln Sie bitte unverweilt ohne Rücksicht auf die Tageszeit sofort nach Erhalt[1]).«

Der englische wie der französische Gesandte suchten noch in der gleichen Nacht den Staatspräsidenten auf und überreichten ihm die gleichlautenden Noten. Nach neuerlicher Beratung und erbetener schriftlicher Wiederholung der mündlichen Ausführungen der Gesandten, insbesondere nach Klärung des französischen Standpunktes durch Rückfragen in Paris, nahm die tschechoslowakische Regierung die anglo-französischen Vorschläge an.

In ihrer Antwort vom 21. September hieß es: „Durch die Umstände gezwungen, einem unerhörten Druck gehorchend und in Konsequenz der Mitteilung der englischen und französischen Regierung vom 21. September 1938, in der beide Regierungen ihre Gesichtspunkte hinsichtlich der Hilfe für die Tschechoslowakei darlegen, falls sie die Annahme der englisch-französischen Vorschläge ablehnte und in der Folge von Deutschland angegriffen würde, nimmt die Regierung der tschechoslowakischen Republik unter diesen Umständen die englisch-französischen Vorschläge mit dem Gefühl des Schmerzes in der Voraussetzung an, daß die beiden Regierungen alles unternehmen, damit die Lebensinteressen des tschechoslowakischen Staates Berücksichtigung finden. Sie stellt mit Bedauern fest, daß diese Vorschläge ohne vorgängige Konsultierung der tschechoslowakischen Regierung ausgearbeitet worden sind.

Mit dem tiefen Bedauern darüber, daß ihr Vorschlag der Erledigung durch Schiedsspruch nicht angenommen wurde, nimmt sie sie in ihrer Gesamtheit an, wobei der Grundsatz der Garantie, wie er in der Note formuliert ist, unterstrichen wird, und sie nimmt sie in der Unterstellung an, daß die beiden Regierungen eine deutsche Invasion auf tschechoslowakisches Gebiet nicht dulden werden, welches tschechoslowakisch bis zu dem Augenblick bleibt, bis die Übergabe des Gebietes nach Festsetzung der neuen Grenze durch die in den Vorschlägen erwähnte internationale Kommission durchgeführt sein wird.

---

[1]) Korkisch, a. a. O., S. 769.

Sie drückt die Meinung aus, die anglo-französischen Vorschläge bedingten, daß alle Einzelheiten der praktischen Durchführung dieser Vorschläge in Übereinstimmung mit der tschechoslowakischen Regierung festgesetzt werden[1]."

Am 22. September kam es daraufhin zur zweiten Zusammenkunft zwischen Hitler und Chamberlain in Godesberg. Chamberlain berichtete über die in der Zwischenzeit geführten Besprechungen. Er erinnerte an seine Berchtesgadener Zusage, die Meinung des britischen Kabinetts über die von Hitler vorgeschlagene Zugrundelegung des Selbstbestimmungsrechtes in der Sudetenfrage einzuholen. Das englische Kabinett habe zugestimmt. Auch die französischen Minister, die auf seine Einladung nach London gekommen seien, hätten zugestimmt. Schließlich habe sich auch die tschechoslowakische Regierung einverstanden erklärt. Er entwickelte dann ein umfangreiches Vertragssystem mit verhältnismäßig langen Übergabefristen. Die Einigung schien nahegerückt. Aber die eigentliche Verwicklung stand noch bevor.

Denn Hitler wandte nun ein, daß nach der Entwicklung der letzten Tage diese Lösung nicht mehr ausreiche. Vor allem lehnte er die „viel zu langen" Übergabefristen ab, es käme auf die sofortige Verwirklichung des Grundsatzes des Selbstbestimmungsrechtes an.

Die Verhandlungen wurden in einer gespannten Atmosphäre geführt. Chamberlain war offensichtlich verletzt, daß sein Erfolg im Sinne der Berchtesgadener Besprechung von Hitler nicht gewürdigt, vielmehr mit einer neuen Forderung beantwortet wurde. Der deutsche Standpunkt wurde später in einem Memorandum zusammengefaßt. Darin wird der Verdacht ausgesprochen, die Annahme des Grundsatzes der Zugehörigkeit der Sudetengebiete zum Reich durch die tschechoslowakische Regierung erfolge nur zum Zeitgewinn und in der Hoffnung auf eine schließlich doch noch andere Entscheidung.

Hitler verlangte demgegenüber kategorisch die Annahme einer kurz befristeten Übergabe des Gebietes durch die tschechische Regierung. In einer ebenfalls schriftlichen Antwort erklärte sich Chamberlain bereit, die Vorschläge Hitlers als Vermittler nach Prag weiterzuleiten. Bei der Besprechung der Einzelheiten der deutschen Vorschläge verschob Hitler seinen ursprünglichen Terminvorschlag für die Räumung der Gebiete durch die Tschechen vom 26. September auf den 1. Oktober.

Am 25./26. September fand eine neuerliche Konferenz der englischen und französischen Regierung in London statt. Angesichts der schroffen Haltung Hitlers in Godesberg hatte sich auch die englische Position versteift. Nach ausgedehnten Beratungen faßte Chamberlain die Lage dahin zusammen: Hitler hat in seiner Sportpalastrede vom 26. seinen Standpunkt erneut aufrecht erhalten. Die tschechoslowakische Regierung hat seine Forderungen

---

[1]) Text bei *Korkisch*, Zur Frage der Weitergeltung des Münchener Abkommens, Zeitschrift für öffentliches Recht und Völkerrecht, Bd. 12, Nr. 1 (1944), S. 93.

abgelehnt und würde Widerstand leisten. Frankreich würde seinem Verbündeten zu Hilfe kommen, England an seine Seite treten. In dieser düsteren Lage habe er einen weiteren Schritt durch die Entsendung Sir Horace Wilsons nach Berlin getan, der einen Brief für Hitler überbringe. Der Kernpunkt dieses Briefes war der Vorschlag Chamberlains einer deutsch-tschechischen Konferenz zur Festlegung der Bedingungen der Gebietsübergabe. Hitler lehnte rundweg ab. Er hielt am Abend dieses Tages eine heftige Rede im Sportpalast. Am nächsten Tag wurde Sir Horace Wilson erneut vorstellig. Die Möglichkeiten wurden noch einmal durchgesprochen. Als Hitler wieder erklärte, er würde seine militärischen Schritte ohne Rücksicht auf die Folgen tun, erhob sich Wilson und verlas die Erklärung, daß England an Frankreichs Seite treten würde, wenn dieses aus seinen Vertragsverpflichtungen gegenüber der Tschechoslowakei in Feindseligkeiten mit Deutschland käme.

Die Krise war dem Höhepunkt nahe. Indessen war Chamberlains Vermittlungstätigkeit noch nicht zu Ende. Er begann mit einer neuerlichen Aktion und setzte diesmal seine diplomatischen Versuche in Italien an. Ihre substantielle Grundlage war die englische Bereitschaft, die sofortige Übergabe eines wesentlich größeren Teiles der abzutretenden Gebiete zu sichern. In den parallelen Instruktionen des französischen Außenministers an den Berliner Botschafter wurde derselbe Gesichtspunkt ausgedrückt. Da die Abtretung der Sudetengebiete und der Sudetendeutschen der Reichsregierung durch die formelle Zustimmung der Tschechoslowakei und der doppelten Garantie Frankreichs und Englands zugesichert sei, müsse sich der Zweifel der Reichsregierung gegen eine Verwirklichung beheben lassen. Ein Entgegenkommen Hitlers, das allein die Sicherung des europäischen Friedens bewirken könne, bedeute in der Frage der Einbeziehung der Sudetendeutschen in das Reich keinerlei Opferung einer wesentlichen Forderung. Es wurde in diesem Sinne eine rege Vermittlungstätigkeit auch in Berlin entfaltet. Die Entscheidung kam aber aus Rom, wo die englische Anregung auf fruchtbaren Boden gefallen war. Mussolini ging sofort auf Chamberlains Anregung ein. Er instruierte augenblicklich den italienischen Botschafter am 28. September vormittags, Hitler seinen, Mussolinis, Vorschlag zu überbringen, die militärischen Maßnahmen um 24 Stunden zu verschieben. In der Zwischenzeit würde Mussolini die Situation überdenken und Vorschläge zur Lösung der Krise erstatten. Diesem italienischen Vorschlag gab Hitler statt.

Kaum war dies geschehen, überbrachte der britische Botschafter in Rom Mussolini eine weitere persönliche Mitteilung Chamberlains. Er berichtete darin von einem letzten Appell an Hitler mit dem Vorschlag einer internationalen Konferenz und seiner Überzeugung, daß eine Lösung in einer Woche zu erreichen sei. Er bat Mussolini, Hitler zur Annahme dieses Vorschlages zu bestimmen, der den Krieg vermeiden würde und erklärte sich bereit, selbst an einer solchen Konferenz teilzunehmen.

Mussolini handelte auch jetzt sofort im Sinne Chamberlains. Er beauftragte telefonisch erneut den italienischen Botschafter in Berlin, Hitler aufzusuchen und nach einem Dank für die Annahme des vorgeschlagenen Aufschubs im Namen Mussolinis die Zustimmung zu einer Konferenz zu empfehlen. Hitler hatte inzwischen den an ihn gerichteten Brief Chamberlains erhalten. Er stimmte nach kurzem Überlegen zu. Die Konferenz wurde für den nächsten Tag, den 29. September, 11 Uhr vormittag, nach München einberufen.

2. DIE MÜNCHENER KONFERENZ
UND DAS VIERMÄCHTEABKOMMEN VON MÜNCHEN

Die Münchener Konferenz[1]) kam auf der Grundlage vorgängiger diplomatischer Einigungen über die Abtretung des Sudetengebietes an Deutschland sowie über die Fristen seiner Übergabe zustande. Die Abtretungsbereitschaft war von der Tschechoslowakei am 21. September an Frankreich und England erklärt worden. Chamberlain hatte zunächst die englische Bereitwilligkeit bekanntgegeben, die sofortige Übergabe eines bedeutenden Teiles zu sichern und endlich die Durchführung der Abtretung innerhalb einer Woche für möglich bezeichnet (28. September 1938).

Schon daraus geht hervor, daß die Münchener Besprechungen sowie ihr Ergebnis, das Viermächteabkommen von München vom 29. September 1938, als solche nur Durchführungsbesprechungen und Durchführungsmaßnahmen im Verhältnis zu bereits vorliegenden materiellen Einigungen darstellen. Das Abkommen hat daher weder völkerrechtlich noch politisch die ihm von Propaganda und öffentlicher Meinung zugeschriebene Schlüsselstellung. Es bezieht sich, wie auch die Präambel hervorhebt, auf bereits in der Sache selbst vorliegende Einigungen. Erst die Zusatzabkommen enthalten Vereinbarungen eigenen Gewichts.

a) Abkommen zwischen Deutschland,
dem Vereinigten Königreich von Großbritannien, Frankreich und Italien,
getroffen in München am 29. September 1938 (Text)

Deutschland, das Vereinigte Königreich von Großbritannien, Frankreich und Italien sind unter Berücksichtigung des Abkommens, das hinsichtlich der Abtretung des Sudetengebietes bereits grundsätzlich erzielt wurde, über folgende Bedingungen und Modalitäten dieser Abtretung und die danach zu ergreifenden Maßnahmen übereingekommen und erklären sich durch dieses

---

[1]) Vgl. die Schilderung der Konferenz durch Paul Schmidt, a. a. O., S. 381. Hinweise auf Probleme der Konferenz in ADAP., Nr. 247 (Hitler-Chamberlain), Nr. 158 (Hitler-Chvalkowsky), Nr. 168 (Hitler-Tuka).

Abkommen einzeln verantwortlich für die zur Sicherung seiner Erfüllung notwendigen Schritte.

1. Die Räumung beginnt am 1. Oktober.

2. Das Vereinigte Königreich von Großbritannien, Frankreich und Italien vereinbaren, daß die Räumung des Gebietes bis zum 10. Oktober vollzogen wird, und zwar ohne Zerstörung irgendwelcher bestehender Einrichtungen, und daß die tschechoslowakische Regierung die Verantwortung dafür trägt, daß die Räumung ohne Beschädigung der bezeichneten Einrichtungen durchgeführt wird.

3. Die Modalität der Räumung wird im einzelnen durch einen internationalen Ausschuß festgelegt, der sich aus den Vertretern Deutschlands, des Vereinigten Königreichs von Großbritannien, Frankreichs, Italiens und der Tschechoslowakei zusammensetzt.

4. Die etappenweise Besetzung des vorwiegend deutschen Gebietes durch die deutschen Truppen beginnt am 1. Oktober, die 4 auf der anliegenden Karte bezeichneten Gebietsabschnitte werden in folgender Reihenfolge durch die deutschen Truppen besetzt.

Der mit I. bezeichnete Gebietsabschnitt am 1. und 2. Oktober,
der mit II. bezeichnete Gebietsabschnitt am 2. und 3. Oktober,
der mit III. bezeichnete Gebietsabschnitt am 3., 4. und 5. Oktober,
der mit IV. bezeichnete Gebietsabschnitt am 6. und 7. Oktober.

Das restliche Gebiet vorwiegend deutschen Charakters wird unverzüglich von dem oben erwähnten internationalen Ausschuß festgestellt und bis zum 10. Oktober durch deutsche Truppen besetzt werden.

5. Der in § 3 erwähnte internationale Ausschuß wird die Gebiete bestimmen, in denen eine Volksabstimmung stattfinden soll. Diese Gebiete werden bis zum Abschluß der Volksabstimmung durch internationale Formationen besetzt werden. Der gleiche Ausschuß wird die Modalitäten festlegen, unter denen die Volksabstimmung durchgeführt werden soll, wobei die Modalitäten der Saarabstimmung als Grundlage zu betrachten sind. Der Ausschuß wird ebenfalls den Tag festsetzen, an dem die Volksabstimmung stattfindet. Dieser Tag darf jedoch nicht später als Ende November liegen.

6. Die endgültige Festlegung der Grenze wird durch den internationalen Ausschuß vorgenommen werden. Dieser Ausschuß ist berechtigt, den Vier Mächten, Deutschland, dem Vereinigten Königreich, Frankreich und Italien in bestimmten Ausnahmefällen geringfügige Abweichungen von der streng ethnographischen Bestimmung der ohne Volksabstimmung zu übertragenden Zonen zu empfehlen.

7. Es wird Optionsrecht für den Übertritt in die abgetretenen Gebiete und für den Austritt aus ihnen vorgesehen. Die Option muß innerhalb von 6 Monaten vom Zeitpunkt des Abschlusses dieses Abkommens an ausgeübt werden. Ein deutsch-tschechoslowakischer Ausschuß wird die Einzelheiten der Option bestimmen, Verfahren zur Erleichterung des Austausches der Bevölkerung erwägen und grundsätzliche Fragen klären, die sich aus diesem Austausch ergeben.

8. Die tschechoslowakische Regierung wird innerhalb einer Frist von 4 Wochen, vom Tag des Abschlusses dieses Abkommens an, alle Sudetendeutschen aus ihren militärischen und polizeilichen Verbänden entlassen, die diese Entlassung wünschen. Innerhalb derselben Frist wird die tschechoslowakische Regierung sudetendeutsche Gefangene entlassen, die wegen politischer Streitigkeiten Freiheitsstrafen verbüßen.

München, 29. September 1938.

Zusätzliche Erklärung.

Die Regierungschefs der Vier Mächte erklären, daß das Problem der polnischen und ungarischen Minderheit in der Tschechoslowakei, sofern es nicht innerhalb von 3 Monaten durch eine Vereinbarung unter den betreffenden Regierungen geregelt wird, den Gegenstand einer weiteren Zusammenkunft der hier anwesenden Regierungschefs der Vier Mächte bilden werde.

Zusatz zu dem Abkommen.

Seiner Majestät Regierung im Vereinigten Königreich von Großbritannien und die französische Regierung haben sich dem vorstehenden Abkommen angeschlossen auf der Grundlage, daß sie zu dem Angebot stehen, welches in § 6 der englisch-französischen Vorschläge vom 19. September enthalten ist, betreffend eine internationale Garantie der neuen Grenzen des tschechoslowakischen Staates gegen einen unprovozierten Angriff.

Sobald die Frage der polnischen und ungarischen Minderheiten in der Tschechoslowakei geregelt ist, werden Deutschland und Italien ihrerseits der Tschechoslowakei eine Garantie geben.

3. Zusätzliche Erklärung.

Die vier anwesenden Regierungschefs sind sich einig darüber, daß der in dem heutigen Abkommen vorgesehene Ausschuß sich aus dem Staatssekretär des Auswärtigen Amtes, den in Berlin beglaubigten Botschaftern Frankreichs, Großbritanniens und Italiens und einem von der tschechoslowakischen Regierung zu ernennenden Mitglied zusammensetzt.

München, 29. September 1938.

Annahme durch die Tschechoslowakei

Das Abkommen wurde der tschechischen Regierung übermittelt, die seine Annahme ausdrücklich erklärte. Der damalige tschechoslowakische Außenminister Krofta teilte am Morgen des 30. September in Gegenwart des französischen, englischen und italienischen Gesandten mit, daß er *im Namen des Präsidenten der Republik und im Namen der tschechoslowakischen Regierung* die in München „ohne uns und gegen uns gefällten Entscheidungen" annehme[1]).

In einer Prager Meldung vom 30. September hieß es ergänzend: „Die Regierung prüfte alle Einzelheiten des Beschlusses und alle Umstände, auf die sie bei ihrer Entscheidung Rücksicht nehmen muß. Nach allseitiger Erwägung und nach Prüfung aller dringlichen Empfehlungen, die der Re-

---

[1]) *Taborsky*, The czechoslovak cause in international Law (London 1944), S. 9.

gierung durch die französische und britische Regierung übermittelt wurden und im vollen Bewußtsein der historischen Verantwortung hat sich die *tschechoslowakische Regierung unter voller Zustimmung der verantwortlichen Faktoren der politischen Parteien* dazu entschlossen, *die Münchener Beschlüsse anzunehmen.* Sie hat das in dem Bewußtsein getan, daß die Nation erhalten werden muß und daß eine andere Entscheidung nicht möglich ist[1])." Ministerpräsident Sirovy führte ergänzend in der Regierungserklärung vom 4. Oktober aus, daß „die Regierung die Entscheidung der Vier Großmächte in München loyal erfüllen wolle im Bestreben und im Glauben, die Lebensinteressen des neuen Staates zu schützen und zu sichern[1])".

b) Zur Rechtsnatur des Münchener Abkommens im allgemeinen

Kollektive Gebietsadjudikation. – Die Behandlung der sudetendeutschen Frage in München ähnelt nach der formalen Seite der Methode ihrer Behandlung auf der Versailler Konferenz. In beiden Fällen handelt es sich um die Festlegung der Zugehörigkeit eines umstrittenen Gebietes durch Großmächteentscheid, auf die die Vertreter der unmittelbar interessierten Bevölkerung keinen direkten Einfluß haben. In Paris war, als die Delegation Deutschösterreichs in St. Germain eintraf, die Frage der künftigen Zugehörigkeit der Sudetengebiete bereits entschieden. Materiell stellte die Zuweisung der böhmischen Deutschen an den neuen tschechoslowakischen Staat eine eindeutige Verletzung des nationalen Selbstbestimmungsrechtes dar, das Wilson verkündet hatte und das in dem den Waffenstillstands-Verhandlungen vorausgehenden Notenwechsel mit Deutschland zum obersten Grundsatz der Grenzziehungen erhoben worden war. Die Sudetendeutschen waren bei den Verhandlungen in Paris selbst nicht zu Worte gekommen.

Formal trug die Zuerkennung der sudetendeutschen Gebiete an die Tschechoslowakei den Charakter kollektiver Adjudikation eines Teiles der Ländermasse der früheren österreichisch-ungarischen Monarchie, die sich in der Verfügung der Alliierten befand. Beim Münchener Abkommen sehen wir, was die Teilnahme der Hauptinteressenten betrifft, einen ähnlichen Vorgang. Jedoch darf nicht übersehen werden, daß diese Parallele nur für die Verhandlungen in München selbst zutrifft. Aber diese waren indes nur der Schlußpunkt monatelanger diplomatischer Verhandlungen, die sich vom April 1938 an hinzogen, und an denen die tschechoslowakische Regierung, wie wir oben sahen, gleichberechtigt teilgenommen hatte. Die Alternative: weitgehende Konzessionen – Annahme des Nationalitätenstaatskonzepts – samt weiterer Unterstützung durch Frankreich und England oder Unnachgiebigkeit und damit Isolierung war ihr frühzeitig klar gemacht worden.

---

[1]) *Baden*, Historisch-politische Betrachtungen zum Münchener Abkommen, Außenpolitische Monatshefte, 1938, S. 1040 ff.

Die Tschechoslowakei war allein am Schlußstadium der Verhandlungen nicht beteiligt. Inhaltlich stand die Münchener Regelung freilich, im Gegensatz zum Versailler Entscheid, mit dem nationalen Selbstbestimmungsrecht im Einklang, und sie erfolgte auch auf der Grundlage der tschechoslowakisch-anglo-französischen Einigung vom 21. September 1938. Die 20jährige Entwicklung der tschechoslowakischen Verhältnisse hatte vor allem in England die seinerzeit unterdrückten Bedenken gegen die Entscheidung von 1919 wieder aufleben lassen. Dieses Gefühl war vor allen Dingen bei dem Ministerpräsidenten Chamberlain vorherrschend. Wie der Bericht Runcimans zeigte, hoffte man dort, daß eine Angliederung der sudetendeutschen Gebiete an Deutschland als sachlich gerechte Lösung eine Befriedung des Raumes und zugleich eine europäische Entspannung herbeiführen würde.

Großmächteentscheidung. – Vor dem 1. interalliierten Militärgericht in Nürnberg wurde Göring um Aufklärung gebeten über die angebliche Frage Hitlers bei der Münchener Konferenz, was geschehen würde, wenn die Tschechen mit der Abtretung des Sudetengebietes nicht einverstanden wären. Daladier soll darauf geantwortet haben: „Wir würden sie dazu zwingen." Göring antwortete, diese Frage sei tatsächlich von Hitler aufgeworfen worden. Ministerpräsident Daladier habe dem Sinne nach ungefähr diese Äußerung getan. Er habe dabei betont, daß nunmehr eine Entscheidung der Großmächte vorliege, es könne nun nicht erneut seitens der Tschechoslowakei durch Verweigerung der Annahme der Friede bedroht werden. Wenn die Tschechoslowakei den Rat zur Annahme nicht befolgen würde, würden sich England und Frankreich in keiner Weise im Falle von Verwicklungen ihr gegenüber verpflichtet fühlen[1].

Eine verwandte, wenn auch abweichende Haltung hatte Chamberlain eingenommen. In der Unterhaltung am 1. Oktober 1938 sagte Chamberlain zu Hitler, er hätte noch nicht gehört, ob Prag die Vorschläge annehme. Er glaube nicht, daß die Tschechoslowaken so töricht wären, sie abzulehnen. Täten sie es dennoch, so hätten jedenfalls Frankreich und England alles für sie getan, was möglich war. Sollten die Tschechen so unvernünftig sein, Schwierigkeiten durch Sturz ihrer Regierung oder auf andere Weise zu machen, so hoffe er, daß Hitler bei den in diesem Falle zu ergreifenden Maßnahmen alles vermeiden würde, was in irgend einer Weise die hohe Anerkennung, die ihm nach den Ereignissen des gestrigen Tages in der Welt und auch selbst in England gezollt würde, herabmindern könnte. Er, Chamberlain, denke in diesem Zusammenhang besonders an eine Bombardierung von Prag mit den schrecklichen Verlusten der Zivilbevölkerung, die sie nach sich ziehen würde[2].

Die Auffassung, daß es sich um eine Großmächteentscheidung gehandelt habe und daß die europäischen Hauptmächte weitere Fragen von gesamteuropäischer Bedeutung regeln sollten, kam in derselben Unterhaltung durch

---

[1] Prozeß gegen die Hauptkriegsverbrecher, Bd. 9, S. 440.
[2] ADAP., Serie D, Bd. IV, Nr. 247.

Chamberlains Vorschlag zum Ausdruck, den Spanischen Bürgerkrieg auf ähnliche Weise zu beenden.

Diese Äußerungen beleuchten die völkerrechtliche Natur der Münchener Abmachungen. Das Münchener Abkommen war eine Entscheidung der vier europäischen Großmächte, die in Fortsetzung des europäischen Konzerts eine Gebietsfrage von gesamteuropäischer Tragweite aufgriffen und ihrer Entscheidung unterwarfen. Sie handelten in der Überzeugung, dem europäischen Frieden zu dienen, und waren der Meinung, daß eine neue Entscheidung über die Sudetenfrage im Sinne des nationalen Selbstbestimmungsrechtes ein Element dauerhafter Ordnung in diesem kritischen europäischen Gebiet stiften würde. Daß Hitler diese Annahme durch seinen Gewaltakt vom März 1939 auf das schwerste getäuscht hat, bildet einen der Haupteinwände gegen seine Diplomatie, aber, wie Chamberlain in seiner Rede in Birmingham hervorhob, nicht gegen das Münchener Abkommen.

Versagen und Zusammenbruch des Völkerbundsystems. – Für die Methode der Münchener Entscheidung spielt ferner die Struktur der internationalen Beziehungen eine hervorragende Rolle, die in diesen Jahren durch den offensichtlichen Zusammenbruch des Völkerbundsystems gekennzeichnet war. In einer durch ihr Datum besonders interessanten, weil einige Tage nach dem Einmarsch Hitlers in Prag am 17. März 1939 in Birmingham gehaltenen Rede hat Chamberlain diesen Punkt als einen ganz wesentlichen berührt. Er ging zunächst auf Argumente ein, die einige Tage vorher im Unterhaus gegen ihn vorgebracht worden waren. „Man hat behauptet", erklärte er, „daß diese Okkupation (von Böhmen und Mähren) die direkte Folge eines Besuches sei, den ich letztes Jahr in Deutschland machte, weil die Wirkung der gegenwärtigen Ereignisse die Vernichtung der Münchener Regelung bedeutet. Sie sollte beweisen, daß die Gesamtauffassung, aus der heraus ich den Besuch unternahm, falsch war . . . Diese Folgerung ist absolut unberechtigt. Die Tatsachen von heute können nicht die Tatsachen von damals ändern. Hatte ich damals damit recht, habe ich auch jetzt noch recht." Chamberlain erinnerte dann an die seinerzeitige allgemeine Zustimmung zu seiner Initiative und fuhr fort: „Ich habe niemals in Abrede gestellt, daß mir die in München möglichen Bedingungen wünschenswert erschienen. Aber wie ich damals ausführte, hatten wir es nicht mit einem neuen Problem zu tun. Es handelte sich um einen *seit dem Vertrag von Versailles bestehenden Sachverhalt,* um ein Problem, für das man *längst hätte eine Lösung finden* müssen, wenn es nur die Staatsmänner der letzten 20 Jahre mit *weiterem Blick* und *größerem Pflichtgefühl* betrachtet hätten. Es war wie bei einer lang vernachlässigten Krankheit. Eine chirurgische Operation war nötig, um das Leben des Kranken zu retten." Chamberlain erwähnte, daß damals der europäische Friede gerettet worden sei; keine Handlung Frankreichs oder Rußlands hätte die Tschechoslowakei im Falle kriegerischer Verwicklungen vor Invasion und Zerstörung gerettet. Und er fügte auch in diesem Zeitpunkt die in allen diplomatischen Verhandlungen des Jahres 1938 von englischer Seite vorgebrachte

Warnung hinzu: „Auch in der Annahme, daß wir gegen Deutschland einen siegreichen Krieg geführt hätten, hätten wir niemals mehr die Tschechoslowakei wiederhergestellt, wie sie durch den Versailler Vertrag geschaffen wurde[1])." Chamberlain hatte denselben Gedanken bereits am 28. September 1938 vor dem Unterhaus ausgedrückt und damals erklärt, man könne den Gedanken nicht unterdrücken, daß eine *rechtzeitige Anwendung* des Artikels 19 der Völkerbundsatzung, die eine einverständige Revision der Verträge vorsieht, statt abzuwarten, bis die erhitzten Leidenschaften eine einverständige Revision ausschlössen, die Krise hätte vermeiden lassen. *„Für diese Unterlassung müssen alle Mitglieder des Völkerbundes die Verantwortung tragen[2]*)."

Nachdem der Völkerbund, als er noch handlungsfähig war, angesichts seiner Unfähigkeit seit der Abessinienkrise durch eigene Schuld versagt hatte, erschien Chamberlain ein Anknüpfen an das System der Großmächtevereinbarungen der einzige Weg.

Dieser Grundgedanke Chamberlains wurde auch von den weiteren britischen Regierungsmitgliedern in Varianten vertreten. So erklärte Lordkanzler M a u g h a m im Oberhaus, daß England und Frankreich sich bemüht hätten, einen Staat, *der eigentlich niemals hätte gebildet werden dürfen*, vor der Vernichtung zu schützen[3]). Außenminister Lord Halifax interpretierte am 4. Oktober das Münchener Abkommen dahin, es handle sich um nichts anderes als um eine Vertragsrevision. Großbritannien hätte sich auf einen endlosen Krieg einlassen können; aber kein Staatsmann, der die Grenzen der Tschechoslowakei danach hätte erneut ziehen müssen, würde sie so gezogen haben, wie das durch den Vertrag von Versailles geschehen sei. Er habe schon einmal erklärt, daß Änderungen immer richtig seien, wenn Gerechtigkeit und Friede von allen erstrebt würde. Man müsse aber ehrlicherweise erklären, daß es nur drei Wege zur Sicherung einer Vertragsrevision gebe. Der erste bestehe in der Herbeiführung allgemeiner Übereinstimmung, der zweite in Gewaltanwendung, der dritte bleibe Drohung mit Gewalt. Und wie stark man die anderen Methoden verdammen möge, man müsse fairerweise zugeben, daß die Bestimmungen von Artikel 19 nicht durchgeführt worden seien. Ähnlich schrieb im „Manchester Guardian" vom 20. Oktober Lord Allen of Hurtwood, daß England sich eines vor Augen halten müsse: wenn, wie manche behaupten, es heute den Frieden mit Unehre erkaufe, so deswegen, weil es vor 20 Jahren einen ehrlosen Frieden auferlegt hätte.

Münchener Abkommen und Selbstbestimmungsrecht. – Endlich wurde die Angemessenheit der Münchener Regelung sowohl von englischer als auch von französischer Seite, und zwar unmittelbar nach München, englischerseits

---

[1]) Text der Rede nach: Revue général de droit international public, 1939, S. 346.

[2]) Zitiert nach Quincy *Wright*, The Munich Settlement and International Law, American Journal of Int. Law. 1939, S. 26.

[3]) Baden, a. a. O., S. 1040 ff.

auch noch nach dem deutschen Einmarsch in Prag, unter dem Gesichtspunkt des Selbstbestimmungsrechtes verteidigt. In einer Unterhaltung mit einem Mitglied der deutschen Botschaft in London machte ein Vertrauensmann Chamberlains kurz nach München darauf aufmerksam, man solle nicht glauben, „daß die englische Entscheidung im tschechoslowakischen Konflikt und insbesondere die Haltung Chamberlains von dem Bewußtsein militärischer Schwäche diktiert gewesen sei, sondern ausschließlich von der religiösen Vorstellung, daß man Deutschland Gerechtigkeit widerfahren lassen und das Unrecht von Versailles wieder gutmachen müsse[1].“ In dem zusammenfassenden Bericht Theodor Kordts vom 3. Oktober 1938 über den Verlauf des Schlußstadiums der tschechoslowakischen Krise – einem ungewöhnlich instruktiven Aktenstück – wird ebenfalls das Gewicht des Selbstbestimmungsrechtes im Sudetenkonflikt herausgearbeitet. Anfang September setzte Lord Halifax dem französischen Botschafter auseinander, „daß es für ein angelsächsisches Volk unmöglich sei, die Waffen zu ergreifen, um die Durchführung des Selbstbestimmungsrechtes eines Volkes von 3½ Millionen Menschen im Wege der Abstimmung zu verhindern. Eine derartige Handlungsweise würde den höchsten Grundsätzen widersprechen, nach denen die angelsächsischen Völker ihre Geschicke geleitet sehen wollen“. Der Botschafter Corbin erklärte, auch Frankreich würde nicht zu den Waffen greifen, um eine moralisch und intellektuell hochstehende Völkergruppe an der Ausübung des Selbstbestimmungsrechtes zu hindern[2]. Wenn Deutschland auch durch eine Reihe von Akten (Rheinlandbesetzung, Anschluß, Sudetenfall) der Welt unangenehme Überraschungen bereitet hat, erklärte Chamberlain in seiner Birminghamer Rede im März 1939, so habe es doch dafür etwas vorzubringen gehabt; entweder die Tatsache der volklichen Verbindung oder die gerechter, allzu lange vernachlässigter Ansprüche[3]. Und Halifax hob in seiner Oberhausrede am 20. März 1939 hervor, man könne sagen, daß Hitler bis München in seinen Handlungen seinem Grundsatz treu geblieben sei, die den Zusammenschluß der Deutschen und den Verzicht auf Nichtdeutsche vorsah[4].

c) Zur Rechtsnatur des Münchener Abkommens
im besonderen

Das eigentliche Münchener Abkommen ist ein Vertrag zwischen den vier Großmächten zur technischen Durchführung der Abtretung des Sudetengebietes, über welche am 21. September eine Einigung zwischen Frankreich und England einerseits und der tschechoslowakischen Regierung andererseits

[1]) ADAP., Serie D, Bd. IV, Nr. 266.
[2]) a. a. O., Nr. 256.
[3]) a. a. O., Nr. 350.
[4]) a. a. O., Nr. 356.

erfolgt war[1]). „Cet accord ne règle que l'application technique de la cession des régions sudètes à l'Allemagne, cession consenti par la Tchécoslovaquie aux grandes puissances déjà huit jours avant l'accord de Munich[2])."

In einer zusätzlichen Erklärung wird auf die Notwendigkeit der Regelung des Problems der polnischen und ungarischen Minderheiten in der Tschechoslowakei verwiesen, im Falle des Nichtgelingens würde eine neuerliche Zusammenkunft der Regierungschefs stattfinden.

In einer weiteren zusätzlichen Erklärung wiederholten England und Frankreich ihre Garantiebereitschaft vom 21. September 1938 hinsichtlich der neuen tschechoslowakischen Grenzen. Deutschland und Italien erklärten, nach Regelung der ungarischen und polnischen Minderheitenfrage in der Tschechoslowakei diesem Staate ebenfalls eine Grenzgarantie zu geben.

Das Münchener Abkommen hat also nicht die Abtretung der Sudetengebiete bewirkt. Es hat vielmehr bereits auf eine vorliegende Einigung dieses Inhalts (zwischen der Tschechoslowakei einerseits, England und Frankreich andererseits) Bezug genommen. Auch die Festlegung der neuen Grenzen selbst ist nicht in München erfolgt, sie ist zu den Aufgaben des „internationalen Ausschusses" (Ziffer 3 des Abkommens) erklärt worden. Hauptgegenstand des Münchener Abkommens im engeren Sinne war die Regelung des Ablaufes der Räumung des Sudetengebietes durch die Tschechoslowakei und seine Besetzung durch die deutschen Truppen. Zweck des Abkommens war die technische Durchführung einer im Prinzip und in ihren großen Umrissen bereits vereinbarten Gebietsübertragung. Das politisch viel wichtigere zweite Zusatzabkommen stellt eine Verpflichtung besonderen Inhaltes dar (Garantiebereitschaft) und bedeutet eine Art pactum de contrahendo.

d) Die Durchführung des Münchener Abkommens

Der in Ziffer drei vorgesehene, aus den Vertretern Deutschlands, Englands, Italiens und der Tschechoslowakei bestehende „internationale Ausschuß" trat zum ersten Male am 30. September 1938 in Berlin zusammen. Insgesamt hielt er neun Sitzungen ab[3]). Die weitere Entwicklung wich insofern von der in München vorgesehenen Linie ab, als es nicht zu einer Volksabstimmung (nach Ziffer 5) kam. In der 7. Sitzung am 13. Oktober wurde eine deutschtschechoslowakische Einigung bekanntgegeben, wonach einvernehmlich auf eine Volksabstimmung verzichtet wurde. Der internationale Ausschuß stimmte dieser Einigung zu. Es wurde ein deutsch-tschechoslowakischer Grenzziehungs-Unterausschuß eingesetzt. Am 11. November kam es zur Einigung

---

[1]) Diesen Standpunkt vertraten der französische Delegierte Leger sowie Ministerpräsident Chamberlain in München gegenüber der dortigen tschechoslowakischen Delegation. *Berber,* Europäische Politik im Spiegel der Prager Akten, Nr. 179.

[2]) *Marcus,* Le traité germano-tchécosl. 15 mars 1939, Revue générale, 39, S. 654.

[3]) Die Sitzungsprotokolle sind jetzt veröffentlicht in ADAP., Serie D, Bd. IV.

zwischen Deutschland und der Tschechoslowakei über den Verlauf der neuen Grenzen. Diese Einigung ist nur unter Schwierigkeiten zustande gekommen[1]). Am 21. November nahm der internationale Ausschuß von der Niederschrift der Einigung Kenntnis und stellte fest, daß die in den beigefügten Karten eingezeichnete Grenze die endgültige Grenze im Sinne der Ziffer 6 des Münchener Abkommens sei. Die Mitglieder des internationalen Ausschusses brachten ihr Verständnis für die Worte zum Ausdruck, die der tschechoslowakische Gesandte über die von seinem Lande gebrachten Opfer sprach. Auch der deutsche Gesandte wies darauf hin, daß eine große Anzahl von Deutschen außerhalb der neuen Grenzen bleiben müßte[2]).

e) Die Rechtskraft des Münchener Abkommens (Vertragserfüllung)

Das Münchener Abkommen ist durch seine Durchführung, die mit der Übergabe des Gebietes an Deutschland begann und der Ziehung einer neuen Grenze schloß, ein erfüllter Vertrag und damit ein rechtskräftiges Völkerrechtsinstrument geworden. Die Feststellung der Vertragserfüllung traf der internationale Ausschuß am 21. November 1938: Unter Erfüllung eines Vertrages ist die „erschöpfende und in der geschuldeten Weise bewirkte Leistung dessen, was versprochen war, zu verstehen. Da die rechtliche Wirkung eines Vertrages gerade darin besteht, daß er zur Ausführung der versprochenen Leistungen verpflichtet, so erlischt die Verpflichtung, sobald die Leistung bewirkt ist[3])". Die Verpflichtung bestand in dem Zusammenwirken der Signatare bei der Übergabe und Räumung des Sudetengebietes auf der Grundlage der Vereinbarungen vom 21. September und der Ziehung der neuen Grenzlinie unter gleichberechtigter Teilnahme der Tschechoslowakei. Diese Verpflichtung wurde erfüllt. In diesem Sinne stellt das Münchener Abkommen einen erfüllten Vertrag dar. Die Übertragung der Sudetengebiete wurde in der dort vorgesehenen Weise durchgeführt, wobei statt der Volksabstimmung eine zweiseitige deutsch-tschechoslowakische Regelung unter der zustimmenden Kenntnisnahme des internationalen Ausschusses erfolgte.

Die tschechische Emigration des Zweiten Weltkrieges stellte später die Behauptung auf, das Münchener Abkommen sei ex tunc (von Anfang an) ungültig gewesen. So wirft Taborsky die Frage auf, ob die cedierten Sudetengebiete Bestandteile Deutschlands wurden oder ob sie „legal" von „der Münchener Zeit bis zum gegenwärtigen Tage" (1944) integrale Teile des Gebietes der Tschechoslowakischen Republik blieben, „oder ob sie als Ergebnis von München Teile von Deutschland und Ungarn wurden und erst jetzt „legal"

---

[1]) Vgl. dazu ADAP., Serie D, Bd. IV, Nr. 113–15.
[2]) Nach der für Hitler bestimmten Aufzeichnung, ADAP., Bd. IV, Nr. 121, blieben nach der vorgesehenen Grenzziehung 478 589 Volksdeutsche bei der Tschechoslowakei, während 676 478 Tschechen an Deutschland fielen.
[3]) Anzilotti, a. a. O., S. 338.

zu dem Territoire der Tschechoslowakischen Republik zurückkehrten[1])". Die Beantwortung dieser Fragen sei keine juristische Spielerei, sondern habe weitreichende Konsequenzen.

Die Antwort ergibt sich aber für uns aus unserer Analyse von selbst[2]). Die Durchführung, damit Erfüllung des Münchener Abkommens, unter gleichberechtigter Teilnahme tschechoslowakischer Vertreter wurde durch den internationalen Ausschuß am 21. November 1938, d. h. auch im Namen der Tschechoslowakei, festgestellt. Ein erfüllter Vertrag entfaltet völkerrechtliche Rechtskraft. Die zu prüfende Frage muß daher lauten, ob und von welchem Zeitpunkt an und aus welchen Gründen die Rechtskraft des Münchener Abkommens endet. Zu ihrer Beantwortung sind die Ereignisse vom März 1939 in Böhmen und der Slowakei einer Betrachtung zu unterziehen[3]).

f) Das Münchener Abkommen vor dem Nürnberger Interalliierten Militärgericht

Die Frage der Rechtskraft des Münchener Abkommens hat auch den Interalliierten Militärgerichtshof in Nürnberg beschäftigt. Die einschlägigen Stellen in Anklage und Urteil des „Prozesses gegen die Hauptkriegsverbrecher" zeigen, daß auch das Nürnberger Interalliierte Militärgericht das Viermächteabkommen vom 29. September 1938 als ein rechtskräftiges und bin-

---

[1]) Taborsky, a. a. O., S. 23.

[2]) Über den Zusammenhang dieser These mit der politischen Maxime der sogenannten „Kontinuitätsdoktrin" siehe S. 235 f.

[3]) Vor allem in der tschechischen Literatur nimmt die Tatsache, daß das Münchener Abkommen keiner Beschlußfassung durch das tschechoslowakische Parlament vorgelegt wurde, einen breiten Rahmen ein. Sie dient z. B. zur Grundlage der Behauptung seiner Ungültigkeit wegen mangelnder Ratifizierung. Wir gehen auf diese Frage hier nicht ein, weil die Mitwirkung der tschechoslowakischen Regierung und ihrer Organe an der Durchführung des Abkommens im Rahmen des internationalen Ausschusses und im deutsch-tschechoslowakischen Unterausschuß eindeutig beweist, daß sich die tschechoslowakische Regierung durch das Abkommen für völkerrechtlich gebunden hielt. Sie hat diese Bindung durch Mitwirkung unter Beweis gestellt. Außerdem wird sie durch die oben erwähnten Regierungserklärungen außer Frage gestellt. Eventuelle Verletzung der tschechoslowakischen Verfassungsvorschriften hinsichtlich der Mitwirkung des Parlaments an Verträgen vermögen wohl einen (staatsrechtlich) fehlerhaften Staatsakt, aber nicht dessen völkerrechtliche Unwirksamkeit zu begründen. Wir folgen mit einer solcher Auffassung Anzilotti (a. a. O., S. 278): „Man leugnet darum aber nicht, daß sich nicht auch bei der hier verfochtenen These in der Praxis Unzuträglichkeiten ergeben können, da sie die Möglichkeit zuläßt, daß sich ein Staat in der Lage sieht, völkerrechtlich zu einer Handlung verpflichtet zu sein, zu der er verfassungsrechtlich niemanden ermächtigt hat. Doch ist diese Unzuträglichkeit ihrer ganzen Natur nach eine Ausnahme und, wie man sagen könnte, ein pathologischer Fall, weil sie voraussetzt, daß das Staatsoberhaupt seine verfassungsrechtlichen Verpflichtungen verletzen will, während die Unzuträglichkeiten, die sich aus der entgegengesetzten These ergeben, durchaus einen sich aus der physiologischen Struktur selbst ergebenden Normalfall darstellen würden."

dendes Abkommen nach Völkerrecht behandelt. Diese Auffassung ist, weil sie auch die tschechoslowakische Regierung bindet, von erheblicher Bedeutung.

In der Anklageschrift heißt es, daß angesichts der deutschen Kriegsdrohung das Vereinigte Königreich von Großbritannien und Frankreich mit Italien und Deutschland am 29. September 1938 in München einen Vertrag schlossen, der die Abtretung des Sudetenlandes an Deutschland zur Folge hatte ... Am 15. März 1939 sei i m G e g e n s a t z z u d e n B e s t i m m u n g e n d e s A b k o m m e n s v o n M ü n c h e n der Plan zur vollen Durchführung gekommen, „in dem die Naziverschwörer sich des größeren Teils der Tschechoslowakei, der durch den Vertrag von München nicht an Deutschland abgetreten war, bemächtigten und besetzten[1])". Anhang C der Anklageschrift bringt eine Liste der „Anklagen und deren Begründung wegen der Verletzungen von internationalen Bündnissen, Abkommen und Zusicherungen, die von den Angeklagten durch den Plan, die Vorbereitung und Entfesselung der Kriege begangen wurden." Unter Punkt XXI lesen wir: *Anklage:* Verletzung des Münchener Abkommens und Nebenabkommens vom 29. September 1938. *Begründung:* 1. Deutschland zwang am oder um den 15. März 1939 durch Nötigung und Drohung mit militärischer Intervention die tschechoslowakische Republik, das Schicksal des tschechischen Volkes und Landes dem Führer des Deutschen Reiches auszuliefern.

2. Deutschland weigerte sich und unterließ es, einem internationalen Garantieabkommen über die neuen Grenzen des tschechoslowakischen Staates beizutreten, wie es im Nachtrag Nr. 1 des Münchener Vertrages vorgesehen war[2]).

In der Urteilsbegründung wird ausgeführt, daß Hitler niemals die Absicht hatte, sich an das Münchener Abkommen zu halten.

Aus Anklage und Urteilsbegründung ergibt sich zwingend, daß das Nürnberger Interalliierte Militärgericht das Münchener Abkommen für einen rechtskräftigen Vertrag nach Völkerrecht hielt. Nur so konnte es überhaupt seine Verletzung zum völkerrechtlichen Problem erheben und zum besonderen Anklagepunkt machen. Auch nach Feststellung des Nürnberger Militärgerichts sind also die Sudetengebiete durch einen unter militärischer Drohung zustandegekommenen, nichtsdestoweniger aber völkerrechtlich verbindlichen Vertrag an das Deutsche Reich gefallen, dessen im März 1939 erfolgte Verletzung einen völkerrechtlichen Tatbestand für sich bildet.

Kompetenz und Wirkungskreis des Nürnberger Internationalen Militärgerichtes ist durch das Londoner Viermächteabkommen vom 8. August 1945 begründet. Diesem Abkommen ist u. a. auch die Tschechoslowakei beigetreten[3]). Das Urteil erwähnt die Tatsache des Beitrittes der Tschechoslowakei gemäß Art. V des Londoner Abkommens ausdrücklich[4]).

---

[1]) Bd. I, S. 41.
[2]) Bd. I, S. 91.
[3]) Bd. I, S. 8.
[4]) Bd. I, S. 189.

Die Entscheidung einer internationalen rechtssprechenden Instanz ist für alle Staaten bindend, die sich ihrer Zuständigkeit unterworfen haben. Daher *ist die Tschechoslowakei kraft ihres Beitritts* zum Londoner Viermächteabkommen vom 8. August 1945 und des daher *auch in ihrem Namen* ergangenen Urteils *an diese Rechtsanschauung des Nürnberger Militärgerichts* in Sachen des Münchener Abkommens gebunden[1]).

---

[1]) Wegen der Bezeichnung des Nürnberger Militärgerichtes vgl. O. *Kranzbühler,* Nürnberg, als Rechtsproblem (Um Recht und Gerechtigkeit, Festgabe für E. Kaufmann, Stuttgart 1950, S. 220) – unter Hinweis auf IMT Urteil, Nürnberger Ausgabe S. 181 – „Da keine der vier Signatarmächte allein ein internationales Tribunal hätte errichten können, nimmt also der IMT für sich selbst auch keinen internationalen Charakter in Anspruch. Es bezeichnet sich selbst als ein von vier kriegführenden Mächten gemeinsames Militärgericht". Man muß daher korrekterweise von *interalliiertem Militärgerichtshof* sprechen. Die vier Signatarmächte bildeten in Wahrheit eine Art Streitgemeinschaft. (Analogie zu Art. 31, Ziffer 5 des Statuts des internationalen Gerichtshofes.)

Die tschechoslowakischen Märzereignisse 1939
Das Ende des tschechoslowakischen Staates

A. Die Losreißung der Slowakei

Das Ende des tschechslowakischen Staates wurde durch drei Ereignisse herbeigeführt: Losreißung und Verselbständigung der Slowakei, Annexion der tschechischen Gebiete durch Errichtung des sogenannten Reichsprotektorates Böhmen und Mähren (die Losreißung der Slowakei liegt zeitlich vor der Einverleibung der tschechischen Gebiete), Annexion der Karpato-Ukraine durch Ungarn. In unserem Zusammenhang interessieren nur die beiden ersten Ereignisse.

Die Ursachen der Spannungen zwischen Tschechen und Slowaken, die beide zur Gruppe der Westslawen gehören und vor 1918 der österreichischen bzw. ungarischen Hälfte des Habsburgischen Reiches angehörten, gehen auf die slowakische National- und Geistesgeschichte zurück[1]). Die Reformation hatte teilweise auch unter den Slowaken Fuß gefaßt. Im Westen und insbesondere im Norden der Slowakei hielt sich der Protestantismus in stärkeren Gruppen. Die überwiegende Mehrheit des slowakischen Volkes ist katholisch. Die protestantischen Kreise wandten sich im 19. Jahrhundert slawophilen Ideen zu. Daraus entwickelte sich eine Tendenz zur politischen Solidarität mit den Tschechen in Böhmen und Mähren. Das zahlenmäßig weitaus stärkere katholische Element unter den Slowaken setzte sich dagegen im 19. Jahrhundert in erster Linie für eine nationale Selbstbehauptung der Heimat ein.

Während des Ersten Weltkrieges wurde im Zuge der tschechoslowakischen Auslandsaktion in Pittsburg in Nordamerika ein Abkommen geschlossen, das auf der einen Seite von dem späteren Staatspräsident Masaryk, in der Eigenschaft als Präsident des tschechoslowakischen (Auslands-)Nationalrates, und auf der anderen Seite von Vertretern der slowakischen Organisationen in Amerika unterzeichnet wurde. Es sicherte den Slowaken in dem künftigen, gemeinsam angestrebten tschechoslowakischen Staat einen eigenen Landtag mit Gesetzgebungsrecht und eigene slowakische Amtssprache zu. Das Abkommen sollte binnen 10 Jahren durchgeführt sein. Es wurde von Masaryk 3 Tage nach seiner Wahl zum Präsidenten der tschechoslowakischen Republik nochmals durch Unterschrift bestätigt[2]).

---

[1]) *Hrušovsky*, Geschichte der Slowakei, Preßburg o. I.
[2]) Kurt O. Rabl, a. a. O., S. 284 ff.

Die Spannungen zwischen Tschechen und Slowaken im tschechoslowakischen Staat begannen, als die tschechoslowakische Regierung dieses Abkommen bagatellisierte und nicht durchführte.

Sie spitzten sich zu, als der Preßburger Universitätsprofessor Tuka nach Ablauf der 10 Jahre die sogenannte „vacuum juris"-Theorie formulierte. Darunter wollte er verstanden wissen, daß nach Ablauf der im Pittsburger Abkommen vereinbarten zehnjährigen Durchführungsfrist ein vertragloser Zustand zwischen Tschechen und Slowaken Platz greife. Er wurde in einen Hochverratsprozeß verwickelt und zu einer langjährigen Kerkerstrafe verurteilt. Diesen radikalen Strömungen standen indes kooperationsbereite Gruppen zur Seite. Die slowakische Volkspartei Hlinkas war durch Jahre hindurch Koalitionspartei in der Prager Regierung, und im Dezember 1935 wurde Dr. Benesch auch mit den Stimmen der slowakischen Volkspartei zum tschechoslowakischen Staatspräsidenten gewählt. Die autonomistische Strömung nahm aber an Intensität zu.

1. DIE AUTONOMISTISCHE PHASE DER SLOWAKEI

In den dreißiger Jahren wurde auch der Wunsch nach slowakischer staatlicher Unabhängigkeit laut. Im Juni 1938 kam es aus Anlaß des Besuches von Delegierten der slowakischen Vereinigungen in Nordamerika, die das Original des Pittsburger Vertrages mitgebracht hatten, in der Slowakei zu großen politischen Freiheitsdemonstrationen. Diese Tendenz verstärkte sich nach dem Viermächte-Abkommen von München.

Mit der Münchener Konferenz war das Konzept des tschechoslowakischen Nationalstaates zusammengebrochen. Zwar sollte nach dem Wortlaut der englisch-französischen Vorschläge vom 19. September 1938 die Abtretung des Sudetengebietes an Deutschland nicht ein Anwendungsfall des Selbstbestimmungsrechts, sondern ein „case for itself" sein. Aber die Berücksichtigung der polnischen und ungarischen Forderungen durch das Münchener Abkommen (im Zusammenhang mit den Garantieabreden) im Hinblick auf ihre Minderheiten zeigte doch die wirkende Kraft dieses Grundsatzes. Das Ende des tschechoslowakischen Nationalstaatkonzepts mußte in der Slowakei aber noch eine weitere Wirkung entfalten. Sie mußte dort auch zum Ende der seinerzeit von Prag aus verkündeten nationalzentralistischen Einheit, der Doktrin von der einigen tschechoslowakischen Nation (im ethnischen Sinne verstanden), führen. Diese hatte schon immer mit der Tatsache der slowakischen Literatursprache und dem slowakischen Eigenbewußtsein in Widerspruch gestanden. Das Ende des Nationalstaatskonzepts führte notwendig zu einer Kräftigung dieses Eigenbewußtseins – ein föderalistisches Verhältnis zwischen Tschechen und Slowaken in der 2. tschechoslowakischen Republik war eine Art von innerer Konsequenz daraus.

Diese Entwicklung fand ihren Ausdruck in der ersten politischen Manifestation der autonomistischen slowakischen Hlinka-Partei am 5. Oktober 1938 in Sillein. In der Entschließung des Exekutivausschusses unter dem Vorsitz des späteren Staatspräsidenten Dr. Tiso heißt es u. a.:

„Das Münchener Übereinkommen der vier Großmächte hat die staatlichen und politischen Zustände Mitteleuropas verändert ...
Wir Slowaken, die wir als eigenständiges Volk seit Menschengedenken auf dem Boden der Slowakei leben, zögern unter diesen Umständen nicht, unser Selbstbestimmungsrecht zur Geltung zu bringen und fordern deshalb eine internationale Garantie der Unteilbarkeit unseres Volkskörpers und des von uns bewohnten Gebietes. Wir wollen unser künftiges Leben, vor allem aber auch das Staatsgefüge, im vollen Umfang nach eigenem Willen und in freundschaftlicher Zusammenarbeit mit allen Nachbarvölkern gestalten und wollen so im christlichen Geist zur Regelung der mitteleuropäischen Verhältnisse beitragen. ... Wir protestieren entschieden dagegen, daß die Grenzen der Slowakei ohne uns, die allein hierzu berechtigten Vertreter des slowakischen Volkes, festgesetzt werden. Wir verlangen einen internationalen Schutz für die im Ausland lebende slowakische Minderheit. Im Geiste des Selbstbestimmungsrechts verlangen wir die augenblickliche Übernahme der Administrativ- und Regierungsgewalt in der Slowakei durch Slowaken. Der Sieg des Selbstbestimmungsrechts bedeutet für das slowakische Volk das Ende eines langjährigen Kampfes[1]).“
Diese Plattform der Hlinka-Partei wurde nun durch Verhandlungen mit den wichtigsten übrigen slowakischen Parteien autonomistischer Tendenz – Slowakische Nationalpartei, Republikanische Partei (Agrarpartei), Gewerbepartei u. a. – verbreitert. Diese verpflichteten sich nicht nur eine von Dr. Tiso geführte slowakische Landesregierung anzuerkennen, sondern sich auch das Autonomieprogramm der Hlinka-Partei zu eigen zu machen und für seine Verwirklichung einzutreten. Das bedeutete eine wesentliche Stärkung der slowakisch-autonomistischen Richtung. Über dieses slowakische Autonomieprogramm wurde ferner auch mit der Führung der tschechischen Parteien in Prag verhandelt. Die Führer der maßgeblichen Parteien des Prager Abgeordnetenhauses unterzeichneten eine Zusage, den anläßlich des Pfingst-Kongresses der Hlinka-Partei verkündeten Autonomiegesetzentwurf so bald wie möglich als Verfassungsgesetz anzunehmen. Diese Verpflichtung wurde u. a. von der tschechischen Christlich-sozialen Partei, der Agrarpartei, der Gewerbepartei sowie führenden Sozialdemokraten unterzeichnet[1]). Die Ernennung Dr. Tisos zum bevollmächtigten Minister für die Slowakei vollzog der Präsident der tschechoslowakischen Republik auf Grund des § 60 der Verfassungsurkunde. Am 8. Oktober wurden dann die vier weiteren designierten Mitglieder der slowakischen Landesregierung ernannt.

---

[1]) Wortlaut der Erklärung in Nr. 230 der Zeitung „Slowak“ vom 9. Oktober 1938. Dazu jetzt die Darlegungen Tisos in seiner Verteidigungsrede vor dem „National“-Gericht in Preßburg. Vgl. unten S. 201.

Die Bedeutung des Silleiner Manifestes und der ihm unmittelbar folgenden staatsrechtlichen Veränderungen hat Dr. Tiso später in einer Ansprache anläßlich der Errichtung eines Staatssekretariats für die karpatendeutsche Volksgruppe herausgestellt.

„... Am 6. Oktober hat ja kein bloßer Wechsel in einigen bedeutungslosen Beamtenressorts stattgefunden, sondern wir haben ein ganzes Herrschafts- und Verwaltungssystem beseitigt, um es durch etwas völlig neues zu ersetzen. Wir wollen einen neuen Staat schaffen, der von anderen Voraussetzungen her lebt und anderen Zielen dient als das bisherige System ... Ihr Interesse ist es, an der Verwirklichung eines Programms mitzuarbeiten, das Ihrer Volksgruppe ein national gesichertes gleichberechtigtes Zusammenleben mit unserem Volk ermöglicht – unser Interesse ist es wiederum, alle jene Hindernisse und Mißverständnisse aus dem Wege zu schaffen, die eine vergangene, fehlerhafte Staats- und Verwaltungspraxis zwischen uns und Ihnen aufgehäuft hat, denn das offene und rückhaltlose Bekenntnis zur Existenz des gemeinsamen Lebensraumes und der politischen Ordnung, die wir für ihn geschaffen haben, kann nur auf dieser Grundlage erwachsen. Das ist unser Beitrag zum Aufbau einer neuen nationalitätenrechtlichen Ordnung unseres mitteleuropäischen Raumes[1])."

Aus der Annäherung der autonomistisch gesinnten slowakischen Parteien wurde eine Verschmelzung (Aufruf der slowakischen Regierung vom 11. November 1938): „Im Geiste des Silleiner Manifests sind die Vertreter der Hlinka-Partei mit den Vertretern der Republikanischen Partei und der anderen politischen Gruppen am 8. November 1938 in Preßburg zusammengekommen und haben sich feierlich zu einer Einheitspartei unter dem Namen ‚Slowakische Hlinka-Volkspartei – Partei der slowakischen Volkseinheit' zusammengeschlossen."

Am 22. November erging das tschechoslowakische Verfassungsgesetz über die Autonomie des Landes Slowakei. Der Verabschiedung war ein heftiger Streit zwischen den slowakischen und tschechischen Vertretern vorangegangen. Der slowakische Delegationsführer, Dr. Durciansky, erklärte, tschechische Regierungsstellen hätten heimlich wichtige Stellen des Entwurfes entfernt und ihn somit verfälscht[2]). Diese Episode ist als Vorspiel für den nach einigen Monaten erneut ausbrechenden Verfassungskonflikt, der dann zur Losreißung der Slowakei führte, nicht ohne Bedeutung.

---

[1]) Rabl, a. a. O., S. 309.
[2]) Rabl, a. a. O., S. 299: „Die Fälschungen betrafen einmal Grundsätze zum Wahlrecht zum Slowakischen Landtag. Hier war die einschränkende Formel gestrichen, daß das Wahlrecht zum Slowakischen Landtag an das Heimatrecht in einer auf dem Boden der Slowakei liegenden Gemeinde geknüpft war, ferner das Vetorecht der einfachen Mehrheit der auf dem Boden der Slowakei gewählten Abgeordneten in allen Sachen, in denen ihnen das Stimmrecht zustand."

Die Präambel des Gesetzes, in der der Abstand zur Doktrin der tschecho-slowakischen Einheitsnation und des tschechoslowakischen Nationalstaates von 1918 scharf zum Ausdruck kam, lautete:

„Ausgehend davon, daß die tschecho-slowakische Republik durch den übereinstimmenden souveränen Willen zweier gleichberechtigter Völker entstanden ist, daß dem slowakischen Volk im Pittsburger Vertrag sowie in anderen Erklärungen im In- und Auslande volle Autonomie gewährleistet wurde, und von dem Bestreben geleitet, das slowakische und das tschechische Volk im Geiste des Abkommens von Sillein zu versöhnen ...[1]"

Die Grundbestimmung des Gesetzes bezeichnete die Slowakei als „autonomen Bestandteil" der tschecho-slowakischen Republik. (Die neue Rechtschreibung des Namens der – 2. tschecho-slowakischen Republik – verlangt als Ausdruck der neuen slowakischen Stellung im Staate den Bindestrich zwischen tschecho-slowakisch.) Als politische Willensorgane in der autonomen Slowakei waren vorgesehen:
1. Ein gemeinsamer Präsident der Republik –
   a) insoweit er die Mitglieder der slowakischen Landesregierung ernannte, dabei gebunden an den Antrag des Präsidiums des slowakischen Landtages (Art. 5, Abs. 4). An dieser Bestimmung entzündete sich der Verfassungskonflikt, der zur Unabhängigkeitserklärung führte;
   b) der Präsident der Republik hatte die Pflicht, den ersten Landtag der Slowakei nach seiner Bildung nach Preßburg zusammenzuberufen.
2. Der auf Grund allgemeinen, geheimen, gleichen und direkten Wahlrechts zustandegekommene Landtag (§ 9 Abs. 1, Art. 5).
   Der Landtag hatte folgende Aufgaben:
   a) Verabschiedung der Verfassungsurkunde für die Slowakei (§ 9, Abs. 2);
   b) Zustimmung zu Staatsverträgen auf kulturellen, kultischem oder wirtschaftlichem Gebiet von ausschließlicher Bedeutung für die Slowakei;
   c) Beschlußfassung über Gesetze, die nicht dem gesamtstaatlichen Parlament vorbehalten waren (§ 9, Abs. 1), wobei Sondervereinbarungen über Gegenstände von gemeinsamen Interessen waren;
3. Das Präsidium des slowakischen Landtages mit Vorschlagsrecht für die Ernennung der Mitglieder der slowakischen Landesregierung durch den Präsidenten der Republik;
4. die slowakische Landesregierung als Trägerin der Regierungs- und Vollzugsgewalt auf dem Boden der Slowakei (§ 15, Abs. 5). Sie bildete einen Bestandteil der Zentralregierung und bestand aus 5 Mitgliedern[2].
Blickt man von der späteren Entwicklung auf die wesentlichen Formulierungen des Gesetzes und der Präambel, so fallen gewisse Widersprüche und Hinweise auf vorhandene Spannungen auf.

---

[1]) Rabl, a. a. O., S. 300.
[2]) Rabl, a. a. O., S. 300.

Die Präambel spricht von der Entstehung der tschecho-slowakischen Republik durch den „souveränen Willen zweier gleichberechtigter Völker". Diese Feststellung, die ein tschechoslowakisches Verfassungsgesetz traf, bedeutet die Anerkennung einmal des Daseins des slowakischen Volkes als einer „souveränen" und mit dem tschechischen Volk „gleichberechtigten" Willenseinheit. Es bedeutete ferner die Interpretation der seinerzeitigen Gründung der 1. Republik durch einen föderierenden Vorgang, eben durch den übereinstimmenden souveränen Willen der gleichberechtigten Völker.

Die Präambel deutet ferner einen so gewichtigen Gegensatz zwischen Tschechen und Slowaken an, daß er der Erwähnung in dem grundlegenden Gesetz der neuen Staatsordnung für nötig befunden wurde. – „Von dem Bestreben geleitet, das tschechische und slowakische Volk im Geiste des Abkommens von Sillein zu v e r s ö h n e n. "

Die Entwicklung verlief aber in umgekehrter Richtung. Der Verlauf zwischen Verkündung der Autonomie und der Losreißung ist in Rabls Aufsatz dargestellt. Vor allem der Finanzausgleich scheint für die Slowakei sehr nachteilig gewesen zu sein. Sodann wirkten die Vorgänge im dritten autonomen Landesteil in Karpato-Rußland, alarmierend, da dort ein tschechischer General über den Kopf der Landesregierung hinweg zum Innenminister von Prag aus ernannt wurde. Der Gedanke der „Souveränität des slowakischen Volkes" und seines „naturrechtlichen Anspruches" auf nationale Selbständigkeit wurde zudem Mitte Januar im Rundfunk von Prof. Tuka, der inzwischen aus dem Gefängnis zurückgekehrt war, vertreten, andere slowakische Kreise schlossen sich ihm an. Auf Spannungen deutete es auch hin, daß in der Regierungserklärung vor der 2. Landtagssession der gemeinsame Staat nicht erwähnt, dagegen die Forderung nach einem Ausbau der slowakischen Souveränität erhoben wurde. Auch die Landtagsentschließung selbst spiegelt diese Tendenz. Dort hieß es u. a.:

„Der Klub nimmt die Regierungserklärung und insbesondere ihren politischen Teil an und billigt sie . . . Unsere politische Lage ist durch die Errungenschaften des 6. Oktober, die durch das Verfassungsgesetz über die Autonomie der Slowakei vorläufig sanktioniert sind, gegeben und auf sie aufgebaut. Wir verharren auf dieser Grundlage. Dies bedeutet indes nicht, daß wir diese Lage als unabänderlich anzunehmen vermöchten. Nein, wir wünschen, auf dieser Grundlage weiterzubauen und unsere innerpolitischen Fragen jetzt und künftig so zu lösen, wie die Bedürfnisse des slowakischen Volkes dies erfordern. Da die Regierungserklärung diesen einzig möglichen Standpunkt annimmt, um auf diese Weise die Zukunft des slowakischen Volkes zu sichern, die uns mehr ist als alles sonst, nehmen wir sie an."

Diese Landtags-Resolution mußte als Ausdruck unvereinbarer Auffassungen diesseits und jenseits der March gewertet werden. Die Streitfragen betrafen die Zuständigkeiten der slowakischen Regierungskommissare bei den Zentralministerien in Prag, vor allem aber die Errichtung des eigenen slowakischen Militärlandeskommandos. Die Prager Regierung weigerte sich, die in Böhmen und Mähren liegenden slowakischen Truppen gegen die in der Slowakei befindlichen tschechischen auszutauschen. Am 6. März 1939 wurde nun durch Dekret des Staatspräsidenten der karpato-ukrainische Innenminister seines Amtes entsetzt und dieses dem zum Finanz-, Verkehrs- und Innenminister ernannten tschechischen General übertragen, somit die Militärverwaltung eingeführt. Eine ähnliche Entwicklung schien in der Slowakei bevorzustehen. In der Nacht vom 9. zum 10. März 1939 wurde die gesamte slowakische Landesregierung durch den Präsidenten der Republik ihrer Ämter entsetzt.

2. DIE SLOWAKEI WIRD SELBSTÄNDIG

Auf Grund der Aktenpublikationen der Nachkriegszeit kann man heute ein ziemlich deutliches Bild der diplomatischen Entwicklung der slowakischen Frage gewinnen, wie sie sich von Berlin aus darstellte. Wir beschränken uns hier auf die wichtigsten Punkte. Kurz nach der Münchener Konferenz wurde im Berliner Außenamt eine Notiz für Hitler über die slowakisch-karpatorussische Frage angefertigt[1]. Mit Rücksicht auf die zwischen Ungarn und der Tschechoslowakei beginnenden Grenzziehungsverhandlungen wurde eine Festlegung der deutschen Politik in der slowakischen und karpato-ukrainischen Frage nötig. Für die Slowakei wurden vier theoretische Möglichkeiten analysiert:
Selbständiger Staat,
Autonomie innerhalb der Tschechoslowakei,
Autonomie mit Anlehnung an Ungarn (vom Bündnis bis zur Einverleibung reichend),
Autonomie unter Anlehnung an Polen.
Aus einer weiteren Aktennotiz[2] geht hervor, daß sich Hitler schon vor Kenntnisnahme der Aufzeichnung für die Unterstützung der Silleiner Beschlüsse und für eine autonome Slowakei innerhalb der Tschechoslowakei ausgesprochen hatte. Ein Runderlaß des Staatssekretärs vom 10. Oktober unterrichtet die deutschen Auslandsvertretungen in diesem Sinne und deutet eine freundschaftliche Haltung Deutschlands zu Tiso an[3]. Am 17. Oktober plädiert der spätere slowakische Minister Durciansky bei Göring für eine selbständige Slowakei unter Anlehnung an Deutschland[4]. In einer Besprechung, die der deutschen Unterrichtung in den Fragen der ungarisch-tschechoslowakischen Grenzberichtigung dient, erklärt auch der slowakische Ministerpräsident Tiso am 19. Oktober vor Ribbentrop, daß die Slowaken den

---

[1]) ADAP., Nr. 45.
[2]) ADAP., Nr. 46.
[3]) ADAP., Nr. 50.
[4]) ADAP., Nr. 68.

Wunsch nach (nationaler) Selbständigkeit hätten[1]). Eine zweite Besprechung am selben Tage war im besonderen der Frage der Entwicklung des slowakischen Verhältnisses zu Prag gewidmet. „Während Tiso in längeren Ausführungen auf eine autonome Slowakei in Zusammenarbeit mit einem autonomen Karpato-Rußland unter Prag hinzielte, schien Durciansky mehr auf eine vollständige Selbständigkeit der Slowakei hinzustreben. Tiso meinte, daß er die Entwicklung langsam und organisch führen müsse. Er habe in Sillein keine Sprünge machen wollen.

Würde Prag die Vereinbarungen, die getroffen seien bezüglich vollständiger Autonomie mit Ausnahme einer gemeinsamen Außenpolitik, gemeinsamer Armee und gemeinsamer Staatsfinanzen, nicht halten, so würde die vollständige Loslösung erfolgen[2])" Es scheint, daß die slowakische Frage dann im Zusammenhang mit der ungarischen Politik, insbesondere gegenüber der Karpato-Ukraine an Dringlichkeit gewonnen hatte[3]). Ungarn hatte schon im November 1938 die Absicht, die Karpato-Ukraine trotz des Wiener Schiedsspruches militärisch zu annektieren. Durch die Haltung Deutschlands, der sich Italien anschloß, wurde Ungarn davon zurückgehalten[4]). Im Gespräch mit dem späteren slowakischen Ministerpräsidenten Tuka am 12. Februar sagte Hitler, er habe bis vor kurzem nichts von den Selbständigkeitsabsichten der Slowakei gewußt und geglaubt, sie wollte zu Ungarn. Er habe geglaubt, mit der Tschechei auf eine gute Basis zu kommen. Es scheine, wie ihm andere vorausgesagt hätten, daß es nicht dazu komme. „Eine selbständige Slowakei könne er jederzeit garantieren[5])." Anscheinend ist in dieser Zeit der Gedanke der Einverleibung der tschechischen Gebiete bei Hitler erwogen worden. In der entscheidenden Unterredung mit Tiso führte Hitler aus[6]), er habe seit dem Herbst des Vorjahres zwei Enttäuschungen erlebt, die eine durch die Tschechoslowakei, „die teils durch schlechten Willen, teils, wie z. B. bei Chvalkowsky, durch Schwäche nicht verhinderte, daß die politischen Verhältnisse in Bahnen gerieten, die für Deutschland unerträglich waren". Die Tschechoslowakei habe es nur Deutschland zu verdanken, daß sie nicht weiter zerstückelt worden wäre. Mit größter Zurückhaltung habe Deutschland Verzicht geleistet auf die an seiner Grenze liegenden Sprachinseln, nur um der Tschechoslowakei einen normalen Lebensraum zu lassen . . . Die zweite Enttäuschung sei für ihn die Haltung der Slowakei. Im vergangenen Jahre habe der Führer vor einer schweren Entscheidung gestanden, entweder die Slowakei durch die Ungarn besetzen zu lassen oder nicht. Er habe sich in einer falschen Meinung befunden, indem er glaubte, daß die Slowaken zu Ungarn wollten. Erst in der Krise habe er gehört und gemerkt, daß die Slo-

---

[1]) ADAP., Nr. 72.
[2]) ADAP., Nr. 73.
[3]) ADAP., Nr. 118, 127.
[4]) ADAP., Nr. 127–134.
[5]) ADAP., Nr. 168.
[6]) ADAP., Nr. 202.

wakei ein Eigenleben führen wolle. In München sei der Führer nicht machtpolitische, sondern volkspolitische Wege in seinen Entscheidungen gegangen. Er habe etwas getan, was ihm seinen Freund Ungarn entfremdet habe, nämlich gegen dessen Willen auch für Ungarn dieses Prinzip durchgesetzt . . . Nun habe er Keppler als seinen Abgesandten nach Preßburg geschickt, dem Sidor erklärt habe, er sei ein Soldat Prags und würde sich einer Lösung der Slowakei aus dem tschechisch-slowakischen Verbande widersetzen. Wenn der Führer das vorher gewußt hätte, hätte er sich nicht mit seinem Freund Ungarn zu verfeinden brauchen, sondern hätte alles laufen lassen, wie es damals lief. Er habe nun seinerseits Tiso herkommen lassen, um in kurzer Zeit über diese Frage Klarheit zu haben. Deutschland habe keine Interessen östlich der Karpaten. An sich wäre es ihm gleichgültig, was dort geschehe. Die Frage sei die, ob die Slowaken ihr Eigenleben führen wollen oder nicht. Er möchte endgültig bestätigt bekommen, was die Slowaken eigentlich wollen. Er würde nicht sein Volk oder auch nur einen einzigen Soldaten für etwas einsetzen, was vom slowakischen Volk gar nicht gewollt sei . . . Er habe damals gesagt, daß, wenn die Slowakei sich selbständig machen wolle, er dieses Bestreben unterstützen und sogar garantieren würde. Er stünde zu seinem Wort, solange die Slowaken den Willen zur Selbständigkeit klar aussprechen. Würden sie zögern oder sich nicht von Prag lösen wollen, so überlasse er das Schicksal der Slowakei den Ereignissen, für die er nicht mehr verantwortlich sei. Dann würde er nur noch für die deutschen Interessen eintreten, und die lägen nicht östlich der Karpaten. Deutschland habe mit der Slowakei nichts zu tun, sie habe niemals zu Deutschland gehört." Tiso dankte für diese Ausführungen. Er könne sich unter ihrem Eindruck nicht klar ausdrücken und wolle sich mit seinem Freund (dem anwesenden slowakischen Minister Durciansky) zurückziehen und sich die ganze Frage in Ruhe überlegen.

In der Darstellung des Prozesses gegen Dr. Tiso heißt es über die Berliner Besprechungen:

„In Berlin erfuhr er unmittelbar aus Hitlers und Ribbentrops Munde, daß die Deutschen entschlossen waren, die CSR zu liquidieren. Die Slowakei sollte von den Magyaren, Deutschen und Polen besetzt werden. Hitler betonte, daß die Slowakei sich allein durch eine Selbständigkeitserklärung retten könne. Um keine Zweifel zu lassen, eröffnete Hitler Tiso, daß er eine schnelle Antwort erwarte, da es sich um Stunden handle. Ein slowakischer Text mit der Proklamation des Staates wurde Tiso in die Hand gedrückt. Er solle ihn im Berliner Rundfunk verlesen. Das lehnte Dr. Tiso ab und erbat sich Zeit zum Überdenken der ganzen Problematik. Er kehrte nach Preßburg zurück und referierte nach Beratungen mit slowakischen Stellen am 14. März 1939 dem slowakischen Landtag über seinen Besuch bei Hitler[1])"

---

[1]) Dr. Josef *Tiso,* Die Wahrheit über die Slowakei. (Verteidigungsrede vor dem „National"-Gericht in Bratislava, 17. und 18. März 1947.) Bibliothek des „Tisovo tovarišstro" Nr. 39, S. 137.

Der Landtag hörte noch den Bericht Minister Sidors an, der anschließend seine Demission gab. Der Landtagspräsident legte sodann dem Landtag die Frage vor, ob er für einen selbständigen slowakischen Staat sei. Sie wurde durch Erheben von den Sitzen einstimmig bejaht.

Der Landtag beschloß daraufhin, gleichfalls mit Stimmeneinheit, das folgende Gesetz:

§ 1. Das Land Slowakei erklärt sich zum selbständigen und unabhängigen slowakischen Staat. Der Landtag des Landes Slowakei wird in das gesetzgebende Parlament des slowakischen Staates umgewandt.

§ 2. Bis zum Erlaß der Verfassung des slowakischen Staates liegt die gesamte Regierungs- und Exekutivgewalt in den Händen der Regierung, die das Parlamentspräsidium ernennt.

§ 3. Alle bisherigen Gesetze, Verordnungen und Maßnahmen bleiben mit den Veränderungen in Kraft, die sich aus der Tatsache der Selbständigkeit des slowakischen Staates ergeben.

§ 4. Die Regierung wird ermächtigt, im Verordnungswege alles zu tun, was in der Übergangszeit zur Erhaltung der Ordnung und zur Sicherung der Interessen des slowakischen Staates nötig ist.

§ 5. Dieses Gesetz tritt heute in Kraft und wird von der gesamten Regierung durchgeführt.

Nach dem Zweiten Weltkrieg wurde Präsident Tiso ein politischer Hochverratsprozeß vor einem Volksgerichtshof in Preßburg gemacht. In der Schlußrede vor diesem Gericht nahm Dr. Tiso zu den Märzereignissen mehrfach Stellung. Tiso betonte vor allem, daß er in dieser entscheidenden Frage Gelegenheit geben wollte, daß der Repräsentant der Nation, der Landtag, das maßgebliche Wort spreche. Gleichzeitig unterstrich er, daß ohne den Druck Hitlers der slowakische Landtag nicht für die slowakische Selbständigkeit gestimmt hätte[1]). An einer anderen Stelle kam er nochmal auf die Bedeutung des 14. März 1939 zurück, die er positiv beurteilt. „Am 14. März ist die Nation auf die Waage der Geschichte gelegt worden, um zu beweisen, ob sie allein bestehen, sich selbst regieren und sämtliche Mittel und Gründe zu gebrauchen versteht, um sich allen anderen Nationen gleichwertig zu erweisen. Aus dieser Notwendigkeit heraus war ich bemüht, wie bei mir, so auch beim einzelnen und dem gesamten Volkskollektiv eine psychologische Bereitschaft zu schaffen, aus der dann der Aufbauplan emporwachsen sollte. Es ist klar, daß falls ich diese psychologische Bereitschaft nicht geschaffen hätte, das Volk nicht zu einer solchen Kraftanspannung fähig gewesen wäre, um seine Eigenständigkeit, sittliche und wirtschaftliche Standhaftigkeit zu beweisen. Andernfalls wären wir in einigen Wochen erledigt gewesen, wie es die Magyaren erwarteten. Die gaben uns, wenn ich mich recht entsinne, eine sechswöchige Frist. Und ich glaube auch in deutschen Kreisen gab es genug

---

[1]) „Wäre der Druck Hitlers nicht gewesen, hätte der slowakische Landtag niemals für die slowakische Selbständigkeit gestimmt"... Tiso, a. a. O., S. 137.

von denen, die mit vielen Zweifeln unser Fortkommen verfolgten." Dr. Tiso sprach weiter von dem „ontologisch festgehaltenen natürlichen Recht der slowakischen Nation auf ein eigenes eigenständiges Leben[1])" und erklärte: „Den größten Erfolg konnte diese Politik eben darin suchen, daß sie das Volk aus einem Gefühl der Minderwertigkeit herausführte und ihm zum Nachweis seiner sittlichen und wirtschaftlichen Selbständigkeit verhalf. Die historische Bedeutung der staatlichen Selbständigkeit wurzelt darin; die Zukunft möge die sechsjährige staatliche slowakische Selbständigkeit wie immer beurteilen, diese Tatsachen kann man aus dem Leben der Nation auf keine Weise auslöschen . . . Die slowakische Nation ist somit gleichwertig den übrigen Nationen geworden, zwischen denen sie das Recht hat, als gleiche mit gleichen in einem beliebigen Verhältnis zu leben[2])."

Der Schutzvertrag zwischen dem Deutschen Reich und der Slowakei, der dem Deutschen Reich bestimmte strategische Zonen im Gebiet der weißen Karpaten zuwies, kam nach der Darstellung Dr. Tisos zustande, als ihm gegenüber Hitler in einer Unterredung in Wien eine verbindliche Erklärung abgab[3]). Sie lautete: „Ich will von der Slowakei keinen fußbreit Boden; in der Slowakei müssen sich die Slowaken national, kulturell und wirtschaftlich nach ihrer eigenen Art entwickeln und zur Geltung gelangen. Ich verbürge mich für die volle Selbständigkeit und übernehme die Garantie der Grenzen der Slowakei. Die historischen Grenzen der Slowakei sind und bleiben für immer unabänderlich. Ich halte meine schützende Hand über die Slowakei, damit niemand nach dem slowakischen Staat greife und die Slowaken ein vollkommen eigenes Leben führen können[4])."

Mitte 1939, als die Slowakei in den ersten Schwierigkeiten der Selbständigkeit steckte, das abgerüstete tschechische Militär das Land verließ und die slowakische Wehrmacht erst im Entstehen war, fielen ungarische Truppen aus Karpato-Rußland, das sie nach dem 14. März besetzt und angegliedert hatten, in die Ostslowakei ein. Durch militärische Einheiten und freiwillige Abteilungen der Hlinkagarde wurde der Angriff abgewehrt, ein Waffenstillstand vereinbart und am 4. April eine slowakisch-ungarische Einigung erzielt[5]). Die ungarischen Absichten auf die Slowakei finden darin realen Ausdruck. Polen hatte im November 1938, so wie es von den Tschechen Teschen forderte und erhielt, Ansprüche auf nördliche Grenzgebiet der Slowakei angemeldet. Es forderte einen Teil des Kysutzagebietes, die Jaworina (an die Westbeskiden angrenzend) und Gebiete am Dunajetz. Polen scheint damals ein größeres Konzept im Donauraum verfolgt zu haben. Wie Schmidt berichtet (a. a. O., S. 426), hatte Polen im Januar 1939 die Annexion Karpato-Rußlands durch Ungarn gewünscht und sich gegen die

---

[1]) Tiso, a. a. O., S. 174.
[2]) Tiso, a. a. O., S. 180/181.
[3]) Veröffentlicht im „Slovák" vom 31. März 1939.
[4]) Tiso, a. a. O., S. 161.
[5]) Hružovsky, Geschichte der Slowakei, S. 198.

Verpflichtung gewandt, die Hitler in München im Zusammenhang mit der Garantie der Rest-Tschechoslowakei übernommen hatte. Die Slowaken rechtfertigten ihre spätere Teilnahme am Krieg gegen Polen mit diesen polnischen Plänen[1]. Hitler hat gegenüber dem slowakischen Gesandten in Berlin, Dr. Czermak, geäußert, daß polnische diplomatische Stellen Deutschland für den Gedanken zu gewinnen suchten, die slowakische Sprache sei ein polnischer Dialekt und damit sei die Natürlichkeit ihrer Ansprüche auf das gesamte slowakische Gebiet begründet. Möglicherweise ist die slowakische Frage zum ersten Mal bei Hitler in einem neuen Licht aufgetaucht, als bei einem Besuch Horthys in Deutschland dieser auf ungarische Wünsche in Richtung Slowakei zu sprechen kam und klarlegte, daß die Slowaken selbst in den ungarischen Staatsverband zurückzukehren wünschen. Hitler fragte daraufhin, ob das in einer Volksabstimmung erhärtet werden könnte. Horthy sei ausgewichen, und das habe Hitler auf den Gedanken gebracht, daß die Slowaken vielleicht am ehesten für sich sein wollten. (Nach Mitteilungen des früheren Gesandten Czermak an den Verfasser.)

B. Vom Münchener Abkommen zur Annexion Böhmens und Mährens

1. Auch über die Entwicklung der Hitler-Diplomatie gegenüber der Tschechoslowakei zwischen dem Münchener Abkommen und der Annexion Böhmens und Mährens läßt sich nun aus den Akten des Deutschen Auswärtigen Amtes eine genügende Übersicht gewinnen. Ihre Darstellung als solche ist natürlich Sache des Historikers. Für den Juristen aber ist sie unter dem Gesichtspunkt des Problems der Vertragstreue Hitlers für diesen konkreten Fall wichtig. Die Frage soll nicht als solche in extenso erörtert werden. Das könnte nur auf Grund einer Untersuchung in größerem Rahmen erfolgen. Einen ersten Fingerzeig dafür scheint uns ADAP., Nr. 18 zu geben. Hier wird eine gesprächsweise Direktive Hitlers an die volksdeutsche Mittelstelle vom 3. Oktober 1938 festgehalten. Sie betrifft das Deutschtum in Europa außerhalb der Reichsgrenzen nach München. Die Einwirkung des Reichs darauf soll sich nach dieser Weisung „streng auf die Pflege und Wahrung der kulturellen Interessen beschränken, jede Irredenta-Tätigkeit als solche unterbleiben. Soweit nicht durch den Vierjahresplan Kräfte im Reich gebraucht werden, soll auch der Verbleib der deutschen Volkstumsangehörigen außerhalb der deutschen Grenzen gefördert werden." Eine solche Weisung allgemeinen Charakters, die auch als Richtlinie für das durch das Münchener Abkommen außerhalb der Reichsgrenzen verbliebene Deutschtum in der Tschechoslowakei galt, würde eine eindeutige Festlegung auf die Linie des Münchener Abkommens

---

[1]) Hružovsky, a. a. O., S. 203.

bedeuten. In Übereinstimmung damit steht auch die Tatsache, daß nur durch die Haltung Deutschlands die Integrität der 2. tschechoslowakischen Republik gegenüber ungarischen, von Polen (und Italien?) unterstützten Annexionsabsichten auf die Karpato-Ukraine und eventuell die Slowakei im Dezember 1938 bewahrt wurde. Hitlers Haltung der Tschechoslowakei gegenüber könnte man mit den Worten ihres damaligen Außenministers Chvalkowsky als abwartende Bewährungsprobe bezeichnen. Am 14. Oktober jedenfalls sprach Ribbentrop in Gegenwart des deutschen Gesandten zu Chvalkowsky von der Grenzrevision zwischen Ungarn und der Tschechoslowakei und von der Garantierung der neuen Grenze durch Deutschland.

In den für unsere Arbeit wichtigsten Punkten ergibt sich aus den deutschen Akten folgendes Bild. Bei der ersten Begegnung mit Hitler unterstrich der neue tschechoslowakische Außenminister den „festen Willen" seines Landes, „sich auf Deutschland auszurichten". Das Reich solle den Tschechoslowaken eine „Bewährungsfrist" geben. Man könne von Deutschland nach den Erfahrungen mit Prag nicht erwarten, daß es auf bloße Zusicherungen und Versprechungen Wert lege. Hitler führte daraufhin aus, daß es unter den gegenwärtigen Umständen für die Tschechoslowakei nur zwei Alternativen gebe. Entweder versuche sie einen freundschaftlichen Ausgleich mit dem Reich. Sie müsse sich dabei der Tatsache bewußt sein, daß sie mitten im deutschen Raum liege. Ihr eigenes Interesse gebiete, sich den Bedingungen dieses Raumes anzupassen. Wenn sie aufhöre, als Feind Deutschlands zu erscheinen, so würde sich Deutschland völlig an ihr desinteressieren. Das tschechische Volk könne dann in aller Ruhe sein Land einrichten, wie es wolle . . . Vielleicht würde es sogar nach Jahrzehnten dann dazu kommen, daß die beiden Völker in ein freundschaftliches Verhältnis zueinander gelangten. Die andere Alternative bestünde in erneuten Versuchen der Tschechoslowakei, eine Rolle als Feind Deutschlands zu spielen. Das würde unweigerlich in kürzester Zeit, spätestens aber bei einem allgemeinen Konflikt, zu einer Katastrophe für das Land führen. Die Tschechoslowakei habe insofern noch in der letzten Krise Glück gehabt, als sie einem auf völkischem Grundsatz aufgebauten Deutschland gegenüberstand, das Fremdkörper innerhalb seines Volkes nicht wünsche. Daher seien die neuen Grenzen gemäß den Nationalitätenverhältnissen gezogen worden. Deutschland hätte ohne weiteres auch strategische Grenzen durchsetzen können, denn niemand wäre im Konfliktsfalle für die Tschechoslowakei eingetreten. Hinsichtlich der von Chvalkowsky angeschnittenen Garantiefrage bemerkte Hitler, daß französische und englische Garantien genau so wertlos seien, wie der Bündnisvertrag mit Frankreich oder der Pakt mit Rußland es in der Krise waren; die einzige wirklich wirksame Garantie sei die Deutschlands; dazu müsse aber von Seiten der Tschechoslowakei jeder Versuch unterbleiben, wieder auf frühere Abwege zu geraten, sei es auf militärischem, sei es auf anderem Gebiete[1]).

---

[1]) ADAP., Nr. 61

Die deutsche Bereitschaft zur Garantie der neuen Grenzen setzte nach dem Zusatzabkommen die Regelung der ungarischen und polnischen Minderheitenfragen des Staates voraus.

Polen forderte sofort und in der schroffsten Form, nämlich durch militärisches Ultimatum, am 1. Oktober die Abtretung gewisser Gebiete[1]). „If satisfactory reply is not recieved by noon to-day, Poland proposes to invade Czechoslowakia to-morrow", hieß es in der darauf bezüglichen englischen Note, die ein solches Vorgehen als in ausdrücklichem Widerspruch mit dem Münchener Abkommen stehend erklärte[2]). Die Streitfragen konnten indes in zweiseitigen Verhandlungen geregelt werden. Mit Ungarn wurden ebenfalls diplomatische Verhandlungen über die Grenzfragen geführt, die aber zu keinem Ergebnis kamen und durch ein gemeinsames Ersuchen an Deutschland und Italien beendet wurden, sie möchten die Fragen durch einen Schiedsspruch klären. Deutschland zeigte dazu an sich keine Neigung[3]). Der Schiedsspruch erging indes am 2. November 1938 in Wien[4]). Für den damaligen Stand der deutsch-tschechoslowakischen Beziehungen ist das Urteil und die Haltung des tschechoslowakischen Außenministers aufschlußreich. Er sagte dem deutschen Geschäftsträger, daß zwar der Schiedsspruch für die Slowaken, insbesondere aber für die Karpato-Ukrainer, harten Verzicht bedeute, seine Regierung wisse aber, daß sich der Reichsaußenminister für berechtigte tschechoslowakische Interessen warm eingesetzt habe, und sie sei ihm dafür dankbar[5]).

Am 23. notifizierte die tschechoslowakische Regierung der deutschen Regierung in einer Note die Erfüllung der Annexe 1 und 2 des Münchener Abkommens (Regelung der Frage der polnischen und ungarischen Minderheiten in der Tschechoslowakei) unter Hinweis auf den polnisch-tschechoslowakischen Notenwechsel vom 1. November 1938, wonach die beiden Regierungen die Fragen der Rektifikation der beiderseitigen Grenzen als endgültig abgeschlossen betrachten sowie unter weiterem Hinweis auf das tschechoslowakisch-ungarische Protokoll vom 2. November 1938, wonach die beiden Regierungen den Wiener Schiedsspruch als endgültige Grenzziehung anerkennen. Damit seien alle Grenzfragen gelöst, es bleibe nur noch übrig, die Garantiefrage zu lösen.

Die deutsch-tschechoslowakische Beziehungen wurden dann aber offensichtlich durch die Art, wie Deutschland die schließliche Grenzziehung erlangte, beträchtlich belastet (vgl. die Intervention Chvalkowsky bei Ribbentrop wegen der 7 tschechischen Gemeinden in der Tauser Gegend, Januar 1939, ADAP., Nr. 159). Nachdem die Grenzziehung unter Zustimmung des internationalen Ausschusses zu einer deutsch-tschechischen Angelegenheit erklärt

---

[1]) ADAP., Nr. 5.
[2]) ADAP., Nr. 7.
[3]) ADAP., Nr. 87.
[4]) ADAP., Nr. 99.
[5]) ADAP., Nr. 107.

wurde, beendete Deutschland die Kontroversen in ultimativer Form[1]). Als die Tschechoslowakei nach Annahme erneut die Garantiefrage aufwarf, wich Deutschland aus. Die Grenzziehung führte zu einer Krise der tschechoslowakischen Regierung und machte die Kandidatur Chvalkowskys für die Staatspräsidentenschaft zunichte[2]). Den internationalen Ausschuß wollte Ribbentrop „sanft einschlafen lassen"[3]). Am 7. Februar erhielt der ungarische Gesandte auf Anfrage die Auskunft, daß Deutschland eine Grenzgarantie zurückgestellt habe, da sich die inneren Verhältnisse in der Tschechoslowakei noch nicht genügend beruhigt hätten[4]).

Der deutsche Standpunkt in der Garantiefrage wurde gegenüber der französischen Regierung in der Verbalnote vom 28. Februar vertreten. Die deutsche Regierung hätte danach in München eindeutig zu erkennen gegeben, daß eine Garantie nur dann in Erwägung gezogen werden könne, wenn sich auch die andern Nachbarstaaten der Tschechoslowakei zur Übernahme einer gleichen Garantie bereiterklärten[5]).

Zwischen der Formulierung dieses Standpunktes und der Münchener Situation liegt um den 20. November der Vorstoß der ungarischen Regierung, die diplomatische Deckung für ihre Absicht, die Karpato-Ukraine militärisch zu annektieren, von Deutschland und Italien zu erhalten. Aber Deutschland stellte sich dagegen und veranlaßte Italien zur gleichen Haltung[6]).

Im Januar kam es zu einer zweiten Unterredung Hitler-Chvalkowsky (21. Januar) und Ribbentrop-Chvalkowsky (23. Januar). Hitler beanstandete, daß keine gründliche Reinigung von den Benesch-Tendenzen durchgeführt worden sei und Prager einflußreiche Kreise immer noch Weltpolitik machen wollten. Wozu unterhalte man eine so große Armee? Er müsse damit rechnen, daß die Leute, die heute dort den gesunden Hausverstand vertreten, verschwänden. Gewisse tschechoslowakische Kreise warteten auf Spannungen zwischen Deutschland und dem Ausland. Solche Spannungen müßten sich in erster Linie nachteilig für die Tschechoslowakei auswirken. „Wenn sie jemals den Anschein hätten, eine Gefahr zu bedeuten, würde der Führer in der ersten Sekunde zugreifen[7])." Ribbentrop ergänzte diese Linie im Detail. Chvalkowsky legte überzeugend die großen Schwierigkeiten seiner Regierung bei der Durchführung des neuen Kurses dar[8]). Die Wirkung der Aussprachen auf den tschechoslowakischen Außenminister schilderte der deutsche Geschäftsträger in Prag dahin, daß sich der Minister frage, ob die ihm in Berlin erteilte Warnung den zweiten Teil einer Bewährungsfrist oder den Auftakt für

---

[1]) ADAP., Nr. 108, 114.
[2]) ADAP., Nr. 115.
[3]) ADAP., Nr. 162.
[4]) ADAP., Nr. 163.
[5]) ADAP., Nr. 175.
[6]) ADAP., Nr. 128, 129, 131, 132.
[7]) ADAP., Nr. 158.
[8]) ADAP., Nr. 159.

weitere entscheidende Maßnahmen darstellte[1]). Am 1. März entwickelte der tschechoslowakische Gesandte Masaryk einen auf schriftliche Instruktionen seines Ministers beruhenden Gesamtplan einer deutsch-tschechischen Generalbereinigung mit bedeutenden tschechischen Angeboten. Er erwähnte dabei auch die eifrige Tätigkeit der ungarischen, polnischen und italienischen Missionen in Prag im Hinblick auf Karpato-Rußland und die Slowakei. Der italienische Gesandte verhandle mit der slowakischen Landesregierung über die Möglichkeit einer Rückabtretung des Kaschauer Gebietes gegen Überlassung der Karpaten-Ukraine an Ungarn. Die ungarische und polnische Agitation beschränke sich nicht auf die Lostrennung der Karpaten-Ukraine, sondern fördere auch die Unabhängigkeitstendenzen der Slowakei[2]).

Der deutsche Geschäftsträger meldete das offizielle Ankaufsangebot der ungarischen Regierung für die Karpaten-Ukraine an Prag[3]).

Während nun im Dezember Deutschland den ungarischen Absichten entgegengetreten war, hatte sich jetzt seine Haltung vollkommen geändert. Im März 1939 hat Deutschland in Budapest einen diplomatischen Schritt unternommen, um das ungarische Eingreifen mit dem deutschen Vorgehen in der Karpaten-Ukraine abzustimmen. Das geht zwar aus den Akten nicht direkt, aber indirekt mit Sicherheit hervor[4]). Dementsprechend wurden alle Versuche der Karpaten-Ukraine, sich unter ein deutsches Protektorat zu stellen, von Deutschland abgewiesen[5]): „Die Ungarn hatten in der letzten Zeit bei uns mehrfach um freie Hand gegenüber der Karpaten-Ukraine gebeten. Wie sich die Verhältnisse dort gestaltet hatten, wären wir nicht mehr im Stande, die Ungarn zurückzuhalten[6])." Der Schritt in Budapest, die Verhandlungen mit Tiso, die Ablehnung eines Protektorates über die Karpaten-Ukraine sind die ergänzenden Akte der Annexion Böhmens und Mährens und der Besprechung Hacha-Hitler.

Der tschechoslowakische Staat geriet in der Märzmitte 1939 in der Tat in Auflösung, weil Deutschland nicht mehr, wie noch im Dezember 1938, die gegen ihn gerichteten Kräfte, vor allem Ungarn, zurückhielt, sondern vielmehr sie jetzt unterstützte und ermunterte. Wenn nun außerdem aber zur Begründung der Notwendigkeit eines deutschen Eingreifens in Böhmen und Mähren auf Mißhandlungen der dortigen Deutschen durch „terroristische tschechische Banden" verwiesen wurde, so werden solche Behauptungen durch die deutschen amtlichen Berichte aus den fraglichen Gegenden selbst Lügen gestraft. Aus Prag meldete der Geschäftsträger, daß die Polizei Weisung habe, gegen Deutsche auch bei Provokationen nicht einzuschreiten. Die tschechische Bevölkerung war es, die in Altenburg einen tschechischen Soldaten entwaffnete, der

---

[1]) ADAP., Nr. 161.
[2]) ADAP., Nr. 177.
[3]) ADAP., Nr. 182.
[4]) ADAP., Nr. 198, 199.
[5]) ADAP., Nr. 210, 218, 235, 236, 237.
[6]) Ribbentrop zur Attolico, vermutlich 13. März 1939, ADAP., Nr. 206.

eine Hakenkreuzfahne zerschnitten hatte. Nur aus Iglau wurden ernste Zwischenfälle gemeldet[1]). Bezeichnend ist der Bericht des Prager deutschen Geschäftsträgers über eine offenbar zur Schürung von Unruhen erfolgte Reise eines deutschen Funktionärs, in dem es heißt: „Tschechen sehr schwer in Stimmung zu bringen ... neigen dazu, stimmungsmäßig mit uns zu gehen[2]).“ Den organisierten Charakter der deutschen Demonstrationen unterstreicht ein amtlicher Bericht aus Brünn[3]).

Aus dieser Übersicht über die Entwicklung zwischen dem Münchener Abkommen und den Ereignissen der Märzmitte 1939 ergibt sich nach den deutschen Akten etwa folgendes:

Hitler hatte offenbar zunächst die Absicht, sich an das Münchener Abkommen zu halten. Das zeigen die Protokolle über seine Besprechungen mit dem tschechoslowakischen Außenminister im Oktober wie im Januar, das zeigt die von Hitler gewünschte Unterstützung der Silleiner Beschlüsse, das zeigt aber vor allem die Demarche Deutschlands in Budapest im November 1938, als die ungarische Regierung in der Karpato-Ukraine einmarschieren wollte. Damals ist Hitler den Ungarn in den Weg getreten und hat die Annexion dieses Gebietes verhindert.

Diese Haltung hat sich, soweit sichtbar, im Februar 1939 geändert. Wie weit das ungarische Beharren auf Einbeziehung der Karpato-Ukraine in den ungarischen Staat, wieweit die Entwicklungen in der Tschechei und der Slowakei, wieweit weltpolitische Überlegungen hiefür bestimmend waren, dies festzustellen, ist Aufgabe des Historikers.

Auch ein kurzer Blick zeigt aber, daß die von Hitler für sein Vorgehen gegen Böhmen und Mähren gebrauchten Argumente keineswegs stichhaltig waren. Weder konnte damals von wirklichen Verfolgungen der Volksdeutschen die Rede sein, noch konnten vereinzelte Zeichen vorhandener „Benesch-Mentalität“ einen Rechtsgrund zur Zerstörung des Münchener Abkommens liefern, geschweige denn zur Annexion des Landes. In der ersten Unterhaltung hatte Hitler gegenüber Chvalkowsky eine Entwicklung von mehreren Jahrzehnten genannt, innerhalb deren es gelingen könnte, den neuen Kurs zu sichern und zu freundschaftlichen Verhältnissen zu kommen. Und dann wollte er dafür nicht einmal 6 Monate zugestehen. Gerade die Haltung der deutschen Regierung in der Frage der Grenzziehung wie der Garantie war es, die die neue tschechoslowakische Regierung hinderte, die von Deutschland gewünschten Ziele zu erreichen.

Sachlich gab es sicherlich höchst gewichtige Bedenken angesichts der ständigen Absicht Ungarns, mit polnischer und wohl auch italienischer Unterstützung die Annexion der Karpaten-Ukraine zu betreiben, angesichts auch der starken slowakischen Unabhängigkeitstendenzen eine Garantierung der

---

[1]) ADAP., Nr. 203.
[2]) ADAP., Nr. 197.
[3]) ADAP., Nr. 195.

Tschechoslowakei unter solchen Umständen auszusprechen. Aber weder sie, noch die für die böhmisch-mährischen Gebiete als solche vorgebrachten Argumente konnten einen zulänglichen Rechtsgrund für Hitlers Vorgehen gegen Böhmen-Mähren im März 1939 darstellen. Und hier muß auf einen Punkt hingewiesen werden, der – psychologisch – das Vorgehen vom März 1939 bereits aus der vorangehenden Zeit offenbar positiver Einstellung zur Münchener Regelung erhellt. Aus den Protokollen zeigt sich nämlich, daß Hitler auch in dieser etwa bis Februar 1939 dauernden Zeit an der Neuregelung der tschechoslowakischen Verhältnisse offenbar nicht deswegen festhielt, weil er sich in München gebunden hatte, sondern weil sie ihm sachlich angemessen erschienen. Nirgends finden wir einen Hinweis auf die Bedeutung der eingegangenen rechtlichen Verpflichtungen. Damit erschien nicht die vertragliche Bindung Deutschlands, sondern Hitlers persönliche Beurteilung der Verhältnisse als das ausschlaggebende Moment. Maßgeblich für weitere Überlegungen war ihm offenbar die gelegentlich geäußerte Überzeugung, daß er in München, wenn verlangt, auch „strategische Grenzen" statt der ethnographischen erhalten hätte. Das sachlich geringere englische und nun auch französische Interesse an den tschechoslowakischen Verhältnissen schien ihm offenbar ein genügender Blankoscheck, der ungestraft ein einseitiges Handeln auch im Gegensatz zum kaum geschlossenen Münchener Abkommen erlaubte.

Die Nichtbeachtung der Bedeutung der im Münchener Abkommen liegenden rechtlichen Bindung Deutschlands, die Übergehung der Tatsache, daß unter besonders sichtbaren Verhältnissen, vor den Augen der ganzen Welt und unter Berufung auf angeblich unabänderliche Grundsätze der deutschen Politik abgegebene Erklärungen einen bindenden Faktor höchsten Grades darstellen, sie erscheinen in den Akten als Züge, die das Verhältnis Hitlers zu den tschechoslowakischen Fragen auch in einer Zeit charakterisieren, als er s a c h l i c h offenbar noch an der Linie des Münchener Abkommens festzuhalten gesonnen war.

Gerade dieser Zug läßt den in der Aktion gegen Böhmen und Mähren vorliegenden Tatbestand als klaren Bruch des Abkommens besonders hervortreten.

2. Am 15. März 1939 wurde in Berlin ein „Abkommen" benanntes diplomatisches Instrument bekanntgegeben, das die Grundlinien des neuen Verhältnisses der nach der Loslösung der Slowakei übriggebliebenen böhmisch-mährischen Kerngebiete, des Wohnsitzes des tschechischen Volkes, zu dem Deutschen Reich umriß. Es lautet:

Abkommen

Der Führer hat heute in Gegenwart der Reichsministers des Auswärtigen von Ribbentrop den tschechoslowakischen Staatspräsidenten Dr. Hacha und den tschechoslowakischen Außenminister Chvalkovsky auf deren Wunsch in Berlin empfangen. Bei der Zusammenkunft ist die durch die Vorgänge der letzten Woche auf dem tschechoslowakischen Staatsgebiet entstandene Lage in voller Offenheit einer Prüfung unterzogen worden. Auf beiden Seiten ist übereinstimmend die Überzeugung zum Ausdruck gekommen, daß das Ziel aller Bemühungen, die Sicherung von Ruhe, Ordnung und Frieden in diesem Teile Mitteleuropas sein müsse. Der tschechoslowakische Staatspräsident hat erklärt, daß er, um diesem Ziele zu dienen und eine endgültige Befriedigung zu erreichen, das Schicksal des tschechischen Volkes und Landes vertrauensvoll in die Hände des Führers des Deutschen Reiches legt. Der Führer hat diese Erklärung angenommen und seinem Entschluß Ausdruck gegeben, daß er das tschechische Volk unter den Schutz des Deutschen Reiches nehmen und ihm eine seiner Eigenart gemäße autonome Entwicklung seines völkischen Lebens gewährleisten wird.

Zur Urkund dessen ist dieses Schriftstück in doppelter Ausfertigung unterzeichnet worden. Berlin, 15. März 1939.

Das Schriftstück trägt die Unterschriften Hitlers und Ribbentrops auf der einen, Hachas und Chvalkowskys auf der anderen Seite.

In einem „Erlaß des Führers und Reichskanzlers" vom 16. März wurde dann das Reichsprotektorat Böhmen und Mähren errichtet, der Erlaß enthält gleichzeitig die Grundzüge seiner Ordnung.

1. DIE VERHANDLUNGEN HACHA-HITLER UND DIE FRAGE: ZWANG GEGEN DEN UNTERHÄNDLER

Die Berichte über den Verlauf der Verhandlungen Hacha-Hitler sind kontrovers. Da direkter Zwang gegen einen Unterhändler nach gemeinem Völkerrecht die Nichtigkeit des so erzielten Abkommens nach sich zieht, sind Einzelheiten des tatsächlichen Ablaufes von unmittelbar rechtlichem Gewicht.

Die Darstellung Taborskys, eines Sekretärs von Dr. Benesch während dessen Emigration im Zweiten Weltkrieg[1]), folgt den im französischen Gelbbuch enthaltenen Schilderungen des damaligen französischen Botschafters in Berlin. Es handelt sich also um Berichte aus zweiter Hand, da der Botschafter den Verhandlungen nicht beiwohnte.

Der französische Botschafter berichtete am 15. März aus Berlin nach Paris, man könne nicht sagen, daß es sich um wirkliche Verhandlungen zwischen den deutschen und den tschechischen Ministern gehandelt habe[2]). Der Führer habe von vornherein klar gemacht, daß die Entscheidung gefallen sei und jeder Versuch eines Widerstandes gebrochen würde. Der französische Gesandte aus Prag berichtete, den tschechischen Unterhändlern seien schreckliche Vergeltungsmaßnahmen in Aussicht gestellt worden, falls

---

[1]) Taborsky, a. a. O.
[2]) Ministère des Affaires étrangères. Documents diplomatique 1938–39, Nr. 67, Paris 1939 (livre jaune).

sich der geringste Widerstand gegen den Einmarsch der deutschen Truppen zeige[1]). In dem Berliner französischen Botschafterbericht vom 17. März[2]) stehen dann jene Behauptungen, die zu Erwägungen über das Vorliegen direkten Zwanges gegen den Unterhändler Anlaß geben. Hiernach hat Hitler die tschechischen Staatsmänner vor die vollendete Tatsache der Inkorporierung Böhmens und Mährens in das Deutsche Reich sowie des Einmarsches der deutschen Truppen gestellt, ihnen den Inhalt des künftigen Protektorat-Statuts mitgeteilt und, nachdem er das Dokument allein unterzeichnet hatte, den Raum verlassen. Daran hätte sich ein stundenlanger Versuch Hachas und Chvalkowskys angeschlossen, dagegen zu protestieren und die Unterzeichnung zu verweigern. Die deutschen Minister hätten dabei die tschechischen Unterhändler um den Tisch gejagt, mit dem zu unterzeichnenden Dokument vor ihnen herumgefuchtelt, ihnen die Feder in die Hand gedrückt und gedroht, halb Prag zu zerstören, wenn sie die Unterschrift verweigerten. Es wurde ihnen gesagt, daß außerdem Hunderte von Bombern auf den Startbefehl warteten und dieser gegeben würde, wenn die Dokumente nicht bis 6 Uhr früh unterzeichnet seien. Als die tschechischen Staatsmänner einwandten, sie könnten die Unterschrift nicht ohne die Zustimmung ihrer Regierung geben, wurde eine direkte telefonische Verbindung mit dem in Permanenz tagenden tschechischen Ministerrat in Prag vermittelt. So sei um $1/_{2}6$ Uhr früh unterzeichnet worden, nachdem Präsident Hacha mehrere stärkende Injektionen erhalten habe[2]).

Aus der Aufzeichnung des deutschen Auswärtigen Amtes[3]) ergibt sich folgendes Bild der Unterredung Hacha-Hitler:

Hacha erwähnte einleitend, unter Hinweis auf seine Richtertätigkeit im kaiserlichen Wien, seine persönliche Zurückhaltung gegenüber der Errichtung eines selbständigen tschechoslowakischen Staates. Zu den slowakischen Ereignissen äußerte er sich dahin, es sei schon lange seine Überzeugung gewesen, daß die verschiedenen Völker in diesem Staatskörper nicht zusammenleben könnten. Obwohl ihre Sprache ziemlich ähnlich sei, hätten sie sich sehr verschieden entwickelt, und die Tschechen seien näher mit Deutschland verwandt als mit der Slowakei, die mehr zu den Magyaren hinneige. Beziehungen hätten sie nur zu den evangelischen Slowaken gehabt, während die katholischen von den Tschechen abgelehnt worden seien. Aus diesen Gründen sei man nie zu einem guten Einverständnis gekommen, und er sei froh, daß die Entwicklung diesen Weg genommen habe.

Was das Schicksal des tschechischen Volkes betreffe, das ihn natürlich am meisten bewege, so glaube er, Verständnis für die Ansicht zu finden, daß die Tschechen das Recht haben, ein nationales Leben zu führen. Die geographische

[1]) a. a. O., Nr. 71.
[2]) a. a. O., Nr. 77.
[3]) ADAP., Serie D, Bd. IV (Die Nachwirkungen von München), Nr. 228.
Der fotokopierte Text der Erklärung trägt die Unterschriften Hitlers und Ribbentrops auf der einen, Hachas und Chvalkowskys auf der anderen Seite.

Lage verlange selbstverständlich das beste Verhältnis zu Deutschland. Dieses sei die Grundlage eines nationalen Eigenlebens. Diese Überzeugung teile der größte Teil des tschechischen Volkes. Es gebe natürlich Ausnahmen, aber man müsse bedenken, daß die neue Tschechoslowakei erst seit 6 Monaten existiere.

Hitler drückte zunächst sein Bedauern darüber aus, daß er dem Staatspräsidenten diese Reise habe zumuten müssen. Er sei aber nach langem Überlegen zu der Überzeugung gekommen, daß sie trotz seines hohen Alters für sein Land von großem Nutzen sein könne, da es nur noch Stunden seien bis Deutschland eingreife. Zum Verhältnis Deutschland–Tschechoslowakei als solchem führte er aus, das deutsche Volk empfinde keinen Haß gegen die Tschechoslowakei, während diese gegenüber Deutschland eine andere Einstellung habe. Sie sei bei großen politischen Ereignissen in Erscheinung getreten, z. B. während der Rheinland-Besetzung. Die Tschechoslowakei habe damals in einer Note Frankreich mitgeteilt, sie würde sich militärischen Schritten dieses Landes gegen Deutschland anschließen. Da er keiner Nation in Feindschaft gegenüberstünde, habe er, auch auf das Risiko hin, sich die Feindschaft des ihm befreundeten Ungarns zuzuziehen, dieses gezwungen, so wie Deutschland das Problem nur nach ethnographischen Prinzipien zu lösen, der Restbestand der Tschechoslowakei sei überhaupt nur seiner loyalen Haltung zuzuschreiben. Er hätte im Herbst nicht die letzten Konsequenzen ziehen wollen, weil er geglaubt habe, daß ein Zusammenleben möglich sei, habe aber schon damals Chvalkovsky keinen Zweifel gelassen, daß, wenn die Benesch-Tendenzen nicht restlos verschwinden würden, er diesen Staat rücksichtslos zerschlagen würde.

Die Slowakei sei ihm gänzlich gleichgültig. Östlich der Karpaten habe er überhaupt keine Interessen.

Am letzten Sonntag seien die Würfel gefallen. Er habe den Befehl gegeben zum Einmarsch der deutschen Truppen und der Eingliederung der Tschechoslowakei ins Deutsche Reich. Er wolle den Tschechen die vollste Autonomie und ein Eigenleben geben, mehr als sie jemals in der österreichischen Zeit genossen hätten. Es gebe zwei Möglichkeiten: Die erste sei, daß sich das Einrücken der deutschen Truppen zu einem Kampf entwickle, die andere, daß sich der Einmarsch in erträglicher Form abspiele. Dann wäre die Möglichkeit gegeben, ein großzügiges Eigenleben, eine Autonomie und eine gewisse nationale Freiheit zuzugestehen. Käme es zum Kampf, so erzeuge Druck Gegendruck, es sei ihm dann nicht mehr möglich, die versprochenen Erleichterungen zu geben.

In Deutschland gebe es zwei Richtungen, eine härtere, die keine Konzessionen wolle und in Erinnerung an das Vergangene wünsche, daß die Tschechoslowakei mit Blut niedergerungen würde, und eine andere, die seinen ebenerwähnten Vorschlägen entspreche. Das sei der Grund, warum er Hacha hierher gebeten habe.

Hacha sagte, daß für ihn die Situation völlig klar und jeder Widerstand sinnlos sei. Aber er frage, wie er es anstellen solle, in 4 Stunden das ganze tschechische Volk vom Widerstand zurückzuhalten. Hitler rät, er möge sich mit seinen Herren beraten und sich an seine Prager Dienststellen wenden.

Hacha fragt weiter, ob der Zweck des Einmarsches die Entwaffnung der tschechischen Armee sei. Man könne dies ja vielleicht auf andere Weise machen. Hitler betont daraufhin die Unwiderruflichkeit seines Entschlusses. Das Protokoll vermerkt dann: „Hierauf ziehen sich die beiden Tschechen zurück". Sodann heißt es weiter: „Nach der Besprechung zwischen Hacha und Chvalkovsky mit unseren Herren, bei deren Abschluß man sich über die Abfassung der Abmachung klar geworden war, treten die zu Beginn der Aufzeichnung genannten Herren noch einmal zu einer abschließenden Rücksprache im Arbeitszimmer Hitlers zusammen." In diesem Zusammenhang erklärt Hitler u. a., das Problem der Entnationalisierung spiele keine Rolle; er wünsche und wolle keine Entnationalisierung. Die einen sollen als Tschechen, die anderen als Deutsche leben.

Hacha wirft ein, daß diese Äußerung für ihn von überragender Wichtigkeit sei und bemerkt weiter, daß also kein Seelenkauf wie zur österreichischen Zeit auf dem Programm stehe.

Es werden sodann wirtschaftspolitische Fragen besprochen. Hitler schließt ab mit dem Bemerken, auf jeden Fall bekämen die Tschechen mehr Rechte, als sie jemals den Deutschen in ihrem Gebiet gegeben hätten.

Das Protokoll schließt mit dem Satz: „Hierauf wird das Abkommen von dem Führer, dem Reichsaußenminister, Hacha und Chvalkowsky unterzeichnet."

Außer dem amtlichen deutschen Protokoll besitzen wir jetzt auch die Darstellung eines deutschen Augenzeugen, des Gesandten Schmidt. Sie unterscheidet sich von der Darstellung des französischen Botschafters – der nicht aus eigener Wahrnehmung berichtet – sehr wesentlich. Er unterstreicht zunächst den Gegensatz zwischen den Formen des äußeren Empfanges – Hacha wurden die einem Staatsoberhaupt zustehenden Ehrenbezeigungen dargebracht – und der Substanz der Unterredung:

„Es war keine intime Unterredung von Mann zu Mann, sondern der Kreis der Anwesenden war groß. Aber außer Göring und Ribbentrop waren alle anderen nur Statisten. Das galt auch für Hacha und Chvalkovsky."

Schmidt unterstreicht, daß er Hitler bei anderen Auseinandersetzungen schon erheblich erregter gesehen habe. Er habe wohl seine Ausführungen z. T. recht temperamentvoll vorgebracht, es sei ihm wohl überhaupt unmöglich gewesen, über Benesch und die Tschechen ruhig zu reden.

Schmidt fährt dann fort:

„Dennoch ist es in dieser Nacht nicht zu den turbulenten Szenen zwischen ihm und Hacha gekommen, von denen die Auslandspresse damals und später geschrieben hat. Ich selbst habe Hitler, wie gesagt, bei anderen Gelegenheiten, so z. B. bei der Unterredung mit Sir Horace Wilson Ende September 1938, erheblich aufgeregter gesehen ..."

214

„Hacha und Chvalkowsky saßen wie versteinert in ihren Sesseln, während Hitler sprach. Nur an ihren Augen konnte man erkennen, daß es sich um lebende Menschen handelte. Es muß für beide ein außerordentlicher Schlag gewesen sein, aus dem Munde Hitlers zu erfahren, daß das Ende ihres Landes gekommen war. Sie waren von Prag noch mit der Hoffnung abgefahren, sie würden mit Hitler verhandeln können."

Schmidt schildert dann, wie Hacha bei seiner Ankunft auf dem Anhalter Bahnhof vom tschechischen Gesandten erfahren habe, daß deutsche Truppen bereits die tschechische Grenze bei Ostrau überschritten hätten, er hätte sodann im Adlon stundenlang auf Verständigung aus der Reichskanzlei warten müssen; erst um 1 Uhr nachts sei er von Hitler empfangen worden.

„Es war erstaunlich, wie sich der alte Herr, trotz aller Aufregungen in der Besprechung mit Hitler, noch aufrecht hielt. *Die Quintessenz der Erklärungen Hitlers war, der Einmarsch der deutschen Truppen sei unabwendbar.* – ‚Wenn Sie Blutvergießen verhindern wollen, dann telefonieren Sie am besten mit Prag und geben an Ihren Kriegsminister Weisung, daß kein Widerstand von den tschechischen Truppen geleistet wird'."

Mit diesen Worten habe Hitler die Unterredung beendet. Schmidt beschreibt dann die Schwierigkeiten der Telefonverbindung und fährt fort:

„Einmal meldete sich plötzlich Prag, und ich stürzte in das Zimmer, in dem Göring und Hacha miteinander verhandelten, um von dort aus die Verbindung herzustellen. Beide saßen ruhig am Tisch und unterhielten sich ohne irgendwelche Zeichen von Erregung. Als Hacha hörte, daß er mit Prag sprechen könne, ging er sofort ans Telefon. Ich blieb noch einen Augenblick im Zimmer, um festzustellen, ob das Gespräch auch wirklich zustande kam. Das war sehr gut, denn nach kaum einer Minute war die Verbindung schon wieder abgebrochen. Kaum war ich wieder am Kurbeln, als ich durch die offene Tür auf dem Gang Görings Stimme laut nach Prof. Morell, dem Leibarzt Hitlers, rufen hörte. ‚Hacha hat einen Schwächeanfall bekommen', sagte Göring erregt, ‚hoffentlich passiert ihm nichts' und fügte dann etwas nachdenklich hinzu, ‚es war für einen so alten Mann wohl ein recht anstrengender Tag'. Wenn Hacha jetzt wirklich etwas zugestoßen ist, dachte ich bei mir in den Pausen zwischen den Telefongesprächen wegen der Verbindung mit Prag, dann sagt morgen die ganze Welt, er sei hier in der Nacht in der Reichskanzlei umgebracht worden. . . ."

„Ich ging nun wieder in das Zimmer, in welchem Hacha und Göring gesessen hatten. Sie waren immer noch dort, unterhielten sich aber bei meinem Hereinkommen nur ganz leise miteinander. Hacha war seinem Schwächeanfall noch kaum etwas anzumerken, jedenfalls nicht äußerlich. Die Spritze von Morell schien ihn wieder hergestellt zu haben."

Der Vergleich beider Schilderungen zeigt in wichtigen Punkten einen erheblichen Unterschied. Nach der französischen Darstellung, die nicht die eines Augenzeugen ist, hätte Hitler das Dokument am Schlusse seiner kurzen Mitteilungen um 12.30 Uhr Mitternacht unterzeichnet und dann den Raum verlassen. Dann hätte zweitens das Rennen um den Verhandlungstisch begonnen, dann hätte drittens Hacha wiederholt Injektionen bekommen und endlich, eine halbe Stunde vor dem mit 6 Uhr früh befristeten Ultimatum unterzeichnet.

Nach der Darstellung des Augenzeugen Schmidt wurden Hacha und Chvalkovsky erst um 1 Uhr Mitternacht zu Hitler geführt. Hitler war in keiner besonderen Erregung. Der Kreis der Anwesenden war verhältnismäßig groß. Schmidt, der die Hitler-Ribbentropsche Diplomatie sonst auf das Schärfste kritisiert, betont nachdrücklich, es sei nicht zu jenen turbulenten Szenen gekommen, von denen Auslandspresse und Botschafterbericht geschrieben haben. Er selbst hat damals schon Überlegungen angestellt, welche Darstellung Hachas Schwächeanfall in der Welt erfahren würde.

Fassen wir den rechtlich bedeutsamen Kern dieser Schilderungen ins Auge, so ergibt sich:

a) Auf Seiten Hitlers

1. Hitler teilt Hacha seinen bereits gegebenen Befehl an die deutsche Wehrmacht mit, am nächsten Tag in die Tschechoslowakei einzumarschieren und sie dem Deutschen Reich anzugliedern.

2. Er teilt ihm gleichzeitig die bedingte Absicht mit, den Tschechen volle Autonomie und nationales Eigenleben (in größerem Umfang als in der österreichischen Zeit) zu geben.

3. Die Verwirklichung dieser Absicht soll von der psychologischen Lage nach der Einverleibung abhängen, für die wiederum wesentlich sein soll, ob sie ohne Widerstand oder nach Blutvergießen stattfindet.

4. Hitler unterstreicht, daß es sich um unwiderrufliche Entschlüsse handele.

b) Auf Seiten Hachas

1. Hacha stellt fest, daß angesichts dieser Sachlage ein Widerstand sinnlos sei. Eine Frage, ob der Einmarsch der deutschen Wehrmacht nur der Entwaffnung der tschechischen Truppen diene und ob diese nicht auf andere Weise durchgeführt werden könne, führt zur Bekräftigung der Absichten Hitlers.

2. Hacha wußte bereits um den Beginn des Einmarsches im Raume Mährisch-Ostrau–Witkowitz.

3. Hacha verteidigt den Anspruch des tschechischen Volkes auf ein nationales Leben. Hitler erklärt, daß keine Entnationalisierung geplant sei.

4. Hacha bezeichnet diese Erklärung Hitlers als für ihn von überragender Wichtigkeit.

Ergänzt man diese Punkte durch die Darstellung Schmidts, so erscheint folgendes Bild:

Es gab keine wirklichen Verhandlungen. Das tschechoslowakische Staatsoberhaupt wurde von Hitler vor die Absicht der militärischen Invasion seines Landes durch die deutsche Wehrmacht und seiner Einverleibung in das Deutsche

Reich gestellt. Dieser Entschluß wurde als unabänderlich unterstrichen, V e r -
h a n d l u n g e n d a r ü b e r n i c h t z u g e l a s s e n. Die einzig verbleibende
Alternative bestand für den tschechoslowakischen Staatspräsidenten darin,
gegen diese bevorstehenden militärischen Schritte entweder den bewaffneten
Widerstand der tschechischen Armee zu befehlen oder ihn zu verhindern.
Staatspräsident Hacha hielt den militärischen Widerstand für sinnlos und
entschied sich für das letztere. Wesentlich für diesen Entschluß war wohl der
Hinweis Hitlers, daß im anderen Falle eine sonst mögliche Autonomie un-
wahrscheinlich sei.
Angesichts der Kürze der für die Entschließung zur Verfügung stehenden
Zeit – Hacha traf nach 1 Uhr nachts in der Reichskanzlei ein, der Einmarsch-
befehl war für 6 Uhr früh gegeben – muß man von einem Ultimatum Hitlers
sprechen. Der tschechoslowakische Staatspräsident entschloß sich, das Ultimatum anzunehmen.

2. DIE BERLINER BESPRECHUNG VOM 15. MÄRZ IM NÜRN-
BERGER PROZESS UND VÖLKERRECHTLICHE ANALYSE

Anklage und Urteil des Nürnberger „Prozesses gegen die Hauptkriegsverbrecher" enthalten die Behauptung des direkten persönlichen Zwanges
gegen die tschechischen Repräsentanten am 15. März 1939 nicht. Bei der
minutiösen, der Anklageerhebung vorhergehenden Untersuchung muß angenommen werden, daß der aus der politischen Literatur der Publi-
zistik bekannte Vorwurf Gegenstand sorgfältiger Nachforschungen war.
Während die Anklage die von deutscher Seite entschieden bestrittene Absicht,
den eigenen Gesandten in Prag zur Schaffung eines Zwischenfalls zu ermor-
den, ausdrücklich erwähnt, findet sich keine Behauptung der persönlichen
Bedrohung der tschechischen Unterhändler. Auch in den Einzelanklagen gegen
Göring und Ribbentrop, die beide den Berliner Verhandlungen vom 15. März
1939 beiwohnten, findet sich keine solche Anklage, die sicherlich im Falle
eines solchen Verdachtes besonders angeführt worden wäre. So heißt es in der
Urteilsbegründung gegen Göring: „In der Nacht vor dem Einfall in die
Tschechoslowakei und der Einverleibung Böhmens und Mährens drohte er bei
einer Konferenz zwischen Hitler und dem Präsidenten Hacha, Prag zu bom-
bardieren, falls Hacha nicht nachgebe. Diese Drohung gab er in seiner Zeugen-
aussage zu[1]." Über Ribbentrop heißt es in der Urteilsbegründung: „Er war
bei der Besprechung vom 14. und 15. März zugegen, bei der Hitler durch Androhung einer Invasion den Präsidenten Hacha dazu nötigte, der deutschen
Besetzung der Tschechoslowakei zuzustimmen[2]."

---

[1] Protokolle des Prozesses gegen die Hauptkriegsverbrecher I, S. 315.
[2] ebenda.

Hiernach darf man als sicher unterstellen, daß eine solch ungewöhnliche und schwerwiegende, von höchsten staatlichen Funktionären begangene Tat ohne Zweifel gerade im Nürnberger Prozeß Gegenstand besonderer Erwähnung und eines darauf basierenden Anklagepunktes geworden wäre.

Da sich im Nürnberger Verfahren davon nichts findet, muß dieses Schweigen als gleichbedeutend damit gedeutet werden, daß Nürnberger Anklage und Urteil den in Frage stehenden gerüchteweisen Behauptungen keine Berechtigung zuerkannten.

a) Aus der Analyse der Berliner Besprechungen und den damit zusammenhängenden militärischen und politischen Märzvorgängen innerhalb des tschechoslowakischen Staatsgebietes ergibt sich: Hitler unterhandelte auf der Grundlage der Auflösung, d. h. des Unterganges der Tschechoslowakei. Der Beginn der Annexion der böhmisch-mährischen Gebietsteile der Tschechoslowakei liegt vor der Eröffnung der Besprechungen Hacha-Hitler. Die tschechischen Staatsmänner waren von dem Einmarsch der deutschen Truppen in den Raum Witkowitz–Mährisch-Ostrau (Tschechoslowakei) bei ihrem Eintreffen in Berlin unterrichtet worden. In den nach Mitternacht begonnenen Besprechungen teilte Hitler den Vollzug der Gesamtannexion der tschechischen Gebiete als unumstößliche Gegebenheit mit. Es wurde nur über die Möglichkeit einer kampflosen Annexion durch Unterlassung tschechischen Widerstandes verhandelt[1]).

Daraus ergibt sich, daß die Besprechungen Hacha-Hitler bereits von der Grundlage der begonnenen Annexion aus geführt wurden. Für die von der deutschen Regierung hinsichtlich der dadurch geschaffenen Situation gewünschte Rechtsauffassung ist ferner der Aufruf Hitlers „an das deutsche Volk" heranzuziehen, der dasselbe Datum trägt wie die deutsch-tschechoslowakische Erklärung. Auch darin heißt es nach dem Hinweis, daß sich die „Volksgruppen" nunmehr von Prag losgelöst hätten: (Womit offenbar auf die

---

[1]) Daß Auflösung bzw. Untergang der Tschechoslowakei die von Deutschland bezogene völkerrechtliche Plattform darstellt, bezeugt das wichtige Aktenstück ADAP., Nr. 224, das die für die italienische Regierung bestimmte Erklärung des Reichsaußenministers enthält.
Sie beinhaltet:
1. Die Tschechoslowakei ist „in Auflösung" (Einrücken der Ungarn in die Karpaten-Ukraine, Verselbständigung der Slowakei, „desolater Zustand" in Böhmen-Mähren) begriffen. „Zwischenfälle" im Norden, deutsche Truppen im Begriff, dort gewisse Gebiete zu besetzen. 2. Sorge um das Schicksal der deutschen Stammesgenossen in Böhmen-Mähren. Auf ihr Angebot Hacha-Chvalkowsky heute in Berlin erwartet. 3. Der Führer entschlossen in Böhmen Ruhe herzustellen. Das zukünftige Schicksal des Gebietes würde heute mit Hacha verhandelt. Intrigen „mit unseren Gegnern" im Westen seien gesponnen worden. Der Führer wolle „die Eiterbeule aufstechen". Für eine „früher oder später notwendige Auseinandersetzung" an anderer Stelle und für die dadurch den Achsenmächten entstehenden Aufgaben sei der jetzige Vorgang „eine nützliche Vorbereitung".
Auch hier bezeichnenderweise nicht der geringste Hinweis auf die in München eingegangenen Bindungen oder die Notwendigkeit einer Konsultation mit den Mächten des Münchener Abkommens.

slowakischen, zwei Tage vorher liegenden Vorgänge verwiesen ist.) „Die Tschechoslowakei hat damit endgültig aufgehört zu existieren . . ." „Um die Voraussetzungen für die erforderliche Neuordnung in diesem Lebensraum zu schaffen", habe er mit dem heutigen Tage deutsche Truppen nach Böhmen und Mähren einmarschieren lassen. Sie würden die Grundlagen für die Einführung einer neuen grundsätzlichen Regelung sichern[1]). Die Absicht einer Vereinbarung mit der Rest-Tschechoslowakei oder Vertretern des tschechischen Volkes ist in diesem Aufruf überhaupt nicht erwähnt, noch findet sich ein Hinweis auf den Austausch der deutsch-tschechischen Erklärungen vom selben Datum.

Auch daraus muß man schließen, daß die Plattform, auf der die Besprechungen mit Hacha geführt wurden, deutscherseits die Behauptung einer bereits nicht mehr bestehenden Tschechoslowakei war. Unter diesen Umständen ist aber eine vertragliche Einigung im Sinne des Völkerrechtes unmöglich, denn sie setzt den Weiterbestand eines Völkerrechtssubjekts voraus. Damit aber würde wiederum die Stilisierung des die tschechische Seite betreffenden Teiles der Erklärung übereinstimmen, wo nicht mehr von einem „tschechoslowakischen Staat", sondern von einem „tschechischen Volk und tschechischen Land" die Rede ist. Unter diesen Umständen war aber der Abschluß eines Vertrages – auch wenn man die Frage des Zwanges beiseite läßt – unmöglich, weil der deutsche Partner von der Behauptung der Annexion des Gebietes ausging, das der andere Partner politisch repräsentierte. Es ergäbe sich damit eine ähnliche Lage, wie bei den von Anzilotti[2]) erörterten Fällen. Verträge oder Vereinbarungen zwischen politischen Organisationen, die von der gleichen Obergewalt abhängen und Glieder dieser Rechtsordnung sind, werden dort ausdrücklich und mit Recht nicht als Verträge im Sinne des Völkerrechtes gekennzeichnet. Auf eine solche Auffassung würde auch die Schilderung des Ablaufes der Besprechungen durch das amtliche Protokoll deuten. Dort wird erwähnt, daß nach der ersten Besprechung eine Unterbrechung eintrat, die, wie wir aus der Schilderung Schmidts erfahren, von den tschechischen Staatsmännern zu Telefonaten nach Prag benutzt wurde. Offensichtlich sind die Anweisungen zur Unterlassung des militärischen Widerstandes von ihnen durchgegeben worden[3]). Nach dieser Pause sind „die zu Beginn der Aufzeichnungen genannten Herren nochmals zu einer abschließenden Besprechung im Arbeitszimmer des Führers zusammengetreten"[4]). Erst dann wurde, nach der Bemerkung des Protokolls, die Regelung unterzeichnet.

Hergang der Verhandlungen und Formulierung der Erklärung deuten darauf hin, daß Dr. Hacha nicht als Repräsentant eines nach deutscher Auf-

---

[1]) Text bei: *Gretschaninow*, Politische Verträge, III/2, Nr. 77.
[2]) Völkerrecht, S. 269–70.
[3]) Anlage 2 zu Nr. 229 enthält die militärischen Forderungen der Reichsregierung, die für die widerstandslose Durchführung der militärischen Aktion gestellt wurden. Sie tragen die Paraphe Hachas und Chvalkowskys.
[4]) ADAP., Nr. 228.

fassung nicht mehr existierenden tschechoslowakischen Staates, sondern als eine Art de fakto-Repräsentant eines Teiles des in Auflösung befindlichen früheren tschechoslowakischen Staates erscheinen sollte. Die von dieser Grundlage offenbar ausgehende Formulierung der Erklärung bedeutet daher nicht die Begründung eines völkerrechtlichen Vertragsverhältnisses.

Die offizielle deutsche Auffassung hat also einmal unter Hinweis auf die Loslösung der Slowakei und der Annexion der Karpaten-Ukraine durch Ungarn die Auflösung des tschechoslowakischen Staates von innen her geltend gemacht. Es erfolgte sodann die militärische Annexion der böhmisch-mährischen Gebiete. Unter diesen Voraussetzungen konnte es zu keinem wirklichen Vertragsverhältnis zwischen Deutschland und dem „Protektorat" kommen. Wäre die Begründung eines echten Vertragsverhältnisses beabsichtigt gewesen, so hätte man sich wahrscheinlich auch nicht mit dem Austausch von „Erklärungen" begnügt, sondern, wie in dem Falle der Slowakei, einen wirklichen Vertrag geschlossen. Es lag aber gerade in der Linie Hitlers, seine „neue Ordnung" auf *einseitige Akte* vermeintlicher deutscher Macht zu gründen und kontraktuelle Bindungen, die natürlich seine Freiheit des Handelns einschränkten und eine dauernde Rücksicht auf den Vertragspartner bedingten, zu vermeiden. So ist auch die deutsch-tschechoslowakische Erklärung vom 16. März in dem innerstaatliche Normen enthaltenden Teil I des Reichsgesetzblattes veröffentlicht, während das Verhältnis zwischen Deutschland und der Slowakei durch einen echten völkerrechtlichen Vertrag geregelt ist[1]).

b) Die Annexion des böhmisch-mährischen Teiles des tschechoslowakischen Staates war eine klare Verletzung des Münchener Abkommens, und zwar in doppelter Weise. Einmal war es eine Verletzung jener Bestimmung des eigentlichen Abkommens, welche vorsieht, daß die durch den internationalen Ausschuß zu ziehende Grenze (auch von Deutschland) als endgültig anerkannt werden sollte (Ziffer 6). Es war ferner ein Bruch des zweiten Zusatzabkommens, demgemäß nach Regelung der polnischen und ungarischen Minderheitenfragen sich auch Deutschland verpflichtet hatte, eine Garantie der neuen Staatsgrenzen abzugeben. Diese Regelungen wurden Deutschland wie den übrigen Signataren von der tschechoslowakischen Regierung als vollzogen am 23. November notifiziert. Damit begann für Deutschland die Pflicht, das Garantieversprechen einzulösen oder in Verhandlungen wegen anderweitiger Regelungen mit den Signataren einzutreten. Frankreich und England haben als Signatarmächte mit verschiedener rechtlicher Motivierung gegen diese Verstöße und den sie bewirkenden Militärakt protestiert. Die durch den Einmarsch vom 15. März und die nachfolgende Aktion in Böhmen und Mähren geschaffene Lage ist von diesen Mächten als völkerrechtlich für sie unverbindlich gekennzeichnet worden.

---

[1]) Vertrag über das Schutzverhältnis zwischen dem Deutschen Reich und dem slowakischen Staat vom 18.–23. März 1939, Gretschaninow, Politische Verträge, III/2, Seite 1038. Dieser Vertrag ist auch im Teil II des Reichsgesetzblattes veröffentlicht.

Im Innenverhältnis zwischen der Rest-Tschechoslowakei (Böhmen und Mähren) und dem Deutschen Reich ist jedoch auf der Grundlage der Erklärungen Hacha-Hitler die durch den Erlaß vom 16. März 1939 geschaffene Lage im „Protektorat Böhmen und Mähren" geltende Rechtsordnung geworden, die als solche wieder die Anerkennung gewisser mit Deutschland verbündeter oder sympathisierender Mächte gefunden hat. Hugelmann zufolge[1]) hat Präsident Hacha sich auch der Zustimmung der Regierung, welche nach den Vorschriften der bis dahin geltenden Verfassung der Tschechoslowakischen Republik vom Vertrauen der Mehrheit des Parlamentes getragen war, versichert. „Zu allem Überfluß haben alle irgendwie maßgebenden staatsrechtlichen Organe des bisher unabhängigen Staates, insbesondere die Präsidenten der beiden Häuser des Parlamentes, durch konkludente Handlungen ihre Anerkennung des neu geschaffenen Zustandes in einer deutlichen, jeden Zweifel ausschließenden Weise zum Ausdruck gebracht."

Durch die Verletzung des Münchener Abkommens ist, wie wir gesehen haben, die Gültigkeit der Grenzziehung von 1938 nicht hinfällig geworden. Dagegen ist es außer Zweifel, daß die moralischen und politischen Grundlagen dieser Regelung, auf die insbesondere Lord Halifax in seiner Oberhausrede vom 20. März 1939 hingewiesen hat, durch Hitler überlegterweise vernichtet worden sind.

3. DAS REICHSPROTEKTORAT BÖHMEN
UND MÄHREN

Einzelheiten der durch den Erlaß vom 16. März 1939 errichteten neuen Ordnung in Böhmen und Mähren interessieren hier als solche nicht. Wichtig dagegen gerade für die völkerrechtliche Situation, auch nach 1945, ist die Frage nach der Rechtsnatur des neuen Gebildes, im besonderen die Frage, ob ihm völkerrechtliche Persönlichkeit zukam oder nicht.

Unter Protektorat im hergebrachten Sinne des Wortes versteht man ein Rechtsverhältnis, kraft dessen sich ein Staat verpflichtet, einen anderen in seinen dauernden Schutz zu nehmen, worauf ihm dieser seinerseits evtl. mit anderen Vorteilen das Recht einräumt, in stärkerem oder schwächerem Maße auf die Führung seiner Beziehungen zu dritten Staaten einzuwirken. Der protegierte Staat hat selbst seine Freiheit eingeschränkt, indem er Verpflichtungen der geschilderten Art übernahm[2]).

Das völkerrechtliche Protektorat läßt also, wie umfassend auch die Einschränkung seiner Handlungsfreiheit sein mag, den protegierten Staat als

---

[1]) K. G. *Hugelmann*, Das Reichsprotektorat Böhmen und Mähren, in: Monatshefte für auswärtige Politik, 1939, S. 400.
[2]) Anzilotti, a. a. O., S. 170 und die dort angegebene Literatur.

völkerrechtliche Persönlichkeit unangetastet. Es fragt sich, ob diese Charakteristik auf die Situation in Böhmen und Mähren nach dem 15. März 1939 zutraf. Sie ist gleichbedeutend mit der Frage, ob der tschechoslowakische Staat untergegangen war oder nicht.

Die englische Regierung hat nach Erörterung der Ereignisse in der Slowakei und ihrer Losreißung im Unterhaus die These vertreten, daß dadurch der tschechoslowakische Staat zu bestehen aufgehört habe. Von italienischer wissenschaftlicher Seite ist bei der Erörterung desselben Tatbestandes an die überlieferte Völkerrechtsanschauung erinnert worden, daß auch umfängliche Gebietsverminderungen die völkerrechtliche Persönlichkeit eines Staates nicht untergehen lassen[1]). In unserem Falle wird man vielleicht die Auffassung vertreten dürfen, daß durch die Losreißung der Slowakei der tschechoslowakische Staat in seiner historisch-politischen und damit auch völkerrechtlich-individuellen Natur insofern zentral verändert wurde, als durch die slowakische Loslösung sein vorher gegebener dualistischer Staatscharakter wegfiel. Man kann ohne Slowakei nicht mehr von einem „tschecho-slowakischen" Staat sprechen. Aber auch diese Arbeit vermag nicht der englischen Auffassung beizutreten, wonach die Loslösung der Slowakei den Untergang auch jener völkerrechtlichen Persönlichkeit bedeutet hätte, die bis dahin den Namen Tschecho-Slowakei trug; Gebiet und unabhängige Herrschaft waren in den tschechischen Gebietsteilen intakt vorhanden, und Präsident Hacha trat seine Fahrt nach Berlin als Repräsentant eines um die slowakischen Gebiete verminderten tschechoslowakischen Staates an, auch wenn ihn Hitler nicht als solchen behandelte; die Sezession der Slowakei hat nach unserer Auffassung den weiteren Bestand eines unter völkerrechtlicher Autorität der Prager Regierung stehenden Staates nicht berührt.

Die Frage seines Weiterbestandes hängt vielmehr von der Beurteilung der militärischen und diplomatischen Vorgänge ab, die sich auf seinem Gebiete selbst abspielten und über die in Berlin verhandelt wurde.

Aus unserer vorangehenden Analyse ergab sich:

a) Über den Einmarsch der deutschen Truppen in die böhmisch-mährischen Gebiete ist nach dem Wortlaut des deutschen Protokolls in der Besprechung Hacha–Hitler überhaupt nicht verhandelt worden. Hitler stellte Hacha vor den in einigen Stunden beginnenden Einmarsch als vor einen unwiderruflichen Entschluß, Hacha ging davon offensichtlich als von einer unabänderlichen Gegebenheit aus. Da Hitler gleichzeitig die Einbeziehung dieser Gebiete in das Deutsche Reich aussprach, ergibt sich, daß der durch die Losreißung der Slowakei verkleinerte tschechoslowakische Staat durch Hitler annektiert und Deutschland einverleibt wurde.

b) Die Mitwirkung Hachas betraf nicht den hoheitsrechtlichen Akt der Annexion, sondern seine militärische Seite; die Annexion ist nicht verein-

---

[1]) C. G. *Raggi.* Ile Protettorato di Boemia e Moravia. In: Rivista di Diritto Internazionale, Ser. IV, XIX (1940), S. 193 ff.

bart, sondern hingenommen worden und allein von Hitler zu verantworten; sie war ein einseitiger Akt seiner Staatsführung. Hachas Mitwirkung bezog sich auf die militärische Durchführung; sein Befehl, militärischen Widerstand zu unterlassen, bewirkte eine nichtkriegerische Durchführung der Annexion.

c) Die Erklärung nimmt die durch Einmarsch und Teil-Annexion geschaffene Lage zur Grundlage und geht – einige Stunden vorwegnehmend – bereits von dieser aus. Daher ist dort nicht mehr vom Schicksal eines „tschechoslowakischen" Staates die Rede – der hier bereits als unter und in Deutschland aufgegangen behandelt wird –, sondern vom Schicksal des „tschechischen Landes und Volkes".

Es kann daher beim „Reichsprotektorat" nicht von einer völkerrechtlichen Persönlichkeit gesprochen werden. Der tschechoslowakische Reststaat, der nach Losreißung der Slowakei und Annexion Karpato-Rußlands übrigblieb, ist durch die militärische Annexion und Einverleibung in das Deutsche Reich untergegangen. Er unterstand zunächst der deutschen Oberhoheit nach Maßgabe der den Militärbefehlshabern übertragenen Vollmachten, doch war dieser Übergangszustand nur von 24stündiger Dauer und wurde von der im Erlaß vom 15. März 1939 niedergelegten Ordnung abgelöst.

Das Protektoratsstatut war nicht durch Vertrag vereinbartes Recht, sondern einseitige Satzung Hitlers. Insofern der übliche Sinn des Wortes Protektorat ein völkerrechtliches Verhältnis meint, trug das neue Verhältnis diese Bezeichnung zu Unrecht; in Wirklichkeit handelte es sich um autonome Länder mit verhältnismäßig weitgehenden autonomen Rechten.

Die in der Erklärung Hachas gebrauchte Formulierung, er lege das Schicksal des tschechischen Volkes vertrauensvoll in die Hände des Führers des Deutschen Reiches, ist weder völkerrechtlich noch staatsrechtlich eindeutig faßbar. Sie hat etwa den Sinn einer politischen Anerkennung einer Art von Obergewalt Deutschlands über die tschechischen Interessen in der Erwartung der versprochenen „angemessenen Autonomie", und die gleich zu erwähnende Interpretation Hugelmanns dürfte ihr am angemessensten sein; allerdings entsprach die Wirklichkeit nicht der Rechtskonstruktion; auch die parallele Formel der Gewährleistung einer „angemessen autonomen Entwicklung" durch Deutschland bleibt rechtlich vage. So steht auch der Erlaß Hitlers über die Ordnung des Protektorates vom 16. März 1939 nicht in dem Verhältnis einer Ausführungsbestimmung zu der deutsch-tschechischen Erklärung vom 15., sondern ist wiederum als solcher einseitig gesetztes Recht. Es wären auch andere Rechtsformen der Autonomie denkbar gewesen.

Die zeitgenössische deutsche Literatur hat sich mit den völkerrechtlichen Problemen des „Reichsprotektorates" wenig beschäftigt. W. G. *Grewe* vertrat die Auffassung, bei der Beurteilung der rechtlichen Struktur des Protektorates Böhmen und Mähren sei in erster Linie von dem „Protektoratsvertrag" auszugehen, der zwischen dem Führer des Deutschen Reiches und dem tschechoslowakischen Staatspräsidenten am 15. März 1939 geschlossen wurde und „in dessen Durchführung" der Erlaß vom 16. März die näheren Modalitäten des Protektoratsverhältnisses regelte. Diese Regelung sei vor allem dadurch gekennzeichnet, daß . . . . zwischen dem Reich und dem Protektorat Böhmen und Mähren nicht nur ein völkerrechtliches, sondern auch ein staatsrechtliches Band geknüpft worden sei. Grewe vertrat demnach die Meinung, daß ein völkerrechtliches Vertragsverhältnis vorliege und der Protektorats-Erlaß dazu im Verhältnis einer Ausführungsbestimmung stehe, ohne näher zu begründen, auf welche Weise eine zugleich völkerrechtliche und staatsrechtliche Natur des Protektorates möglich sei[1]).

Unter wieder anderem Gesichtspunkt, wobei deutlich die Interessenrichtung des Rechtshistorikers hervortritt, analysierte K. G. *Hugelmann* die Struktur der politischen Ordnung Böhmens seit dem 15. März 1939. Er meinte (mit Recht), die Frage, ob die Rechtsstellung des Reichsprotektorates dem völkerrechtlichen Typ des Protektorates entspreche, sei keineswegs zu bejahen . . . Nach einer nicht seltenen Terminologie hätte man die Rechtslage Böhmens und Mährens als die eines Vasallenstaates bezeichnen können. Es stünde dem nichts im Wege, „wenn der edle Sinn des Wortes Vasall nicht dem modernen Rechtsbewußtsein im Sprachgebrauch entschwunden wäre". Denn Vasall könne nach germanischem Recht nur ein freier Mann sein, Vasall und Herr stünden in einer gegenseitigen Treueverpflichtung, die auf Seite des Herrn die Schutzverpflichtung einschließt. Ein Vasallenverhältnis eines kleinen zu einem großen Volk hätte, wenn man sich diesen Sinn vergegenwärtigt, nichts Unedles und Kränkendes an sich . . . Wenn der Ausdruck Protektorat vorgezogen wurde, so wohl deshalb, weil der Ausdruck Vasallenstaat im wissenschaftlichen Sprachgebrauch einen anderen Akzent erhalten hat, der diesen ursprünglichen Sinn der Vasallität nicht gerecht werde. Hugelmann meinte, man käme der Sachlage am nächsten, wenn man das Verhältnis als staatsrechtliches Protektorat bezeichne[2]). Ähnlich auch die Auffassung von Klein, der nicht ein völkerrechtliches, sondern nur ein staatspolitisches Schutzverhältnis annimmt[3]).

Die von uns entwickelte Auffassung deckt sich in wesentlichen Punkten mit einer italienischen Untersuchung aus der Feder C. G. R a g g i s[4]).

Raggi geht aus vom Protektoratserlaß Hitlers (16. März 1939), wobei ihn die Frage seines Rechtswertes „nicht im geringsten" beschäftigt angesichts der Tatsache, „daß die darin enthaltenen Bestimmungen nicht nur im Reich, sondern auch im Pseudo-Protektorat Geltung haben".

Er räumt jener Bestimmung des Führer-Erlasses entscheidende Bedeutung ein, wonach das bisherige Recht in Böhmen und Mähren „in Kraft bleibt"

---

[1]) W. G. *Grewe,* Protektorat- und Schutzfreundschaft, Monatshefte für auswärtige Politik, 1939. S. 341.

[2]) K. G. Hugelmann, a. a. O., S. 410 ff.

[3]) *Klein,* Die staats- und völkerrechtliche Stellung des Protektorats Böhmen und Mähren, Archiv des öffentlichen Rechts, 1940, S. 258.

[4]) C. G. Raggi, a. a. O., S. 193 ff.

(Art. 12), soweit es mit der neuen Ordnung vereinbar ist. „Wenn die Notwendigkeit bestand, die Weitergeltung des vorherigen Rechts zu betonen, bedeutete das, daß man im Gegensatz zu den Fällen interner Revolutionen daran festhielt, das alte Recht habe, wenn auch nur für einen Augenblick, aufgehört, in Kraft zu stehen." Aus dem weiteren Blick auf die Zuständigkeiten des „Reichsprotektors" nach Art. 5, Abs. 4 und 5 wie auf die Art der Bestellung der Mitglieder der Protektoratsregierung leitete er die Folgerung ab, daß sich schon daraus ergebe, daß man es nicht mit einer ursprünglichen Rechtsordnung, vielmehr mit einer abgeleiteten zu tun habe. Eine solche Rechtsfigur besitze daher nicht die vom internationalen Recht geforderten Eigenschaften eines Staates. Daher müsse man feststellen die „estinzione della personalita del stato cecoslovacco". Dieses Ergebnis findet er bekräftigt durch die weiteren Feststellungen, daß es dem Protektorat an einem eigenen Gebiet mangele, da das autonome Gebiet ein Teil des Deutschen Reiches sei. Der Mangel originärer Rechtsordnung verhinderte die Entstehung einer neuen internationalen Rechtspersönlichkeit; beides führe zur Feststellung der „fehlenden Kontinuität der internationalen Persönlichkeit des tschechoslowakischen Staates[1])."

Die von Raggi erwähnte Abhandlung V e n t u r i n i 's „La nuova situazione del territorio della Cecoslovacchia" war mir nicht zugänglich.

---

[1]) Vergleiche dazu die Entscheidung des Königlichen Appellationsgerichts in Rom vom 27. Februar 1941 (Basch c. Grassi). Sie hatte sich mit der Wirkung der Protektoratserrichtung auf die zwischen der Tschechoslowakei und Italien geschlossenen Verträge zu befassen. Es war eingewendet worden, daß eine in Prag ausgestellte notarielle Vollmacht ohne Vidierung durch den dortigen italienischen Konsul vor italienischen Gerichten nunmehr ungültig sei, da das italienisch-tschechoslowakische Abkommen vom 6. April 1922, das im Verhältnis beider Staaten von der konsularischen Bestätigung solcher Akte dispensierte, durch die neue Lage erloschen sei. Die Tschechoslowakei habe aufgehört zu existieren; die von ihr geschlossenen internationalen Abkommen hätten ihre Geltung verloren; nunmehr unter deutschem Protektorat stehend, sei die internationale Rechtspersönlichkeit verloren gegangen.

Das Appellationsgericht wies diese Auffassung mit folgenden Argumenten zurück: Mit dem Übergang eines Staates unter das Protektorat eines anderen, der ihn gegenüber Dritten vertritt, verschwindet nicht die Rechtspersönlichkeit des Protegierten. Er behält sein Gebiet, in der Regel seine eigene interne Ordnung; seine Bürger werden nicht Bürger des Protektorstaates, so daß im Falle des Abbruchs der Beziehungen oder eines Krieges zwischen beiden Staaten die Doktrin anerkenne, daß es sich nicht um Aufstand oder Bürgerkrieg, sondern um Krieg im Sinne des internationalen Rechts handle.

Hinsichtlich der vom protegierten Staat vor der Begründung des Protektorats geschlossenen Verträge anerkenne die Doktrin übereinstimmend, daß sie eben wegen des Fortbestandes der Rechtspersönlichkeit des protegierten Staates in Geltung stehen und Rechtswirkungen erzeugen, es sei denn, das Gegenteil sei ausdrücklich vereinbart.

Zwischen Deutschland und Böhmen sei bei der Errichtung des Protektorates offensichtlich keine solche Übereinkunft getroffen worden, die die von der Tschechoslowakei geschlossenen Verträge unwirksam mache. Auch zwischen Italien und Deutschland bestünde kein solches Abkommen im Hinblick auf diesen Staat. Auch die Verfassung des Protektorats sei mit dem Fortbestand der erwähnten Konvention

4. DIE HALTUNG DER GROSSMÄCHTE ZU DEN TSCHECHOSLOWAKISCHEN MÄRZEREIGNISSEN

a) Die Haltung der Mächte zu den tschechoslowakischen Märzereignissen ist nicht einheitlich. Sie soll im folgenden in einer kurzen Übersicht dargestellt werden.

Frankreich

Die französische Regierung richtete am 17. März „einen formellen Protest" gegen die ihr durch den deutschen Botschafter in Paris notifizierte Aktion in der Tschechoslowakei. Sie bezeichnete die seitens der deutschen Regierung gegenüber der Tschechoslowakei unternommene Aktion als eine „flagrante Verletzung von Geist und Buchstaben des Münchner Abkommens" und ließ

---

vereinbar. Das Protektorat habe aktives und passives Gesandtschaftsrecht verloren. Das bedeute nicht den Verlust der eigenen Rechtspersönlichkeit. Entscheidend sei das Recht auf eigenes Gebiet, eigene Staatsorgane und eigene innere Rechtsordnung. Alles dieses treffe auf das Protektorat Böhmen und Mähren zu. Habe dieses seit der Protektoratsbegründung keine eigenen Vertreter im Ausland mehr, keine volle Handlungsfähigkeit, daher auch keine Fähigkeit zum Vertragsabschluß, so verlieren deswegen die vorher geschlossenen Abkommen nicht die Rechtskraft. Man müsse daher zu dem Schlusse kommen, daß der Vertrag von 1922 zwischen Italien und der Tschechoslowakei noch in vollkommener Geltung stehe (Rivista di Diritto Internationale, 1940, S. 418).

Die Entscheidung wurde von Guiseppe *Biscottini*, a. a. O., Rivista, 1940, einer völlig ablehnenden Kritik unterzogen. Er kritisierte daran, daß die Entscheidung eine allgemeine Rechtsfigur des Protektorats voraussetze, während in Wirklichkeit sich nur aus der Prüfung des jeweiligen Falles ergäbe, ob aus einer Protektoratserrichtung Erlöschen oder Fortdauer der bisherigen Verträge folge. Der Gerichtshof habe die Rechtsgrundlagen des Protektorats Böhmen und Mähren nicht genügend untersucht. Es scheine, als seien ihm die Bestimmungen unbekannt, durch die es errichtet wurde, so z. B., daß das Gebiet des sogenannten Reichsprotektorats einen integrierenden Bestandteil des Gebietes des Großdeutschen Reiches darstelle. Dadurch seien die gesamten Überlegungen des Gerichtshofes entwertet.

Die entscheidende Frage laute vielmehr: Sind die Rechtsbeziehungen zwischen dem Deutschen Reich einerseits, Böhmen und Mähren andererseits, Beziehungen nach Völkerrecht. Auch wer die vielfältigen Formen von Protektoraten zugibt und auf die Prüfung der jeweiligen Rechtslage abstellt, muß an einem Punkte festhalten: daß eine Beziehung zwischen Protektor und Protegiertem ein Verhältnis nach Völkerrecht ist. Diese Frage müsse für das Protektorat Böhmen und Mähren geprüft werden.

Nun ergebe sich, daß die Beziehung zwischen dem Deutschen Reich und Böhmen und Mähren durch eine interne Norm des Reiches geregelt ist, durch den Erlaß des Führers und Reichskanzlers vom 16. März 1939. Das zwingt zu dem Schluß, daß es sich nicht um internationale Beziehungen handelt, man stehe außerhalb des Feldes eines internationalen Protektorats. Auch wenn man beweisen könnte, daß dieser Protektoratserlaß nur die Durchführung eines internationalen Abkommens darstelle – so die Meinung eines anderen italienischen Autors, Venturini, – ferner, wenn man annähme, daß der tschechoslowakischen Rechtsordnung eine Norm eingefügt wurde, auf Grund deren der Inhalt des deutschen Erlasses für sie Rechtswert bekommt, wäre die Lage nicht anders. Ein zwischenstaatliches Abkommen, das einen Staat ermächtigt, die

die deutsche Regierung wissen, daß sie die dadurch geschaffene Lage nicht als rechtmäßig anerkennen könne[1]).

Demgegenüber erklärte *Weizsäcker*, es handle sich um eine notwendige, aber auch mit der tschechoslowakischen Regierung vereinbarte Aktion, der gegenüber juristische Gesichtspunkte aus früheren Abreden wegfielen (ADAP. Nr. 233). In seinen Erinnerungen nennt Weizsäcker die Verhandlungen mit Hacha eine „Erpressung".

Sowjetunion

Am 18. März 1939 überreichte die Sowjetunion einen formellen Protest[2]), der auch die Besetzung der Karpato-Ukraine durch Ungarn erwähnte, und sich ebenso auf die Veränderungen in Böhmen wie in der Slowakei bezog. Der neue Zustand widersprach nach sowjetischer Auffassung vor allem auch dem im Protest erwähnten Grundsatz des Selbstbestimmungsrechtes der Völker.

Ordnung seiner eigenen Beziehungen zu einem anderen Staat auf interne Rechtsvorschriften zu gründen, stellt sich nämlich als A n n e x i o n s vertrag dar. Eine interne Norm aber, die die Vorschriften einer fremden Rechtsordnung als unbeschränkte Rechtsquelle betrachtet, ist eine Norm, die die Ausdehnung der Herrschaftsgewalt eines fremden Staates legitimiert, damit aber auch das Erlöschen der Rechtsordnung legitimiert, der sie angehört. Auch die Interpretation Romagno's, der in dem Abkommen Hacha–Hitler eine Art von Delegation seitens Böhmens und Mährens an den Führer sieht, damit er das interne wie internationale Statut des Landes bestimme, komme, genau betrachtet, zu demselben Ergebnis: Die Übertragung einer solchen Kompetenz von einem Staat auf den anderen bedeutet, genauer ausgedrückt, nur die Anerkennung der Ausdehnung der Herrschaftsgewalt des einen Staates über den anderen.

Wie stellt sich das Ergebnis einer Analyse des Erlasses vom 16. März 1939 unter solchen Gesichtspunkten dar? Raggi hebt dabei hervor, es genüge festzustellen, daß die Dispositionen des Erlasses nicht nur im Reich, sondern auch in dem P s e u d o - protektorat gelten. Das folge im übrigen aus dem Abkommen zwischen Hitler und dem Präsidenten der tschechoslowakischen Republik vom 15. März 1939; und *auch für dieses gelte im übrigen der Hinweis auf seine Faktizität.* Im fraglichen Zusammenhang wird besonders auf Art. 3, Abs. 2 und 3 und Art. 11 Abs. 1 und 2 verwiesen. Von prinzipieller Bedeutung sei insbesondere Art. 12. Wenn in der Tat durch ausdrückliche Norm die Bekräftigung nötig war, daß die bisherige Gesetzgebung in Kraft bleibe, bedeutet das, daß man, im Unterschied zu internen Revolutionen, daran festhalte, das alte Recht habe, wenn vielleicht auch nur einen Augenblick, in seiner Wirkung aufgehört.

Zwei Folgerungen werden daraus gezogen:

1. Die gegenwärtige in Böhmen und Mähren geltende Rechtsordnung ist keine ursprüngliche Rechtsordnung, denn sie ist in ihrer rechtlichen Geltung von der des Reiches abgeleitet.

2. Daraus ergibt sich auch das Erlöschen der Tschechoslowakei als internationaler Rechtspersönlichkeit. Raggi vertieft die These unter 2 durch Analyse des Art. 3 Abs. 2 und 3 und verweist auf die fundamentale Bestimmung des Art. 1, Abs. 1, wonach die Gebiete der ehemaligen tschechoslowakischen Republik von jetzt ab zum Deutschen Reich gehören.

---

[1]) Livre jaune, Nr. 76.
[2]) R. *Langer*, Seizure of territory, S. 422.

Vereinigte Staaten

Die Vereinigten Staaten drückten in einer Erklärung ihres damaligen Außensekretärs Summer Welles ihre Verurteilung der Unterdrückung der tschechoslowakischen Selbständigkeit aus. Als die deutsche Botschaft die Übergabe der tschechoslowakischen Gesandtschaft verlangte, lehnte der tschechoslowakische Gesandte ab und wurde in dieser Haltung vom Washingtoner Außenamt unterstützt.

In einer Instruktion an den Schatzsekretär erklärte das Außenamt Böhmen, Mähren und die Slowakei als unter deutscher militärischer Macht und unter deutscher de facto Verwaltung stehend. Die Nichtanerkennung wurde unterstrichen. Gleichzeitig wurde aber die Anwendung des deutschen Zollregimes auf die aus Böhmen und Mähren stammenden Güter gestattet. Diese Regelung wurde auch auf die Slowakei ausgedehnt, obwohl sie, als selbständiger Staat, ihr eigenes Zoll- und Außenhandelswesen hatte.

Die Genfer Liga der Nationen (Völkerbund). Expräsident Benesch hatte der Liga am 16. März 1939 ein Telegramm gesandt, worin er die Anwendung des Art. 10 der Satzung verlangte. Das Protokoll berichtet darüber[1]): „Der Präsident schickt sich an, in seiner Eigenschaft als Vertreter der Sowjetunion eine Frage zu berühren, nämlich eine Mitteilung, die seines Wissens dem Rat seitens Dr. Benesch zugegangen sei." (Vorher war ein Protest des Königs Achmed Zogu von Albanien behandelt worden, der gegen die militärische Annexion seines Landes durch Italien protestiert hatte.) „Der Generalsekretär wandte ein, es handle sich um ein an den vorigen Ratspräsidenten gerichtetes Mitteilung, und es sei dessen Sache, über die Behandlung zu entscheiden. Der frühere Ratspräsident (Sandler) erwiderte, er habe in dieser Angelegenheit keine Schritte unternommen, jetzt aber sei seine Präsidentschaftsfunktion abgelaufen. Der Generalsekretär erinnerte daran, daß nach einer seit Beginn der Arbeiten des Völkerbundes streng eingehaltenen Regel sich der Rat nur mit Mitteilungen befaßt, die von Regierungen eingehen. Das sei eine kluge Regel, jenseits derer man sehr schwer einen Weg fände. Die Ratsmitglieder hätten nur zu viele Erfahrungen gemacht mit den delikaten Lagen, die sich für den Fall ergeben, wenn außer Regierungsmitteilungen auch solche anderen Ursprungs an die Ratsmitglieder verteilt würden, wie immer auch das Interesse sei, um das es gehe. Er fügte weiter hinzu, daß im Falle der albanischen Ereignisse die Mitteilung des Königs von Albanien dem Generalsekretär im Augenblick des Einmarsches in das Staatsgebiet übermittelt wurde. Im anderen Falle handle es sich um ein Telegramm einer nicht weniger hervorragenden Persönlichkeit, die aber ihr Amt als Staatsoberhaupt schon vor mehreren Monaten niedergelegt habe. Lord Halifax erachtete es als außerordentlich unvorsichtig, irgend etwas zu unternehmen, was den Rahmen der

---

[1]) SDN. Journ. Off. Procès verbal de la cent-cinquième Lession du Conseil, première séance (privée) 22. Mai 1939. Seite 243, 248.

Verfahrensordnung überschreiten könnte. Jede Initiative in diesem Sinne würde die Tür zu Lagen voller Schwierigkeiten öffnen. Seiner Meinung nach wäre es zweckmäßig, wenn der Vertreter der Sowjetunion seinen Vorschlag vertage und sich mit dem Generalsekretär über die Verfahrensfrage beraten würde. Der Präsident gab zu, es wäre in der Tat die beste Lösung, sich mit dem Generalsekretär über die geeignete Form zu beraten, die Frage vor den Rat zu bringen." Als offenbares Ergebnis der Debatte blieb der Name der Tschechoslowakei weiterhin auf der Mitgliederliste des Völkerbundes[1]).

England

Die britische Regierung machte einen klaren Unterschied hinsichtlich der beiden Sektoren der tschechoslowakischen Ereignisse. Sie beurteilte die Vorgänge in Böhmen und Mähren anders, als die in der Slowakei.

a) Die Vorgänge in der Slowakei

Premierminister Chamberlain brachte am 15. März die Ereignisse in der Slowakei in Zusammenhang mit der Frage, wie sie sich auf die britische Erklärung der Garantiebereitschaft aus dem Münchener Zusatzabkommen auswirken würden. Er erklärte im Unterhaus, daß die Garantie der Gebietsintegrität der Tschechoslowakei, zu der sich England und Frankreich im September 1938 bereit erklärten – sie war dann nicht mehr zustande gekommen –, in keiner Weise auf die Ereignisse in der Slowakei anwendbar sei. Er begründete es damit, „daß sich nach unserer Auffassung die Lage völlig geändert hat, seit der slowakische Landtag die Unabhängigkeit der Slowakei beschlossen hat." Mit diesem Beschluß wurde „durch *Losreißung von innen her* dem Staat *ein Ende gemacht,* dessen Grenzen zu garantieren wir vorgeschlagen hatten. Folglich kann sich Seiner Majestät Regierung nicht länger durch diese Verpflichtung gebunden fühlen." (The effect of this declaration put an end by internal disruption to the State whose frontiers we had proposed to guarantee and His Majestys Government cannot accordingly hold themselves any longer bound by this obligation.)

Für die britische Regierung hatte die Verselbständigung der Slowakei, deren Ernsthaftigkeit für Chamberlain offensichtlich im Beschluß des slowakischen Landtags greifbar lag, eine grundlegende Bedeutung, die in doppelter Richtung wirkte.

1. Die Tschechoslowakei hat als Staat zu bestehen aufgehört; die Losreißung der Slowakei beendete die Existenz des tschechoslowakischen Staates.

2. Durch den Wegfall des Garantieobjektes (Tschechoslowakei) wurde die Bereitschaft zur Garantierung der territorialen Integrität des tschechoslowakischen Staates gegenstandslos; es gab keinen zu garantierenden Staat mehr; daher verknüpfte der britische Ministerpräsident die Feststellung des Endes des tschechoslowakischen Staates mit der völkerrechtlichen Klarstellung, daß

---

[1]) Langer, a. a. O., S. 222.

damit die britische Garantiebereitschaft von selbst aufgehört habe, bindend zu sein[1]).

Die Erklärung von Lord Halifax im Oberhaus ging auf die politischen Begleitumstände der slowakischen Sezession ein und äußerte hiezu Vermutungen, die sich inzwischen als zutreffend herausgestellt haben. Eine Abschwächung oder ein Abgehen von der vom Premierminister formulierten völkerrechtlichen Wertung war offensichtlich nicht beabsichtigt. „Die Unabhängigkeit der Slowakei", führte er aus, „wurde am 14. März verkündet; aber auf Bitten Dr. Tisos hat Hitler die Slowaken unter deutschen Schutz gestellt und die militärische Besetzung des Landes durch deutsche Truppen ist jetzt im Gange[2])."

„Es gab in der Slowakei stets eine die Autonomie befürwortende Partei. In Wahrheit wurde die Autonomie nach München in einem Abkommen zwischen den verschiedenen slowakischen Parteien und der Prager Zentralregierung erreicht. Die Extremisten waren indes von diesen Abmachungen nicht befriedigt. Aber bei all den hier vorliegenden Beweisen kann ich unmöglich glauben, daß der plötzliche Entschluß gewisser slowakischer Führer, mit Prag zu brechen, dem so rasch der Appell an das deutsche Reich folgte, unabhängig von äußeren Einflüssen zustande gekommen sei." Der Einfluß der slowakischen Ereignisse, die in dem Selbständigkeitsbeschluß des slowakischen Landtags gipfelten, auf das Ende des tschechoslowakischen Staates, das die Erklärung des Ministerpräsidenten Chamberlain feststellte, ist von der Erklärung Lord Halifax nicht berührt worden.

b) Die Vorgänge in *den tschechischen Teilen* des tschechoslowakischen Staates wurden von der britischen Regierung Chamberlain ebenfalls mit formellem Protest beantwortet.

---

[1]) Nach dem Bericht Dirksens in ADAP., Nr. 220, sah England seine in Aussicht gestellte Garantie am 14. März als noch nicht in Kraft befindlich an, da die Grenze noch nicht endgültig feststehe und die Übernahme einer gleichen Garantie durch die Unterzeichner des Münchener Abkommens Voraussetzung sei. Vgl. auch Aussprache Dirksen-Halifax vom 15. März ADAP., Nr. 244.

[2]) Die deutschen Truppen rückten in die zwischen der westlichen Landesgrenze der Slowakei und dem Waagfluß gelegenen Teile der Westslowakei ein. Dort verblieben sie einige Wochen und rückten sodann wieder ab. Der slowakischen Regierung wurde die Linie: Nove Mesto – Osthang Kleiner Karpaten – Waagtal notifiziert. (ADAP., Nr. 221.) Der übrige, bedeutend größere Teil der Slowakei wurde von den deutschen Truppen nicht betreten. Der slowakische Staat unterstand nicht wie das sogenannte „Reichsprotektorat" der deutschen Staatshoheit, sondern war ein völkerrechtlich unabhängiger Staat. So hatte die Slowakei auch eine eigene selbständige Wehrmacht. Deutsche Truppen befanden sich nur in den durch Schutzvertrag Deutschland eingeräumten Gebieten in den Weißen Karpaten. (Art. 2 des Vertrages über das Schutzverhältnis zwischen dem Deutschen Reich und dem slowakischen Staat vom 18./23. März 1939: Gretschaninow, Politische Verträge, III, 2, S. 1038) „Im Unterschied zu Böhmen und Mähren sind die Beziehungen des Reiches zur Slowakei rein völkerrechtlicher Natur." *Grewe*, Monatshefte für Auswärtige Politik 1939, S. 344. Erst nach dem mit sowjetischer Hilfe durchgeführten Putsch slowakischer Widerstandskräfte im August 1944 wurde die Slowakei im Kriege einem deutschen Militärbefehlshaber unterstellt.

Am 28. März unterrichtete Chamberlain das Unterhaus, der britische Botschafter in Berlin habe den Auftrag erhalten, der deutschen Regierung mitzuteilen, daß England in den Ereignissen der letzten Tage nur die *vollkommene Verwerfung des Münchener Abkommens erblicken könne*. Sir Neville Henderson habe Anweisung erhalten, der deutschen Regierung zu sagen, seiner Majestät Regierung benütze die Gelegenheit, um gegen alle in der Tschechoslowakei durch deutsche militärische Maßnahmen hervorgerufene Änderungen zu protestieren, die in ihren Augen jeglicher Rechtsgrundlage entbehren.

Der Einmarsch der deutschen Truppen in Böhmen und Mähren als Ausdruck der Einverleibung dieser Gebiete in das Deutsche Reich ist daher von der britischen Regierung bereits am 20. März 1939 als gleichbedeutend mit einer Verwerfung des Münchner Abkommens durch die deutsche Regierung aufgefaßt worden.

Die slowakischen und böhmischen Märzereignisse von 1939 haben also nach englischer Auffassung einen Doppeleinfluß auf das Münchener Abkommen gehabt. Es ist hiernach durch zwei Akte betroffen worden.

1. Durch den Zerfall des tschechoslowakischen Staates von innen her, durch die Losreißung der Slowakei auf Grund des slowakischen Landtagsbeschlusses. Dadurch ging der Gegenstand der Garantiebereitschaft, der tschechoslowakische Staat in den Münchener Grenzen, unter, die Garantiebereitschaft wurde gegenstandslos und hinfällig.

2. Durch die deutsche Aktion in Böhmen und Mähren. Sie wurde im britischen Protest, im Unterschied zur Formulierung des französischen nicht als eine Verletzung, sondern als Verwerfung (repudiation) des Münchener Abkommens durch Deutschland gewertet.

Die britische Regierung hat vor allem die slowakische Entwicklung unter selbständigem Gesichtspunkt gesehen. Am 15. Mai 1939 wurde dem Unterhaus die de facto-Anerkennung der selbständigen Slowakei durch die britische Regierung mitgeteilt[1]). Darin lag der Hinweis, daß von einem Wiederaufleben des tschechoslowakischen Staates weder in den Grenzen von 1919 noch von 1938 die Rede sein könne. Um die Führung der normalen Geschäfte zu erleichtern, hieß es in der Erklärung, habe der bisherige britische Konsul in Preßburg bei der slowakischen Regierung um die Anerkennung als britischer *Konsul für die Slowakei* angesucht und erhalten. Die slowakische Regierung wurde dabei von der britischen Regierung dahin unterrichtet, daß sie in diesem Schritt eine de facto-Anerkennung sehe.

Da England das Münchener Abkommen durch den deutschen Einmarsch in Böhmen und Mähren für verworfen, seine Garantiebereitschaft für den tschechoslowakischen Staat durch die Losreißung der Slowakei für erloschen ansah, da hinsichtlich des tschechischen Restgebietes nach der Sezession der Slowakei zwischen England und dem Deutschen Reich keine Verständigung erfolgte, da das Reich die britische Bereitschaft zur de facto-Anerkennung

---

[1]) Langer, a. a. O., S. 224.

zurückgewiesen hatte, muß die böhmische Frage im Verhältnis zu England bei Kriegsbeginn und Kriegsende als im Sinne des Völkerrechts offen gelten.

Das Kabinett Chamberlain schien freilich nicht abgeneigt, hinsichtlich des Status des „Reichsprotektorates Böhmen und Mähren" eine Haltung einzunehmen, die der gegenüber der Slowakei ähnlich war. Diese Disposition scheiterte an der Intransigenz der Hitlerregierung[1]).

Eine Unterhausanfrage vom 22. Mai 1939, die an die deutsche Weigerung anknüpfte, der früheren englischen diplomatischen Vertretung in Prag weiterhin diplomatischen Status zuzuerkennen, worauf die englische Gesandtschaft geschlossen wurde, drückte die Befürchtung aus, ob darin nicht eine stillschweigende Anerkennung der neuen Lage liegen könne. Die Regierung verwies auf ihre Position vom 20. März. Anläßlich der Frage einer Ernennung des englischen Konsuls in Prag wurde der Premierminister am 24. Mai gefragt, ob nicht eine britische Handlung zur de facto- oder de jure-Anerkennung der deutschen Souveränität über Böhmen und Mähren führen könne. Der Ministerpräsident antwortete vorsichtig, derzeit würden die britischen Interessen in Prag von einem Vizekonsul wahrgenommen, die Frage der künftigen Vertretung eben geprüft. Es folgten Anfragen, die Zusicherungen verlangten, daß Besprechungen mit der deutschen Regierung über Freigabe tschechoslowakischer Werte keine de facto-Anerkennung bedeuten dürften. Sie betonten auch die Notwendigkeit, bei solchen Verhandlungen die noch im Besitz diplomatischer Rechte befindliche tschechoslowakische Gesandtschaft in London zu konsultieren. Endlich wurde verlangt, daß im Hinblick auf die von der Regierung erklärte Nichtanerkennung des neuen Status in Böhmen und Mähren das Haus vor einem Wechsel in dieser Haltung befragt werde. Am 26. Mai kam es zu einer neuen ausführlichen Debatte, die das Unterhausmitglied Alexander vorzüglich bestritt. Alexander prüfte die böhmische Frage unter dem Gesichtspunkt der Verpflichtungen des Völkerbundpaktes und der Stimsondoktrin und streifte das Problem der Verjährung im Völkerrecht. Er betonte zusammenfassend, daß eine Anerkennung der deutschen Annexion der Tschechoslowakei zu diesem Zeitpunkt der Völkerbundsatzung widerspreche, der in der Stimsondoktrin formulierten amerikanischen Auffassung entgegenstünde und sich schließlich auch vom Gesichtspunkt der Verjährung nicht rechtfertigen lasse. Im Namen der Regierung erwiderte Sir John Simon unter Geltendmachung praktischer Überlegungen: „Dauernder Ausschluß britischer Konsularhilfe auf irgendeinem Gebiet liege nicht im Interesse des britischen Handels. Der Mandschureifall, auf den sich Alexander bezogen hatte, sei, so viel er wisse, das einzige Beispiel der Nichtanerkennung einer entgegen den Satzungsbestimmungen des Völkerbundes veränderten Souveränität[2])."

Am 19. Juni informierte das britische Kabinett das Unterhaus, der britische Botschafter in Berlin habe den Auftrag erhalten, bei der deutschen Re-

---

[1]) Langer, a. a. O., S. 229 ff.
[2]) Langer, a. a. O., S. 229.

gierung um das Exequatur für einen britischen Generalkonsul nachzusuchen, die praktischen Gründe dafür habe der Schatzkanzler am 26. Mai dargelegt. Nach Auffassung der Regierung bedeute dieser Schritt die *de facto-Anerkennung* der gegenwärtigen Lage in Böhmen und Mähren, ziehe aber keine Änderung der von der Regierung bereits vorgebrachten Gesichtspunkte nach sich.

Am 31. Juli wurde indes das Unterhaus dahin informiert, daß das nachgesuchte Exequatur von der deutschen Regierung im Hinblick auf die britische Erklärung abgelehnt worden sei, daß die mit dem Exequatur verbundene de facto-Anerkennung ihren Standpunkt hinsichtlich der Rechtswidrigkeit, mit der die deutsche Position in Böhmen und Mähren hergestellt wurde, nicht ändere[1]).

---

[1]) Langer, a. a. O., S. 230.

Die tschechoslowakische Auslandsaktion im Zweiten Weltkrieg

A. Allgemeines

In einer Betrachtung der verfassungsrechtlichen Entwicklung der tschechischen Republik von 1945 bis 1948 schreibt ein besonderer Sachkenner:

„Die tschechische Verfassungsentwicklung der Nachkriegszeit beruht auf einer Reihe von rechtlichen Fiktionen, die zusammen mit den dahinter stehenden Ideologien ein äußerst labiles Normensystem bilden, das der systematischen wissenschaftlichen Durchdringung dadurch die größten Schwierigkeiten bereitet, daß die kritische Untersuchung *eines* Sachverhaltes zumeist das ganze Gebäude zum Einsturz bringt, oder doch recht fragwürdig erscheinen läßt[1]).“

Dieser Satz kann Wort für Wort auch für die völkerrechtliche Doktrin gelten, die von der tschechischen Auslandsaktion des Zweiten Weltkrieges entwickelt und im Verlauf des Krieges und der Nachkriegszeit systematisch ausgebaut worden ist. Zu Beginn des ersten Abschnittes wurde an den Darlegungen Masaryks und insbesondere Benesehs gezeigt, wie die Emigration des Ersten Weltkrieges bewußt die Rechtsförmigkeit ihrer politischen Aktivität anstrebte; möglichst zahlreiche und von möglichst verschiedenen Mächten ausgehende Akte einer „Anerkennung" wurden erstrebt und gesammelt in der Hoffnung, damit Pfänder und Sicherheiten gegen ein befürchtetes schließliches Fallenlassen der Emigrantenbestrebungen im entscheidenden Moment in der Hand zu haben.

Auch die tschechoslowakische Emigration des Zweiten Weltkrieges hielt sich an diese Linie. Sie konnte dabei von einer für sie wesentlich günstigeren Ausgangsbasis aus operieren. Wie immer man auch völkerrechtlich die Position des sogenannten Reichsprotektorates Böhmen und Mähren im Hinblick auf die verschiedentlich anerkannte Selbständigkeit des slowakischen Staates beurteilen mag, feststeht, daß die Westmächte keine de jure-Anerkennung der neuen Lage in Böhmen und Mähren nach dem 15. März 1939 ausgesprochen haben. Sie hatten diplomatisch und völkerrechtlich die Hände frei. Vor allem aber kam der entscheidende Unterschied auf politischem Gebiet

---

[1]) *Korkisch*, Die verfassungsrechtliche Entwicklung in der Tschechoslowakei bis zur Verfassung vom 9. Mai 1948, in: Zeitschrift für ausländisches Recht und Völkerrecht, Bd. XIII, S. 670 ff.

durch das Fehlen der österreichisch-ungarischen Monarchie hinzu, deren Dasein im Ersten Weltkrieg, wie gezeigt, die hauptsächlichste Ursache für das Zögern der europäischen Westmächte, besonders Großbritanniens, aber auch Italiens bildete, sich, während der Krieg noch im Gange war, eindeutig auf die Linie der tschechoslowakischen Emigration und damit auf die Zerstörung der Monarchie festzulegen.

Trotz dieses wesentlichen Unterschiedes und der damit ungleich günstigeren Ausgangslage operierte die tschechoslowakische Auslandsaktion auch im Zweiten Weltkrieg, offenbar aus ähnlichen Überlegungen wie im Ersten, auf außenpolitischem Gebiet mit einer Reihe von rechtlichen Fiktionen, deren Benutzung Korkisch auch für die interne Verfassungsgesetzgebung festgestellt hat. Es ist nicht der Zweck dieser Arbeit, sie im einzelnen kritisch zu untersuchen. Sie sollen hier auch nur soweit dargestellt werden, als es zu einer fiktionsfreien Erfassung der völkerrechtlichen Sachlage nötig ist.

1. DIE VÖLKERRECHTLICHEN THESEN DER TSCHECHOSLOWAKISCHEN AUSLANDSAKTION IM ZWEITEN WELTKRIEG

a) Die völkerrechtliche „Kontinuität"

Die tschechoslowakische Emigration hat im Zweiten Weltkrieg drei hauptsächliche rechtspolitische Positionen entwickelt. Die erste behauptet die rechtliche, und zwar in erster Linie völkerrechtliche „Kontinuität" der tschechoslowakischen Republik nach ihrem Untergang im März 1939 (Annexion der Karpato-Ukraine, Verselbständigung der Slowakei, Annexion Böhmens und Mährens). Damit ist (obwohl manchmal nur verschleiert zum Ausdruck kommend) nicht nur die völkerrechtliche Weiterdauer des Staatscharakters der durch die Annexion im März 1939 einbezogenen böhmisch-mährischen Gebiete gemeint. Sinn der Kontinuitätsdoktrin war vielmehr, wie deutlicher erst im späteren Verlauf des Krieges wird, die Behauptung, daß rechtlich die tschechoslowakische Republik in dem Gebietsumfang von 1919 unverändert weiter existiere.

In seiner Erklärung vom 24. Juli 1940 bekannte sich Dr. Benesch zu dieser Doktrin der „Rechtskontinuität[1]". Aber diese Kundgebung sprach nicht von

---

[1] Wenzel *Jaksch*, Benesch war gewarnt. (Die abschließende Auseinandersetzung zwischen der tschechoslowakischen Exilregierung und den Sudetendeutschen in London.) München 1949, S. 61.

Grenzen, sondern von „einer neuen Republik", oder in anderem Zusammenhange, von einer „neuen eigenen Republik". „Um diese Zeit hatte noch kein
tschechoslowakischer Staatsmann die Vor-Münchener Grenzen reklamiert[1])."
Die konkreten, praktisch-juristischen Konsequenzen dieser Doktrin treten
schon auf in einer „Deklaration" der tschechoslowakischen Emigrationsregierung vom Oktober 1941, die lautete:

„Die tschechoslowakische Regierung erklärt hiermit, daß sie niemals anerkannte, anerkennt, noch anerkennen wird irgendeine Übertragung oder Verfügung über ein Eigentum, beweglich oder unbeweglich, welches am 27. September 1938 dem tschechoslowakischen Staat, den Provinzen, Bezirken,
Gemeinden und allen öffentlichen Körperschaften auf dem Gebiet der
tschechoslowakischen Republik gehörte, insofern diese Übertragungen oder
Verfügungen nach dem genannten Tag unter dem Druck feindlicher Besetzung oder als Ergebnis anderer politischer Ausnahmebedingungen zustande kam. Es ist in diesem Zusammenhang unwesentlich, ob diese Übertragungen und Verfügungen äußerlich als freiwillig erscheinen, oder ob sie
stattfanden oder stattfinden werden zum Vorteil tschechoslowakischer Bürger oder von Bürgern auswärtiger Staaten.

Übereinstimmend mit diesem Grundsatz ist weder, noch wird irgendwelche Anerkennung gewährleistet für eine Übertragung oder Verfügung
über privates Eigentum, die nach dem 27. September 1938 unter den oben
erwähnten Umständen vorgenommen wurde. Diese Erklärung erstreckt sich
im besonderen auf alle tschechoslowakischen Securities, deren erzwungene
oder scheinbar freiwillige Übertragung nach dem 27. September 1938 und
unter den erwähnten Umständen erfolgte. Übertragungen und Verfügungen,
die in den Bereich dieser Erklärung fallen, sind und werden für null und
nichtig erklärt, und die tschechoslowakische Regierung behält sich das Recht
vor, Verfahren und Bedingungen im einzelnen für die nötige Wiedergutmachung festzusetzen. Gleicherweise behält sich die tschechoslowakische
Regierung das Recht vor, strafrechtliche Bestimmungen gegen jedermann,
der dem Geist dieser Erklärung zuwider gehandelt hat oder handelt, zu
erlassen[2])."

Der flagrante Widerspruch zu den Erklärungen, die die tschechoslowakische Regierung, auch im Namen des damaligen Präsidenten Benesch im Hinblick auf das Münchener Abkommen abgegeben hatte[3]), liegt auf der Hand.

Das angezogene Datum des 27. September 1938 liegt zwei Tage vor dem
Unterzeichnungsdatum des Münchener Abkommens, dem 29. September 1938,
(das mit seiner Unterzeichnung sofort in Kraft getreten ist). Die Verwendung
des Begriffes „feindliche Besetzung" in der Erklärung zeigt, daß die tschechoslowakische Auslandsaktion damals bereits im Gegensatz zur erklärten An-

---

[1]) Jaksch ebda.
[2]) Taborsky, a. a. O., S. 94.
[3]) Siehe oben Seite 182 f.

nahme des Abkommens und der Mitwirkung an seiner Durchführung mit der Rechtsfiktion operierte, das Münchener Abkommen sei niemals in Rechtskraft erwachsen, und es habe keine rechtswirksame Abtretung der Sudetengebiete an Deutschland stattgefunden.

Im Zusammenhang mit der Erörterung der später noch zu behandelnden Anerkennung der tschechoslowakischen provisorischen Auslandsregierung als Auslandsregierung schlechthin erklärt Taborsky[1]): „There can be no doubt regarding the *juridical continuity* of the cechosl. Rep. of 1938 and 1939 in the State which is represented by the cechosl. President Benesch and his government". Kontinuität bedeutet nach dieser Rechtsfiktion Fortdauer der Tschechoslowakei in den Grenzen von 1919. „Wenn wir den Gesichtspunkt zugrunde legen", heißt es an anderer Stelle, „der nach meiner Auffassung zutreffend ist, daß das Münchener Abkommen und der Wiener Schiedsspruch ex tunc ungültig sind, dann müssen wir darauf bestehen, daß die sogenannten abgetretenen Gebiete *ein integraler Teil des tschechoslowakischen Staates sind* und *stets waren* und daher niemals aufhörten, unter der tschechoslowakischen Autorität zu stehen, und jetzt auch darunter stehen, mit allen Konsequenzen, die daraus sowohl für die Gebiete als deren Bewohner folgen[2])."

Der politische Charakter der Kontinuitätsdoktrin, ihre Funktion als rechtspolitisches Instrument, der hier nicht im einzelnen dargelegt, sondern nur in seinem Kern sichtbar werden soll, wird aus einer Reihe von Momenten klar.

1. Der Widerspruch zwischen der Kontinuitätsdoktrin und den Erklärungen und dem Verhalten der tschechoslowakischen Regierung nach München ist offensichtlich. Ihr Verhalten läßt klar erkennen, daß sie das Abkommen als rechtens verbindlich empfand. Der Außenminister Krofta gab die Annahmeerklärung im Namen der Regierung wie im Namen des Staatspräsidenten ab. Der Hinweis auf die Konsultation der Regierung mit den Parteiführern über die Annahme, also die politische Billigung, wurde ausdrücklich erwähnt. Die tschechoslowakische Regierung sandte Vertreter zum Internationalen Ausschuß, einem Organ gemäß Ziffer 6 des Münchener Abkommens, sie nahm an dessen Arbeiten gleichberechtigt teil, der Wiener Schiedsspruch wurde nach dem Scheitern der Grenzänderungsverhandlungen mit Ungarn von ihr (zusammen mit der ungarischen Regierung) beantragt, ein rechtsverbindliches Protokoll über die neue tschechoslowakisch-ungarische Grenze wurde unterzeichnet, der tschechoslowakische Minister des Äußern drückte dem deutschen Außenminister seinen Dank für die Wahrung der tschechoslowakischen Interessen bei dieser Arbitrage aus.

2. Die tschechoslowakische Emigrantenregierung vertrat ihre Kontinuitätsdoktrin in Kenntnis der korrekten und daher ihr widersprechenden Rechtsposition, die die englische Regierung zu gewissen mit dem Münchener Ab-

---

[1]) Taborsky, a. a. O., S. 92.
[2]) Taborsky, a. a. O., S. 24.

kommen zusammenhängenden Rechtsfragen einnahm. Jaksch erwähnt z. B. eine finanzielle Durchführungsverordnung vom 7. März 1940 (Settlement of finanzial claims), wo es heißt: „für die Zwecke dieser Verordnung schließt der Ausdruck 2 ,Tschechoslowakei' das *gemäß dem Münchener Abkommen vom 29. September 1938 an Deutschland abgetretene Gebiet nicht ein[1])*". Und daß die Grenzen einer wiederherzustellenden Tschechoslowakei auch für englische Freunde dieses Staats unklar waren, zeigt die ebenfalls von Jaksch mitgeteilte Stelle[2]) aus einer Schrift des englischen Politikers und Journalisten W. L a y t o n s , wo es heißt:

„Die Wiederherstellung eines freien Polens und einer freien Tschechoslowakei muß gesichert sein.

Es muß festgelegt werden, daß im Falle eines Nichtzustandekommens einer Vereinbarung zwischen den streitenden Parteien neue Grenzen und andere umstrittene Punkte nach der Beurteilung von desinteressierten Parteien geregelt werden und daß die streitenden Parteien im vornhinein ihre Zustimmung geben. Das würde die Grenzen der Tschechoslowakei und Polens und die Behebung des zugefügten Schadens betreffen."

Auch die Darlegungen eines tschechischen Autors über die Kontinuität im „Bulletin de droit tchechoslovaque" vermögen den politischen Zweckcharakter dieser Doktrin nicht zu entkräften[3]). Auch er weist übrigens zunächst auf die leitende Funktion der Kontinuitätsdoktrin im Kampf um die Wiederherstellung der Tschechoslowakei hin: „L'idee dirigeante dans la lutte tendant a rétablir l'indépendence de l'Etat tschéchoslovaque etait le principe de la continuité ou de l'identité de l'Etat. Le peuple tschechoslovaque n'a jamais accepté Munich, parceque c'était une aggression criminelle contre un Etat et contre un peuple pacifiques." Die funktionelle Beziehung der Kontinuitätsdoktrin zu dem politischen Ziel der Auslandsaktion unterstreicht Kučera mit den Worten: „Der Hauptzweck der tschechoslowakischen Befreiungsbewegung zu Hause und im Ausland war die Wiederherstellung der tschechoslowakischen Republik als derselben Rechtspersönlichkeit des internationalen Rechts, die sie am Ende des Ersten Weltkrieges erworben hatte." An rechtlichen Argumenten führt er im einzelnen an. Die Kontinuität des Rechts eines Staates ist gegeben, solange die Kontinuität seines materiellen Elementes vorhanden ist, nämlich die auf dem Gebiet des gegebenen Staates seßhafte Bevölkerung. Im internationalen Recht sei das Entscheidende die Kontinuität von Gebiet und Volk. So stelle sich die Frage, ob die deutsche Annexion des tschechoslowakischen Staatsgebietes die rechtliche Existenz und die internationale Rechtspersönlichkeit des Staates berühren konnte. Kučera bestreitet das; es lag keine Annexion, sondern eine militärische Okkupation vor, die die Kontinuität des Staates nicht berühren konnte, weil es sich um ein

---

[1]) W. Jaksch, a. a. O., S. 61.
[2]) Jacksch, ebda.
[3]) Kučera, La continuité de l'Etat tchéquoslovaque, Bulletin de droit tchechosl. 1947.

„Vorspiel zum Zweiten Weltkrieg" handelte, außerdem habe sich das tschechische Volk auf die Seite der Gegner Deutschlands gestellt[1]).

Daß die Annexion der böhmischen Gebiete „ein Vorspiel zum Zweiten Weltkrieg war" ist eine Floskel ohne völkerrechtlichen Gehalt; wie immer der eventuelle Zusammenhang zwischen Ausbruch des Zweiten Weltkrieges und den Märzereignissen in der Tschechoslowakei sein möge, so hat unbestreitbar der Krieg im September und nicht im März 1939 begonnen, und zwar wegen des Angriffes auf Polen, in der französisch-englischen Kriegserklärung ist auf die tschechoslowakischen Dinge nicht Bezug genommen. Und was das „sich an die Seite des Gegners stellen" des tschechischen Volkes betrifft, so ist grundsätzlich auf die Ausführungen zu den Parallelfragen des Ersten Weltkrieges zu verweisen. Fraglos waren die Sympathien des tschechischen Volkes in weitaus größerem Maß als während des Ersten von Anfang des Zweiten Weltkrieges an auf Seiten der Gegner Deutschlands; aber von der Sympathie zur Kriegführung ist ein weiter Schritt. Das tschechische Volk in der Heimat hat ihn erst während der letzten Kriegstage, z. B. durch den Aufstand in Prag im Mai 1945 zurückgelegt.

b) Der Kriegszustand mit Deutschland

Die zweite Hauptthese besteht im Versuch des Nachweises, daß sich die „rechtlich weiterbestehende" tschechoslowakische Republik (in den Grenzen von 1919) im Kriegszustand mit Deutschland und den mit Deutschland verbündeten Staaten während des Zweiten Weltkrieges befunden habe.

a) Daß dieser Kriegszustand zwischen der tschechoslowakischen Republik und Deutschland bereits am 29. September 1938 begann (wobei offen bleibt, wann er beendet wurde, hierzu finden sich keine Angaben), liegt schon der vorhin erwähnten Erklärung zugrunde, die von *„feindlicher* Besetzung" offensichtlich im Sinne des Landkriegsrechts spricht. Normalerweise setzt eine solche einen Krieg voraus, durch den und in dessen Verlauf das Land von einem *Feind* besetzt wurde.

b) Daß dies der Standpunkt der tschechoslowakischen Auslandsaktion war, zeigt die Deklaration, die Dr. Benesch als Präsident der provisorischen Exilregierung am 16. Dezember 1941 erließ. Diese Deklaration, die den Charakter einer Feststellung trägt, erklärt 1., daß „sich die tschechoslowakische

---

[1]) Diese „Rechtsargumentation" vergißt erstaunlicherweise das dritte zur Fortdauer eines Staates nötige Element, von dem man unter spezifisch rechtlicher Betrachtung vielleicht sagen könnte, es sei das Wichtigste: die Identität der obersten politischen Organisation über Gebiet und Volk. Wie wir sahen, ist sie in Verbindung mit den slowakischen und karpato-ukrainischen Ereignissen im März 1939 untergegangen. Würde Dasein von Volk und Gebiet zur völkerrechtlichen Identität genügen, so könnte man ebenso gut behaupten, der österreichisch-ungarische Staat bestehe weiter – denn an Volk und Gebiet hatte sich auch 1918 nichts geändert.

Republik im Kriegszustand mit all den Staaten befindet, die im Kriege mit Großbritannien, der Sowjetunion und den Vereinigten Staaten stehen", und 2., daß „dieser Kriegszustand zwischen der tschechoslowakischen Republik auf der einen, und Deutschland und Ungarn auf der anderen Seite, von dem Augenblick an bestand, als die Regierungen der beiden Länder Gewaltakte gegen die Sicherheit, Unabhängigkeit und territoriale Integrität der tschechoslowakischen Republik setzten."

(„The President proclaimed that the czechosl. Republic was in a state of war with all countries which were in a state of war with Great Britain, the Sovjet Union or the United States of America, and that the state of war between the Czeschoslovak Republic on the one side and Germany and Hungary on the other had been in existence from the moment when the Governments of these countries committed acts of violence against the security, independence and territorial integrity of the Republic[1])."

Taborsky fügt dieser Erklärung an: „Damit ist die gesamte Frage vom Standpunkt der tschechoslowakischen Verfassung" – (interpretiert von der Exilregierung) – „geregelt und es scheint, daß diese Lösung auch vom Standpunkt des Völkerrechts die bestmöglichste in dem gegenwärtigen chaotischen Zustand ist." Richtig sei, daß sie, was Deutschland und Ungarn betrifft, den Grundsätzen des orthodoxen Völkerrechts nicht voll Rechnung trage[2]).

c) Während diese Erklärung offen läßt, ob dieser mit „Gewaltakten gegen Sicherheit, Unabhängigkeit und territoriale Integrität der Tschechoslowakei" (am 28. September 1938) geführte „Krieg" bis zur Feststellungserklärung vom Dezember 1941 ununterbrochen fortgedauert habe, führen weitere Darlegungen Tarborskys zu bestimmteren Schlußfolgerungen. Er spricht nämlich von einem besonderen, isolierten Kriegszustand zwischen Deutschland und der Tschechoslowakei, der „am 14. März oder 15. März 1939" begann und „de jure gentium kurz darauf" endete[3]). Hiernach wäre also auch die Errichtung des Protektorats und die ihr nachfolgende Entsendung deutscher Truppenverbände in die vormals tschechoslowakischen Gebiete als ein Krieg für sich zu werden. „Wenn das Berliner Abkommen rechtlich ungültig war", schreibt Taborsky, „dann muß die Tschechoslowakei während des 14. und 15. März 1939 als im Kriege mit Deutschland befindlich angesehen werden[4])."

d) Eine weitere Version liegt der Erklärung des tschechoslowakischen Nationalkomitees vom Dezember 1939 (der Tag ist nicht angegeben) zugrunde. In dieser Erklärung verkündet der Nationalrat, „daß wir an der Seite der Alliierten im Kampfe für eine freie Tschechoslowakei in einem freien Europa und im Kampf gegen die Naziunterdrückung stehen." Es heißt dann weiter: „Wir, die ganze Nation zu Hause und im Ausland, *traten* ohne

---

[1]) Taborsky, a. a. O., S. 82.
[2]) Taborsky, ebda.
[3]) Taborsky, a. a. O., S. 79.
[4]) Taborsky, a. a. O., S. 63.

jedes Zögern in den Krieg *ein* gegen den brutalen Angreifer, der kein Protektor ist, sondern ein Zerstörer und zynisch unser ganzes Volk mißbraucht[1])."

Taborsky wertet diese Erklärung folgendermaßen: „Diese Worte zeigen und geben der Entscheidung des Nationalrates unmißverständlich Ausdruck, den Krieg auf Seiten der Alliierten gegen Deutschland zu führen." Er fragt, ob sie vom Standpunkt des Völkerrechts aus als Kriegserklärung (besonders im Hinblick auf Art. 1 der 3. Haager Convention) angesehen werden können. Nach der Überlegung, daß die Form der Erklärung unwesentlich sei, heißt es: „Ich schließe daher, daß heute auch eine Radiomitteilung für diesen Zweck genügt, und das war in der Tat die damals angewandte Methode[2])."

Diesen Thesen gegenüber sei kurz an die Tatsachen erinnert. Die tschechoslowakische Auslandsaktion konnte im Zweiten Weltkrieg keine Militärverbände aufstellen, da ihr das Reservoir der Gefangenen fehlte. Die Angehörigen des tschechischen Volkes in der Heimat, staatsrechtlich im Status der Protektoratsstaatsangehörigkeit, waren vom Militärdienst befreit. Einzelheiten über die Versuche, aus den zahlenmäßig geringen, im Ausland lebenden tschechoslowakischen Staatsbürgern im militärfähigen Alter Verbände aufzustellen, sind nicht bekannt. Es scheint, daß es eine autonome Gruppe im Verband des britischen Heeres gab, und man hörte von tschechischen Fliegern im Verband der Royal Air Force. Schon aus diesen Gründen konnte sich das Problem der Kriegsführung größerer autonomer tschechoslowakischer Verbände im Unterschied zum Ersten Weltkrieg nicht ergeben.

Die oben wiedergegebenen Thesen eines angeblichen Kriegszustandes zwischen einer von den Emigrantenorganisationen vertretenen Tschechoslowakei und Deutschland gehörten, wie das auch schon von den analogen Thesen aus dem Ersten Weltkrieg festgestellt ist, in das Gebiet der propagandistischen Kriegsführung, aber nicht in den Bereich des Völkerrechts. Dieser Charakterzug tritt auch in den Widersprüchen zutage, den die verschiedenen Thesen zeigen. Nach der, gemäß Taborsky, als Kriegserklärung zu wertenden Erklärung des tschechischen Nationalrates vom Dezember 1939 fiele der Beginn des Kriegszustandes zwischen der Tschechoslowakei und Deutschland offenbar mit dem Beginn des Krieges mit Polen zusammen, während die Erklärung Beneschs vom 16. Dezember 1941 ihn mit den „Gewaltakten Deutschlands und Ungarns" zusammenfallen läßt, wobei wieder unklar bleibt, ob darunter die Annexion der Karpato-Ukraine und Böhmen-Mährens zu verstehen ist oder schon der Erwerb des Sudetengebiets und der fraglichen Grenzgebiete auf Grund des Wiener Schiedsspruches, da ja auch das Münchener Abkommen und die damit zusammenhängenden Akte als „action criminelle contre la Tschechoslovaquie" bezeichnet werden[3]). Die tatsächlichen Verhältnisse ergeben sich aus der Situation, die der Auflösung des tschecho-

---

[1]) Taborsky, a. a. O., S. 79.
[2]) Taborsky, a. a. O., S. 79.
[3]) Kučera, a. a. O.

slowakischen Staates 1939 folgte. Die Bevölkerung der Karpato-Ukraine war ungarisch geworden, unterlag dem ungarischen Wehrgesetz und war, soweit eingezogen, ein Teil der ungarischen Wehrmacht. Die Slowakei war selbständig geworden, besaß eine eigene Wehrmacht mit eigenem jus belli, sie nahm als Verbündeter Deutschlands am Kriege gegen die Sowjetunion teil und entsandte ein eigenes Kontingent (mehrere Divisionen) auf den sowjetischen Kriegsschauplatz. Die Einwohner Böhmens und Mährens, damals Staatsangehörige des Protektorates, waren vom Kriegsdienst befreit. Die sogenannte „Regierungstruppe" (die autonome tschechische Wehrmacht), nahm am Krieg als Kampftruppe überhaupt nicht teil und war nur zum Teil in Italien auf deutsch-italienischer Seite zur Sicherung der rückwärtigen Verbindungen und des Nachschubes eingesetzt.

Von einem Kriegszustand zwischen einer fiktiven Tschechoslowakei und Deutschland konnte daher schon wegen mangelnder Effektivität nicht gesprochen werden.

c) Die Präsidentschaft Dr. Beneschs

Die dritte rechtspolitische These besagte, daß Dr. Benesch sein Amt (am 5. Oktober 1938) nur unter äußerem Druck zurücklegte. Seine Resignierung, so lautet die Konstruktion weiter, war daher rechtsunwirksam. Obwohl Dr. Benesch Prag als Privatmann verließ, zunächst daher auch Privatmann im Ausland war, dann erst Vorsitzender des Tschechoslowakischen Nationalkomitees wurde, nahm er nach Anerkennung des Komitees als provisorischer Regierung durch die englische Regierung (21. Juli 1940) das Amt eines provisorischen Präsidenten der Republik auf, mit dem Anspruch auf eine ununterbrochene Amtszeit seit 1935. Das geht aus einer formellen „Deklaration" hervor, die der damalige Ministerpräsident der Exilregierung, Schramek, erließ. Dr. Beneschs Präsidentschaftsperiode wäre, bei normaler Weiterdauer ohne Resignierung, am 18. Dezember 1942 abgelaufen, da er am 18. Dezember 1935 für 7 Jahre gewählt wurde. Am 18. Dezember 1942 erließ Schramek namens der Exilregierung eine Erklärung gemäß § 58 der tschechoslowakischen Verfassung. Diese sieht vor, daß ein Präsident im Amt solange verbleibt, bis ein neuer Präsident gewählt ist. „Angesichts der gegenwärtigen Unmöglichkeit einer neuen Wahl" bekräftigte die Erklärung, daß Dr. Benesch sein Amt bis zur Wahl eines neuen Präsidenten behalte[1].

Auch diese Thesen erweisen sich beim Blick auf die Tatsachen als Propaganda.

Am 5. Oktober 1938 hielt der bis dahin amtierende Staatspräsident Dr. Benesch über den Prager Rundfunk eine Rede. Er sprach darin über die Zukunft des tschechoslowakischen Staates in seinen Grenzen nach dem Mün-

---

[1] Taborsky, a. a. O., S. 49.

chener Abkommen und stellte ihm dabei eine durchaus optimistische Prognose. Jetzt sei er seiner nationalen Schwierigkeiten enthoben und besitze eine solide Grundlage für seine weitere Entwicklung. In dieser Rede kündigte er auch seine Rücktrittsabsicht an. Er teilte sie nicht einfach mit. Er führte vielmehr ausführlich und fast weitschweifig aus, daß er darüber mit den verfassungsmäßig zuständigen Organe und einem größeren Freundeskreis beraten habe und betonte schließlich, daß dieser Entschluß freiwillig und auf Grund tiefer persönlicher Überzeugung erfolgt sei – er habe ihn gefaßt „librement et de ma profonde conviction[1])".

Dr. Benesch hat auch aus dem Ausland, bereits als Privatmann, seinem Nachfolger Dr. Hacha ein Glückwunschtelegramm anläßlich dessen Wahl gesandt.

Dieser durch freiwillige Resignation bestimmte Tatbestand hatte auch den Völkerbundrat im März 1939 bestimmt, die Eingabe Dr. Beneschs und seinen Antrag, ein Verfahren des Völkerbundes nach den einschlägigen Satzungsbestimmungen wegen des deutschen Einmarsches in Böhmen und Mähren zu eröffnen, nicht zu behandeln, da sie von einer Privatperson stammten.

Das sind so klare Tatsachen, daß über die Rechtslage kein Zweifel obwalten kann.

Trotzdem hat Dr. Benesch hinterher das genaue Gegenteil behauptet – so z. B. bei der Eröffnung des Prager Parlaments 1946 und gesagt, daß er nur auf deutschen Druck hin resigniert hätte[2]).

Es ist hier nicht der Ort, diese Methode näher zu kennzeichnen. Auch W. J a k s c h hat in seiner wiederholt angeführten Schrift mehrfach die Unterschlagung gewisser Dokumente durch Dr. Benesch zum Zweck der Entstellung politischer Zusammenhänge nachgewiesen.

2. DIE ORGANE DER TSCHECHOSLOWAKISCHEN AUSLANDSAKTION IM ZWEITEN WELTKRIEG

Es gehört nicht zu den Aufgaben dieser Arbeit, die Tätigkeit der tschechoslowakischen politischen Emigration des Zweiten Weltkrieges im einzelnen zu verfolgen. Der Abschnitt über die rechtspolitischen Hauptthesen zeigt, daß grundsätzlich die Methoden des Ersten Weltkrieges wiederholt wurden.

Indessen vollzog sich der Aufbau von unten, beginnend mit der Bildung eines Nationalkomitees, der darauf folgenden Anerkennung als proviso-

---

[1]) Allocution radiodiffusée du président Benesch, 5. 10. 1938, Text in: Révue générale du droit international, 1938, S. 740.

[2]) Méssage, adresse par le président Benesch à l'assemblée nationale de la republique tschechoslovaque (Inauguration des travaux du parlément tschechoslovaque, Prague, 1946).

rische (oder de facto) Auslandsregierung, sodann als Emigrantenregierung schlechthin nicht störungsfrei.

Es gab offenbar zu Anfang einen Führungskampf zwischen dem schon während des Bestandes der Tschechoslowakei zu Benesch in Gegensatz stehenden, langjährigen Pariser Gesandten, dem Slowaken Dr. Osusky, und Dr. Benesch. Es scheint, daß Dr. Osusky aus eigenem Antrieb die Initiative ergriff und dadurch in Gegensatz zu den Kreisen um Dr. Benesch geriet, die sich selbst die Initiative wahren wollten. Die tschechoslowakische Auslandsaktion begann nämlich mit einem „Abkommen", das am 2. Oktober 1939 zwischen der französischen Regierung auf der einen Seite und Dr. Osusky auf der anderen unterzeichnet wurde. Dieser unterschrieb es im Namen der „provisorischen Regierung der tschechoslowakischen Republik". Der Text des Abkommens ist nicht publiziert. Taborsky[1]) berichtet darüber: „Es stellte eine autonome tschechoslowakische Armee wieder her, die unter eigener Flagge kämpfte und den Treueid auf die Republik leistete." Die Aufstellung der Armee vollzog sich nach tschechoslowakischen Gesetzen, Rekrutierung und Einstellung der Soldaten durch tschechoslowakische Stellen. Einzelheiten des Verhältnisses zur französischen Armee sind nicht bekannt.

Das Merkwürdige an diesem Abkommen ist freilich, daß der eine der Partner, in dessen Namen es unterzeichnet wurde, überhaupt noch nicht bestand. Es gab zu diesem Zeitpunkt nämlich auch im Ausland noch keine provisorische tschechoslowakische Regierung. Taborsky[2]) schreibt dazu: „Man muß sagen, daß der damalige Schritt vom rechtlichen Standpunkt aus betrachtet, zumindest höchst unüblich war. Ein internationaler Vertrag war von einem Organ unterzeichnet, das zu dieser Zeit, vom französischen Standpunkt aus, noch gar kein Dasein besaß. Es ist richtig, daß die tschechoslowakische Republik rechtlich existierte und ein verantwortliches Subjekt darstellte, aber es gab kein Organ, das, im Namen dieses Subjekts, bindende Verpflichtungen eingehen und Rechte erwerben konnte. Der tschechoslowakische Gesandte in Paris konnte als solcher diese Rechtsfähigkeit nicht haben, da die Fähigkeit zum Abschluß internationaler Verträge (abgesehen von gewissen, nicht hierher gehörigen Ausnahmen) nur dem Staatsoberhaupt oder der Regierung zukommen. Das Abkommen konnte daher nur Gültigkeit erlangen – als zwischenstaatlicher Vertrag –, wenn die provisorische tschechoslowakische Regierung gebildet worden war, und wenn diese Regierung ferner die Unterzeichnung dieses Abkommens gebilligt hatte. (Denn Dr. Osusky, der tschechoslowakische Gesandte in Paris, hatte nicht und konnte nicht im Zeitpunkt der Vertragsunterzeichnung die zur Unterzeichnung solcher Akte nötigen und üblichen Vollmachten haben.) Andernfalls hätte das Abkommen vom 2. Oktober Gültigkeit erworben als einseitiger Rechtsakt der französischen Regierung, insofern es die vom französischen

---

[1]) Taborsky, a. a. O., S. 68.
[2]) Taborsky, a. a. O., S. 68/69. Taborsky war Sekretär Dr. Beneschs in London.

Landesrecht geforderten Bedingungen erfüllte. Die provisorische Regierung, die das Abkommen vom 2. Oktober in Rechnung stellte, war weder gebildet noch anerkannt. Die französische Regierung faßte offensichtlich den Abschluß des Abkommens nicht als gleichbedeutend mit der Anerkennung einer tschechoslowakischen provisorischen Regierung auf. An ihrer Stelle wurde ein tschechoslowakisches *Nationalkomitee* gebildet (und von den Alliierten anerkannt), dem, wie die Gründungsdokumente klar machen, die Aufgabe der Durchführung des Abkommens übertragen wurde."

Ein weiterer Schritt brachte den Rivalen Osuskys, Dr. Benesch, zum Zug. Dieser wurde am 28. Oktober 1939 in London zum Führer der im Ausland lebenden Tschechoslowaken gewählt[1]). Über die Zusammensetzung der ihn wählenden Versammlung ist nichts bekannt. Damit hatte Dr. Benesch, der als Ex-Präsident und Privatmann in das Ausland gegangen war, den ersten öffentlichen Schritt in die Politik zurückgetan.

Der nächste Schritt war die Bildung eines tschechoslowakischen *Nationalkomitees*. Die diesbezüglichen Daten schwanken. *Taborsky* berichtet, daß Dr. Osusky am 13. Oktober 1939 den Ministerpräsidenten Daladier von der Bildung des tschechoslowakischen *Nationalkomitees* unterrichtet habe. Als seine Aufgabe wurde bezeichnet, das tschechoslowakische Volk zu repräsentieren und im besonderen die Vereinbarung vom 2. Oktober über die Wiederaufstellung einer tschechoslowakischen Armee durchzuführen. Die zustimmende Antwort Daladiers kam am 14. November. Frankreich sei bereit, das Nationalkomitee anzuerkennen und ihm die zu seiner Tätigkeit nötige Hilfe zu gewähren.

Nach *Korkisch*[2]), der auf eine „Temps"-Meldung vom 19. November 1939 verweist, wurde das Komitee am 17. November in Paris gegründet. Benesch übernahm als Führer der Auslandstschechoslowaken auch die Führung des Nationalkomitees. Am 20. Dezember 1939 tauschten Dr. Benesch und der britische Außenminister Lord Halifax Briefe aus, in denen die Bildung des Nationalkomitees angezeigt und zur Kenntnis genommen wurde. Ein gewisser Unterschied in der Texterung besteht insofern, als Osusky davon sprach, daß das Nationalkomitee das tschechoslowakische *Volk* repräsentiere, während Benesch von tschechoslowakischen *Völkern* spricht. In der ersten Januarhälfte wurden ähnliche Briefe auch zwischen Dr. Benesch und den Dominien-Ministern gewechselt.

Eine Einladung zur Beteiligung an die sudetendeutsche, sozialdemokratische Emigration an der Schaffung des Nationalrates ist nicht ergangen.

Am 9. Juli 1940 richtete Benesch einen Brief an Lord Halifax, in dem er ihn von der Errichtung und Konstituierung einer provisorischen tschechoslowakischen Regierung in Kenntnis setzte. Sie sei gebildet worden im Hinblick „auf die aus den jüngsten Ereignissen in unserem Lande und in Europa

---

[1]) Korkisch, a. a. O., S. 85. (Vgl. a. S. 249 Anm. 1.)
[2]) Korkisch, a. a. O., S. 85.

im allgemeinen hervorgegangene neue Lage . . . Der Nationalrat habe die Bildung einer provisorischen tschechoslowakischen Regierung mit ‚der gesamten Staatsmaschinerie' beschlossen, soweit deren Aufrichtung auf britischem Territorium möglich ist[1])." Als diese „tschechoslowakische Staatsmaschinerie" wurde im Briefe bezeichnet:

1. Der Präsident der Republik Dr. E. Benesch,
2. Der Ministerpräsident J. Schramek und die Regierungsmitglieder und
3. Der Nationalrat (Staatsrat).

Taborsky stellt die provisorische tschechoslowakische Auslandsregierung von 1940 mit der „de facto-Auslandsregierung" von 1918 gleich.

England unterhielt bei dieser „provisorischen Regierung" einen „britischen Vertreter".

Die englische Regierung antwortete mit folgendem Schreiben: „Im Lichte des zwischen uns stattgefundenen Gedankenaustausches habe ich die Ehre, Sie zu benachrichtigen, daß in Beantwortung des Antrages des tschechoslowakischen Nationalkomitees Seiner Majestät Regierung im Vereinigten Königreich glücklich ist, mit der vom tschechoslowakischen Nationalkomitee errichteten provisorischen tschechoslowakischen Regierung, die in diesem Lande tätig sein soll, in Beziehungen zu treten und sie anzuerkennen. Seiner Majestät Regierung will gern mit Vertretern der provisorischen Regierung gewisse Fragen besprechen, die dieser Anerkennung entspringen und eine Regelung verlangen[2])."

Der abschließende Schritt erfolgte durch Briefwechsel zwischen Außenminister Eden und dem Außenminister der tschechoslowakischen Exilregierung, Jan Masaryk, wovon Eden am 5. August 1942 dem Unterhaus Mitteilung machte.

Der Eden-Brief behandelt ein Doppeltes: 1. Die Stellung der tschechoslowakischen Auslandsregierung im Vereinigten Königreich und 2. Das Verhältnis Großbritanniens zum Münchener Abkommen.

Zum 1. Punkt führt der Brief aus: „Im Lichte des jüngsten Meinungsaustausches zwischen unseren Regierungen halte ich es für zweckmäßig, folgende Erklärung über die Haltung Seiner Majestät Regierung im Vereinigten Königreich betreffs der Tschechoslowakei abzugeben.

In meinem Brief vom 18. Juli 1941 teilte ich Eurer Exzellenz mit, daß der König beschloß, einen außerordentlichen Gesandten und bevollmächtigten Minister zu Dr. Benesch als Präsidenten der tschechoslowakischen Republik zu entsenden. Ich erläuterte, diese Entscheidung bedeute, daß Seiner Majestät Regierung im Vereinigten Königreich die rechtliche Stellung des Präsidenten und der Regierung der tschechoslowakischen Republik als identisch mit der der in diesem Lande niedergelassenen anderen alliierten Staatsoberhäupter und Regierungen ansehe. Der Rang des Vertreters Seiner Majestät ist kürzlich zu dem eines Botschafters erhoben worden."

---

[1]) Taborsky, a. a. O.
[2]) Korkisch, a. a. O., S. 85.

In seinem weiteren Teil geht der Brief dann auf Fragen des Münchener Abkommens ein, die im nächsten Kapitel behandelt werden.

In dieselbe Richtung wirkte der Abschluß eines Abkommens zwischen der Sowjetunion und der tschechoslowakischen Auslandsregierung vom 8. Juli 1941. Der Inhalt ist in den Angaben Taborskys nur angedeutet[1]). Hiernach legte er den gegenseitigen Austausch von Gesandten fest, ferner den Abschluß eines Militärbündnisses gegen Hitler-Deutschland, schließlich wurden Schritte zur Organisierung tschechoslowakischer militärischer Einheiten auf sowjetischem Gebiet vereinbart.

Die tschechoslowakische Emigration interpretierte dieses Abkommen als Beweis der Anerkennung der Unverletzlichkeit der tschechoslowakischen Grenzen von 1919. „Es bedeutet, daß die Sowjetunion mit dem Abschluß dieses Vertrages bewußt zu dem Rechtszustand vor dem 15. März 1939 und vor München zurückkehrte ... und daß sie die Linie fortsetzte, die sie sofort und klar in ihrem Protest gegen den deutschen Einmarsch in die Tschechoslowakei im März 1939 zum Ausdruck brachte." Die tschechoslowakische Republik mitsamt ihrer Regierung, mit der sie das Abkommen schloß, sei für sie dasselbe Subjekt internationaler Rechte und Verpflichtungen wie die durch das Münchener Abkommen und den Wiener Schiedsspruch verkleinerte tschechoslowakische Republik. Die Sowjetregierung habe ihre rechtlichen Beziehungen mit der Tschechoslowakei auf der Grundlage des Grundsatzes der rechtlichen Kontinuität geregelt. Aus demselben Grund spreche das tschechoslowakisch-sowjetische Abkommen nicht von einer provisorischen Regierung, sondern einfach von einer Regierung der tschechoslowakischen Republik und die dem Abkommen zugrundeliegende Anerkennung sei eine endgültige de jure-Anerkennung[2]).

In einem Brief vom 31. Juli 1941 teilte der USA-Botschafter in London dem tschechoslowakischen Exilaußenminister Jan Masaryk mit, daß die Regierung der Vereinigten Staaten in formelle Beziehungen mit der provisorischen tschechoslowakischen Regierung in London treten und dazu einen außerordentlichen Gesandten und Minister bestellen wolle[3]). Die USA hatten bis zu diesem Zeitpunkt keinen Vertreter bei der provisorischen tschechoslowakischen Exilregierung. In einer Erklärung des amerikanischen Botschafters vom 26. Oktober 1942 wurde der tschechoslowakische Exilaußenminister dahin informiert, daß der Präsident der Vereinigten Staaten die Anerkennung der tschechoslowakischen Emigrationsregierung als voll und endgültig ansehe.

Aus der Entwicklung der tschechoslowakischen Auslandsorgane im Zweiten Weltkrieg geht hervor, daß es sich bei ihnen, wie im Ersten, nicht um echte Exilregierungen, d. h. also um in dem von ihnen beanspruchten Land ord-

---

¹) Taborsky, a. a. O., S. 99.
²) Taborsky, a. a. O., S. 100.
³) Taborsky, a. a. O., S. 101.

nungsgemäß gebildete, durch feindliche Gewalt daraus vertriebene Regierungen handelte. Sie waren vielmehr durch politische Aktivität von Privatpersonen, mochten sie so prominent sein wie immer, entstanden. (Das ist auch z. B. in der englischen „Anerkennungsformel" festgehalten.)

In Wirklichkeit waren es also auch diesmal wieder Emigrantenkomitees, denen aus Gründen politischer Zweckmäßigkeit von einer Kriegspartei der Charakter von „Regierungen" zugesprochen wurde, ohne daß sie damals auf dem beanspruchten Gebiet die geringste Autorität auszuüben in der Lage gewesen wären.

Die sogenannte tschechoslowakische Auslandsregierung blieb somit so lange ohne echte völkerrechtliche Autorität, als sie diese nicht über einen genügenden Gebietsteil des von ihr in Anspruch genommenen Staates betätigte. Diese neue Lage begann aber erst mit dem Frühjahr 1945.

B. Die englische Erklärung vom 5. August 1942
betreffend das Münchener Abkommen

Im zweiten Teil behandelt der erwähnte Brief des Außenministers Eden vom 5. August 1942 die nunmehrige Haltung der englischen Regierung zum Münchener Abkommen. Diese Stellungnahme bedarf näherer Betrachtung. Der Brief führt zunächst dazu aus:

„Der Ministerpräsident hat bereits in einer Radiobotschaft an das tschechoslowakische Volk am 30. September 1940 die Haltung Seiner Majestät Regierung im Hinblick auf die in München 1938 getroffenen Vereinbarungen festgestellt. Mr. Churchill erklärte damals, daß das Münchener Abkommen durch Deutschland zerstört worden sei.

Diese vorgängige Erklärung und der formelle Akt der Anerkennung haben die Politik Seiner Majestät Regierung im Hinblick auf die Tschechoslowakei geleitet. Um aber jedes Mißverständnis auszuschließen, wünsche ich im Namen Seiner Majestät Regierung im Vereinigten Königreich zu erklären, daß sich Seiner Majestät Regierung, da Deutschland überlegtermaßen die die Tschechoslowakei betreffenden Abmachungen von 1938 zerstört hat, an denen Seiner Majestät Regierung im Vereinigten Königreich teilgenommen hat – selbst als in dieser Beziehung von jeglicher Verpflichtung frei betrachtet. Die endgültigen, bei Kriegsende zu regelnden Grenzen der Tschechoslowakei werden durch die 1938 und nachher erfolgten Änderungen nicht beeinflußt sein."

In dem Antwortbrief des Außenministers der tschechoslowakischen Exilregierung heißt es dazu: ... „Meine Regierung nimmt die Note Eurer Exzellenz als eine praktische Lösung der Schwierigkeiten und Fragen von vitaler Bedeutung, die sich als Folge des Münchener Abkommens zwischen unseren beiden Regierungen ergeben, wobei sie natürlich den politischen und rechtlichen Standpunkt im Hinblick auf München und die im folgenden Ereignisse aufrecht erhält, wie er in der Note des tschechoslowakischen Ministeriums für auswärtige Angelegenheiten vom 16. Dezember 1941 ausgedrückt ist. Wir erachten Ihre wichtige Note vom 5. August 1942 als einen hochbedeutsamen Akt der Gerechtigkeit gegenüber der Tschechoslowakei und wir versichern Sie unserer wirklichen Befriedigung und unserer tiefen Dankbarkeit zu Ihrem großen Land und Volk. Zwischen unseren beiden Staaten kann nunmehr das Münchener Abkommen als tot angesehen werden[1])."

Die konziliante Schlußwendung verbirgt indes einen wesentlichen Gegensatz der beiderseitigen Auffassungen nicht.

Dieser wird klar, wenn man die englische Note mit der Erklärung des französischen Auslandsnationalkomitees zur selben Frage vergleicht, die am 29. September 1942 von Dejean, dem Nationalkommissar für auswärtige Fragen des Komitees, der tschechoslowakischen Auslandsregierung übermittelt wurde.

Darin heißt es, daß das französische Nationalkomitee die in München am 29. September 1938 geschlossenen Verträge verwerfe, sie als nichtig („nul et non avenu") ansehe, ebenso die in Durchführung oder Folge dieses Abkommens begangenen Akte. Es heißt dann weiter, das Komitee erkenne keinerlei Änderung der 1938 oder später erfolgten territorialen Veränderung der Tschechoslowakei an und werde alles in seiner Macht stehende tun, damit die tschechoslowakische Republik in den Grenzen vor dem September 1938 jede wirkliche Garantie für militärische und wirtschaftliche Sicherheit, für territoriale Integrität und politische Einheit erhalte[2]).

Während die tschechoslowakische Emigration diese Erklärung mit gewissem Recht als Versuch sieht, das Münchener Abkommen von Anfang als nichtig hinzustellen und sie demgemäß als Stütze ihrer „Kontinuitätsdoktrin" wertet, läßt die englische Erklärung eine solche Wertung nicht nur nicht zu, sondern hält einen abweichenden Standpunkt in doppelter Hinsicht aufrecht. Korkisch stellt daher mit Recht fest: „Weder trägt die enge Verknüpfung mit der territorialen Frage, die in der Note vorgenommen wird, zur Klärung dieses Punktes bei, noch ist es angesichts der Unklarheit der britischen Erklärung in der Frage der Anerkennung möglich, eindeutige Schlüsse auf die rechtliche Bedeutung und die Tragweite der britischen Stellungnahme in der territorialen Frage zu ziehen. Die britische Regierung hat es offengelassen, in welchen gebietsmäßigen Grenzen dem als „Regierung" anerkannten tschechoslowakischen Emigrantenausschuß in London von Seiten Großbritanniens Vertretungsmacht zugebilligt wird. Vor allem hat es

---

[1]) Text bei *Korkisch,* Zur Frage der Weitergeltung des Münchener Abkommens. Zeitschr. f. ausl. Recht und Völkerrecht XII, 1944. S. 87 ff.

[2]) Taborsky, a. a. O., S. 26.

die britische Regierung ungeachtet der Anknüpfung an den ehemaligen tschechoslowakischen Staat vermieden, sich bei der Anerkennung dieses Gremiums auf die in den Pariser Vororteverträgen geschaffenen Grenzen dieses Staates festzulegen. In der Antwortnote des Außenministers der tschechoslowakischen Emigrantenregierung in London ist unverkennbar eine gewisse Beunruhigung darüber zu bemerken, daß die britische Regierung diesen entscheidenden Punkt der territorialen Frage offengelassen hat[1])."

Taborsky hat die Gegensätze zwischen der Haltung der britischen Regierung und der des französischen Nationalkomitees folgendermaßen gegenübergestellt:

1. Die britische Regierung scheine das Münchener Abkommen als ungültig lediglich vom 14. oder 15. März 1939 an zu betrachten.

Das französische Nationalkomitee hält es von Anfang für ungültig und macht sich damit die Haltung der tschechoslowakischen Regierung zu eigen.

2. Was die zukünftigen territorialen Regelungen über die Tschechoslowakei betrifft, so formuliert die britische Regierung ihre Verpflichtungen lediglich in einem negativen Sinn, mit der Wirkung also, daß sie durch die Veränderungen während und seit 1938 nicht beeinflußt sein will. Das französische Nationalkomitee dagegen spricht ausdrücklich von den Grenzen vor 1938.

3. Der englische Brief befaßt sich, abgesehen von den Verpflichtungen unter Punkt 2, in keiner Weise mit der künftigen Lage der Tschechoslowakei. Auf der anderen Seite verspricht das französische Nationalkomitee, alles ihm mögliche für die Tschechoslowakei (in den Grenzen vor dem September 1938) zu tun, damit sie eine wirksame Garantie ihrer militärischen und wirtschaftlichen Sicherheit, ihrer territorialen Integrität und politischen Einheit erlange . . . Da die Tschechoslowakei eine ähnliche Verpflichtung gegenüber Frankreich einging, geht der französisch-tschechoslowakische Briefwechsel bedeutend über Inhalt und Reichweite des englisch-tschechoslowakischen Briefwechsels vom 5. August 1942 hinaus.

Und Taborsky schließt: „Der Unterschied liegt in folgendem: Während die Tschechoslowakei das Münchener Abkommen als rechtswidrig und ungültig ex tunc ansieht, scheint sie Großbritannien als bis zum 14. März 1939 für bindend und erst nachher für ungültig anzusehen. Dieser Unterschied, so akademisch er auf den ersten Blick erscheint (da er die Frage des rechtlichen Status der zedierten Gebiete während 5 1/2 Monate betrifft), kann natürlich nur überbrückt werden, wenn Großbritannien ausdrücklich erklärt, daß es das Münchener Abkommen von dem Augenblick für ungültig ansehe, in dem es abgeschlossen wurde[2])."

Auch eine amerikanische aus der Zeit des Zweiten Weltkrieges stammende Untersuchung stellt diese Unterscheidung zwischen den Thesen der tsche-

---

[1]) Korkisch, a. a. O., S. 86.
[2]) Taborsky, a. a. O., S. 26.

chischen Emigration und den englischen Ausführungen fest. Das Münchener Abkommen wird, so unterstreicht *Pergler*[1]), von England wegen seiner Zerstörung durch Deutschland als erledigt angesehen. Edens Erklärung führe von selbst zu der Konstruktion, daß England zu dem Münchener Abkommen stehen würde, wäre Deutschland nicht zur vollen Zerstörung der Tschechoslowakei geschritten. Edens Brief unterläßt es nicht nur, so meint er, die Münchener Regelung insgesamt zu verwerfen; vielmehr, wenn Worte etwas besagten, dann das, daß die britische Regierung die gesamte Sudetenfrage und in Wirklichkeit das gesamte Problem der tschechoslowakischen Grenzen für offen halte. Das wirft seiner Meinung nach aber die Frage der Revision der 1919 in Paris gezogenen zentraleuropäischen Grenzen auf und werde, von diesem Gesichtspunkt aus, statt eines Beruhigungsfaktors zu einem Unruheelement und einer Quelle weiterer Ungewißheit in Mitteleuropa.

Daß die englische Regierung in ihrem Briefe diese tschechoslowakische Forderung nicht akzeptierte, und zwar aus umfassenderen Überlegungen, geht aus Mitteilungen hervor, die Wenzel *Jaksch*[2]), einer der Führer der ebenfalls nach England emigrierten sudetendeutschen Sozialdemokraten, aus persönlicher Kenntnis der Verhältnisse in einer nach Kriegsende erschienenen Schrift machte. Jaksch knüpft dort an Ausführungen in den Erinnerungen Beneschs[3]) aus dem Zweiten Weltkrieg an.

Benesch berichtete dort, daß er bei den dem Briefwechsel vorangehenden Verhandlungen große Widerstände zu überwinden hatte. Die Engländer wollten die mit ihrer vollen Anerkennung der bisherigen provisorischen tschechoslowakischen Regierung verbundenen Hoheitsrechte über die in England lebenden sudetendeutschen tschechoslowakischen Staatsbürger nur unter der Bedingung einräumen, daß vorher Vertreter der demokratischen Sudetendeutschen in den tschechoslowakischen Staatsrat aufgenommen würden. Die tschechoslowakischen Unterhändler behielten sich Bedenkzeit vor, verlangten aber sofort, daß der Paragraph *betreffend die Jurisdiktion über die Sudetendeutschen tschechoslowakischer Staatsangehörigkeit abgesondert* und aus der Note über München herausgelassen würde. Die Engländer ließen dann ihre Forderung fallen. Auch eine Änderung der Formen ergab sich daraus. An Stelle eines geplanten Notenaustausches trat ein einfacher Briefwechsel. Jaksch weist ferner auf Beneschs Behauptung in diesem Zusammenhang hin, die Engländer hätten bei diesen Verhandlungen durch ihren Gesandten Nichols zu verstehen gegeben, sie hätten nichts dagegen, daß eine neue Tschechoslowakei möglichst national einheitlich gestaltet würde, und bucht dies als eine Vorentscheidung im Sinne der späteren Potsdamer Beschlüsse. Jaksch erinnert demgegenüber daran, daß Außenminister Eden noch am 15. Januar 1945 (in einer unveröffentlichten Note) über den gleichen Gesandten mit-

---

[1]) *Pergler*, The Munich repudiation, American Journal of Int. Law 37, S. 308.
[2]) Wenzel Jaksch, a. a. O.
[3]) E. *Benesch-Paměti*, Erinnerungen. Das Buch war dem Verfasser nicht zugänglich.

teilen ließ, England könne den der alliierten Europakommission vorgelegten tschechischen *Plan zur Austreibung von 2 Millionen Sudetendeutschen nicht billigen, weil solche Fragen nur im Zusammenhang mit der gesamten Friedensregelung beurteilt werden könnten.* Er meint, daß 1942 höchstens über die Abschiebung von Naziaktivisten gesprochen worden sei, an denen sich die Engländer desinteressiert erklärten. Jaksch unterstreicht weiter den dem Eden-Brief zugrundeliegenden *Vorbehalt in der Grenzfrage.* Offenbar habe man dabei sich daran erinnert, daß frühere tschechoslowakische Vorschläge einen Teil des Sudetendeutschen Gebietes bei Deutschland belassen wollten. *All das spreche dafür, daß das offizielle England noch mitten im Kriege große Bedenken hatte, den Tschechen im Sudetenland freie Hand zu lassen.* Da es sich aber hautpsächlich um eine Bevölkerung handelte, die auf der feindlichen Seite kämpfte, hätte England nicht mehr offen für die Sudetendeutschen Partei ergreifen können.

Nach Bekanntgabe des englischen Standpunktes zum Münchener Abkommen legten die Vertreter der sudetendeutschen Sozialdemokraten beim Londoner Foreign-Office wie auch beim Staatsdepartement in Washington unter Berufung auf die Atlantic-Charta Verwahrung gegen eine neue einseitige Entscheidung über das Schicksal der 3 Millionen Sudetendeutschen ein[1]).

C. Die tschechoslowakische Auslandsaktion und die Sudeten-Emigranten

Die deutschen Sozialdemokraten der Tschechoslowakei hatten sich gegen die Henlein-Bewegung und gegen die Angliederung des Sudetenlandes an das nationalsozialistische Deutschland gestellt. Dadurch waren sie naturgemäß in nähere Berührung mit den tschechischen politischen Kreisen gekommen, besonders mit denen, die in der neuerlichen Emigration während des Zweiten Weltkrieges wieder an führender Stelle waren. Eine bedeutende Zahl sozialdemokratischer Sudetendeutscher hatte nach der Abtretung des Sudetengebietes an Deutschland versucht, in der Hoffnung auf eine Option, sich in der verkleinerten Tschechoslowakei niederzulassen. Die Tschechen verweigerten ihnen die Niederlassung mit der Begründung, daß sie mit Rückkehrern des eigenen Volkstums überlaufen seien, es gebe nicht einmal für diese genügend Land und Arbeit. Außerdem befürchtete die tschechische Regierung die Vergrößerung der deutschen Minderheit innerhalb ihrer neuen Grenzen. Nach einem Bericht von Sir John Hope Simpson wurden ungefähr 20 000 Deutsche, die für die Tschechoslowakei optierten, sich dort niederlassen wollten und dazu in die neue Tschechoslowakei gekommen waren, in

---

[1]) Jaksch, a. a. O., S. 17.

Eisenbahnzüge gepackt und zurückgeschickt, während etwa 10 000 freiwillig in ihre Heimat zurückkehrten[1]).

Führer der sudetendeutschen Sozialdemokraten hatten während der Protektoratserrichtung in der englischen Gesandtschaft in Prag Aufnahme gefunden und waren mit englischer Hilfe nach England gelangt. Sie waren entschlossene Gegner des nationalsozialistischen Regimes und hatten sich aus diesem Grunde mit Selbstverleugnung zusammen mit tschechischen Kräften, in denen sie Vertreter eines demokratischen Staatsprinzips sahen, gegen die Angliederung des Sudetengebietes an das damalige Deutschland gestellt. Das Dasein einer solchen sudetendeutschen Emigration, die in wichtigsten Fragen derselben Auffassung war wie die tschechische, daher prinzipiell zu einer einheitlichen organisatorischen Zusammenarbeit bereit, stellte gegenüber dem Ersten Weltkrieg etwas völlig Neues dar. Eine Auslandsaktion, die sich die Wiederherstellung des tschechoslowakischen Staates in den Grenzen von 1919 nicht nur zum Ziele setzte, sondern sogar noch seine rechtliche Kontinuität behauptete, konnte und durfte an dem Dasein einer solchen Emigration schon aus verfassungsrechtlichen Gründen nicht vorübergehen. In ihr lag ja ein weiterer entscheidender Unterschied zu der politischen Situation der Emigration des Ersten Weltkrieges, und zwar ein Unterschied, der für die tschechischen Betrebungen sehr viel Positives enthielt.

Die Dinge nahmen aber in der Tat eine vollkommen gegenteilige Richtung. So wird die mißglückte Zusammenarbeit der sudetendeutschen und der tschechischen Emigration gerade von den heute wieder in Deutschland lebenden sudetendeutschen Sozialisten mit Recht als eine praktische Selbstwiderlegung der Kontinuitätsdoktrin der Auslandsaktion des Zweiten Weltkrieges gewertet. Unter diesem Gesichtspunkt verdient sie auch hier volle Aufmerksamkeit.

Bereits die ausgewählten Dokumente, die der damalige Führer der sudetendeutschen Sozialisten, W. Jaksch, herausgegeben hat, ermöglichen es, eine unserem Thema entsprechende kurze Übersicht über die Entwicklung dieser Frage zu geben[2]).

Der erste Versuch, sich über Fragen der Zusammenarbeit zwischen sudetendeutscher und tschechischer Emigration zu verständigen, lag noch vor Kriegsausbruch. Jaksch hatte eine Unterredung mit Dr. Benesch am 3. August 1939, der gerade von einem längeren Amerikabesuch zurückkam. Er erzählte u. a.,

---

[1]) Jaksch, a. a. O., S. 75.

[2]) Jaksch bezeichnet es u. a. als Zweck der Dokumentensammlung, die Erinnerungen Dr. Beneschs aus dem Zweiten Weltkrieg zu ergänzen und zu berichtigen. Benesch habe darin „zu Mitteln der Entstellung gegriffen, die eines Staatsmannes unwürdig" seien. Er hätte in der Frage der Sudetendeutschen viel zu verschweigen und zu verbergen gehabt. Darum verzeichne er bewußt das Bild der in London geführten Verhandlungen. „So veröffentlichte er z. B. unseren abschließenden Briefwechsel nur ganz einseitig und lückenhaft." Ängstlich wäre er bestrebt gewesen, den tschechischen und internationalen Lesern von den letzten Verständigungsversuchen der sudetendeutschen Sozialdemokratie ein verzerrtes Bild zu geben.

daß Präsident Roosevelt „ihn w i e ein Staatsoberhaupt empfangen[1])" und ihm die volle Unterstützung bei der Wiederaufrichtung der Tschechoslowakei zugesagt hätte. In dieser Begegnung wurden die beiderseitigen Standpunkte vorsichtig abgetastet. Jaksch operierte mit dem Argument, man könne einer erneuerten Sudetendemokratie nicht weniger autonomistische Konzessionen zumuten, als man Henlein im Rahmen des sogenannten 4. Planes 1938 geben wollte. Dadurch wären die Sudetendeutschen in der Tat zum Rang eines Staatsvolkes erhoben worden und hier liege auch der Ausgangspunkt für eine spätere Vertragslösung. Benesch schnitt dies mit der historisch wesentlichen Begründung ab, der „4. Plan sei nur zur Demaskierung Henleins vor der Weltöffentlichkeit bestimmt gewesen". Er war demnach offenbar von Benesch seinerzeit nie ernst gemeint.

Dagegen machte Benesch damals eine andere, sehr bedeutsame Erklärung und Zusage. Er plädierte nämlich neuerlich für eine „Schweizer Lösung". Und er stimmte ferner mit dem sudetendeutschen Vertreter darin überein, daß auf der Grundlage einer zentralistischen Staatsverfassung eine Befriedung der Sudetendeutschen unmöglich wäre[2]).

Bei einer solchen Disposition des maßgeblichen tschechischen Vertreters schien eine grundsätzliche Verständigung greifbar. Die politische Linie der Sudeten-Emigration war fortan durch zwei Überlegungen bestimmt. Einmal durch das Festhalten an einer Verständigungsbereitschaft, zum zweiten durch das Bewußtsein, daß eine schutzlose Auslieferung der Sudetendeutschen an die Rache des tschechischen Nationalismus ein furchtbares Verhängnis wäre. Dabei war man sich bewußt, daß die deutsch-tschechischen Gespräche in London auch von englischen politischen und offiziellen Stellen mit großem Interesse verfolgt wurden. So kam es zur Formulierung der grundsätzlichen Überlegungen der sudetendeutschen sozialistischen Emigration in der Deklaration, die der Parteivorstand am 10. März 1940 in London beschloß. Die wichtigsten Stellen daraus lauten:

„Die Dauerhaftigkeit des Friedens, welcher nach diesem Kriege geschlossen wird, hängt davon ab, ob er unter gleichberechtigter Mitwirkung eines befreiten deutschen Volkes zustande kommt. Wir reklamieren einen Verständigungsfrieden auch für die Bevölkerung der Sudetengebiete. Über ihre staatliche Zugehörigkeit ist im Verlaufe von zwei Jahrzehnten zweimal einseitig entschieden worden. Durch das Diktat von St. Germain wurde die Tschechoslowakei für 20 Jahre mit ungelösten Nationalproblemen belastet. Auch die Entscheidung von München war ein Diktat gegen die demokratischen Sudetendeutschen und gegen das tschechische Volk.

Im Interesse des europäischen Friedens sind wir daher bestrebt, eine definitive Entscheidung über das staatliche Schicksal der Sudetengebiete

---

[1]) Dieses „wie" ist völkerrechtlich sehr bedeutsam. Er wurde also nicht *als* Staatsoberhaupt empfangen, wie es die Konsequenz der Kontinuitätsdoktrin verlangt hätte.
[2]) Jaksch, a. a. O.

vorzubereiten, welche unter freier und gleichberechtigter Mitwirkung der sudetendeutschen Bevölkerung erfolgt. Wir fordern für die 3 Millionen Sudetendeutschen das Selbstbestimmungsrecht.

Anknüpfend an die große Tradition der Bewegung kämpfen wir für die Anwendung des Selbstbestimmungsrechtes im Geiste der europäischen Solidarität. Deshalb schließt unser Bekenntnis zum Selbstbestimmungsrecht die Anerkennung aller wirtschaftlichen und geographischen Verbundenheiten des Sudetengebietes mit den historischen Räumen Böhmens und Mährens in sich.

Die Stellung zum tschechischen Volk wurde nach der selbstverständlichen Anerkennung seines Anspruches auf Freiheit und staatliche Selbständigkeit als demokratischen Konsequenzen im Sinne einer siedlungsmäßigen Verbundenheit betrachtet. Mit dem Staatsproblem der Tschechen wird angesichts der Siedlungsverhältnisse in Böhmen und Mähren stets das Schicksal einer größeren oder geringeren Zahl Deutscher in diesen Ländern verbunden sein. Die sudetendeutsche Sozialdemokratie hat daher ihren Kampf um eine demokratische Lösung der deutsch-tschechischen Frage mit unerschütterlicher Entschlossenheit bis zur Entscheidung von München geführt ... Wir verkennen nicht, daß die Grenzen von München vielfach unter Verletzung des ethnographischen Prinzips gezogen wurden und auch für die Zukunft keine gerechte Lösung darstellen. Als ein Teil des sudetendeutschen Volkes haben wir aber vor allem die Interessen unseres Volkes zu vertreten ... Auf Grund 20jähriger Erfahrungen können wir daher nicht zustimmen, daß 3 Millionen Sudetendeutsche neuerdings nur als Objekt der wirtschaftlichen und historischen Ansprüche der tschechoslowakischen Politik behandelt werden. Will die tschechische Politik auf die Methode des Diktats verzichten und eine Neuorganisierung des Staates in demokratischen Formen vorbereiten, dann ist es ihre Aufgabe, zu gegebener Zeit die Vertreter der Sudetendeutschen Bevölkerung einzuladen, alle Fragen betreffend die Grenzen, den Aufbau und den Inhalt des Staates im Wege freier Vereinbarung zu klären."

Zum sudetendeutschen Lebensproblem wurde ausgeführt:

„Eine Lösung der deutsch-tschechischen Grenzfragen durch zwangsweisen Bevölkerungsaustausch lehnen wir als undemokratisch und barbarisch ab ... Wir sind uns dessen bewußt, daß die speziellen Lebensinteressen der Sudetendeutschen weder in einem zentralistischen Großdeutschland, noch in einer erneuerten zentralistischen Tschechoslowakei erfolgreich wahrgenommen werden können."

Das konstruktive Ziel wurde als „Autonomie im Föderalstaat" bezeichnet. Es ergäbe sich die Notwendigkeit der „Autonomie in allen Angelegenheiten, die nicht der Natur der Sache nach ausschließlich gesamtstaatlich geregelt werden müssen." Dafür genüge lokale Selbstverwaltung allein nicht.

„Die 3 Millionen Sudetendeutschen brauchen daher eine zentrale Repräsentanz für ihre Gesamtinteressen, bestehend aus Landesparlament und

Landesregierung. Die Landesregierung würde auch die Aufgabe haben, die deutschen kulturellen und Fürsorgeeinrichtungen in Böhmen und Mähren zu verwalten und den deutschen Gebietskörperschaften übergeordnet sein. Falls die tschechoslowakische Politik eine föderative Staatskonzeption annimmt, werden sich durch eine zweckmäßige Kombination von territorialer und personaler Autonomie auch die Fragen der administrativen Abgrenzung erfolgreich lösen lassen."

Jaksch erwähnt, daß das Dokument bei seinen Freunden nicht ganz unbestritten war, einige von ihnen hatten zur Benesch-Politik schon damals kein Vertrauen mehr und vertraten eher einen großdeutsch-demokratischen Standpunkt. Geschlossen war man jedoch bei diesen Beratungen der Meinung, daß jede Möglichkeit einer Verständigungspolitik ausgeschöpft werden sollte. Er unterstreicht ferner, daß bei diesen Bestrebungen für eine Vertragslösung „ein gutes Stück Weges" englische offizielle Unterstützung vorhanden war[1]).

Praktisch jedoch blieb die erste informative Fühlungsnahme zwischen der tschechischen und der sudetendeutschen Emigration insofern ohne unmittelbare Auswirkung, als die sudetendeutschen Sozialisten zur Gründung des tschechoslowakischen Nationalkomitees nicht herangezogen wurden.

Jaksch bemerkt dazu, daß bereits die Schaffung des Nationalrates in Paris nicht ohne ihre aktive Mitwirkung hätte erfolgen dürfen, wenn „uns die tschechische Auslandspolitik unterbrechungslos als einen Bestandteil der tschechoslowakischen staatspolitischen Gemeinschaft betrachtet. Eine Einladung zur gleichberechtigten Mitarbeit . . . ist jedoch weder bei der Schaffung des Nationalrates, noch vor der Konstituierung der Auslandsregierung an uns ergangen."

Indes erhielt die Partei am 12. Oktober 1940 eine formelle Einladung zur Mitarbeit an der tschechoslowakischen Auslandsaktion in der Form des Angebotes von 6 Staatsratsmandaten. Die vorher aus diesem Anlaß geführten Besprechungen zwischen Benesch und Jaksch sind besonders interessant, weil sie auf der Grundlage der schon angedeuteten „neuen Konzeption" des Präsidenten geführt wurden.

Tschechischerseits wollte man ein „arrondiertes und lebensfähiges tschechisches Sprachgebiet" schaffen. Aber auch die deutschen Sprachgebiete in einer neuen Republik sollten klar abgegrenzt sein, und zwar auf der *Grundlage beiderseitiger* Verzichte: Aufgabe der deutschen Minderheiten im damaligen Protektorat und der tschechischen Minderheiten in Nordböhmen. In diesem „neuen Konzept" spielte das Schweizer Beispiel eine Rolle, auf das Benesch bei einer Besprechung mit Jaksch im August 1939 verwiesen hatte. „Unter Hinweis auf das Schweizer Beispiel hob der Präsident hervor, daß Minderheiten, die im anderen Sprachgebiet bleiben wollen, auf irgendwelche Schul- oder Sprachenrechte verzichten müssen. Es würde dann auch ein Bevölkerungsaustausch auf der Basis der Freiwilligkeit, und zwar eben

---

[1]) Jaksch, a. a. O.

von solchen Minderheiten, die in Zukunft ohne Sprach- und Schulrechte in den geschlossen andersnationalen Sprachgebieten sein würden, stattfinden können. Benesch betonte dann weiter, daß die Deutschen bei einer solchen Lösung freilich größere Opfer bringen müßten. Interessant ist dann seine Beifügung. Er wolle den Staat so einrichten sagte er, daß die Deutschen *(samt ihrem Sprachgebiet,* wie Jaksch erläutert), ,zum Teufel gehen könnten, wenn es ihnen nicht passe'."

Diese Gespräche bewegten sich, wie Jaksch unterstreicht, *„selbstverständlich nicht im Rahmen der Vormünchener Verhältnisse"*, es wurde „daher auch *kein Bekenntnis zu irgendwelcher Kontinuität verlangt"*. Jaksch erinnert daran, daß im Gegenteil Präsident Benesch mit der „elastischen Formel" operiert hätte, „er wisse nicht, wie viele Deutsche nach dem Kriege in der Tschechoslowakei leben werden, rechne aber damit, daß in dem neuen Staat auf jeden Fall auch Deutsche eingeschlossen sein werden".

Dieser staats- und nationalpolitische Grundgedanke Beneschs und die Einladung in den Staatsrat waren Gegenstand eines Referats von Jaksch in der Sitzung des Parteivorstands vom 2. Oktober 1940. Die Entscheidung fiel positiv aus. In Ergänzung dieses Beschlusses wurde der Standpunkt der sudetendeutschen Sozialdemokraten in einem Brief an Benesch noch einmal dahin zusammengefaßt, daß

1. Die fundamentalen Fragen des künftigen staatlichen Zusammenlebens der Tschechen und Sudetendeutschen im Wege gegenseitiger Vereinbarungen gelöst werden sollen. Das sollte eine Erklärung der tschechoslowakischen Exilregierung festhalten.

2. Ein Austausch von Erklärungen im Staatsrat sollte einen nationalen Bürgerkrieg, der ja alle Hoffnungen auf ein friedliches Zusammenleben zwischen Tschechen und Sudetendeutschen zerstören würde, möglichst ausschließen.

3. Die wieder aufgenommene Zusammenarbeit war auf demokratischer Grundlage gedacht. Darum legte man besonderen Wert auf die Gewährung prinzipieller Gleichberechtigung von Anfang an, mit besonderem Hinweis auf den administrativen Dienst.

4. Ferner wurde Klarstellung erbeten, ob während der Dauer des Auslandskampfes eine Vertretung der sozialdemokratischen Sudetendeutschen in Aussicht genommen sei.

Über diese Punkte fanden auch verschiedentliche Aussprachen mit Mitgliedern der Auslandsregierung statt, woran z. B. die Regierungsmitglieder Ingr, Nemetz, Feierabend, Medgers und Slavik von tschechischer sowie Mitglieder der Parteiexekutive von deutscher Seite teilnahmen. Sie wurden freundschaftlich diskutiert, gegen keinen von ihnen ist von den tschechoslowakischen Diskussionspartnern prinzipieller Einspruch erhoben worden[1]).

---

[1]) Jaksch, a. a. O.

D. Der Beginn des Rußlandkrieges und das neue Staatskonzept

1. DER VERZICHT DER TSCHECHEN AUF DIE SUDETENDEUTSCHE MITARBEIT

Mit den zum Schluß erwähnten Besprechungen war praktisch das Ende der Verhandlungen der sudetendeutschen und tschechischen Emigration über einen von nationaler Gleichberechtigung ausgehenden föderativen Neubau eines tschechoslowakischen Staates erreicht. Von tschechoslowakischer Seite wurde eine Sistierung der Besprechungen und ein Aufschub des Eintrittes Sudetendeutscher in den Exilrat verlangt; das Verlangen wurde auf angeblich inzwischen aus der Heimat eingelangte Proteste gegen deutsche Vertreter im Exilstaatsrat gestützt. Jaksch erörtert in diesem Zusammenhang die Frage, ob diese Nachrichten echt oder nur unterschoben waren, und weist darauf hin, daß Benesch außerordentlich empfindlich für angebliche Äußerungen der Volksmeinung war[1].

Am 25. März 1941 kam es dann noch einmal zu Besprechungen, in denen ein zwar getrenntes, aber paralleles Vorgehen vereinbart und die Freiheit der Auffassungen über die inneren Verhältnisse nach dem Kriege vorbehalten wurden. Auf diese Besprechung kam Benesch in einem Brief vom 9. Juni 1941 zurück. Jaksch unterstreicht sein Datum; er wurde 12 Tage vor dem deutschen Einmarsch in Sowjetrußland geschrieben und stand mit der sowjetischen Frage im engen Zusammenhang. Benesch fürchtete bis zum letzten Augenblick die Möglichkeit eines neuen Abkommens zwischen Hitler und Stalin[2].

So war es der deutsch-sowjetische Krieg, der auf tschechischer Seite zum Fallenlassen des Föderativkonzepts und zur Annahme eines vollkommen entgegengesetzten Planes führte: zum Konzept des „möglichst homogenen Nationalstaates", hergestellt durch Vertreibung der Sudetendeutschen. Dieses neue Konzept steht also mit der großen Zäsur des Zweiten Weltkrieges, dem deutsch-sowjetischen Krieg, in engster Beziehung. In diesem Zusammenhang kann dahingestellt bleiben, ob Beneschs „neues Konzept" von 1939 mit dem Schweizer Beispiel von vornherein beabsichtigte Täuschung der sudetendeutschen Emigration war, ebenso wenig ernst zu nehmen, wie er selbst von seinem „4. Plan" vom September 1938 sagte. Die Tatsache, daß Benesch das Schweizer Vorbild schon in den Memoranden und Erklärungen für die Pariser Konferenz wiederholt angeführt hat, ohne daß dann Konsequenzen für Verfassung und politische Wirklichkeit der tschechoslowakischen Republik gezogen wurden, gibt ebenso zu solcher Frage Anlaß, wie das

---

[1]) Jaksch, a. a. O., S. 18.
[2]) Jaksch, a. a. O.

Beispiel des 4. Planes. Vor allem aber der Umstand, daß, gleichzeitig mit den sudetendeutsch-tschechischen Gesprächen auf der Basis der Gleichberechtigung der Völker Böhmens, Austreibungspläne für den Fall eines Ostfriedens bereits unter der Leitung von Beneschs Sekretär, Dr. Taborsky, ausgearbeitet wurden[1]).

Für die Ernsthaftigkeit des „neuen Konzepts" wiederum würde wohl der Umstand sprechen, daß Benesch in seiner Rundfunkrede vom 5. Oktober 1938, nach den Münchener Beschlüssen, gewisse Vorteile des neuen, nunmehr national einheitlichen tschechoslowakischen Staates hervorgehoben hatte; vor allem die damit verbundene Verminderung der internationalen Spannungen. Die besondere nationale Struktur des früheren Staates habe einem wesentlichen Wechsel Platz gemacht; es werde einen nationalen Staat der Tschechoslowaken geben, wie ihn in gewisser Weise die Entwicklung des Nationalitätsprinzips verlange, darin werde eine große Kraft für diesen Staat und das tschechoslowakische Volk liegen und ihm die Fähigkeit zu neuem Handeln und eine feste moralische Grundlage geben, die bisher fehlt[2]). Von solcher Auffassung aus ließe sich annehmen, daß die Gespräche mit der sudetendeutschen Emigration nicht bloßes Täuschungsmanöver waren, sondern der Diskussionen und Klärung *einer* unter mehreren erwogenen Möglichkeiten dienen sollten. So dürfte das Umschwenken das Ergebnis mehrerer Ursachen sein. Wahrscheinlich hat Benesch von Anfang an auch mit der Möglichkeit einer ganz anderen Politik, eben der sudetendeutschen Vertreibung, gerechnet und seine Entscheidung vom Verlaufe des Krieges abhängig gemacht.

Das deutsch-russische Verhältnis war hiefür der Angelpunkt, Jaksch wertet den Brief, den ihm Benesch am 9. Juli 1941 schrieb, als einen Beweis nach dieser Richtung. Benesch hätte in diesem Zeitpunkt noch mit der Möglichkeit einer deutschen Erhebung gegen Hitler gerechnet und dann die sudetendeutschen Sozialdemokraten als Brücke verwendet[3]).

Der deutsch-sowjetische Krieg schuf nun eine völlig neue Lage. Statt der Zusammenarbeit mit den sudetendeutschen Sozialdemokraten, die eine nationalföderative Struktur des neuen Staates bedingte, kam es zu einer Option für den sowjetischen Osten und zur Hereinnahme seiner Exponenten in den Exilstaatsrat. Es wurden tschechische und slowakische Kommunisten zu Mitgliedern ernannt. Die Ernennung eines sudetendeutschen Kommunisten, Kreibich, wurde von der sudetendeutschen sozialistischen Emigration als ein Menetekel empfunden. In einem Brief an Benesch verwiesen sie auf die Konsequenzen. Die kommunistische Partei, die bestorganisierte Kraft der tschechoslowakischen Emigration mit ihrer eisernen Parteidisziplin, habe mit dieser Berufung einen Keil zwischen Tschechen und deutsche Sozialdemokraten getrieben. „Wir machen uns über die Hintergründe und die Dauer

[1]) Jaksch, a. a. O., S. 15.
[2]) Siehe oben S. 242 f.
[3]) Jaksch, a. a. O., S. 15.

der kommunistischen Staatsloyalität keine Illusionen. Sie werden uns mit der nächsten Wendung ihrer Politik nicht überraschen . . . Unser Eindruck ist, daß die tschechische Politik alle Manifestationen unseres guten Willens mit den Maßstäben ihrer taktischen Bedürfnisse gemessen hat[1])."

1942 nahmen Exilminister Ripka und Exilpräsident Benesch zu dem Sudetenproblem in öffentlichen Erklärungen in England Stellung. Ripka führte vor dem englisch-tschechischen Klub aus, daß man die von Exilsudetendeutschen angestrebten Verständigungen über ein künftiges Nationalitätenregime ablehne, weil sie nur von den zuständigen Faktoren in der Heimat nach einer deutschen Niederlage zu lösen seien. Niemand habe im Ausland ein Recht, den Entscheidungen der Nation vorzugreifen, das allein sei der Grund, warum man sich weigere, Entscheidungen über die Form der künftigen Beziehungen zwischen Deutschen und Tschechen zu treffen.

Im November 1942 sprach Dr. Benesch über diese Fragen vor dem Exilstaatsrat. Er wies auf die völlig geänderte Lage hin, innerhalb derer sich für eine neue Tschechoslowakei ihr deutsches Minderheitenproblem stellen würde. Der gegenwärtige Krieg sei der historische Moment, in dem der sogenannte deutsche Drang nach dem Osten ein für allemal zerschmettert werden könne. Zur Frage der Deutschen in der Tschechoslowakei selbst erklärte er, daß in diesem Kriege für die Deutschen dieselben Grundsätze gelten würden wie für die anderen Bürger. Die „deutschen Nazi und Verräter" würden auf der gleichen Grundlage behandelt wie tschechische und slowakische Naziverräter. Loyale deutsche Demokraten seien als vollkommen gleiche Bürger anzusehen, zu behandeln und in Rechnung zu stellen. Er wünsche keine Rache. Daher verteidige er auch die Idee der Zusammenarbeit mit loyalen und demokratischen Deutschen in der Emigration aus einer Reihe von Gründen, auch, weil eine gewisse Zahl von Deutschen (eine größere oder kleinere) nach dem Krieg in der Republik bleiben würde. Jeder, der irgendeiner Zusammenarbeit mit den demokratischen Deutschen entgegenarbeite, schaffe auch im Hinblick auf die Friedensverhandlungen große Schwierigkeiten.

Befürchtungen über eine verfrühte Verständigung mit den Exildeutschen über das innerstaatliche Regime seien grundlos. Eine solche Vereinbarung könne es nicht geben, „weil wir die Bedingungen nicht kennen, die in dieser Hinsicht nach Kriegsende gegeben sein werden. Denn die Haltung gegenüber allen deutschen Minderheiten in Mitteleuropa wird einmal von dem Grade unseres Sieges und vom Zustande Deutschlands und der interessierten Länder im Augenblick des deutschen Sturzes abhängen, letztlich sodann durch gewisse Grundsätze bestimmt sein, auf die sich die Alliierten einigen." Aus all diesen Gründen wolle er jetzt keine konkrete Lösung des Nationalitätenproblems für die Nachkriegszeit prüfen.

In einer Rede vor der Universität Manchester im Dezember 1942 erklärte Benesch, er kenne keine ideale Lösung für das zentraleuropäische Nationali-

---

[1]) Jaksch, a. a. O., S. 83.

tätenproblem. Hier und dort mögen örtliche Grenzberichtigungen besondere Schwierigkeiten beseitigen. Umsiedlungen wurden ausdrücklich erwähnt. „Wir können alle zusammen nicht die Möglichkeit einer besonderen Bevölkerungsumsiedlung als Bedingung für Gleichgewicht und dauernden Frieden ausschließen." Sie sei eine schmerzvolle Operation und zögen wohl manche „zweitrangige Ungerechtigkeit" nach sich. Die Friedensmacher sollten dazu nur ihre Zustimmung geben, wenn sie menschenwürdig organisiert und international finanziert werde.

2. DER PLAN DER VERTREIBUNG

In der ausführlichen Einleitung zum Sudetendeutschen Weißbuch unterstreicht *Dr. Turnwald*, wie die geschilderte Entwicklung zeigt zu Recht, daß die Sudetenaustreibung nicht etwa eine spontane Aktion oder Reaktion des tschechischen Volkes auf die Besetzung der tschechischen Gebiete zwischen 1939 und 1945 gewesen ist. Es handele sich vielmehr um einen von langer Hand vorbereiteten Plan der tschechischen Exilpolitik. Das zeige u. a. auch ein regelrechter „Prioritätsstreit", der zwischen den Kommunisten und bürgerlich-nationalen Gruppen in Prag nach 1945 ausgetragen wurde. Er war veranlaßt durch eine Behauptung des Prager kommunistischen Parteiblattes, daß der Plan der Austreibung der Sudetendeutschen zum ersten Mal anläßlich der Unterzeichnung des sowjetisch-tschechoslowakischen Paktes im Dezember 1943 in Moskau aufgetaucht sei. Dort sei zwischen Benesch und seinem späteren kommunistischen Nachfolger Gottwald zum ersten Mal die Frage der Aussiedlung der Sudetendeutschen aufgeworfen worden. Stalin habe seine persönliche Zustimmung zu diesem Antrag gegeben und sich auch für die Geltendmachung dieser Ansprüche auf der Konferenz der Alliierten eingesetzt. Es kam über diese Behauptungen zu einer Parlamentsdebatte. Der der tschechischen katholischen Volkspartei angehörige Abgeordnete Duchacek, ein enger Mitarbeiter des Exil- und späteren Außenhandelsministers Dr. Ripka, erinnerte jedoch daran, daß bereits im Sommer 1942 die Frage der Aussiedlung der Deutschen das Stadium vertraulicher Gespräche mit den drei Hauptalliierten erreicht habe. Dr. Ripka habe im Anschluß an die Präzisierung des englischen Standpunktes zum Münchener Abkommen darauf in einer öffentlichen Rede in England im Oktober 1941 offen angespielt. Gegen Ende 1943 hätten alle Mitglieder der nationalen Front in dieser Frage übereingestimmt; die Aussiedlung der Deutschen sei daher ein Erfolg aller Mitglieder und Parteien der nationalen Front. Es sei eine Geschichtsfälschung, wenn die Kommunisten behaupten, daß ihnen die Aussiedlung der Deutschen zu verdanken ist. In einem Kommentar zu dieser Rede wurde darauf verwiesen, daß über das Problem der Austreibung der Sudetendeutschen im Kreis um Dr. Ripka schon im Jahre 1939 diskutiert worden sei. Turnwald erinnert indessen an die unbestreitbare Tatsache, daß Benesch die Grundfragen der tschechoslowakischen Exilpolitik ausschließlich nach eigenen Gedanken gestaltete. Daher sei anzunehmen, daß auch der entscheidende Anstoß zum Austreibungsplan schließlich von Benesch ausging. Er stützt diese Überlegung auch durch Hinweise auf eine Anfrage des Direktors des jüdischen wissenschaftlichen Institutes in New York an den Exilaußenminister Jan Masaryk, die durch 2 Aufsätze Beneschs veranlaßt war, in denen er sich 1941 für den Umsiedlungsgedanken als Lösungsmöglichkeit aussprach. Jan Masaryk antwortete dahingehend, daß sich die Austreibung nur auf die Sudetendeutschen beziehen solle. W. Jaksch schließlich verweist darauf, daß Benesch in seinen Erinnerungen aus dem Zweiten Weltkrieg sich mehrfach rühmt, den Austreibungsplan bereits vor Kriegsausbruch konzipiert zu haben[1]).

E. Die Wiedererrichtung der Tschechoslowakei nach 1945 und die Vertreibung der Sudetendeutschen

1. ALLGEMEINES

Darstellung und Erörterung dieses Schlußabschnittes unserer Untersuchung leiden im besonderen unter dem Mangel an greifbaren Quellen und Unterlagen, aus denen der Ablauf der Ereignisse in den letzten Wochen und Monaten auf dem Gebiete der Karpato-Ukraine, des slowakischen Staates, in Böhmen und Mähren und in den Sudetengebieten entnommen werden könnte.

So muß sich das Folgende auf eine Skizzierung der unter rechtlichen Gesichtspunkten wesentlichen Ereignisse in gröbsten Umrissen beschränken.

a) Die Wiederaufrichtung des tschechoslowakischen Staates 1945 ging unter Verhältnissen vor sich, die sich von denen des Jahres 1918 in allen wesentlichen Punkten unterscheiden. Damals hatten die vorbereitenden Schritte des Nationalrates in Paris durch die Vereinbarung mit den heimischen Vertretern der Unabhängigkeitsrichtung (Genf Oktober 1918) den realen Unterbau gesichert. Die Gleichrichtung der auf staatliche Unabhängigkeit zielenden Kräfte in der Heimat und im Ausland war dadurch, – wenn auch erst im letzten Kriegsstadium – gewährleistet. Die Folgen zeigten sich gleich auf innerpolitischem Gebiet in den letzten Wochen des habsburgischen Staates: Die Erklärungen des tschechischen Nationalrates in der Heimat hatten die Angebote Wiens zurückgewiesen und die böhmische, nunmehr zur tschechoslowakischen gewordene Frage zum internationalen Problem erklärt, das in die Zuständigkeit der Friedenskonferenz falle. Als die Monarchie sich in

---

[1]) Jaksch, a. a. O., S. 20.

verschiedene Teile auflöste, war in Böhmen der Kern eines obersten staatlichen Organs vorhanden. Am 28. Oktober wurde die Losreißung von der Monarchie auf revolutionärem Wege vollzogen und der Grundstein für die tatsächliche Herrschaft der tschechischen (tschechoslowakischen) Organe in dem tschechischen Teil der böhmischen Länder und der Slowakei gelegt. Durch den Hinweis auf die Zuständigkeit des tschechoslowakischen Nationalrates in Paris im tschechoslowakischen Gesetz Nr. 1 war dieser gesetzlich zum außenpolitischen Arm der neuen effektiven Regierung geworden. Die betätigte tatsächliche Herrschaft über wesentliche Teile der böhmischen Länder verschafften der vorgängigen Anerkennung des Nationalrates durch alliierte Regierungen damit auch eine Wirkung nach gemeinem Völkerrecht. Zwischen die endende k. k. österreichische und die beginnende tschechoslowakische Herrschaft schob sich keine dritte Macht; die eine setzte die andere fort. Die Tschechoslowakei war damit als selbständiger Staat erstanden, die tschechoslowakische Regierung begann vom 28. Oktober 1918 an, die Herrschaft als freie und unabhängige Regierung in den von ihr beherrschten Gebietsteilen auszuüben.

Ganz anders die Lage nach 1945. Zunächst handelte es sich nicht wieder um eine Verselbständigung aus *einem* einheitlichen völkerrechtlichem Bereich heraus. Die verschiedenen Landesteile der ehemaligen tschechoslowakischen Republik hatten seit 1938 und 1939 vollkommen verschiedene staats- und völkerrechtliche Wege eingeschlagen. Sie sind sodann erst infolge kriegerischer Eroberung durch Sowjet- und USA-Truppen nur schrittweise unter eine, damit lediglich beschränkte Autorität der Londoner Exilregierung gebracht worden, die auf heimatlichem Gebiete umgeändert und neu gebildet worden war[1]).

Im wesentlichen war die Eroberung der früheren Tschechoslowakei das Werk der Sowjetarmee. Sie eroberte zunächst das 1938 an Ungarn gefallene früher autonome Gebiet „Karpato-Rußland", rückte dann in das Gebiet des slowakischen Staates vor, der etwa bis April 1945 erobert war, drang dann nach Mähren und schließlich auch nach Böhmen ein. Im westlichen Teil Böhmens, bis etwa Pilsen, rückten amerikanische Truppen vor. Sie hätten ohne Mühe Prag als erste erreichen können, blieben jedoch in der Gegend von Pilsen stehen. Die in die ehemaligen tschechoslowakischen Gebiete übersiedelte Exil-Regierung selbst war also keineswegs frei und unabhängig, vielmehr übten die oberste Gewalt in den eroberten tschechoslowakischen Ländern gemäß Kriegsrecht die Befehlshaber der sowjetischen und amerikanischen Armeen aus.

Die Vertreter der tschechoslowakischen Exilregierung folgten zunächst den sowjetischen Truppen. Soweit die Sowjetarmee vorrückte, war Raum für ihre Regierungstätigkeit. Auch bei den amerikanischen Truppen befanden sich Vertreter der tschechoslowakischen Exilregierung. Mit Recht unterstreicht

---

[1]) „But now two foreign, though Allied, armies were on the territory of the Republic. Apparently, some of their commanders tended to apply the rules of military occupation." Langer, a. a. O., S. 242.

das gleich zu erwähnende Kaschauer Statut, daß die Sowjetarmee „die ersten Teile der tschechoslowakischen Republik befreite" ... und es „dank der Sowjetunion möglich wurde, daß der Präsident der Republik in die befreiten Gebiete zurückkehrte." Von vornherein stand entsprechend den militärischen Verhältnissen die Autorität der tschechoslowakischen, nunmehr auf dem Boden der ersten tschechoslowakischen Republik befindlichen Exilregierung unter der *kriegsrechtlichen Oberhoheit der fremden Armeen*[1]).

Der Ausübung der vollen Regierungsgewalt, die mit dem Abmarsch der sowjetischen und amerikanischen Truppen zusammenfällt[2]), geht somit eine Periode voraus, in der die Tschechoslowakei *unter sowjetischer und amerikanischer Herrschaft kraft Kriegs- und Okkupationsrecht* stand. Der Löwenanteil fiel den Sowjets zu. Ihnen unterstand der größte Teil von Böhmen, das gesamte Mähren, Schlesien, die Slowakei und die Karpato-Ukraine. Das gilt auch für die damals völkerrechtlich noch zu Deutschland gehörenden Sudetengebiete. Sie standen zunächst unter sowjetischem und amerikanischem Okkupationsrecht und wurden dann erst der Autorität der tschechoslowakischen Regierung unterstellt.

b) Das Kaschauer Statut.

In dieser völkerrechtlichen Lage erging eine Proklamation der umgebildeten tschechoslowakischen Regierung, die die leitenden Grundsätze für ein Staatsprogramm entwickelte und auch die gegenüber den Sudetendeutschen geltenden Grundsätze niederlegte. Dieses vom 5. April 1945 datierte Programm (das in der in Kaschau [Ostslowakei] abgehaltenen ersten Sitzung der umgebildeten tschechoslowakischen Regierung beschlossen wurde) ist als *„Kaschauer Statut"* bekannt geworden. Es bezeichnet sich selbst als „Programm der neuen tschechoslowakischen Regierung der nationalen Front der Tschechen und Slowaken", angenommen im ersten Ministerrat am 5. April 1945. Die Bezeichnung „Kaschauer *Statut"* bezieht sich vor allem auf die Punkte, die die Stellung der Slowakei im wiedererrichteten tschechoslowakischen Staate neu begründen sollten. Das Statut ist von sämtlichen damaligen Regierungsmitgliedern unterzeichnet und somit ein offizieller Staatsakt; es enthält die Grundlinien des künftigen Staatsaufbaues und zugleich eine Art Regierungsprogramm.

Die Sudetenfrage wird im § VIII des Statutes behandelt. Es heißt dort, daß die erneuerte tschechoslowakische Republik in dieser Hinsicht zu einem „tiefen und dauerhaften Eingriff" genötigt sei und im einzelnen folgende Schritte durchführen wolle:

„Die Republik will und wird ihre loyalen deutschen und ungarischen Staatsbürger nicht strafen, besonders nicht diejenigen, die in den schwersten

---

[1]) Das dürfte aus dem Rechtsstreit zwischen der tschechoslowakischen und der Sowjetregierung über den Umfang der Kriegsbeute hervorgehen. Dazu Langer, a. a. O., S. 243.

[2]) Die amerikanischen und sowjetischen Truppen rückten am 1. Dezember 1945 ab. Langer, a. a. O., S. 243.

Zeiten ihre Treue zu ihr bewahrten, mit den Schuldigen wird sie aber streng und unerbittlich umgehen ... die Regierung wird sich demzufolge nach folgenden Regeln richten:

Folgenden Staatsbürgern der Tschechoslowakei deutscher und ungarischer Volkszugehörigkeit, die die tschechoslowakische Staatsbürgerschaft vor München 1938 besaßen, wird die Staatsbürgerschaft bestätigt und eine eventuelle Rückkehr in die Republik gesichert: Den Antinazisten und Antifaschisten, denen, die schon vor München einen aktiven Kampf gegen Henlein und gegen die ungarischen irredentistischen Bestrebungen und für die Tschechoslowakei führten, die nach München und nach dem 15. März wegen ihres Widerstandes und Kampfes gegen das dortige Regime und für ihre Treue zur Tschechoslowakei verfolgt und in die Gefängnisse und die KZs eingesperrt wurden, oder die vor dem deutschen oder ungarischen Terror ins Ausland flüchten mußten und sich dort aktiv am Kampf für die Erneuerung der Tschechoslowakei beteiligt haben.

Bei den übrigen tschechoslowakischen Staatsbürgern deutscher und ungarischer Nationalität wird die tschechoslowakische Staatsbürgerschaft abgeschafft. Diese Staatsbürger können erneut für die Tschechoslowakei optieren, wobei sich die Ämter der Republik das Recht der individuellen Entscheidung über jedes Gesuch vorbehalten. Diejenigen Deutschen und Ungarn, die wegen des Verbrechens gegen die Republik und gegen das tschechische und slowakische Volk vor Gericht gestellt und verurteilt werden, werden der tschechoslowakischen Staatsbürgerschaft für verlustig erklärt und für immer aus der Republik ausgewiesen, sofern gegen sie nicht die Todesstrafe verhängt wird.

Deutsche und Ungarn, die in das Gebiet der tschechoslowakischen Republik nach München 1938 einwanderten, werden, sofern sie nicht einem Strafverfahren unterliegen, sogleich aus der Republik ausgewiesen. Eine Ausnahme bilden Personen, die zu Gunsten der tschechoslowakischen Republik gearbeitet haben."

Im Lichte der späteren Entwicklung sind folgende Bestimmungen dieses Kaschauer Programmes festzuhalten:

Von A u s w e i s u n g ist nur am Schlusse des Absatzes und hinsichtlich eines engen Personenkreises die Rede. Der Ausweisung sollen hiernach nur jene Deutschen und Ungarn unterliegen, die nach dem Münchener Abkommen oder nach dem ersten Wiener Schiedsspruch in das Gebiet der früheren Tschechoslowakei kamen (soweit gegen sie nicht ein Verfahren läuft). Und auch aus diesem Kreis soll ausgenommen bleiben, wer zugunsten der Tschechoslowakei gearbeitet hat.

Die proklamierte Absicht der „Ausweisung" stellt sich nach dem Staatsprogramm von Kaschau als Widerruf des Niederlassungsrechtes für Personen deutscher und ungarischer Volkszugehörigkeit dar (das Statut spricht wohl mit Absicht nicht von Staatsangehörigen), die nach dem 28. September 1938 in das Gebiet der Tschechoslowakei eingewandert sind. Die Ausweisungsabsicht des Kaschauer Staatsprogramms hat dagegen nicht die *früheren* tschechoslowakischen Staatsangehörigen deutschen oder magyarischen Volkstums im Auge.

Für sie war etwas ganz anderes vorgesehen, nämlich:

die generelle E n t z i e h u n g der tschechoslowakischen Staatsbürgerschaft in Verbindung mit dem ergänzenden Grundsatz neuerlicher Optionsmöglichkeit.

Wenn das Kaschauer Staatsprogramm auch die Ausweisung früherer tschechoslowakischer Staatsangehöriger deutschen und ungarischen Volkstums aus der Tschechoslowakei vorsah, so trug diese doch einen ganz anderen Charakter als in der nachfolgenden Gesetzgebung. Sie war nicht als selbständige Maßnahme vorgesehen. Sie war vielmehr eine Ausnahme-Folge und sollte nur als zusätzliche Maßnahme eintreten, nämlich als Folge der Bestrafung „wegen eines Verbrechens gegen die tschechoslowakische Republik oder gegen das tschechoslowakische Volk". Sie war also noch nach dem Staats- und Regierungsprogramm von Kaschau als eine unselbständige Folgemaßnahme nach individueller Verurteilung angekündigt.

Das Kaschauer Statut sah somit verschiedene Maßnahmen gegenüber früheren Staatsbürgern deutschen und magyarischen Volkstums, wie gegenüber Zuwanderern dieser Volkszugehörigkeit seit 1938 vor:

a) Für diese letzte Gruppe: Widerruf des Niederlassungsrechtes und Ausweisung;

b) Als persönliche Straffolge: *Ausweisung* früherer tschechoslowakischer Staatsbürger deutscher und ungarischer Volkszugehörigkeit nach Verurteilung wegen Verbrechen gegen die tschechoslowakische Republik.

c) Für Staatsbürger deutscher und magyarischer Volkszugehörigkeit (Staatsbürger vor 1938) genereller Entzug der Staatsbürgerschaft, aber mit der Einräumung der Wiederverleihung nach persönlicher Option auf Grund individueller Entscheidung.

Weitere Angaben etwa über die Stellung solcher Personen, deren Optionsgesuch abgelehnt wurde, kennt das Kaschauer Statut nicht.

2. DIE GESETZLICHE REGELUNG DER RECHTSSTELLUNG DER SUDETENDEUTSCHEN IN DER TSCHECHOSLOWAKISCHEN REPUBLIK 1945

Die Regelung der Rechtsstellung der Sudetendeutschen durch die tschechoslowakische Gesetzgebung kehrt nun die Grundsätze des Kaschauer Staatsprogramms vollkommen um.

Dieses hatte die Ausweisung früherer tschechoslowakischer Staatsangehöriger deutscher und ungarischer Volkszugehörigkeit nur als ausnahmsweise Maßnahme, nämlich als individuelle Straffolge wegen Verbrechen, also qualifizierten Strafhandlungen gegen die tschechoslowakische Republik oder das tschechoslowakische Volk, vorgesehen.

Die tschechoslowakischen Gesetze betreffend die Angehörigen der deutschen Volksgruppe dagegen leiten zwei völlig verschiedene Absichten:

a) Allgemeine Ausbürgerung[1]) der tschechoslowakischen Staatsangehörigen deutschen oder ungarischen Volkstums, in der rechtstechnischen Form der Nichtanerkennung dieses Personenkreises als tschechoslowakische Staatsbürger;

b) Allgemeine entschädigungslose Enteignung der genannten Bevölkerungsgruppen.

Zu a)

Die allgemeine Ausbürgerung wurde im Verfassungsdekret des Präsidenten der Republik vom 2. August 1945 verfügt (Slg. d. Ges. u. Vdg. Nr. 33).

1. Sie trifft gemäß § 1, Abs. 1 und 2 tschechoslowakische Staatsangehörige deutschen und ungarischen Volkstums ganz allgemein, mit Ausnahme der unter § 1 Abs. 3 und 4 und der unter § 2 angeführten Personen – (Deutsche, die sich als Tschechen bekannten oder für die Tschechoslowakei sich eingesetzt haben).

Nur wird insofern eine rechtlich bedeutsame Unterscheidung getroffen, als der Personenkreis, der „gemäß den Vorschriften einer fremden Besatzungsmacht" die deutsche oder ungarische Staatsangehörigkeit erwarb oder erworben haben soll, mit *dem Tag einer derartigen Erwerbung* die tschechoslowakische Staatsangehörigkeit verlor (ex tunc).

Dazu ist zu bemerken, daß der weitaus größere Kreis der früheren tschechoslowakischen Staatsbürger deutscher Volkzugehörigkeit, nämlich die deutschen Bewohner des geschlossenen Siedlungsgebietes, die Staatsbürgerschaft nicht auf Grund der „Vorschriften einer fremden Okkupationsmacht", sondern auf Grund eines der üblichen Staatsangehörigkeitsverträge nach Völkerrecht erworben hat, nämlich nach dem Vertrag zwischen dem Deutschen Reich und der tschechoslowakischen Republik über Staatsangehörigkeits- und Optionsfragen vom 20. November 1938 (RGBl. II, S. 895). Hiernach vereinbarten die beiden Staaten, daß die im § 1 aufgezählten Personen unter Verlust der tschechoslowakischen Staatsangehörigkeit mit Wirkung vom 20. Oktober 1938 die deutsche Staatsangehörigkeit erwerben, Personen nicht deutscher Volkszugehörigkeit wurde im § 3 ein Optionsrecht eingeräumt. Beide Verträge wurden ratifiziert. Sinn dieser Vertragsbestimmungen war eine ordnungsgemäße Entlassung aus dem bisherigen Staatsverband der tschechoslowakischen Republik durch deren Regierung; dieser Entlassung folgte die Aufnahme in das Deutsche Reich seitens der Reichsregierung. Dem Vertrag folgte das Reichsgesetz vom 21. November 1938, dessen Artikel 2 „die alteingesessenen Bewohner des sudetendeutschen Gebietes zu deutschen Staatsangehörigen nach Maßgabe näherer Bestimmungen" macht.

---

[1]) Wir sprechen hier von „Ausbürgerung" vereinfachend und haben dabei den soziologischen Effekt, nicht die rechtstechnische Konstruktion im Auge.

Die entscheidende Regelung im Bereich der Staatsbürgerschaft wurde daher nicht durch einen „Akt einer Besatzungsmacht" getroffen, sondern durch ein bindendes Abkommen zwischen dem Deutschen Reich und der tschechoslowakischen Regierung. Hier zeigt sich der politische Zweckcharakter der „Kontinuitätsdoktrin" besonders klar, auf der das Dekret vom 2. August 1945 aufbaut.

Für den Erwerb der deutschen Staatsangehörigkeit der sogenannten „Protektoratsdeutschen", d. h. jener tschechoslowakischen Staatsangehörigen deutschen Volkstums, die auf dem Gebiet des „Reichsprotektorats Böhmen und Mähren" beheimatet waren, ist wohl eine Verordnung (vom 20. April 1939) maßgebend gewesen. Wir haben aber oben dargelegt, daß das „Abkommen" zwischen Präsidenten Hacha und Hitler auf einer Annexion fußte, die zwischen den Partnern eine neue Rechtslage schuf. Die Verordnung ist daher nicht die Anordnung einer Besatzungsmacht, sondern ein Rechtsakt der damaligen souveränen Autorität. Auch der Erwerb der Staatsangehörigkeit durch die Protektoratsdeutschen ist daher durch das tschechoslowakische Dekret vom 2. August 1945 fehlerhaft qualifiziert. Die Qualifikation geht vom rechtspolitischen Instrument der Kontinuitätsdoktrin, aber nicht vom Boden der wirklichen Rechtsverhältnisse aus.

Zu b).

Die allgemeine entschädigungslose Enteignung wurde in 2 Dekreten verfügt. Das erste vom 21. Juni 1945 (Slg. d. Ges. u. Vdg. Nr. 12) enteignete entschädigungslos „für die Zwecke der Bodenreform" das l a n d w i r t - s c h a f t l i c h e   V e r m ö g e n im Eigentum aller Personen deutschen und magyarischen Volkstums ohne Rücksicht auf ihre Staatsangehörigkeit. (Ausnahmen nach § 1 Abs. 2: Personen, die sich aktiv am Kampf für die Tschechoslowakei beteiligt haben.) Das zweite Enteignungsdekret des Präsidenten der Republik vom 25. Oktober 1945 (Slg. d. Ges. u. Vdg. Nr. 108) „konfisziert", ohne Entschädigung, „soweit das noch nicht geschehen ist", zugunsten der tschechoslowakischen Republik das bewegliche und unbewegliche Vermögen des Deutschen Reiches, des Königreiches Ungarn, der Personen des öffentlichen Rechtes nach deutschem oder ungarischem Recht (§ 1, Abs. 1) sowie das bewegliche oder unbewegliche Vermögen physischer Personen deutscher oder magyarischer Volkszugehörigkeit (mit den obigen Ausnahmen). Eine Unterscheidung hinsichtlich der Staatsangehörigkeit findet nicht statt. (Im Hinblick auf die Sudetendeutschen konnte sie nach Aberkennung ihrer Staatsangehörigkeit auch nicht gemacht werden, da diese jedenfalls nicht mehr als tschechoslowakische Staatsbürger anerkannt wurden, wenn auch ihr sonstiger Staatsangehörigkeitsstatus unklar war.) Obwohl jeder genauere Hinweis auf den somit reichlich unklaren Begriff „Physische Personen deutscher oder magyarischer Volkszugehörigkeit" fehlte (anfangs wurden z. B. auch die österreichischen Staatsbürger deutscher Volkszugehörigkeit darin einbezogen), zeigt die Praxis, daß damit sowohl das Vermögen deutscher Staatsangehöriger, wie das der früheren tschechoslowakischen Staatsbürger deutschen Volkstums gemeint war.

3. DIE STAATSANGEHÖRIGKEIT DER
SUDETENDEUTSCHEN IN DER BUNDESREPUBLIK

(Beschluß des BVerfG vom 28. Mai 1952.) Während die Frage nach der staatsbürgerlichen Stellung der Sudetendeutschen nach ihrer Vertreibung in der deutschen Literatur kontrovers beantwortet wurde, hat nunmehr ein Beschluß des BVerfG in Karlsruhe die Feststellung der deutschen Staatsangehörigkeit ausgesprochen. Sie erfolgte aus Anlaß eines tschechoslowakischen Auslieferungsbegehrens gegen einen in Ober-Moldau in Böhmen geborenen, 1946 geflüchteten Sudetendeutschen. Der Gerichtshof kommt zur Feststellung der Staatsbürgerschaft der Sudetendeutschen aus folgenden Gründen: Er hat zunächst die Rechtsauffassung des Bayerischen Justizministeriums zurückgewiesen. Dieses hatte, „da die Angliederung Böhmens und Mährens nicht die Anerkennung der Völkerrechtsgemeinschaft gefunden hat", die Möglichkeit wirksamer Verleihung der deutschen Staatsbürgerschaft an die Sudetendeutschen überhaupt geleugnet. Aus den mitgeteilten Urteilsstellen geht nicht hervor, ob sich die bayerischen Ausführungen nur auf das Gebiet des sogenannten Reichsprotektorats oder auch auf das durch das Viermächteabkommen von München an Deutschland übertragene Sudetengebiet beziehen (in dem der Auslieferungsbedrohte offenbar beheimatet war und das eine vom obengenannten Gebiet völlig verschiedene Rechtslage hatte).

Auch das Gericht hat die Besetzung bzw. Einverleibung der böhmisch-mährischen Gebiete als völkerrechtswidrig angesehen. Es ist nicht in eine Erörterung des Rechtscharakters der Erklärungen Hacha-Hitler eingetreten. Es hielt dem bayerischen Standpunkt zunächst den allgemeinen völkerrechtlichen Grundsatz entgegen, daß jeder Staat im Rahmen seiner allgemeinen völkerrechtlichen Befugnisse grundsätzlich allein dazu berufen ist zu bestimmen, wie seine Staatsangehörigkeit erworben oder verloren wird. Die Staatsangehörigkeit kann daher, sobald verliehen, innerstaatlich wirksam sein, solange sie nicht von einem fremden Staat angefochten und auf sein Verlangen wieder entzogen wird.

Die maßgebenden deutschen Erlasse vom 16. März 1939 und 20. April 1939 seien weder unter dem Gesichtspunkt der Weimarer Verfassung, noch nach dem westdeutschen Grundgesetz, noch nach den Vorschriften der Besatzungsmächte unwirksam. Gewiß seien nach alliierter Festlegung unter deutschem Staatsgebiet die Grenzen vom 31. Dezember 1937 anzusehen. Aber die Unwirksamkeit der Annexionen der Jahre 1938 und 1939 sowie der späteren Gebietsvergrößerungen bedeutet nicht die Nichtigkeit der damit zusammenhängenden staatsbürgerrechtlichen Regelungen. Und zwar im vorliegenden Fall nach Auffassung des Gerichtes umso weniger, als ja die Tschechen 1945 den Sudetendeutschen die tschechoslowakische Staatsangehörigkeit gerade unter Hinweis darauf verweigert haben, sie hätten seinerzeit die deutsche erworben. Die Tschechoslowakei annektierte 1945 zwar das von den Sudetendeutschen bewohnte Gebiet, erklärte aber, daß sie „die nach den Vorschriften einer Okkupationsmacht" erworbene (deutsche) Staatsbürgerschaft weiter besitzen.

„Damit ist die Regelung der deutschen Staatsangehörigkeit durch das Deutsche Reich auch außerhalb Deutschlands nach Beendigung der Feindseligkeiten jedenfalls mittelbar anerkannt worden." Die Sudetendeutschen sind also 1945 nicht als tschechoslowakische Staatsbürger oder als Staatenlose, sondern als deutsche Staatsbürger vertrieben (und enteignet) worden. Die Festlegung des deutschen Staatsgebiets durch die Besatzungsmächte auf den Stand vom 31. Dezember 1937 bedeutet nicht, daß alle nachherigen Zwangseinbürgerungen nichtig sind. Sie sind es nur so weit, als diese Personen von ihren früheren Staaten nicht als Staatsangehörige in Anspruch genommen werden. Die Tschechoslowakei hat aber ausdrücklich das Gegenteil erklärt: „Ist dies nicht der Fall, dann besteht nach deutschem Recht jedenfalls kein Anlaß, die betreffenden Personen als Nichtdeutsche dann zu betrachten, wenn der zwangsweise Eingebürgerte seit dem Zusammenbruch im Jahre 1945 ständig den Willen bekundet hat, als deutscher Staatsbürger behandelt zu werden". Durch diese Berücksichtigung des Willens des Betroffenen sei zugleich auch eine völkerrechtlich unangreifbare Basis für die Anerkennung der deutschen Staatsangehörigkeit aller zwangseingebürgerten Personen deutscher Volkszugehörigkeit geschaffen.

Das Karlsruher Gericht hat sich von einem gegebenen Fall aus mit den aufgeworfenen Problemen beschäftigt und ist nicht in eine Gesamterörterung der einschlägigen Fragen eingetreten. Es wertet als entscheidende Tatsache, daß die Tschechoslowakei nach 1945 die Sudetendeutschen als deutsche Staatsbürger behandelt hat. Das ist in der Tat geschehen und stellt auch für die Tschechoslowakei einen verbindlichen Akt dar. Im tschechischen Dekret ist aber die seinerzeitige Erwerbung der deutschen Staatsangehörigkeit unrichtig qualifiziert, nämlich als ein Erwerb nach den Vorschriften einer Okkupationsmacht. In der Tat war aber das einbürgernde Deutschland keine Okkupationsmacht. Das Sudetengebiet wurde durch kollektive Adjudikation der vier Großmächte im September 1938 an Deutschland übertragen. Die Staatsbürgerschaftsverleihungen auf dem Gebiet des sogenannten Reichsprotektorats Böhmen und Mähren erfolgten auf Grund der Rechtslage, die sich nach Maßgabe der Erklärungen Hacha-Hitler ergab. Hier handelte es sich um eine Annexion und wiederum nicht um eine Okkupation.

VIII. ABSCHNITT

Das sudetendeutsche Problem seit 1945
und das Völkerrecht

A. Die völkerrechtliche Lage der sudetendeutschen Gebiete

1. Um zu einem Urteil über die Rechtslage der heute wieder der tschechischen Herrschaft unterstellten Sudetengebiete zu kommen, wird man noch einmal an die hiefür wesentlichen Vorgänge erinnern.

Die Bezeichnung S u d e t e n g e b i e t knüpft an die Versuche an, eine Ordnung Böhmens auf Grundlage der nationalen Zugehörigkeit seiner Bewohner herzustellen. Diese Versuche setzen mit 1848 ein. Sie waren 1905 in wichtigen Punkten in Mähren erfolgreich, aber nicht in Böhmen. 1918/19 wurde die bis dahin innerpolitische, staats- und nationalitätenrechtliche Frage des Habsburgerreiches zum ersten Mal ein Problem der internationalen Politik und des Völkerrechts. Der Streit um die Abgrenzung der Siedlungsgebiete wurde zwischen den neuen Staaten Tschechoslowakei und der Republik Österreich geführt. Beim Zerfall der österreichischen Monarchie erklärte die deutschösterreichische Republik auf Grund des Selbstbestimmungsrechtes und der 14 Punkte Wilsons die Sudetengebiete als Bestandteil ihres Staatsgebietes. Durch Entscheid der alliierten Hauptmächte wurden dieses Gebiete aber einstweilig tschechoslowakischer Verwaltung unterstellt. Die Friedenskonferenz sprach sie sodann Österreich ab, sie wurden von Österreich im Vertrag von St. Germain an die Tschechoslowakei abgetreten. 1938 waren sie Gegenstand einer erneuten Adjudikation und wurden auf englisch-französische Initiative an das Deutsche Reich übertragen.

Unter S u d e t e n g e b i e t wird also hier jenes bis 1918 von österreichischen, seit dem Vertrag von St. Germain tschechoslowakischen Staatsbürgern deutscher Volkszugehörigkeit bewohnte Gebiet in Böhmen, Mähren und Schlesien verstanden, das durch den Münchener Vertrag Deutschland zugesprochen wurde.

Die tschechoslowakische Emigration des Zweiten Weltkrieges verhandelte mit den sudetendeutschen Exilvertretern in England über die Wiedererrichtung der Tschechoslowakei zunächst auf der völkerrechtlichen Basis der Rechtskraft des Münchener Abkommens. Erst später, mit Beginn des deutsch-sowjetischen Krieges, entwickelte sie die Doktrin der staats- und völkerrechtlichen „Kontinuität", worunter sie den rechtlichen Fortbestand der Tschechoslowakei in den Grenzen von 1919 und damit auch die Ungültigkeit des Münchener Abkommens verstanden wissen wollte.

Die englische Erklärung vom 5. August 1942 akzeptierte diese Doktrin nicht. Denn nach englischer Auffassung sowohl von 1939 als von 1942 wurde das Münchener Abkommen erst durch den deutschen Einmarsch in die 2. Republik im März 1939 zerstört und hatte daher bis dorthin rechtlichen Bestand. Die seinerzeit ergänzende Rechtsthese Chamberlains, wonach der tschechoslowakische Staat durch die Sezession der Slowakei von innen her zerfallen war, wurde wohl in der Erklärung von 1942 weggelassen, ist aber rechtlicher und geschichtlicher Tatbestand. Die britische Regierung behielt sich ausdrücklich damals in tschechisch-deutschen Grenzfragen freie Hand vor und verwies bezüglich der endgültigen Grenzfestsetzung auf das Kriegsende.

Die Sowjetunion hatte durch den Ausbruch des deutsch-sowjetischen Krieges, an dem auch der slowakische Staat kriegführend gegen die Sowjetunion teilnahm, die Handlungsfreiheit für eine Neuregelung der deutschen Grenzen zurückgewonnen, wenn dadurch auch die Wirkung ihrer einmal ausgesprochenen de jure-Anerkennung des slowakischen Staates nicht rückgängig gemacht werden konnte. Der Vertrag der tschechoslowakischen Exilregierung mit der Sowjetunion vom 18. Juli 1941, dessen Text nicht bekannt ist[1]), dürfte der erste Schritt auf eine Wiederanerkennung der Grenzen von 1919 durch Moskau gewesen sein. Er wurde durch den Vertrag zwischen der tschechoslowakischen Exilregierung und der Sowjetunion vom 22. Dezember 1943 ergänzt[2]).

Die französische Regierung hat im März 1939 gegen die Verletzung von „Geist und Buchstaben" des Münchener Abkommens protestiert und zumindest bis zu diesem Zeitpunkt also an seiner Gültigkeit festgehalten. Das französische Nationalkomitee De Gaulles hat sich am 29. April 1943 für die Grenzen von 1919 ausgesprochen.

In der *Konferenz von Yalta* wurde die allgemeine politische Linie Großbritanniens, der Sowjetunion und der Vereinigten Staaten in Gebietsfragen dahin bestimmt, daß – als Konsequenz des Grundsatzes der Atlantik-Charta, wonach alle Völker das Recht hätten, die Regierung zu wählen, unter der sie zu leben wünschten – die souveränen Rechte und die Selbstregierung der Völker wiederhergestellt werden sollten, die ihnen gewaltsam durch die Angreifernation geraubt wurden[3]).

2. Zur weiteren Klärung der in diesen diplomatischen Akten vorbereiteten, mit dem Sieg der Alliierten verwirklichten Wende in der völkerrechtlichen Lage der Sudetengebiete soll ein Blick auf die Rechtslage der sogenannten

---

[1]) Hinweise siehe bei Taborsky, a. a. O., S. 99.
[2]) Inhaltsangabe bei Taborsky, a. a. O., S. 152.
[3]) Toward World Organisation, Interim International Information Service, USA, 1024. S. 36.

„deutschen Ostgebiete" geworfen werden. Sie steht in engstem Zusammenhang mit den Beschlüssen über Stellung und Gebietsverhältnisse Polens, die die Konferenz von Yalta ausgiebig beschäftigten, und ist ein Teil der Frage nach den derzeit völkerrechtlich verbindlichen deutschen Grenzen. Die Dreimächteerklärung über die Yalta-Konferenz bestimmt im Abschnitt Polen, daß die polnische Ostgrenze der sogenannten Curzon-Linie mit Abweichungen bis zu 8 km zu Gunsten Polens folgen solle; die drei Mächte anerkennen dafür, daß Polen im Norden und Westen „beträchtliche Vergrößerungen" erfahren müsse und daß hinsichtlich dieser Vergrößerungen die Meinung der polnischen Regierung gehört werden solle. Die endgültige Festlegung der polnischen Westgrenze wird im Schlußsatz des Abschnittes Polen ausdrücklich als Sache der Friedenskonferenz erklärt[1].

„Diese Vereinbarung stellt eine Einigung über die künftig von den alliierten Regierungen zu befolgende Politik bei der Festlegung der Grenze dar. Ihre besondere Bedeutung liegt darin, daß sie mit deutlichen Worten die endgültige Festlegung der deutsch-polnischen Grenze bis zu den späteren Friedensverhandlungen hinausschob. Dieser Aufschub wurde auch vom britischen Premierminister Churchill in seiner Unterhausrede vom 27. Februar 1945 ausdrücklich betont. Die Festlegung der deutschen Grenze, so erklärte er, könne nur als Teil der Regelung der gesamten deutschen Frage erfolgen[2]."

Es gelang der Sowjetunion, die in Yalta nachdrücklich für die Ausdehnung Polens bis zur Oder und Neiße eingetreten war, nicht, dafür die Zustimmung der westlichen Verbündeten zu erhalten. Churchill wandte damals ein, daß mit einer solchen Ausdehnung die Vertreibung von 9 Millionen Deutschen verbunden wäre, die Westdeutschland niemals absorbieren könne[3].

Nach der Potsdamer Konferenz vom August 1945 sahen sich die westlichen Verbündeten in weitem Maße vor vollendeten Tatsachen. Als Churchill und Truman einwandten, daß durch das einseitige Vorgehen der Sowjetunion und Polens praktisch eine weitere Zone aus den deutschen Gebieten geschaffen würde, erklärte Stalin, die meisten Deutschen seien aus diesen Gebieten geflohen. (Nach der polnischen Bestandsaufnahme vom 1. Juli 1945 dagegen gab es in diesen Gebieten 6,3 Millionen Einwohner, davon nach späteren polnischen Angaben nur 1 057 000 Polen.)

Angesichts dieser Lage wurde im Abschnitt 9 der Potsdamer Beschlüsse eine *provisorische* Vereinbarung über diese Gebiete getroffen. Es wurde an die Bestimmung der Yalta-Konferenz über die polnischen Grenzen und an die inzwischen in Potsdam erfolgte Anhörung der polnischen Regierung erinnert. Dann heißt es weiter, die drei Regierungen stimmten überein, daß bis zur endgültigen Festsetzung der westlichen Grenzen Polens gewisse Gebiete

---

[1]) Toward World Organisation, a. a. O., S. 37.
[2]) Deutsches Osthandbuch (Vorabdruck) „Die völkerrechtliche Lage der deutschen Ostgebiete", S. 15.
[3]) Osthandbuch, a. a. O., S. 14.

unter Verwaltung des polnischen Staates gestellt und daher nicht als Teil der sowjetischen Besatzungszone Deutschlands angesehen werden sollen (folgt die Beschreibung der Grenzlinie)[1]).

Der gemeinsame, den verschiedenen Grenzabreden zugrundeliegende Gedanke ist also eindeutig der, daß a l l e   e n d g ü l t i g e n   t e r r i t o r i a - l e n   R e g e l u n g e n   auf einer   F r i e d e n s k o n f e r e n z   und in einem   F r i e d e n s v e r t r a g   erfolgen, alle bis dahin getroffenen Regelungen nur   i n t e r i m i s t i s c h e n   C h a r a k t e r   besitzen sollen. Polen hat über die früheren deutschen Gebiete nur ein einstweiliges Besitzrecht.

3. Dieselbe Rechtslage zeigt sich auch, wenn man von der Frage ausgeht, ob und in welcher Weise die Grenzen des deutschen Staates nach der Niederlage bestimmt worden sind.

In der Erklärung über die Niederlage Deutschlands vom 5. Juni 1945[2]) haben die Alliierten die höchste Autorität über Deutschland in Anspruch genommen unter der ausdrücklichen Betonung, daß dadurch kein Akt der Annexion vorliege. In dieser Erklärung wird auch die Absicht der Besatzungsmächte ausgesprochen, die deutschen Grenzen klarzustellen. Diese Klarstellung erfolgte in ihrer weiteren Erklärung über die Grenzen der Besatzungszonen vom selben Tag[3]); es sind die Grenzen vom 31. Dezember 1937.

In der Erklärung über die Niederlage Deutschlands und die Übernahme der Obersten Regierungsgewalt hinsichtlich Deutschlands wird im Art. 2, Buchst. 4 den deutschen Truppen befohlen, alle außerhalb der deutschen Grenzen vom 31. Dezember 1937 liegenden Gebiete zu räumen. Und die „Feststellung über die Besatzungszonen in Deutschland" teilt Deutschland „innerhalb der Grenzen, wie sie am 31. Dezember 1937 bestanden", in vier Zonen auf. Aus dieser gemeinsamen Erklärung ergibt sich, daß die Alliierten von der Fortgeltung des deutschen Besitzstandes von 1937 ausgingen.

Diese Festlegung des territorialen Umfangs Deutschlands auf das Datum des 31. Dezember 1937 bringt zum Ausdruck, daß sowohl das Gebiet Österreichs, wie es im März 1938 durch Deutschland annektiert, und durch das Viermächte-Abkommen von München als Teil Deutschlands behandelt wurde, als auch das Sudetengebiet, das durch dieses Abkommen an Deutschland übertragen wurde, künftig nicht mehr als Bestandteile des deutschen Staatsgebietes anzusehen sind.

Entsprechend dieser Festlegung des Gebietsumfanges Deutschlands wurde die Abtrennung Österreichs und seine Wiedererhebung zu einem völkerrechtlich selbständigen – wenn auch durch die weiterdauernde Besetzung in seiner Handlungsfreiheit sehr beschränkten – Staat durchgeführt. Entsprechend

---

[1]) Potsdamer Beschlüsse, in: Die internationale Stellung Österreichs, eine Sammlung von Erklärungen und Verträgen, Wien 1947, S. 89.
[2]) Abgedruckt in „A Decade of American Foreign Relations, Basic Documents", Washington 1950, S. 506.
[3]) Text a. a. O., S. 512.

wurden weiterhin die Sudetengebiete unter die Autorität der wiedererrichteten Tschechoslowakei gestellt.

Wie stellen sich beide Akte von der deutschen Bundesrepublik aus gesehen dar? Wenn die Abtrennung dieser Gebiete, die Verselbständigung im österreichischen, die Unterstellung unter tschechoslowakische Autorität im Sudetenfall als effektive Vorgänge außer Frage stehen, ist noch nichts über ihre völkerrechtliche Natur ausgesagt. Wenn nun, was Österreich betrifft, seine Vereinigung mit Deutschland 1938 rechtlich eine Annexion war, d. h. das entscheidende Moment der Veränderung des völkerrechtlichen Status Österreichs in dem Entschluß Hitlers, des damaligen deutschen Staatsoberhauptes, lag, Österreich dem Deutschen Reich einzuverleiben, so stellt sich die Abtrennung und Wiederverselbständigung Österreichs durch den Beschluß der siegreichen Großmächte als eine Desannexion dar.

Die Vorgänge im Sudetengebiet dagegen liegen verwickelter. Seiner völkerrechtlichen Natur nach war der Übergang der Gebietshoheit von der Tschechoslowakei auf Deutschland im September 1938 nicht Annexion, sondern eine Adjudikation durch Großmächteentscheid auf Grund der Erklärung der Zessionsbereitschaft der Tschechoslowakei vom 21. September 1938. Das Viermächteabkommen von München war ein bindender und, wie oben ausgeführt, gemäß Feststellung des Internationalen Ausschusses vom 21. November 1938 erfüllter Vertrag. Seine verbindliche Kraft erlosch nach englischer Auffassung mit dem deutschen Einmarsch nach Prag im März 1939. Da also im Falle des Sudetengebietes keine Annexion vorlag, konnte auch keine Desannexion eintreten. Ebenso scheidet eine rechtswirksame Annexion durch die Tschechoslowakei aus, die einer Regelung durch die Friedenskonferenz nicht vorgreifen kann. Sie war ja im Zeitpunkt des Überganges des Sudetengebiets selbst kriegsrechtlich unter fremder Militärhoheit. Es handelte sich vielmehr um eine Unterstellung der Sudetengebiete unter die tschechoslowakische Autorität durch den Entschluß der alliierten Großmächte.

Die Übertragung der Autorität über das Sudetengebiet an die tschechoslowakische Regierung, die damit identische Abtrennung vom Deutschen Reich sind einseitige Akte dieser Mächte, die nur einstweilige Wirkungen haben können.

Analogie und Unterschied dieser Abtrennung des Sudetengebietes und seiner jetzigen Rechtslage zu der von 1918/19 treten jetzt klar hervor.

1918 proklamierte die Republik Deutschösterreich ihre Staatshoheit über alle deutschen Siedlungsgebiete der früheren Monarchie, die in territorialem Zusammenhang standen, über das Gesamtgebiet der Alpen- und Sudetendeutschen. Im Dezember 1918 erwirkte die tschechische Regierung die Zustimmung der europäischen alliierten Großmächte zu militärischer Besetzung der Sudetengebiete durch die Tschechen gemäß Waffenstillstandsvertrag mit Österreich-Ungarn. Das war somit ein Akt nach Kriegsrecht. Dieser Akt schuf für Österreich keine völkerrechtlich definitive Lage; die Sudetengebiete blieben völkerrechtlich ein von der Tschechoslowakei besetztes österreichisches Staatsgebiet.

Erst mit Inkrafttreten des Vertrages von St. Germain erfolgte eine Zession dieser Gebiete an die Tschechoslowakei.

In diesem Punkt dürfte eine völlige Analogie zur heutigen Lage bestehen. Weder die Fixierung der deutschen Staatsgrenzen in der Erklärung vom 5. Juni 1945 noch die faktische Unterstellung der Sudetengebiete unter die tschechoslowakische Autorität im Frühjahr 1945 hat sie Deutschland gegenüber zu einem völkerrechtlichen Bestandteil der Tschechoslowakei gemacht. Das kann erst ein Friedensvertrag, der auch Deutschlands Unterschrift trägt. Diese oben festgestellte Generalregel gilt auch für Sudetengebiete.

Die Schlüssigkeit dieser Überlegung wird durch einen Blick auf die völkerrechtliche Lage des gegenwärtigen österreichischen Staatsgebietes erhärtet. Das hierfür maßgebliche 2. Kontrollabkommen vom 28. Juni 1946, in dem die Besatzungsmächte ihre Rechte und Pflichten untereinander und die dem österreichischen Staat eingeräumten Rechte niederlegen, hat über den Einstweiligkeitscharakter des österreichischen Besitzstandes, der erst völkerrechtlicher Bekräftigung in einem Vertrag *mit* Österreich bedarf, keine Zweifel gelassen. Das Abkommen legt die Verpflichtung der Besatzungsmächte fest, „die Unantastbarkeit der österreichischen Grenzen nach dem Stand vom 31. Dezember 1937 zu sichern" und zwar mit dem bedeutungsvollen Zusatz „b i s zu ihrer endgültigen Festlegung". Nach den Worten des Kontrollabkommens selbst sind also die Grenzen Österreichs dermalen völkerrechtlich noch nicht endgültig festgelegt. Aus dieser Formulierung geht hervor, daß Österreichs derzeitiger Besitzstand und derzeitige Grenzen wohl unter dem völkerrechtlichen Schutz der Besatzungsmächte stehen, ihr endgültiger Verlauf aber völkerrechtlich noch nicht bestimmt ist. (Das soll zu den Aufgaben des Staatsvertrages gehören.) In der Tat haben sich die Staatsvertragsverhandlungen mit Gebietsansprüchen Jugoslawiens auf Kärnten sowie auf Übernahme zusätzlicher Minderheitenverpflichtungen beschäftigen müssen. Diese Forderungen wurden damals von der Sowjetunion unterstützt. Erst in jüngster Zeit hat, wie es scheint, Jugoslawien seine Ansprüche auf Österreich aufgegeben. Außerdem hat Österreich selbst in der ersten Zeit nach 1945 Gebietsforderungen gegenüber Deutschland, wenn nicht amtlich gestellt, so doch publizistisch vertreten lassen. In der Presse wurde die Forderung nach Abtretung des sogenannten Berchtesgadener Zipfels erhoben, was damals in Bayern zu heftigsten Reaktionen geführt hat. Das zeigt, daß auch von Österreich aus die gegenwärtige Grenze mit Deutschland im Sinne des Völkerrechts als der völkerrechtlichen Sanktion entbehrend angesehen wird. Zwar sind die Ansprüche auf Berchtesgaden inzwischen fallen gelassen. Aber sowohl von Österreich wie von Deutschland aus ergibt sich die Notwendigkeit einer definitiven Anerkennung der Grenzen zwischen den beiden Ländern.

Völkerrechtlich ist das Sudetengebiet in einer ähnlichen Lage. Die tschechische Herrschaft über das Sudetengebiet kann sich auf die Beschlüsse von Yalta wie auf die Erklärung vom 6. Juni 1945 stützen. Aber dadurch ist wohl eine Rückabtretung des Sudetengebietes an die Tschechoslowakei in die Wege geleitet, aber nicht völkerrechtlich für Deutschland verbindlich vollzogen. Für Deutschland ist gegenüber der Tschechoslowakei die Grenze vom 31. Dezember 1937 eine völkerrechtlich noch nicht in Rechtskraft erwachsene Abgrenzung der beiderseitigen Hoheitsbereiche.

Die Tschechoslowakei kann sich auf die Erklärung vom 6. Juni 1945 berufen, wie sie sich nach dem Zerfall der österreichischen Monarchie gegenüber der Republik Österreich darauf berufen konnte, daß ihr bis zur Entscheidung der Friedenskonferenz das Herrschaftsrecht über die historischen Länder Böhmens, Mährens und Schlesiens in den überlieferten Grenzen durch Beschluß Englands, Frankreichs und Italiens bestätigt wurde. Die Grenzen Österreichs – dessen Abtretung und Verselbständigung ebenso auf die alliierte Festlegung der Grenzen Deutschlands nach dem Stand vom 31. Dezember 1937 zurückgeht wie die Abtrennung des Sudetengebietes – stehen in ihrem endgültigen Verlauf nach dem Wortlaut des 2. Kontrollabkommens noch nicht fest. Daher steht das österreichische Gebiet nur unter einer Art Besitzschutz durch die Kontrollmächte. Es war seither auf Grund der Ansprüche dritter Staaten Gegenstand internationaler Verhandlungen. So bleibt auch in diesem Sinn das Sudetengebiet bis zur Unterzeichnung eines deutschen Friedensvertrages nur unter dem analogen interimistischen Besitzesschutz des tschechoslowakischen Staates. Erst die Unterzeichnung eines Friedensvertrages durch Deutschland (und die Tschechoslowakei) kann die einstweilige Zugehörigkeit des Sudetengebietes auch mit Wirkung für beide Parteien zu einer endgültigen machen.

Die Situation des Sudetengebietes ist demnach heute ähnlich seiner Lage zwischen der Besetzung durch tschechische Truppen im Jahre 1918 und dem Inkrafttreten des Friedensvertrages von St. Germain. Angesichts des Beschlusses der französischen, englischen und italienischen Regierung, bis zur Entscheidung der Friedenskonferenz es nicht österreichischer, sondern tschechischer Verwaltung zu unterstellen, hatte damals der Generalsektretär der Pariser Friedenskonferenz erklärt, daß bis zur Unterzeichnung des Friedensvertrages diese Gebiete technisch einen Teil Österreichs darstellen. Zu dieser Ähnlichkeit der Lage treten aber wesentliche Unterschiede.

So ist heute die Kontroverse über die Sudetenfrage nicht eine österreichisch-tschechische, sondern eine deutsch-tschechische Frage.

Der andere, für die Gegenwart vordringlichste Unterschied entspringt der Verknüpfung der Gebietsfrage mit dem Tatbestand der Vertreibung der Sudetendeutschen. Die Regelung der Staatsangehörigkeit der Sudetendeutschen durch die Tschechoslowakei nach 1945 tritt so in Verbindung mit der eben analysierten rechtlichen Gebietslage. Als wesentlicher völkerrechtlicher Tatbestand gilt, wie im folgenden Abschnitt zu zeigen, der Satz, daß eine Staatsangehörigkeitsregelung von dritten Staaten nur hingenommen zu werden braucht, wenn sie in Übereinstimmung mit den internationalen Verträgen, der internationalen Gewohnheit und den in Fragen der Staatsangehörigkeit allgemein anerkannten Rechtsgrundsätzen sich befindet. Die Vertreibung der

Sudetendeutschen, die dabei angewandten unmenschlichen Methoden sowie die ihr vorausgegangenen gesetzgeberischen Maßnahmen haben darauf keinen Anspruch. Die deutsche Völkerrechtsliteratur hat sich mit den hier behandelten Fragen bisher kaum auseinandergesetzt. Dagegen untersucht in seiner Schrift „Das Recht auf die Heimat" R. L a u n gewisse auch von uns behandelte Fragen. In den wesentlichen Punkten besteht eine weitgehende Übereinstimmung mit den Ergebnissen der vorliegenden Untersuchung. Auch L a u n unterstreicht zunächst die de jure Zugehörigkeit des Sudetengebietes seit 1938 zu Deutschland. (Angesichts der Kollektivübertragung des Sudetengebietes an Deutschland scheint es mir angemessen, darin keine Annexion, wie Laun, sondern eine Adjudikation zu sehen.) Aber trotz der Verschiedenheit in der Qualifizierung des Erwerbsvorganges kommt L a u n zu den gleichen Folgerungen wie diese Arbeit:

„Aus diesen Erwägungen ergibt sich unausweichlich die Folgerung, daß Sudetenland nach allgemeinem Völkerrecht 1938 bis 1945 deutsches Reichsgebiet gewesen ist und daß die Sudetendeutschen daher im Augenblick des Zusammenbruchs deutsche Staatsangehörige waren."

Ähnlich die Übereinstimmung, trotz Interpretationsverschiedenheit einzelner Teilvorgänge, hinsichtlich der gegenwärtigen völkerrechtlichen Lage des Sudetengebietes: ich möchte zwar im Hinblick auf die englisch-französischen Verhandlungen mit Prag im Sommer 1938, die dann zur Annahme der Vorschläge dieser Regierungen durch die Tschechoslowakei geführt haben, nicht, wie Laun, von erzwungener Annahme sprechen. Der „Zwang" lag in einer für die tschechische Politik vollkommenen Umkehr der diplomatischen Konstellation. Das scheint uns aber nicht unter die Kategorie des Zwanges zu fallen, die das Völkerrecht im Auge hat. Auch hier aber kommt in der entscheidenden Frage nach der gegenwärtigen Rechtslage des Sudetengebiets Laun zu den gleichen Ergebnissen wie diese Schrift:

„Wenn die Annexion des Sudetengebietes", schreibt L a u n, „durch Hitler nicht absolut nichtig war, dann waren die Sudetendeutschen 1939 bis 1945" – es müßte hier wohl genauer heißen 1938 bis 1945 – „wie wir gesehen haben, auch für das Völkerrecht deutsche Staatsangehörige und die tschechoslowakische Regierung konnte ihnen daher 1945 wegen ihres Gehorsams gegen das Deutsche Reich keinen Vorwurf machen. Dann war aber auch das S u d e t e n l a n d g e n a u s o w i e d a s L a n d ö s t l i c h d e r O d e r - N e i ß e - L i n i e, d a k e i n A b t r e t u n g s - v e r t r a g seitens des D e u t s c h e n R e i c h e s vorliegt, im Augenblick der Ausweisung der Sudetendeutschen noch immer militärisch besetztes Ausland. Dann war die Ausweisung der Sudetendeutschen ebenso völkerrechtswidrig wie jene der Deutschen im früheren Reichsgebiet östlich der Oder-Neiße-Linie, gleichgültig, ob man annimmt, daß die Tschechoslowakei später die Gebietshoheit über das Sudetenland de jure erworben habe oder nicht."

Laun wertet den Vertrag, womit das Sudetengebiet an Deutschland übertragen wurde, als völkerrechtlich verbindlichen Akt. Er unterstreicht darüber hinaus, daß es sich dabei sachlich um einen dem Selbstbestimmungsrecht gemäßen Vorgang handelte. Daher ist seine Alternative, daß die Zugehörigkeit des Sudetengebiets zu Deutschland zwischen 1938 und 1945 absolut nichtig gewesen sein könnte, nur eine Hypothese, dazu bestimmt, die Völkerrechtswidrigkeit der Vertreibung der Sudetendeutschen gerade auch für einen solchen Fall (wo sie dann tschechoslowakische Staatsbürger geblieben wären), hervortreten zu lassen.

Der Unterschied zur Lage von 1918/19 ist nicht rechtlicher, sondern zeitlicher Natur. 1919 handelte es sich um relativ kurze Fristen, die zwischen dem Ende eines völkerrechtlich definitiven und der Begründung eines an seine Stelle tretenden neuen völkerrechtlichen Status lagen. Damals handelte es sich um Monate, heute um Jahre. Die Tatsache, „daß die Alliierten in Potsdam davon ausgingen, daß der Abschluß eines formellen Friedensschlusses in naher Zukunft folgen werde[1]", die weitere, daß sich diese Annahme als irrig erwies, ist nicht nur keine Entkräftigung, sondern eher eine Bestätigung der dargelegten Rechtsauffassung. Auch in Potsdam glaubte man offenbar, es mit ähnlichen Fristen zu tun zu haben wie in Paris 1918/19.

Die Tschechoslowakei vertritt die These der Zugehörigkeit des Sudetengebietes zu ihrem Staatsgebiet auf der Grundlage der Kontinuitätstheorie, deren politischer Zweckcharakter und rechtliche Unhaltbarkeit sich oben herausstellte. Daß die Kontinuitätsdoktrin auch von Verbündeten der Tschoslowakei praktisch nicht ernstgenommen wurde, zeigte im übrigen die Tatsache, daß kaum nach der Eroberung des größten Teiles der Tschechoslowakei durch die sowjetischen Truppen die Karpato-Ukraine, also ein Teil des von der Exilregierung stets als unantastbar bezeichneten integralen Staatsgebietes von 1919, an die Sowjetregierung abgetreten wurde[2]).

Diese Abtretung fand 5 Wochen nach der Besetzung Böhmens durch die Sowjetarmee statt, zu einer Zeit, in der die Sowjetunion den größten Teil (etwa fünf Sechstel) des von der tschechoslowakischen Republik reklamierten Gebietes militärisch besetzt hielt.

Der sowjetische Oberkommandierende war gemäß Kriegsrecht der eigentliche Träger der höchsten Autorität im tschechoslowakischen Gebiet. Der Vertrag tritt das Gebiet (Podkarpatska Rus), das im Vertrag bereits „Zakarpadska Ukraine" heißt (was etwa den Sinn hat „jenseits der Karpaten liegenden Ukraine", also vom Osten her gesehen) an die Sowjet-Ukraine ab. Er ist merkwürdigerweise nicht im Namen der Sowjet-Ukraine durch den ukrainischen Außenminister, sondern im Namen der Sowjetunion durch Molotov unterzeichnet.

---

[1]) Osthandbuch, S. 24.
[2]) Durch Vertrag zwischen der tschechoslowakischen Republik und der Verband der Sowjetrepubliken über die Karpaten-Ukraine (Zakarpadska Ukraina) vom 26. Juni 1945.

Die Abtretung des Landesteiles vollzog sich in den üblichen völkerrecht-lichen Formen, d. h. sie wurde vom Parlament beschlossen und die Rati-fikation vorgenommen. Wenn man sich aber die Ausführungen Beneschs auf der Pariser Konferenz über die Bedeutung Karpato-Rußlands in Erin-nerung ruft[1]), so stellt sich die Frage nach der Wirkung der Anwesenheit der Roten Armee im größten Teil des Staates auf die Abtretung dieses für die Sowjetunion äußerst interessanten, weil in das Donaubecken hereinreichen-den Gebietes von selbst.

Anläßlich der Unterzeichnung des Vertrages hielt Molotov am 29. Juni 1945 eine Rede, in der er unter anderem ausführte: „In Erfüllung ihrer großen Befreiungsmission vertrieb die Rote Armee die deutschen und ungarischen Okkupanten aus der Karpato-Ukraine, befreite die Karpato-Ukrainer aus der faschistischen Sklaverei und schritt damit zur Befreiung des Territoriums der ganzen tschechoslowakischen Republik. Das Volk der Karpato-Ukrainer erhielt die Möglichkeit, über sein eigenes Schicksal selbst zu entscheiden . . . Am 26. November 1944 trat in der Stadt Munkacevo der 1. Kongreß der Volksausschüsse der Karpato-Ukraine zusammen, der einstimmig ein Mani-fest annahm, das den Wunsch des Volkes der Karpato-Ukraine aussprach, sich der Sowjetukraine anzuschließen . . .

Der Präsident und die Regierung der tschechoslowakischen Republik kamen dem einmütigen Wunsch des Volkes der Karpato-Ukraine entgegen. Die Sowjetregierung bringt die Meinung des ganzen Sowjetvolkes und vor allem die Meinung und die Gefühle des ukrainischen Volkes zum Ausdruck, wenn sie dankbar dieses Freundschaftsaktes der tschechoslowakischen Republik gedenkt, in dem wir ein Vorbild für die brüderliche Lösung einer die Inter-essen zweier slawischer Nachbarvölker berührenden Frage sehen[2]).“

---

[1]) *Benesch* erklärte damals (D. H. *Miller,* Diary, Band 14, S. 211, nach *Bruns,* Die Tschechoslowakei auf der Pariser Friedenskonferenz, in: Zeitschrift für ausl. öff. Recht und Völkerrecht, S. 723).

„M. Benes said that it remained for him to draw attention of the Conference to certain suggestions which were not to be considered claims made on behalf of Czecho-Slovakia.

The first of the suggestions related to the Ruthenes in Hungary. Next to the Slovakia and to the East of them, was a territory inhabited by Ruthenes. These Ruthenes were the same stock as the Ruthenes of Eastern Galicia, from whom they were divided by the Carpathians. They were close neighbours to the Slovaks, so-cially and economically similar to them, and there were even transitional dialects between their language and that of Slovakia. They did not wish to remain under Hungarian control and proposed to from an autonomous state in close federation with Czecho-Slovakia. They numbered about 450 000. It would be unjust to leave them to the tender mercies of the Magyars, and though Czecho-Slovakia made no claim on their behalf, he had undertaken to put their case before the Conference. *If Eastern Galicia became Russian it would be dangerous to bring Russia South of the Carpathians.* If Eastern Galicia becam Polish, the Poles themselves would no wish to include this population. It follows, therefore, that this people must either be Hungarians or autonomous.“

[2]) W. M. *Molotov,* Fragen der Außenpolitik, Moskau 1949, S. 24.

Der Vertrag bestimmt, daß die „Zakarpadska Ukraina", welches Gebiet die tschechoslowakische Verfassung „Podkarpatska Rus" nenne, die auf Grund des am 10. September 1919 in St. Germain en Laye abgeschlossenen Vertrages als „selbständiger Teil" in den Rahmen der tschechoslowakischen Republik aufgenommen wurde[1]), in Übereinstimmung mit dem von der Bevölkerung der Karpaten-Ukraine geäußerten Wunsches und auf Grund eines freundschaftlichen Übereinkommens zwischen den beiden hohen vertragschließenden Teilen, „mit ihrem altehrwürdigen Vaterland, der Ukraine, vereinigt und in den Rahmen der sozialistischen Sowjetrepublik Ukraine eingegliedert wird."

Die zwischen der Slowakei und der Karpato-Ukraine am 29. September 1938 bestehende Grenze wird mit den durchgeführten Änderungen zur Grenze zwischen der tschechoslowakischen Republik und der Sowjetunion gemäß der beigefügten Karte. Der Vertrag soll der Billigung der tschechoslowakischen Nationalversammlung und des Obersten Sowjets unterliegen. Die Ratifikationsurkunden sollen in Prag ausgetauscht werden. Der Vertrag wurde in Moskau in drei Ausfertigungen, in slowakischer, russischer und ukrainischer Sprache, abgeschlossen, die gleiche Verbindlichkeit haben. Das Zusatzprotokoll gibt ein Optionsrecht, und zwar für tschechische und slowakische Volksangehörige auf dem Gebiet der Karpaten-Ukraine, die dort ständigen Wohnsitz haben oder zuständig sind, für die Tschechoslowakei; ferner für Ukrainer und Russen, die auf slowakischem Gebiet leben, für die Ukraine. Durch Verfassungsgesetz vom 22. November 1945 über die Karpaten-Ukraine und die Regelung der Staatsgrenzen gegenüber der UdSSR (Slg. Nr. 21946) wurde dieser Vertrag von der Nationalversammlung genehmigt und trat am 21. Januar 1946 in Kraft.

Das Prinzip der territorialen Integrität der neuen Tschechoslowakei ist dadurch gleich bei der Wiedererrichtung des tschechoslowakischen Staates entscheidend durchbrochen worden. Man darf daraus wohl den Schluß ziehen, daß die Sowjetregierung parallel zu ihren Plänen im polnischen Bereich der Tschechoslowakei wohl die Sudetengebiete geben wollte, aber die Kontinuitätsdoktrin abgelehnt hat.

B. Zur rechtlichen Beurteilung der Ausbürgerung

1. Die Frage, ob das Völkerrecht die Regelung der Staatsangehörigkeit mit Schranken umgibt, kann hier nicht als solche geprüft werden. Die jüngste Untersuchung[2]) hat dieser Frage über 50 Seiten gewidmet, ohne daß sie eine

---

[1]) § 3 der tschechoslowakischen Verfassungs-Urkunde nennt in Abs. 2 Karpato-Rußland ein „autonomes Gebiet" und einen „untrennbaren Bestandteil" des tschechoslowakischen Staates.

[2]) *A. M. Makarov*, Allgemeine Lehre des Staatsangehörigkeitsrechts, 1947.

einheitliche „herrschende" Auffassung in Lehre und Praxis hätte aufweisen können. Es gibt namhafte Autoren, die die uns interessierende Frage der Zulässigkeit von Zwangsausbürgerungen als völkerrechtswidrig bezeichnen. So erklärt z. B. Lapradelle die Möglichkeit, daß der Staat seine Angehörigen in Heimatlose verwandle, „für offensichtlich völkerrechtswidrig". Ähnlich Martin Wolff. Bedeutende Autoren entwickelten die Lehre, daß das allgemein immanente Prinzip eines Verbots des Rechtsmißbrauches dem Staat auch auf diesem Gebiet kraft Völkerrechts Schranken setze. So etwa Leibholz und Niboyet. Eine ähnliche amtliche Stellungnahme hat der Schweizer Bundesrat ausgesprochen. Triepel vertrat die Auffassung, daß der Staat die völkerrechtliche Freiheit habe, zwischen dem ius soli und dem ius sanguinis zu wählen, jeder darüber hinausgehende Versuch aber in den völkerrechtlich anerkannten Rechtskreis eines anderen Staates eingreife und daher rechtswidrig sein würde. Über diese allgemeinen Schranken hinaus hat ein bekannter Autor, Erich Kaufmann, die völkerrechtlichen Schranken der Staatsangehörigkeitsgesetzgebung bei Gebietsveränderungen untersucht[1]).

Er entwickelt die Auffassung, daß im Falle von Gebietsveränderungen der annektierende Staat keineswegs seine Staatsangehörigkeit den durch den Wechsel betroffenen Personen aufzwingen oder versagen könne. Auch wenn ein Zessionsvertrag keinerlei Bestimmungen enthalte oder eine Totalannexion vorliege, gäbe es gewisse Rechtsgrundsätze, deren Außerachtlassung eine Verletzung des internationalen Rechts darstelle. Auf jeden Fall hätten aber alle im abgetretenen Gebiet „gutgläubig" – (das bedeute, nach dem Gutachten Nr. 7 des ständigen Internationalen Gerichtshofes, eine ernstliche, ständige, mit der Absicht des Verbleibens verbundene Niederlassung) – seßhaften Personen „das Recht auf eine individuelle Entscheidung hinsichtlich ihrer staatsbürgerlichen Zugehörigkeit". Die technische Regelung könne verschieden sein. Entweder erwerben sie die Angehörigkeit des Erwerbstaates zu vollem Recht, mit Optionsrecht zugunsten des Zedierenden, oder es wird die Tatsache, daß sie den Wohnsitz auf dem abgetretenen Gebiet behalten, gleichgesetzt mit ihrer Absicht zum Erwerb der neuen Staatsangehörigkeit; wie endlich die Tatsache, daß sie ihn ohne Rückkehrabsicht verlassen, als Wille zur Beibehaltung der alten Staatsangehörigkeit gewertet wird. Kaufmann weist dann auf die Bestimmungen der Minderheitenverträge hin, die den Angehörigen der aufgeteilten Staaten ein Optionsrecht zugunsten der ihnen volksmäßig nahestehenden Staaten schufen und faßt zusammen: „Wenn man vielleicht auch in diesen Bestimmungen keine Vorschriften des internationalen Rechts sehen kann, die auch bei einem Stillschweigen der Verträge anwendbar wären, so sind sie doch ohne Frage ein gewichtiges Zeugnis der internationalen Rechtsüberzeugung." Auch die Haager Kodifikationskonferenz von 1930 beschäftigt sich ausführlich mit dieser Frage.

---

[1]) E. *Kaufmann*, Règles générales du droit de la paix, Receuil des Cours 54, S. 372 ff.

Nach außerordentlichen Schwierigkeiten kam es zur Billigung eines Kommissionsentwurfes. Makarov faßt seine Bedeutung in dem Satz zusammen: „Es obliegt jedem Staat, durch seine Gesetzgebung seine Staatsangehörigen zu bestimmen. *Diese Gesetzgebung muß von den anderen Staaten hingenommen werden,* unter der Voraussetzung, daß sie in Übereinstimmung steht mit den internationalen Verträgen, der internationalen Gewohnheit und den in Fragen der Staatsangehörigkeit allgemein anerkannten Rechtsgrundsätzen[1]).

Diese Feststellung der „allgemein anerkannten Rechtsgrundsätze", die Ermittlung der internationalen Gewohnheit wird sicherlich nicht einfach sein. Makarov selbst sagt zum speziellen Fall der Staatensukzession, wo durch Gebietserwerb eine neue Anknüpfung an die Rechtsordnung des erwerbenden Staates geschaffen wird, es müsse die Verleihung der Angehörigkeit zu diesem Staat an die Bevölkerung des betreffenden Gebietes als völkerrechtlich geboten betrachtet werden. „Die Bevölkerung des neu erworbenen Gebietes darf nicht als staatenlos betrachtet werden." Der Einzelne müsse nur die Freiheit haben, welche Anknüpfung er für den Erwerb seiner Staatsangehörigkeit als maßgeblich betrachten wird, etwa den Wohnsitz in oder die Abstammung aus (oder die Gemeindezugehörigkeit in) dem Gebiet, oder Zugehörigkeit zur betreffenden Provinz. Makarov relativiert freilich diesen Satz durch die weitere Darlegung, daß das Staatsangehörigkeitsrecht „lebendes Recht" sei, das sich politischen, sozialen und demokratischen Forderungen anpassen müsse. Es könne vorkommen, daß durch diese Forderungen neue Rechtssätze begründet werden, welche aus dem Reservoir der bestehenden Rechtsvorschriften nicht entnommen werden könnten, und erwähnt dabei ausdrücklich die Zwangsausbürgerungen, die bis in die letzten Jahrzehnte bestimmt *„nicht als allgemein anerkannte* Grundsätze anzusehen" seien, die die jüngste politische Entwicklung aber zu einem *„weit verbreiteten* Institut" gemacht habe. Und er stellt schließlich fest, daß die die Zwangs*einbürgerung* und die Forderung nach Verleihung der Staatsangehörigkeit bei Staatensukzessionen betreffenden Einschränkungen der staatlichen Omnipotenz somit die einzigen seien, die sich aus der Struktur der Völkerrechtsgemeinschaft ableiten ließen.

Nun wird man aber mit annähernder Sicherheit auch Methoden aussondern können, die nach überlieferter Auffassung *nicht* den anerkannten Rechtsgrundsätzen oder der internationalen Gewohnheit entsprechen.

2. Unter diesen Aspekten wird man zunächst einmal über das tschechoslowakische Ausbürgerungsdekret nach der allgemeinen Seite hin sagen können, daß es im offenbaren Widerspruch mit der völkerrechtlichen Übung und den völkerrechtlichen Auffassungen der neueren Zeit steht, insbesondere mit den Grundsätzen der Staatsangehörigkeitsregelungen anläßlich der großen Ge-

---

[1]) Makarov, a. a. O., S. 94 (Art. 1 des von der 1. Kommission angenommenen Entwurfes).

bietsveränderungen nach dem Ersten Weltkrieg. Die Judengesetzgebung des „Dritten Reiches" wird man um so weniger als Präjudiz anführen dürfen, als sie ja übereinstimmend als rechtswidrig und zum Schadenersatz verpflichtend angesehen wird.

Eine umfassende juristische Untersuchung dieser Frage, die tief in Grundfragen des aus abendländischer Tradition erwachsenen europäischen Völkerrechts hineinführt, müßte das Verhältnis von Niederlassungs-(Heimat-) Recht und Staatsangehörigkeitsrecht genauer untersuchen[1]). Wenn sich in der neueren Entwicklung ein Optionsrecht bei Gebietsveränderungen als Niederschlag der Rechtsüberzeugung gebildet hat, so muß ihm die naturrechtliche Vorstellung zugrunde liegen, daß das Recht auf den gutgläubig besessenen Wohnsitz begrifflich vor dem Recht der Staatsangehörigkeit liegt, wie das ja auch rechtsgeschichtlich der Fall ist. Die Staaten finden diese Verbindung mit einem Stück Heimat und das darauf aufbauende Recht auf Niederlassung und Heimat, wie man es nennen könnte, vor. Man darf wohl sagen, daß nach überlieferter Auffassung, seit dem Ende der Zwangsaussiedlungen aus konfessionellen Gründen, die Staaten gehalten sind, dieses Recht auf die Heimat auch dann zu achten, wenn mit der Verleihung der Staatsbürgerschaft an die Neubürger gezögert oder das Bürgerrecht nicht in vollem Umfang verliehen wird. Man wird außerdem daran erinnern dürfen, daß die Zwangsaussiedlungen aus konfessionellen Gründen in der Regel nur dann stattfanden, wenn sich der Einzelne der Konfession der Landesherren nicht angleichen wollte, daß also eine Art von konfessionellem Optionsrecht bestand. Zum „flebile beneficium emigrandi" gehörte aber dann auch, daß er sein Vermögen veräußern und den Erlös mit sich in die neue Heimat nehmen konnte.

Im abendländischen Rechtsdenken und der von ihm beeinflußten völkerrechtlichen Praxis sind bestimmte naturrechtliche Auffassungen, unbekümmert um den wissenschaftlichen Positivismus insbesondere des 19. und 20. Jahrhunderts, maßgeblich geblieben. Wer das Institut der Option durchdenkt, wird auf die Auffassung stoßen, daß ihr ein Niederlassungsrecht, ein Recht des Verbleibens und Wohnens als solcher naturrechtlicher Anspruch zugrunde liegt. Die europäische Völkerrechtsgemeinschaft hat stets den Anspruch vertreten, Hüter eines solchen Gemeinbesitzes, einer Art von europäischem Common Law an Grundrechten zu sein, die alle Mitglieder der europäischen Völkerrechtsgemeinschaft achten müssen.

In einer durchgängig totalitären politischen Ordnung ist freilich kein Platz für naturrechtlich geschützte Positionen des Einzelnen; er ist passives Objekt durchgehender Planung und Organisierung.

Die Regelung der Staatsangehörigkeit in den Verträgen, die den Ersten Weltkrieg beenden, waren von dieser Auffassung getragen. Im Zusammen-

---

[1]) Ansätze dazu bei H. Ch. *Seebohm* – H. J. von *Merkatz* „Das Recht auf die Heimat". (Ausgearbeitet für den Sudetendeutschen Tag 1952). – Rudolf *Laun*, Das Recht auf die Heimat, 1951. (Vortrag auf dem 1. Bundeskongreß der vereinigten Ostdeutschen Landsmannschaften.)

hang mit den Problemen des internationalen Minderheitenschutzes ist sie grundsätzlich formuliert worden. Eine Erneuerung der überlieferten Rechtsauffassung ist nur möglich, wenn totalitäre Exzesse ohne rechtliche Anerkennung bleiben, gleichgültig, von welcher Seite und von welchem Regime sie ausgehen und unbekümmert auch darum, ob sich ein solches Regime demokratisch nennt. Totale Ausbürgerungen einer zahlenmäßig bedeutenden Gruppe von Staatsbürgern durch *einseitigen* staatsrechtlichen Akt ist mit der Überlieferung des abendländischen Völkerrechts nicht in Einklang zu bringen.

Der Inhalt der internationalen Minderheitenschutzverträge von 1919 ist in einer Note von prinzipieller Bedeutung, die Clemencau als Präsident der Friedenskonferenz unterzeichnet hatte[1]), als Standard bezeichnet worden, den jedes Mitglied der europäischen Völkerrechtsgemeinschaft zu achten und durch Verfassungsbestimmungen zu sichern habe. Einer der Hauptzwecke dieses Systems war, die Staaten zu verpflichten, die Personen, die zur Zeit des Inkrafttretens der Verträge das Heimatrecht besaßen oder im Staate geboren waren, als Staatsbürger anzuerkennen. In dieser Note, die als eine Art völkerrechtspolitische Erläuterung des Minderheitenschutzes gelten darf, wird die Praxis des Berliner Kongresses als Präjudiz verwiesen, die einschlägigen Auffassungen seiner führenden Staatsmänner (Bismarck, Lord Beaconsfield etc.) werden als Zeugnis angeführt.

Im Lichte dieser Rechtspraxis und ihrer formellen Begründung wird man grundsätzlich eine einseitige Zwangsausbürgerung ganzer Volksgruppen nicht unter jenen vom Völkerrecht gedeckten Bereich der staatlichen Legislative in Staatsbürgerschaftsfragen ansehen können, die nach den Worten der Haager Kodifikationskonferenz „von den anderen Staaten hingenommen werden müssen".

3. Daß auch die über den europäischen Bereich hinausgewachsene globale Völkerrechtsorganisation allgemeiner tragender und legitimierender Grundsätze nicht entbehren kann, zeigt die Atlantik-Charta ebenso wie die Formulierung der Ziele der Vereinten Nationen.

Die A t l a n t i k - C h a r t a , die rechts- und ideengeschichtlich die Linie der 14 Punkte Wilsons durchführt, hat sich in Art. 2 gegen territoriale Änderungen ausgesprochen, „die nicht im Einklang mit dem Willen der betreffenden Völker stehen". Sie hat die Achtung des Rechts für sämtliche Völker versprochen, sich jene Regierungsform zu wählen, unter der sie leben wollen. Souveränität und Eigenverwaltung sollen nach Art. 3 allen jenen zurückgegeben werden, denen sie gewaltsam entrissen wurden. Und Art. 6 stellt einen Frieden in Aussicht, der allen Menschen ein Leben frei von Furcht und Not gewährleistet. Schließlich drückt Art. 8 die Überzeugung aus, daß alle Völker dieser Welt aus praktischen und ethischen Gründen zum Verzicht auf Gewaltanwendung gelangen müssen.

---

[1]) Abgedruckt in: H. *Kraus*, Das Recht der Minderheiten (1927), S. 43. Dazu: C. G. *Bruns*, Minderheitenrecht als Völkerrecht, in: Gesammelte Schriften zur Minderheitenfrage, eingel. von E. *Kaufmann* und M. H. *Boehm* (1933), insbes. S. 29.

Die Satzung der Vereinten Nationen verpflichtet die Mitgliedstaaten zur Herstellung freundschaftlicher Beziehungen zwischen den Nationen auf der Grundlage der Geltung gleicher Rechte und des Selbstbestimmungsrechtes der Völker. Es bedarf keiner näheren Beweisführung, daß weder eine Massenzwangsausbürgerung als solche, noch erst recht eine damit verbundene Austreibung aus der redlich besessenen Heimat mit diesen Grundsätzen, insbesondere mit dem Grundsatz der Selbstbestimmung, vereinbar ist.

4. Die Frage nach der völkerrechtlichen Verbindlichkeit der Ausbürgerung muß aber im konkreten Fall unter weiteren Gesichtspunkten geprüft werden. Die vorangehenden Überlegungen haben gezeigt, daß totale Ausbürgerungen mit den Grundsätzen der europäischen Völkerrechtstradition, wie sie insbesondere anläßlich der Pariser Friedens- und Minderheitenverträge von 1919 bekräftigt und bestätigt wurde, unvereinbar sind. Die Frage der völkerrechtlichen Wirksamkeit der Ausbürgerungsdekrete muß aber ferner an Hand der konkreten Rechtssituation der Adressaten des Dekrets sowie der verfügenden Regierung geprüft werden.

Im vorigen Abschnitt wurde gezeigt, daß offensichtlich bis zur Potsdamer Konferenz eine Übereinstimmung unter den Alliierten bestand, Fragen territorialen Charakters der Friedenskonferenz und den Friedensverträgen vorzubehalten. Alle dort besprochenen territorialen Regelungen standen unter diesem Interimsvorbehalt. Wenn nun, wie im Falle Österreich, auch im Falle der Tschechoslowakei für diesen Zeitpunkt wohl übereinstimmende Absichten bei den Alliierten zugrundegelegt werden können, die Tschechoslowakei in ihren westlichen Grenzen von 1919 auch definitiv anzuerkennen und entsprechende Bestimmungen in den Friedensvertrag aufzunehmen, so sind die tschechoslowakischen Grenzen eben durch das Nichtzustandekommen eines Friedensvertrages noch nicht allgemein verbindlich und vor allem von Deutschland noch nicht anerkannt. Die Alliierten erlaubten der Tschechoslowakei, ihre Herrschaft auch über Gebiete wieder auszuüben, die 1938 durch völkerrechtliche Adjudikation an Deutschland übertragen worden waren. Solange nicht durch eine Entscheidung der Friedenskonferenz diese Maßnahme sanktioniert und durch die deutsche Zustimmung vervollständigt wird, muß nach dieser Richtung hin die Grenzsituation interimistischen Charakter tragen. Die Analogie zur Lage zwischen 1918/19 ist vollkommen.

Es fragt sich nun, ob die Tschechoslowakei in solcher Lage völkerrechtlich verbindliche Gesetzesakte über Staatsangehörigkeit und Heimatrecht der gesamten Einwohnerschaft eines von ihr lediglich in dieser Weise besessenen Gebietes setzen konnte. Mit anderen Worten, es fragt sich, ob dazu ihre völkerrechtliche Kompetenz über diese Gebiete und ihre Bewohner ausreichte. Es scheint, daß diese Frage in sich selbst die verneinende Antwort trägt. Gesetzgebung über Staatsbürgerschaft setzt die definitive Zugehörigkeit des Einzelnen zu einem Staat voraus. Sie regelt Status-Angelegenheiten, die wesentlichen und beständigen Rechtsvoraussetzungen und Grundbindungen des einzelnen an eine politische Gemeinschaft. Mag die politische Anwartschaft eines Staates auf ein Gebiet noch so gesichert sein, sie macht kein rechtliches Definitivum. Eine verbindliche Gesetzgebung in staatsbürgerrechtlichen Fragen setzt mit Wirkung gegen einen dritten Staat aber eine völkerrechtlich auch von diesem anerkannte Herrschaft in den fraglichen Gebieten voraus.

Diese völkerrechtlich definitive Situation war weder im Zeitpunkt des Erlasses des Ausbürgerungsdekretes gegeben, noch während der Ausweisungen. Damals rechnete man mit einem raschen Friedensvertrag. Aber diese definitive Rechtslage ist auch heute dadurch nicht gegeben, daß sich die Annahme als trügerisch erwiesen hat.

Aus dem Gesagten folgt, daß die tschechoslowakische Regierung, vom internationalen Recht her gesehen, zu diesem Zeitpunkt überhaupt noch nicht die Kompetenz zu gesetzgeberischen Maßnahmen, die den Status der Einwohner eines ihr völkerrechtlich noch nicht definitiv übereigneten Gebietes betreffen, besaß. Legislative Akte ohne völkerrechtliche Kompetenz aber sind nichtig. Das Ausbürgerungsdekret der tschechoslowakischen Regierung war nicht nur deswegen ein Schlag ins Leere, weil die Sudetendeutschen 1938 die deutsche Staatsbürgerschaft keineswegs „nach den Anordnungen einer fremden Besatzungsmacht erworben hatten", wie das Dekret, befangen in der politischen Konstruktion der Kontinuitätsdoktrin, formulierte. (Denn sie waren durch den deutsch-tschechoslowakischen Staatsbürgerschaftsvertrag förmlich aus dem tschechoslowakischen Staatsverband entlassen worden; ihr bisheriger Staat selbst hatte seine Zustimmung zu ihrem Übertritt in den deutschen Staatsverband gegeben.) Es war auch deshalb ein Schlag ins Leere, weil in einer possessorischen gebietsrechtlichen Situation keine Gesetzgebung über Status-Fragen der Einwohner möglich ist. Auch bei entgegengesetzter Absicht hätte der tschechoslowakische Staat z. B. auch nur die einstweilige Aufnahme in den tschechoslowakischen Staatsverband mit Wirkung für die dortigen Einwohner aussprechen können, die erst mit der definitiven Übereignung des Gebietes durch den Friedensvertrag in Rechtskraft erwachsen konnte. Ebensowenig konnte er eine Staatsbürgerschaft aberkennen, da er überhaupt noch keine Kompetenz zu gesetzgeberischen Akten im staatsbürgerlichen Bereich in nicht endgültig übereigneten Gebieten besaß. Bis zum Abschluß des Friedensvertrages und einer eventuell darin verfügten Entlassung aus dem deutschen Staatsverband waren die sudetendeutschen Bewohner dieser der tschechoslowakischen Herrschaft überwiesenen Gebiete nach wie vor deutsche Staatsbürger, wenn sie sich auch durch Entscheid der Alliierten wieder tschechischer Herrschaft unterstellt sahen.

5. Ergänzend muß schließlich bemerkt werden, daß gerade auch von der Kontinuitätsdoktrin aus, die vor allem auf unverändertem Weiterbestand der Verfassungsordnung des tschechoslowakischen Staates hinauslief, die kollektive Ausbürgerung (wie natürlich auch die Vertreibung) einer gesamten Volksgruppe vollkommen unmöglich ist, da sie einen vollkommenen Selbst-

widerspruch zum Geist und Buchstaben der tschechoslowakischen Verfassung von 1919 darstellt. Von der Basis der Verfassungskontinuität aus war die tschechoslowakische Republik zudem in der Regelung ihrer staatsbürgerlichen Angelegenheiten keineswegs frei, sondern durch die einschlägigen Bestimmungen der Pariser Friedensverträge gebunden[1]).

Für eine Regierung, die auf einer solchen Basis operierte, waren diese Bestimmungen zwingendes Recht. Da sich aus unseren früheren Darlegungen jedoch die rechtliche Unhaltbarkeit und der politische Zweckcharakter der „Kontinuitätsdoktrin" ergibt, wird hier abgesehen, von ihr aus diesen Fragenkreis weiter zu erörtern.

C. Die Enteignung

1. Auf der Yalta-Konferenz wurde die „Wiederaufrichtung der durch Gewaltmaßnahmen ihrer Selbständigkeit beraubten Staaten" vereinbart. Durch die Erklärung der Besatzungsmächte über die deutschen Grenzen wurde für Deutschland der Stand vom 31. Dezember 1937 zugrundegelegt, hiermit auch das Sudetengebiet der deutschen Staatshoheit wieder entzogen und der wiedererrichteten Tschechoslowakei unterstellt. Diese Maßnahmen stehen ebenso wie alle anderen Grenzregelungen unter dem Vorbehalt der definitiven Regelung durch Friedenskonferenz und Friedensvertrag, wie sie für alle übrigen Fälle der ostdeutschen Grenzen ausgesprochen wurden. Es folgt daraus, daß die tschechoslowakische Regierung keine Zuständigkeit zu staatsbürgerrechtlichen Statusänderungen der (volks)deutschen Bewohner der Sudetengebiete besitzt, solange diese Lage andauert. Von hier aus ist auch die Frage nach den Rechtswirkungen ihrer entschädigungslosen Enteignung zu beantworten. Völkerrechtlich gesehen blieben die Sudetendeutschen auch nach der Unterstellung ihres Gebietes unter tschechoslowakische Autorität deutsche Staatsbürger, da sich an ihrem völkerrechtlichen Status bis zum Abschluß eines Friedensvertrages nichts ändert. Ihre Unterstellung unter tschechoslowakische Autorität durch die Alliierten begründet für den tschechoslowakischen Staat zwar eine Anwartschaft auf die Übertragung der vollen Gebietsherrschaft, aber nicht schon diese selbst. Daher sind legislatorische Akte im Bereich der Staatsbürgerschaft seitens der Tschechoslowakei Akte einer unzuständigen Regierung, vermögensrechtliche Gesetzesakte aber Akte gegenüber nicht tschechoslowakischen Staatsbürgern. Bis zu ihrer Entlassung aus dem deutschen Staatsverband durch Vertrag mit der Tschechoslowakei oder durch Friedensvertrag bleibt ihre staatsbürgerrechtliche Situation unverändert.

---

[1]) Vgl. dazu: Motivenbericht zum tschechoslowakischen Verfassungsgesetz über Staatsbürgerschaft und Heimatrecht (Schranil-Janka, a. a. O., S. 458 ff).

Daher ist der deutsche Staat zur Geltendmachung des ihnen zugefügten Schadens zuständig.

2. In diesem Punkte ist völkerrechtlich die Lage der sogenannten Protektoratsdeutschen, d. h. jener früher österreichischen, später tschechoslowakischen Staatsbürger deutscher Volkszugehörigkeit, die durch den Erlaß vom 20. März 1939 die deutsche Staatsbürgerschaft erwarben, anders geartet.

Die Einverleibung der tschechischen Gebietsteile der früheren Tschechoslowakei in das Deutsche Reich in der Form des „autonomen Reichsprotektorates" war die Folge einer gewaltsamen Annexion, während die Übertragung des Sudetengebietes das Werk eines mehrseitigen Mächtevertrages unter Mitwirkung, ja mit einer gewissen Initiative der Westmächte war. Diese *tschechischen* Gebiete sind nicht nur durch Eroberung, sondern durch einen Akt der Losreißung 1945 vom Deutschen Reich getrennt, das den bis dahin innerstaatlich bestehenden Protektoratsstatus zerstörte. Damit gerieten die „Protektoratsdeutschen" unter diese neu errichtete tschechoslowakische Staatsautorität. Die Losreißung dieser Gebiete durch einen fraglos vom tschechischen Volk akklamierten Akt stellt einen völkerrechtlich konstitutiven Vorgang dar: die Schaffung eines der „Anerkennung fähigen" Staates. Die Akte seiner Regierung sind auch für die auf diesem Gebiete damals lebenden Deutschen und Volksdeutschen bindend, da seine Anerkennung nicht der Friedenskonferenz oder dem Friedensvertrag vorbehalten war. Die völkerrechtliche Wirkung ihrer totalen Enteignung wird daher abhängig sein einerseits von der Gleichheit ihrer Behandlung mit den übrigen tschechoslowakischen Staatsbürgern, andererseits von der völkerrechtlichen Qualifikation ihrer Ausbürgerung, insofern diese die Voraussetzung ihrer Enteignung war. Hiezu sei auf die Ausführungen des vorgehenden Abschnittes verwiesen. Die Ansprüche hinsichtlich des Vermögens der in die Enteignung unterschiedslos einbezogenen Altreichsdeutschen ergeben sich aus dem gemeinen Völkerrecht von selbst. Zur Vertretung ihrer Vermögensansprüche ist der deutsche Staat zuständig[1]).

---

[1]) Aus der tschechischen Presse ergibt sich, daß die Tschechoslowakei eines Tages Schadensersatzansprüche von deutscher bzw. sudetendeutscher Seite erwartet. So schrieb das kommunistische Rudé pravo am 4. August 1947, daß „in der Regierung beantragt wurde, den Deutschen eine Entschädigung zu zahlen, die dann bei den Reparationen angerechnet werden sollte. Erst nach der Erklärung der kommunistischen Partei, daß das Volk dem nicht zustimme, ließ man davon ab." In einer Prager Meldung vom 29. Juni 1947 hieß es, der tschechoslowakische Staatspräsident glaube, mit Entschädigungsforderungen der aus der Tschechoslowakei ausgewiesenen Deutschen in fünf, vielleicht auch schon in zwei Jahren rechnen zu dürfen. In einem solchen Fall, erklärte Benesch, müßte man antworten, daß die Tschechoslowakei nichts ersetzen werde, solange die Deutschen nicht alles, was sie in der Tschechoslowakei zerstört haben, bezahlt hätten.

D. Die Austreibung

Das Problem der zwangsweisen Austreibung geschlossener Bevölkerungsgruppen aus einer seit Jahrhunderten bewohnten Heimat hat sich seit längster Zeit überhaupt nicht mehr in der heutigen Bedeutung gestellt. Die Entschließung des amerikanischen Komitees gegen die Massenaustreibung beziffert die seit dem Zweiten Weltkrieg und insbesondere nach 1945 betroffenen Opfer auf über 20 Millionen allein in Osteuropa, darunter auf 12 Millionen Deutsche[1]).

Die Vertreibung an anderen Punkten der Erde (Indien, Palästina) erreicht ebenfalls Millionenzahlen. Die Völkerrechtswissenschaft hat somit leider allen Grund, sich den dadurch aufgeworfenen Fragen zuzuwenden. Da es sich um Ereignisse aus jüngster Zeit handelt, gibt es kaum eine tiefere juristische Erörterung[2]). Ohne Anspruch auf systematische Behandlung sollen in diesem Fall einige für eine völkerrechtliche Behandlung wesentlichen Punkte bezeichnet werden.

Für unsere Arbeit ergeben sich in der Hauptsache folgende Fragen:

1. War die tschechoslowakische Regierung nach Völkerrecht grundsätzlich zur Ausweisung der Sudetendeutschen *berechtigt?*

2. War sie im Hinblick auf den einstweiligen Charakter ihres Herrschaftsrechtes über die Sudetengebiete zur Ausweisung der Sudetendeutschen *zuständig?*

3. Welche Rechtsfragen ergeben sich aus den vor und bei der Ausweisung angewandten *Methoden?*

Zu 1. Hier ist zunächst daran zu erinnern, daß nach dem den Rang eines Staatsprogrammes einnehmenden *Kaschauer Regierungsprogramm* die Ausweisung den Charakter einer individuellen Strafe, genauer einer Straffolge haben sollte. Es sah die Ausweisung nur als ausnahmsweise und unselbständige Maßnahme vor, nämlich als höchstpersönliche Folge einer Verurteilung wegen Verbrechens gegen das tschechoslowakische Volk oder den tschechoslowakischen Staat. Die totale Aberkennung der Staatsbürgerschaft, in Umkehrung des Kaschauer Programms, stellte von vornherein auf die Austreibung ab: eine ganze Volksgruppe sollte zu Fremden im eigenen Land gemacht und als eine Art von unerwünschten Ausländern über die Grenzen getrieben werden. Dieser Hinweis ist zugleich ein Fingerzeig für die Rechtsnatur der totalen Austreibung. *Sie erweist sich als eine über eine ganze Volksgruppe verhängte Kollektivstrafe.* (Der Umstand, daß gewisse an sich von dem generellen Ausweisungsbefehl betroffene Personen, später zum Teil gegen ihren Willen als

---

[1]) Erklärung des amerikanischen Komitees gegen die Massenausweisungen im Jahrbuch für internationales und ausländisches Recht 1948, herausgegeben von Laun und Mangoldt, S. 1215.

[2]) Mit einer der *Folgen* der Vertreibung der Erscheinung der „Displaced Persons" beschäftigt sich *Reut-Nicolussi* in Receuil des Cours 73, 1948/II, S. 5 ff.

isolierte einzelne, etwa als qualifizierte Arbeiter, zwangsweise zurückbehalten wurden, ist kein Einwand gegen den Tatbestand der totalen Vertreibung, sie macht die drohende vollkommene Entrechtung des Menschen in bestimmten Staatstypen des 20. Jahrhunderts nur durchsichtiger.)

Es ist nach der Verwaltungspraxis der europäischen Staaten üblich und möglich, „unerwünschte Ausländer" abzuschieben und über die Grenzen zu schaffen. Im allgemeinen ist die Voraussetzung dafür – außer wenn sich die Unerwünschtheit auf mißliebige politische Tätigkeit des Ausländers bezieht – eine Verurteilung wegen einer strafbaren Handlung. Das zeigt schon, daß es sich um individuell begrenzte und vereinzelte Fälle handelt.

Es ist daher rechtssoziologisch von Bedeutung, daß das Kaschauer Programm die Ausweisung von Tschechoslowaken deutscher oder magyarischer Volkszugehörigkeit als Folge einer vorgängigen Verurteilung wegen Verbrechen gegen den tschechoslowakischen Staat vorsah, also als Verschärfung der individuellen Verurteilung.

Wenn die Ausweisung aus dem Titel der Abschiebung von Ausländern gerechtfertigt werden soll, muß eingewandt werden, daß es sich bei den Sudetendeutschen nicht um echte Ausländer, sondern um eingesessene Bewohner des Landes handelt, die durch völkerrechtlich und staatsrechtlich anfechtbare Maßnahmen künstlich zu solchen gemacht werden sollten. Daß diese Ausbürgerung der Tradition des europäischen Völkerrechts widerspricht und daher von den interessierten Staaten nicht hingenommen werden muß, wurde an Hand der Literatur wie der Praxis der Regelungen nach dem Ersten Weltkrieg gezeigt.

Die neuere völkerrechtliche Praxis zeigt eindeutig, daß es keinen Gebietserwerb ohne Übernahme der darauf seßhaften Bevölkerung gibt, der nicht auch auf dem Weg der Option die individuelle Wahl zwischen Erwerb der neuen oder Beibehaltung der alten Staatsbürgerschaft freistellt. (Auch der Entscheid für Beibehaltung der alten Staatsbürgerschaft hob das Niederlassungsrecht nicht auf.)

Der totalen Ausweisung aus dem Titel der angeblichen Ausländereigenschaft fehlt also die völkerrechtlich tragfähige Basis.

Zu 2. Die rechtliche Beurteilung der Austreibung der auf dem Sudetengebiet seßhaften Sudetendeutschen, also ihres weitaus größeren Teiles, hat von dem völkerrechtlichen Charakter der derzeitigen tschechoslowakischen Herrschaft in diesen Gebieten auszugehen, über die erst Friedenskonferenz und Friedensvertrag völkerrechtlich verbindlich verfügen. Entziehung der Staatsbürgerschaft, Aussiedlung ganzer geschlossener Gruppen sind staatsbürgerliche Statusentscheidungen. Sie setzen zu ihrer völkerrechtlichen Wirksamkeit einen definitiven Träger der Staatshoheit voraus. Einstweilige Innehabung der Staatsautorität, so begründet die politische Anwartschaft zum Erwerb endgültiger Staatshoheit sein mag, ist kein ausreichender Rechtstitel für solche Entscheidungen. Die Aussiedlung der Bewohner des Sudetengebietes ist daher von einer völkerrechtlich inkompetenten Regierung vorgenommen worden.

Die tschechoslowakische Herrschaft über die tschechischen Gebiete im eigentlichen Sinn, das Gebiet der sogenannten 2. Republik (Tschechoslowakei innerhalb der nach-Münchener Grenzen) konnte von den Alliierten ohne die Vorbehalte wieder anerkannt werden, die gegenüber dem Sudetengebiet bestehen. (Die Situation der Slowakei wird in diesem Zusammenhang nicht näher geprüft.) Hier kann der Einwand der inkompetenten Regierung nicht erhoben werden. Der Ausbürgerung und Ausweisung der hier seßhaften Sudetendeutschen steht aber die Einrede der Völkerrechtswidrigkeit dieser Maßnahme entgegen, die verhindert, daß sie von den davon betroffenen Staaten hingenommen werden muß.

Zu 3. Über die bei der Vorbereitung und Durchführung der Aussiedlung angewandten Methoden liegen heute nicht mehr zu übersehende Berichte und Darstellungen vor. Sie sind jetzt vor allem in der Publikation „Dokumente zur Austreibung der Sudetendeutschen" gesammelt. Der Sammlung ist eine ausführliche Einleitung vorausgeschickt, in der der Bearbeiter Dr. Turnwald auf die auch unter rechtlichen Gesichtspunkten im Vordergrund stehenden Tatsachen hinweist.

Die tschechoslowakische Emigrantenregierung des Zweiten Weltkrieges hatte, wie oben gezeigt, von Anfang an das Konzept einer durch möglichst umfangreiche Ausweisung der Sudetendeutschen „gereinigten" Tschechoslowakei als eine Alternative verfolgt. Nach Ausbruch des deutsch-sowjetischen Krieges war dieses Konzept allein maßgebend. Die Frage, ob die bei der Vorbereitung und Durchführung der Ausweisung verübten Grausamkeiten auf eine *zentrale Lenkung* zurückgehen, und die damit zusammenhängende Frage nach der Verantwortlichkeit muß diesen Punkt im Auge behalten.

Turnwald betont in seiner Analyse der Berichte über die Durchführung der Austreibung: „Daß es sich bei diesen Austreibungsvorgängen vor den Potsdamer Beschlüssen um ein *zentral gelenktes Unternehmen handelt,* geht daraus hervor, daß die Aufforderung hiezu von den Orts- und Bezirksnationalausschüssen durch öffentliche Kundmachungen erlassen wurden. Die Durchführung war an zahlreichen Orten ganz ähnlich, woraus man entnehmen kann, daß eine derart wichtige Maßnahme organisationsmäßig im Einvernehmen mit zentralen Regierungsstellen durchgeführt wurde[1]."

Turnwald legt ferner dar, daß die sudetendeutsche Bevölkerung sich nach den Schrecken und Gewalttaten der Besatzungen teilweise – wohl in Erinnerung an die vergleichsweise ruhige Ablösung der kaiserlich-österreichischen Herrschaft durch die tschechoslowakische 1918 – eine Beruhigung von der Übernahme der örtlichen Polizei- und Verwaltung durch die Tschechen erhoffte. „Aus dieser Illusion gab es ein furchtbares Erwachen, als die ersten Lastwagen mit den Revolutionsgardisten . . . aus Innerböhmen in die sudeten-

---

[1] Als Beispiel siehe Faksimile des Befehls des Militär-Ortskommandanten von Böhmisch-Leipa vom 14. Juli 1945 und Kundmachung des Národní Výbor von Saaz „Dokumente . . .", S. 519 und 523.

deutschen Gebiete einfuhren. Während vielfach bis zu diesem Zeitpunkt die ortsansässigen oder früher in den sudetendeutschen Gebieten beheimateten Tschechen, die wieder dorthin zurückgekehrt waren, eine verhältnismäßig vernünftige Haltung an den Tag legten . . . brachten diese von den *zentraltschechischen Stellen organisierten* und dirigierten Einsatzgruppen die ganze schreckliche Fülle von Mord, Gewalttat, Mißhandlung, Schändung, Raub und Diebstahl mit sich." Er gibt eine zusammenfassende Schilderung über die Greuel bei der Vorbereitung und Durchführung der Austreibung. „In manchen Orten, so z. B. in Saaz, Brüx, Aussig, Landskron usw. wurden Massenexekutionen und Blutbäder inszeniert, die zu dem Schrecklichsten gehören, was in der Geschichte Europas zu verzeichnen ist. In Prag waren diese Massenverbrechen unmittelbar in Verbindung mit den Straßenkämpfen seit dem 5. Mai aufgetreten. Aber auch hier war anfangs eine deutliche Scheidung zwischen der bürgerlich-konservativen und einer extremen nationalistischen Gruppe, die in ihren Zielen mit den Kommunisten Hand in Hand gingen, festzustellen."

Es heißt dann nach einem Hinweis auf die geschichtlichen Grundlagen einer solchen Haltung: „Die ersten Austreibungswellen waren von unerhörten Massengrausamkeiten begleitet, die den Tod von Zehntausenden von Sudetendeutschen zur Folge hatten. Unter diesen ersten Opfern befanden sich vor allem alte Menschen, Kranke und Kinder. Einer der grauenvollsten dieser Todesmärsche war wohl der Austreibungszug der Brünner Deutschen über Pohrlitz nach Wien. . . Schon vor der Verkündung der Dekrete des Präsidenten Benesch waren die Sudetendeutschen praktisch völlig rechtlos und vogelfrei. Ihre Wohnungen waren . . . der Plünderung anläßlich der behördlich organisierten Haussuchungen . . . geöffnet. Unter dem Vorwand von Razzien nach Waffen oder politischen Persönlichkeiten drangen die Revolutionsgarde, die Polizei und das Militär oder einfache Gruppen tschechischer Plünderer in die Wohnungen ein und nahmen mit, was ihnen unter die Finger kam. An vielen Orten wurde verfügt, daß die Wohnungen der Deutschen nicht verschlossen gehalten werden dürften. Eine Reihe von Maßnahmen schränkte das Leben der Deutschen auf ein bloßes Vegetieren ein . . . Es wurden besondere Lebensmittelkarten für die Deutschen ausgegeben, die keine Abschnitte für Fleisch, Eier, Milch, Käse oder Obst hatten . . . Für die Deutschen wurde die allgemeine Arbeitspflicht verkündet, die arbeitsfähige Bevölkerung wurde an manchen Orten durch öffentliche Kundmachung auf bestimmte Plätze zusammengerufen. Anschließend wurden die Versammelten als Arbeitssklaven für die Landwirtschaft, den Bergbau oder die Industrie nach Innerböhmen transportiert. Für die Nichtbefolgung dieser Anordnungen wurde die Todesstrafe angedroht. Die Arbeit mußte anfangs ohne jede Entlohnung geleistet werden, später wurde formell eine geringfügige Arbeitsentlohnung für diese deutschen Arbeitssklaven festgesetzt, die aber in den meisten Fällen nicht zur Auszahlung kam. Unterbringung und Verpflegung während dieses Zwangsarbeitseinsatzes war im Innern Böhmens meist völlig unzureichend. Es gab keinerlei Form der sozialen Betreuung oder Versicherung für diese ‚freien‘ Arbeiter[1]).“

Besonders muß die Errichtung von Konzentrationslagern für Sudetendeutsche erwähnt werden. Zwar wurde nach einiger Zeit ihr Name, aber nicht das dort angewandte Regime geändert. Aus dieser Darstellung ergibt sich, daß die Vorbereitung und Durchführung der Aussiedlung durch zentral gelenkte Akte vorgenommen wurde, die ihrer Natur nach zumindest das Einverständnis, wenn nicht den Befehl der Regierung voraussetzte. Auch Errichtung und Unterhaltung von Konzentrationslagern, noch dazu in nächster Nähe von Prag, konnte nicht ohne Befehl, zumindest nicht ohne Duldung der Regierung vor sich gehen. Der englische Abgeordnete *Stokes*, der zu dieser Zeit in Böhmen weilte, richtete über seine Eindrücke einen offenen Brief an den „Manchester Guardian“ und unterstreicht, daß er auch beim Prager Außen- und Innenministerium eine Schilderung seiner Eindrücke hinterließ[2]).

„Vor Monaten erfuhr ich von tschechischen Praktiken, junge Männer, die auf Grund ihrer Volkszugehörigkeit gemäß den Potsdamer Beschlüssen ausgesiedelt werden sollten, zusammenzufassen und sie in Arbeits- und Konzentrationslager zu verschicken. In der Tat wurden viele sudetendeutsche Sozialdemokraten, die wegen ihrer antinazistischen Gesinnung in KZs gebracht worden waren, jetzt in tschechische Arbeitslager eingeliefert, aus dem einzigen Grunde, weil sie Deutsche waren. Ich versuchte daher einige dieser sogenannten politischen Internierungslager ausfindig zu machen und hatte das Glück, eines in Hagibor in der Nähe von Prag zu finden. Das Lager bestand in der Hauptsache aus 10 großen Baracken, in denen je 70–80 Personen untergebracht waren. Bei meinem ersten Besuch um 9 Uhr früh am 12. September waren die meisten Insassen auswärts auf Arbeiten. Die Baracken sind typische KZ-Lagerbaracken mit 3-Stockbetten ohne primitivste Annehmlichkeiten und mit den schrecklichsten sanitären Einrichtungen. Ich fand alle Arten von Menschen im Lager vor; einige von ihnen waren erst einige Tage dort, andere bereits Monate, und keiner, mit dem ich sprach, hatte die geringste Ahnung, aus welchem Grund er festgehalten wurde. Eine Dame im Alter von 72 Jahren war 2 Wochen im Lager und kein anderer Grund konnte für ihre Inhaftierung angeführt werden, als daß sie Österreicherin war. Sie hatte in der Nähe Prags 55 Jahre lang gewohnt, und ihr Mann war ein reicher Zuckerfabrikant. Ich fand sie in einer Ecke des Lazaretts, gerade als sie Cronins Buch „Die Sterne blicken herab“ las.

Dann war ein Professor der dramatischen Kunst aus Belgrad im Alter von 70 Jahren mit seiner Frau da. Der alte Herr war auf beiden Augen fast erblindet. Er hatte im Jahre 1911 Rußland verlassen und seitdem in Jugoslawien gelebt. Als er aber in Wien einen Spezialisten wegen seines Augen-

---

[1]) „Dokumente....“, S. XXII.
[2]) Brief des britischen Ministers und Abgeordneten Stokes an den „Manchester Guardian“, Oktober 1945 („Dokumente...“, Anlage VII).

leidens aufsuchte, wurde er von Nazis eingesperrt, weil er Jugoslawe war. Am Tage der Befreiung wurde er von den Tschechen eingekerkert, wahrscheinlich, weil er Weißrusse war.

Dann sah ich eine 75jährige alte Dame, die Witwe eines russischen Admirals aus dem letzten Kriege, deren einziger Wunsch es war, zu ihrer Tochter nach Tirol zu gelangen. Sie war bereits einige Monate hier und wurde mit Brot und Wasser verpflegt.

Was diese Menschen, die typische Beispiele von vielen sind, die ich sah, getan haben, um so eine Behandlung zu verdienen, möchte ich sehr gerne wissen, konnte es jedoch nicht feststellen.

Als ich diese Angelegenheit im Innenministerium vortrug, versprach man eine Untersuchung. In der Tschechoslowakei befinden sich 51 derartiger Lager, in denen Tausende von Menschen schmachten und hungern; wenn ich hungern sage, dann meine ich es wörtlich. Vor mir liegt das wöchentliche Menu dieses Lagers, jeden Tag gibt es dasselbe:

Frühstück . . . . . . schwarzer Kaffee und Brot
Mittagessen . . . . . Gemüsesuppe
Abendessen . . . . . schwarzer Kaffee und Brot.

Die Brotration wird jeden Morgen verteilt und beträgt 250 g pro Person und Tag. Und was beim Nachtmahl übrig bleibt, darf am nächsten Morgen gegessen werden. Die Lagerküche besteht aus einem kleinen Raum von 3×3 Metern im Keller des Gebäudes. 2 Wasserkübel und 2 alte Frauen, die Karotten für die Mittagssuppe schälten, bildeten die gesamte Ausrüstung. Am 3. September waren 912 Menschen im Lager und an Nahrungsmitteln wurden für diesen Tag ausgegeben:

550 Pfund Brot
750 Pfund Kartoffeln
80 Pfund Zucker
30 Pfund Kaffee
18 Pfund Butter und Margarine gemischt
70 Pfund Gemüse.

Wenn man Kartoffeln und Brot zusammenzählt, ergeben sich 1,5 Pfund pro Person, 25 g Zucker und Gemüse und 5 g Butter oder Margarine. Es ist deshalb kein Wunder, wenn sich die Lagerinsassen zu Sklavenarbeit hergeben, da außerhalb des Lagers der Arbeitgeber Nahrung liefern muß, um überhaupt Arbeiter zu bekommen. Das erklärt auch, weshalb das Lager bei meinem ersten Besuch fast leer war. Alle, außer den alten Leuten und den sogenannten „gefährlichen Personen", die in einem besonderen Teil des Lagers untergebracht waren, weilten draußen auf Arbeit. Die Methoden, wie die Sklaven ausgewählt wurden, konnte ich beobachten, als ich zum Erstaunen der Lagerleitung 2 Tage später um 5.30 Uhr in der Früh im Lager auftauchte. Um 6 Uhr kamen die ersten Arbeitgeber mit Autos und Lastautos in das Lager, um die Sklaven auszusuchen und sie abzutransportieren. Sie wurden in den Vorraum der größten Baracke geführt, die, wie ich an den Tagen vorher feststellen konnte, leer war. 3–400 Sklaven wurden dann von der Lagerseite hereingelassen und die Besucher trafen ihre Auswahl und gaben für die Menschen, die sie mitnahmen und am Ende des Tages wieder zurückbrachten, schriftliche Bestätigungen. Ich bewegte mich frei zwischen Arbeitgebern und Sklaven und mir wurde gesagt, daß jene, die nur irgendein Zeichen des Unwillens, auf Arbeit zu gehen, zeigten, eine außerordentliche Tracht Prügel bekämen. Diese Praxis wurde zu Ehren meines Besuches an diesem Morgen nicht beibehalten. Die Sklaven erhalten keinerlei Bezahlung.

Ich hatte schon bei meinem vorherigen Besuch den besonderen Teil des Lagers, den ich bereits erwähnt habe, beobachtet und sah, daß nur sehr wenige Menschen während meines 3stündigen Besuches an einem schönen, sonnigen Tag sich außerhalb der Baracke aufhielten. Diesmal verlangte ich die Baracke zu sehen und fand sie fast voll. Alle Insassen mit wenigen Ausnahmen, lagen zusammengerollt auf ihren Bettstellen. Das sind die „gefährlichen" Männer. Als solche durften sie nicht auswärts zur Arbeit gehen, und wenn sie nicht auf Arbeit gehen, erhalten sie nur Lagerverpflegung. Ein halbes Pfund Brot und schwarzer Kaffee pro Tag können aber Leib und Seele nicht mehr zusammenhalten oder gar Bewegung erlauben. Nach meiner Schätzung betrugen ihre Rationen 750 Kalorien täglich, also unter denen Belsens. Die einzigen Männer, die sich außerhalb der Baracke aufhielten, waren ein Dutzend junger Juden und Polen, die vor 2 Tagen hierhergebracht wurden, weil sie nicht den ihnen vorgeschriebenen Weg von Rußland und Polen zum Mittelmeer eingehalten hatten.

Ich kann nur annehmen, daß die Verhältnisse in allen anderen Lagern ähnlich sind.

Die Beamten, die mir die Informationen über die Anzahl gaben, taten dies ohne Scham, und es würde mich interessieren, zu wissen, ob es Dr. Benesch bekannt ist, daß diese furchtbaren Dinge geschehen. Da er von Prag abwesend war, konnte ich ihn leider nicht sehen, aber ich habe Berichte im Außen- und Innenministerium zurückgelassen."

Die Vorbereitung und Durchführung der Ausweisung war in der Tschechoslowakei bereits in vollem Gange, *bevor sich die Potsdamer Konferenz* mit diesen Problemen beschäftigte. Teil XIII der Beschlüsse der Potsdamer Konferenz, an der die Vertreter Englands, der USA und der Sowjetunion teilnahmen, vom 2. August 1945 lautet[1]):

Die Konferenz hat bezüglich der Überführung von Deutschen aus Polen, der Tschechoslowakei und Ungarn folgendes Übereinkommen erzielt:

Die drei Regierungen haben die Frage von allen Seiten erwogen und anerkennen, daß die Überführung der deutschen Bevölkerung und deutscher Bevölkerungselemente, die in Polen, der Tschechoslowakei und Ungarn zurückgeblieben sind, nach Deutschland vorgenommen werden soll.

---

[1]) Die Potsdamer Beschlüsse in: Die internationale Stellung Österreichs, eine Sammlung von Erklärungen und Verträgen, Wien 1947, S. 92.

Sie kommen überein, daß alle Überführungen, die vorgenommen werden, auf eine geregelte und menschliche Weise erfolgen sollen.

Turnwald lenkte die Aufmerksamkeit auf eine (vielleicht unerwartete) Wirkung dieser Potsdamer Erklärung.

Sie hatte nämlich „nur zur Folge, daß sich die tschechische Regierung und die an den Greueln und dem Raub an den Sudetendeutschen beteiligte Bevölkerung in dem Gefühl einer gewissen internationalen Rechtlichkeit all dieser Vorgänge wiegten. Daß die Art und Weise der Aussiedlung der Sudetendeutschen keineswegs der Forderung von Potsdam auf geordnete und humane Durchführung des Bevölkerungsabschubs nahekam, geht aus den nachfolgenden Berichten eindeutig hervor."

Wie verhält sich dieser Beschluß der drei Konferenzmächte zum tatsächlichen Umfang der Austreibungen? R. L a u n , der die Frage geprüft hat, setzt zunächst bei der Textierung der Beschlüsse an, die von einer Überführung der „z u r ü c k g e b l i e b e n e n deutschen Bevölkerung" spreche. „Von einer Bevölkerung, die seit Jahrhunderten im eigenen Sprachgebiet auf dem Boden ihrer Vorfahren wohnt, kann man aber nicht sagen, daß sie zurückgeblieben ist." Darunter könne man wohl die vom NS-regime zum Teil in slawische Gebiete vorgeschickten Siedler, auch die neuangekommenen Beamten und Parteifunktionäre verstehen, aber nie eine bodenständige Bevölkerung. „Die polnische und tschechoslowakische Regierung haben also 1945 nicht im Sinne des Potsdamer Abkommens gehandelt, sie sind vielmehr sehr viel weiter darüber hinausgegangen." Die Frage, wie weit eine solche Interpretation mit der heute schon bekannten Vorgeschichte der Aussiedlungspläne übereinstimmt, sei hier nur angemerkt. Richtig an dieser Kritik L a u n s scheint uns indes, daß die Textierung, die ja schließlich für Sinn und Umfang einer völkerrechtlichen Abmachung entscheidend ist, durch den Umkreis der Ausweisungen bei weitem überschritten wurde.

Es erhebt sich dann die Frage nach dem Verhältnis dieser Konferenzabmachung zum gemeinen Völkerrecht. L a u n entscheidet sie dahin, daß diese Vereinbarung als partikulares Völkerrecht nur die vereinbarenden Mächte untereinander bindet und das gemeine Völkerrecht nicht ändern kann. Massenausweisungen aller Angehörigen einer Rasse oder Sprachgemeinschaft sind Kollektivstrafen und daher völkerrechtlich unzulässig.

Endlich ist auf den Umstand zu verweisen, daß selbst die Potsdamer Erklärung nur eine „g e o r d n e t e und h u m a n e" Übersiedlung decken wollte. Auch die Austreibung der Sudetendeutschen vollzog sich aber, nach den Worten des Studienkomitees des päpstlichen Protektors für Flüchtlingsfragen in Deutschland, „unter brutalen und inhumanen Umständen und innerhalb kürzester Frist." Es fehlen daher die Voraussetzungen, unter denen die Konferenzmächte die Zustimmung zu einer Aussiedlung geben wollten.

Die gewaltsame Vertreibung eingesessener Bevölkerungsgruppen ist, wie erinnerlich, ein dem europäischen Völkerrecht seit Jahrhunderten unbekannter Vorgang. Die letzte in Mitteleuropa erzwungene Aussiedlung dürfte die Vertreibung der Salzburger Protestanten zu Ende des 18. Jahrhunderts gewesen sein. (Sie durften damals immerhin ihr Vermögen veräußern und den Erlös mitnehmen.)

Die Zwangsvertreibungen des 20. Jahrhunderts haben rechtliche und politische Instanzen genötigt, sich mit dieser seit Jahrhunderten in Vergessenheit geratenen Methode auseinanderzusetzen.

Als eine Stellungnahme der ersteren Art muß die Entschließung des „amerikanischen Komitees" gegen die Massenausweisung genannt werden[1]). Sie ist auch unter völkerrechtlich-konstruktiven Gesichtspunkten wichtig, weil sie die Zwangsvertreibung überhaupt *nicht als Mittel der Politik gelten läßt.* Sie ist damit eine Parallele der Lehre, wonach der Krieg nicht als zulässiges Mittel nationaler Politik anzusehen sei.

Auf völkerrechtlichem Gebiet im engeren Sinne ist man diesen Methoden, von denen die Austreibung der Sudetendeutschen einen der jüngsten und blutigsten Fälle darstellt, durch den Versuch der Schaffung eines neuen völkerrechtlichen Tatbestandes, nämlich des *Genozids* oder Volksmordes entgegengetreten.

---

[1]) Siehe oben S. 290.

NACHWORT

Wir versuchen, abschließend das Ergebnis unserer Untersuchung zusammenzufassen.

Das Sudetengebiet wurde durch Großmächteentscheid auf der Grundlage der tschechoslowakischen Zessionsbereitschaft dem Deutschen Reich zugesprochen; die Durchführung hat aus dem Münchener Abkommen einen erfüllten Vertrag gemacht. Zum anerkannten Staatsgebiet des Deutschen Reiches gehörte vom Augenblick der Vertragserfüllung nunmehr auch das Sudetengebiet.

Welchen Einfluß haben auf diese Rechtslage Erklärungen und Akte, die diese Gebietszugehörigkeit als für die Zukunft unverbindlich bezeichnen oder sie faktisch aufheben? Sie treffen auf die als allgemeinen Grundsatz zu wertende Völkerrechtsregel, daß Gebietsveränderungen mit allgemeiner rechtlicher Wirksamkeit nicht durch einseitige Akte eines Dritt-Staates oder einer Staatengruppe, sondern nur durch Zustimmung des abtretenden Staates zustande kommen. Auch die englische Erklärung vom 5. August 1942 zum Münchener Abkommen scheint uns auf solcher Auffassung zu beruhen: Die endgültigen Grenzen der Tschechoslowakei, heißt es dort, werden nach dem Kriege zu regeln sein, wobei England bereits jetzt erklärt, daß es sich zu diesem Zeitpunkt nicht mehr durch das Münchener Abkommen gebunden fühlen wird. Das umreißt ein klares Programm: Neufestlegung der Grenzen zwischen der Tschechoslowakei und Deutschland; kein rechtlicher Einfluß des Münchener Abkommens auf diese neue Grenzziehung. Nichts in dieser Erklärung deutet aber darauf hin, daß darunter eine Neufestsetzung der Grenze ohne das übliche Verfahren, d. h. ohne vorhergehende Verhandlungen zwischen den interessierten Staaten auf einer Friedenskonferenz zu verstehen sei, die ihre Verbindlichkeit durch die Unterzeichnung des Friedensvertrages erhält. Wir verweisen in diesem Zusammenhang auch nochmals auf die Erinnerung Jackschs, wonach der britische Außenminister angesichts der ihm übermittelten Pläne zur Vertreibung der Sudetendeutschen noch am 15. Januar 1945 mitteilen ließ, England könne diesen Plan nicht billigen, weil solche Fragen nur im Zusammenhang mit der gesamten Friedensregelung beurteilt werden könnten. Diese Feststellung ist sowohl unter materiellen wie unter Verfahrensgesichtspunkten wichtig, und sie ist um so bedeutender, als sie von der Macht ausgeht, die, wie wir sahen, schon einmal die Initiative zu einer vertraglichen Lösung der Sudetenfrage auf internationaler Grundlage ergriffen hatte. Wenn aber die Frage des Heimatrechtes der Sudetendeutschen hiernach als in die Kompetenz der Friedenskonferenz fallend erscheint, so wird das nicht minder von der Frage der endlichen staatlichen Zugehörigkeit ihrer wohlerworbenen Wohnsitze, des Sudetengebietes, gelten müssen. Der also auch nach britischer Auffassung einer Friedenskonferenz gestellten Aufgabe kann unseres Erachtens nicht der Einwand entgegenstehen, daß die Besatzungsmächte für den Verlauf der deutschen Grenzen das Datum 31. Dezember 1937 zu Grunde legen. Hinsichtlich des Sudetengebietes kann das (für die Zeit der Festlegung dieses Datums) nur bedeuten, daß die Rückabtretung dieses Gebietes an die Tschechoslowakei durch Deutschland zum Programm der Besatzungsmächte gehörte – etwa nach dem Beispiel der französischen Verpflichtung gegenüber dem tschechoslowakischen Nationalrat in dem Abkommen vom 28. Juni 1918, wonach Frankreich den tschechoslowakischen Anspruch auf die „historischen" Grenzen der böhmischen Länder sich zu eigen machen und ihn auf der Friedenskonferenz vertreten sollte. Wenn nun damals die Sudetengebiete erst mit der Unterzeichnung des Vertrages von St. Germain durch Österreich de jure tschechoslowakisches Staatsgebiet wurden und, wie die Präambel des tschechoslowakischen Minderheitenvertrages festlegt, bis dahin de facto tschechoslowakisches Staatsgebiet waren, sehen wir keine Gründe, warum dies nicht auch mutatis mutandis für die gegenwärtige Lage zutreffen sollte.

Dieser interimistische Charakter der heutigen Rechtslage der Sudetengebiete wird unterstrichen durch die völkerrechtliche Anfechtbarkeit der Regelung der staatsbürgerlichen Verhältnisse der Sudetendeutschen durch die tschechoslowakische Republik von 1945. Die Sudetendeutschen sind durch die Verweigerung des tschechoslowakischen Staatsbürgerrechtes (oder, für die Zwischenzeit, einer provisorischen Staatsangehörigkeit) und durch die darauf folgende Vertreibung in eine Ausnahmesituation gebracht worden. Die Inanspruchnahme eines Gebietes durch einen Staat ohne die darauf befindliche, in wohlerworbenen Wohnsitzen lebende Bevölkerung widerspricht dem überlieferten europäischen Völkerrecht. Der terroristische Einschlag der Vertreibung kommt hinzu. Für die Bundesrepublik, die inzwischen, der Entscheidung des Bundesverfassungsgerichtes folgend, die deutsche Staatsbürgerschaft der Sudetendeutschen anerkannt hat, besteht keine völkerrechtliche Verpflichtung, die Art der staatsbürgerschaftlichen Regelung durch die tschechoslowakische Regierung und den Tatbestand der Vertreibung als rechtlich bindend hinzunehmen. Nur eine ausdrücklich geäußerte Hinnahme würden diese Akte verbindlich machen.

Sie ist nicht nur nicht erfolgt, sondern der Deutsche Bundestag hat sich vielmehr klar für die Anerkennung des Grundsatzes des Rechtes auf die Heimat ausgesprochen. So stellt sich auch von dieser Seite her das Sudetenproblem als eine völkerrechtlich offene Frage dar.

Es ist indes angebracht, diesen Feststellungen eine weitere anzufügen. Wenn hier als Ergebnis der Rechtsanalyse die Sudetenfrage als völkerrechtlich offen bezeichnet wird, so ist das keineswegs mit der These oder Forderung identisch, daß die endgültige, von einem Friedensvertrag vorzunehmende Regelung etwa nur in einer Bestätigung der Lösung von 1938 bestehen könnte. „Völkerrechtlich offen" bedeutet, daß eine Situation einer rechtlich definitiven Regelung bedarf, ohne daß über deren Inhalt – hier also den Verlauf einer

Grenze – etwas ausgesagt werden kann. Die Behauptung nur e i n e r möglichen Lösung (im Gegensatz zur heutigen Lage) wäre ein Widerspruch dazu.

Es ist nicht Aufgabe einer völkerrechtlichen Untersuchung, Vorschläge für Lösungen zu machen oder die Wahrscheinlichkeiten der einen oder anderen zu erörtern. Jedoch wird es erlaubt sein, aus einem Blick auf die geschichtlichen Ansätze zu solchen Lösungen einige Überlegungen zu entwickeln.

Als dauerhaft haben sich nur Regelungen nationaler Grenzdifferenzen erwiesen, die dem Charakter umfassender Einigung der Streitteile selbst möglichst nahe kamen. Nun ist der nationale status quo in Böhmen nicht das Ergebnis eines fixen Dogmas des tschechischen Nationalismus, sondern, wie wir zeigen konnten, unter dem Einfluß der Kriegsleidenschaften und der Opportunität geboren[1]. Staatsprogramm und Grenzforderungen auch tschechisch-nationaler oder nationalistischer Kreise haben sich, wie den Zeugnissen Jaksch' zu entnehmen, gerade während des Krieges grundsätzlich gewandelt. Die endliche Lösung ist, wie sich z. B. aus einer Reihe von Kundgebungen des damaligen Staatspräsidenten Benesch ergibt, unter der Annahme erfolgt, die Niederlage Deutschlands sei so umfassend, daß es als politisch in Rechnung zu stellende Größe mindestens für mehrere Generationen, wenn nicht für mehrere Jahrhunderte ausscheiden und daher ein genügend langer Zeitraum zur Verfügung stehen werde, innerhalb dessen auch Gewaltlösungen vernarben würden. Unter diesem Gesichtspunkt verschiebt die fundamentale Fehlberechnung des heute wieder gegebenen deutschen Faktors vollkommen die Grundlage der einseitigen tschechischen Entscheidungen und Akte im Bereich der Sudetenfrage von 1945.

In der Tat sehen wir, daß mehr und mehr tschechische Persönlichkeiten, die noch ihre Überzeugung frei äußern können, was seit dem Februar 1948 nur mehr im Exil möglich ist, sich für eine gütliche Lösung der Sudetenfrage

---

[1] In Nr. 20 und 21, Jg. 1953, der Wochenzeitung „Der Volksbote" (München) hat W. Jaksch neue interessante Details über die Auffassungen tschechischer Politiker zur Sudetenfrage mitgeteilt. So sagte der spätere tschechoslowakische Ministerpräsident Fierlinger 1940, als er einmal von Moskau, wo er Gesandter war, nach London kam, dem Sinn nach zu Jaksch folgendes:
„Eigentlich wollen wir euch Sudetendeutsche und das Sudetenland gar nicht mehr. Eure Aufgabe ist es, nach dem Sturz Hitlers in einem freien Deutschland zu arbeiten. Wir Tschechen werden uns einen kleinen bescheidenen Sozialstaat bauen („Sozialstaat", nicht „Nationalstaat"!). Über kleine Veränderungen, z. B. die Verbreiterung des schmalen tschechischen Sprachraums zwischen Zwittau und Iglau, werden wir uns schon verständigen". – So begann also die tschechische Auslandspolitik mit der Anerkennung des Selbstbestimmungsrechtes, allerdings mit Vorbehalten, denen ein geschulter Politiker entnehmen konnte, daß sich die Tschechen darauf einstellen, soviel wie möglich aus der Situation herauszuholen, wenn sich die Stimmung Deutschland gegenüber ändern sollte.
„In seinen – unvorsichtigerweise gleich nach dem Kriege veröffentlichten – „Erinnerungen" aus dem Zweiten Weltkrieg hat Benesch allerdings den Ablauf der Ereignisse so darzustellen versucht, als wäre er von Anfang an für die Austreibung der Sudetendeutschen eingetreten. Aber Benesch war mehr ein Opportunist als ein Bösewicht, in der Sprache der Diplomaten müßte man ihn einen „Manövristen"

auf der Grundlage des Heimatrechtes ausgesprochen haben, wobei sie die Meinung vertreten, daß dies auch dem Willen des derzeit ohne die Möglichkeit freier Meinungsäußerung lebenden tschechischen Volkes in den böhmischen Ländern entspreche. Sie treffen damit auf die Bereitschaft der sudetendeutschen Führung, die Verzicht auf Rache und Vergeltung zur Grundlinie ihrer Politik gemacht hat und von da aus ein Einvernehmen mit dem tschechischen Volk sucht. Das bedeutet eine politisch-psychologische Lage, die wir seit den Tagen von Kremsier nicht mehr kennen. Die Lehren der Friedensschlüsse von 1919 gebieten kategorisch, diesen Gegebenheiten Rechnung zu tragen.

---

nennen. Er versuchte aus der jeweiligen Situation das Maximum für seine Staatskonzeption herauszuholen. Wenn der Preis für die Wiederherstellung des tschechischen Staates nach der Meinung des Westens die Autonomie für die Sudetendeutschen in einem föderalistischen Gebilde gewesen wäre, hätte er ihn genau so bezahlt, wie er später auf der Woge des Hasses und Chauvinismus bis zum bitteren Ende geschwommen ist."

Und er schließt mit folgender Mitteilung:

„Durch einen tschechischen Bekannten erfuhr ich vor einiger Zeit, daß sich Benesch im Jahre 1946 noch an dieses letzte Gespräch mit mir erinnerte. Dieser Bekannte – er war 1946 Funktionär der tschechischen Sozialdemokraten in Nordböhmen – hatte Benesch ausführlich von den Ungeheuerlichkeiten erzählt, die bei der Austreibung geschehen. Benesch soll darauf geantwortet haben: ‚Ich habe das nicht gewollt. Ich wollte eine Lösung, die ich mit Jaksch besprochen habe: eine administrative Abgrenzung von Tschechen und Sudetendeutschen in einem neuen staatlichen Gemeinwesen. Aber der nationale Haß in der Heimat hat mir diese Lösung unmöglich gemacht. Es ist gegen meinen Willen zur Austreibung gekommen.' – Das unterstreicht mein Urteil, daß Benesch ein Opportunist war, der immer mit dem Strom geschwommen ist. 1945 wollte er die Kommunisten an Chauvinismus übertreffen, 1946 bereute er bereits manches und erinnerte sich dabei an das Gespräch von 1942."

Die Entwicklung seit 1953

A. Die innerstaatliche Regelung der Staatsangehörigkeitsfrage

Bereits zwei Jahre nach dem Erscheinen der Erstauflage ist eine der Fragen, die damals noch als „kontrovers"[1]) bezeichnet wurde, nämlich die Staatsangehörigkeit der vertriebenen Sudetendeutschen, vom Gesetzgeber der Bundesrepublik Deutschland geregelt worden. Zwar hatte das Bundesverfassungsgericht schon mit Beschluß vom 28. Mai 1952[2]) entschieden, daß die Sudetendeutschen als deutsche Staatsangehörige zu betrachten seien, doch war damit noch keine endgültige Klarheit geschaffen. Das „Gesetz zur Regelung von Fragen der Staatsangehörigkeit" vom 22. Februar 1955[3]) schuf diese Klarheit für eine Reihe von Personenkategorien, denen die deutsche Staatsangehörigkeit in der Zeit von 1938 bis 1943 verliehen worden war. § 1 des Gesetzes erklärt, daß die betreffenden Personen nach Maßgabe der seinerzeit die Staatsangehörigkeit verleihenden Bestimmungen deutsche Staatsangehörige geworden sind, „es sei denn, daß sie die deutsche Staatsangehörigkeit durch ausdrückliche Erklärung ausgeschlagen haben oder noch ausschlagen". Unter den Bestimmungen, nach deren Maßgabe seinerzeit die deutsche Staatsangehörigkeit erworben worden ist, steht an erster Stelle der „Vertrag zwischen dem Deutschen Reich und der Tschechoslowakischen Republik über Staatsangehörigkeits- und Optionsfragen vom 20. November 1938 (Reichsgesetzbl. II S. 895)".

Auf der Grundlage eben jenes Vertrages hatten die Sudetendeutschen die deutsche Staatsangehörigkeit erworben. Der Vertrag steht in unmittelbarem Zusammenhang mit der Übertragung des Sudetengebietes von der Tschechoslowakischen Republik an das Deutsche Reich, d. h. also auch mit dem Münchner Abkommen. Daher ist es kein Zufall, daß der Internationale Ausschuß, der aufgrund des Münchner Abkommens gebildet worden war, die Feststellung der Vertragserfüllung in bezug auf das Münchner Abkommen am 21. November 1938 traf. Aus demselben Grund berührte aber auch die Forderung nach einer Nichtigerklärung des Münchner Abkommens ex tunc, d. h. von Anfang an, die nach dem Zweiten Weltkrieg von tschechischer Seite erhoben wurde, die Frage der Staatsangehörigkeit der vertriebenen Sudetendeutschen. Da diese Forderung noch während der Verhandlungen zum Prager Vertrag von 1973 eine Rolle spiel-

---

[1]) Vgl. oben S. 269.
[2]) BVerfGE 1,322.
[3]) BGBl. 1965 I, S. 65.

te, wird sie im folgenden noch zu erörtern sein.[4]) Schon hier wird aber deutlich, daß die ex-tunc-Nichtigkeit des Münchner Abkommens der Bestimmung in § 1a des Gesetzes vom 22. Februar 1955 die völkerrechtliche Grundlage entziehen würde. Denn obwohl das Münchner Abkommen den Gebietsübergang nicht bewirkt hat, stellt es doch ein wichtiges Teilstück der gesamten Regelung des Jahres 1938 dar. Sein Fehlen würde auch dem deutsch-tschechoslowakischen Vertrag vom 20. November 1938 die Grundlage entziehen.

Der Gesetzgeber des Jahres 1955 hat die diplomatischen Probleme der frühen 70er Jahre nicht bedenken können. Ihm ging es um die Klarheit in Fragen der Staatsangehörigkeit von mehreren Millionen Bewohnern der Bundesrepublik Deutschland. Aber an den Zusammenhängen zwischen dem Völkerrecht und der innerstaatlichen Rechtsordnung konnte und wollte auch der Gesetzgeber des Jahres 1955 nicht vorübergehen. Das Grundgesetz für die Bundesrepublik Deutschland, dem allenthalben eine extreme „Völkerrechtsfreundlichkeit" bestätigt wird, trägt diesen Zusammenhängen durchgehend Rechnung, insbesondere in seinen Artikeln 24-26 und 59 Abs. 2. Art. 26 GG, der unter der Überschrift „Verbot des Angriffskrieges" steht, bringt unmittelbar im innerstaatlichen Recht die Konsequenzen zum Ausdruck, die aus dem völkerrechtlichen Kriegs- und Gewaltverbot zu ziehen sind. Die beiden anderen Artikel schaffen den Mechanismus für die Umsetzung von Völkerrecht in innerstaatliches Recht mit der Absicht, ein Auseinanderklaffen der Rechtslage auf beiden Ebenen zu vermeiden. Art. 25 GG transformiert die Regeln des allgemeinen Völkerrechts in Bundesrecht mit Vorrang vor dem einfachen Gesetzesrecht. Art. 59 Abs. 2 GG betrifft die Transformation von völkerrechtlichem Vertragsrecht in das Recht der Bundesrepublik Deutschland.

Eine solche Umsetzung ist notwendig, weil zwar das Völkerrecht den Satz enthält, daß sich kein Staat der Erfüllung völkerrechtlicher Pflichten durch den Hinweis auf sein innerstaatliches Recht entziehen darf, das Völkerrecht aber andererseits die Organe und Repräsentanten, Behörden und Bürger eines Landes von sich aus grundsätzlich nicht unmittelbar bindet. Das ist eine unvermeidbare Folge der Tatsache, daß das Völkerrecht – anders als sein irreführender Name anzudeuten scheint – eben kein Recht der Völker ist, sondern ein Recht der Staaten. Seine Rechtssubjekte sind grundsätzlich nur souveräne Staaten und internationale Organisationen. Der Kreis der Rechtssubjekte aber bestimmt auch den Kreis der Adressaten von Ge- und Verboten einer Rechtsordnung. Daraus ergibt sich die Notwendigkeit der Umsetzung von Völkerrecht in innerstaatliches Recht zum Zwecke des Vollzugs der völkerrechtlichen Normen.[5]) Das Grundgesetz für die Bundesrepublik Deutschland hat dieser Notwendigkeit durch die Artikel 25 und 59 Abs. 2 in vollem Umfang Rechnung getragen. Die allgemeinen Regeln des Völkerrechts genießen Vorrang vor dem einfachen Gesetzesrecht der Bundesrepublik Deutschland. Völkerrechtliches Vertragsrecht wird durch die in Art. 59

---

[4]) Vgl. unten 330 ff.
[5]) Vgl. Walter Rudolf, Völkerrecht und deutsches Recht, Tübingen 1967, S. 128 ff.

Abs. 2 GG vorgesehenen Gesetzgebungsakte in innerstaatliches Recht transformiert. Dadurch werden die Gesetzgeber der Bundesrepublik Deutschland auf Bundes- wie Länderebene gehindert, völkerrechtswidrige Rechtsnormen zu setzen.

Das Vorhandensein des verfassungsrechtlichen Rahmens, wie ihn das Grundgesetz mit seinen Artikeln 25 und 59 Abs. 2 bietet, ist jedoch noch kein Beweis dafür, daß ein Gesetz der Bundesrepublik Deutschland im Einklang mit dem Völkerrecht steht. Vielmehr schafft das Grundgesetz dadurch nur die Grundlage für die verfassungsgerichtliche Nachprüfung eben dieser Frage. Konkret ist bei jedem Gesetz, das grenzüberschreitende, d. h. internationale, Sachverhalte betrifft, zu fragen, ob die vom Gesetzgeber getroffene Regelung gegen allgemeines Völkerrecht oder Völkervertragsrecht verstößt. Auch bei dem Staatsangehörigkeits-Regelungsgesetz vom 22. Februar 1955 ist diese Frage, bezogen auf den Zeitpunkt des Inkrafttretens dieses Gesetzes (26. Februar 1955), zu stellen. Um sie zu beantworten, bedarf es eines kurzen Blicks auf die völkerrechtlichen Grenzen der Befugnis des innerstaatlichen Gesetzgebers zur Regelung von Staatsangehörigkeitsfragen.

Grundsätzlich überläßt es das Völkerrecht jedem Staat, die Bedingungen für Erwerb und Verlust der Staatsangehörigkeit nach eigenem Gutdünken zu regeln. Die Staatsangehörigkeit kann entweder mit der Geburt oder später durch Einbürgerung erworben werden. Das Staatsangehörigkeitsrecht eines jeden Landes bestimmt daher, wer mit der Geburt die betrefffende Staatsangehörigkeit erwirbt und unter welchen Voraussetzungen eine Einbürgerung statthaft ist. Für den Erwerb der Staatsangehörigkeit mit der Geburt bieten sich zwei Prinzipien an: ius soli und ius sanguinis. Nach dem ius-soli-Prinzip erwirbt der Neugeborene die Staatsangehörigkeit desjenigen Landes, in dessen Staatsgebiet die Geburt erfolgt, unabhängig von der Staatsangehörigkeit der Eltern. Nach dem ius-sanguinis-Prinzip erwirbt der Neugeborene die Staatsangehörigkeit der Eltern oder eines Elternteiles ohne Rücksicht auf den Ort der Geburt. Das Völkerrecht überläßt es der freien Entscheidung des innerstaatlichen Gesetzgebers, welches der beiden Prinzipien er seinem Staatsangehörigkeitsrecht zugrundelegt.

In der Praxis bedeutet das freilich, daß das Nebeneinander der beiden Prinzipien in manchen Fällen zur Doppelstaatigkeit, in anderen wieder zur Staatenlosigkeit führt. Beide Erscheinungen sind mit Problemen verbunden. Zur Lösung der mit der Doppelstaatigkeit verbundenen Probleme schließen die Staaten bilaterale Abkommen, in denen Fragen wie die Vermeidung der Doppelbesteuerung und der doppelten Wehrpflicht, der diplomatische Schutz in Drittländern usw. geregelt werden. Die Staatenlosigkeit aber ist als allgemeines Übel erkannt worden, so daß sich im modernen Völkerrecht ein deutlich erkennbarer Grundzug zur Vermeidung der Staatenlosigkeit herausgebildet hat. Die Allgemeine Erklärung der Menschenrechte vom 10. Dezember 1948 fordert in ihrem Art. 15: „Jeder Mensch hat Anspruch auf eine Staatsangehörigkeit. Niemandem darf seine Staatsangehörigkeit willkürlich entzogen noch ihm das Recht versagt werden, seine Staatsangehörigkeit zu wechseln." Der Internationale Pakt über bürgerliche und politische Rechte vom 19. Dezember 1966 bestimmt in seinem Art. 24 Abs. 3: „Jedes Kind hat das Recht, eine Staatsangehörigkeit zu erwerben." Wieder zeigt das Grundgesetz seine Völkerrechtsfreundlichkeit durch eine entsprechende Bestimmung, nämlich Art. 16 Abs. 1 GG: „Die deutsche Staatsangehörigkeit darf nicht entzogen werden. Der Verlust der Staatsangehörigkeit darf nur auf Grund eines Gesetzes und gegen den Willen des Betroffenen nur dann eintreten, wenn der Betroffene dadurch nicht staatenlos wird."

Die Freiheit, die das Völkerrecht dem innerstaatlichen Gesetzgeber für die Regelung des Erwerbs der Staatsangehörigkeit durch Geburt einräumt, ist nicht unbegrenzt. Beide Prinzipien, zwischen denen das Völkerrecht die Wahl zuläßt, bringen eine Verbindung des Neugeborenen mit dem betreffenden Staat zum Ausdruck, sei es durch die Staatsangehörigkeit der Eltern, sei es durch den Ort der Geburt. Wo ein solcher Anknüpfungspunkt nicht vorhanden ist, verbietet das Völkerrecht den Erwerb der Staatsangehörigkeit durch Geburt. So darf z. B. kein Land ein Gesetz erlassen, das beliebig den Neugeborenen bestimmter anderer Länder ohne Rücksicht auf die Staatsangehörigkeit der Eltern und den Ort der Geburt die Staatsangehörigkeit aufzwingt. Noch enger sind die völkerrechtlichen Grenzen bei der zweiten Art des Erwerbs der Staatsangehörigkeit, nämlich des Erwerbs durch Einbürgerung. Diese unterscheidet sich wesensmäßig von dem Erwerb der Staatsangehörigkeit durch Geburt. Während in letzterem Fall der Erwerb der Staatsangehörigkeit automatisch mit der Geburt ohne zusätzlichen Hoheitsakt erfolgt, ist die Einbürgerung definitionsgemäß der Erwerb der Staatsangehörigkeit durch einen Hoheitsakt (Verwaltungsakt). Dieser Hoheitsakt bedarf der gesetzlichen Grundlage, und die Frage ist nun, welche Grenzen das Völkerrecht dem Gesetzgeber für die Gestaltung dieser gesetzlichen Grundlage zieht. Für die Beantwortung dieser Frage gilt der Grundsatz, daß durch das Staatsangehörigkeitsrecht eines Landes die Rechte anderer Staaten nicht verletzt werden dürfen.

Was dieser Grundsatz konkret bedeutet, wird erst klar, wenn die beiden Arten der Einbürgerung in Betracht gezogen werden: Einzeleinbürgerung und Masseneinbürgerung. Theoretisch kann bei der Einzeleinbürgerung der Hoheitsakt mit oder ohne Antrag erfolgen. Völkerrechtlich zulässig ist die Einzeleinbürgerung jedoch nur auf Antrag des Einzubürgernden. Sie kann die Rechte des anderen Staates nicht verletzen, wie Art. 15 der Allgemeinen Erklärung der Menschenrechte in seinem letzten Halbsatz zum Ausdruck bringt. Zudem hat es dieser Staat in der Hand, an den Erwerb der neuen Staatsangehörigkeit den Verlust der alten zu knüpfen oder nicht.[6] Unzulässig ist dagegen die aufgezwungene Einzeleinbürgerung. Sie greift in die Rechte des anderen Staates ein, weil sie diesem die

---

[6] Eine weitergehende Einschränkung der völkerrechtlichen Befugnis zur Einzeleinbürgerung deutete das Urteil des Internationalen Gerichtshofs vom 6. April 1955 an. Vgl. International Court of Justice, Report of Judgements, Advisory Opinions and Orders 1955, S. 23. Dort wurde ausgeführt, die Staatsangehörigkeit sei „ein rechtliches Band, das die Tatsache einer sozialen Zugehörigkeit, einer echten Verbundenheit von Existenz, Interessen und Empfindungen sowie des Bestehens gegenseitiger Rechte und Pflichten zur Grundlage hat".

Möglichkeit des diplomatischen Schutzes eines seiner Staatsangehörigen in einem anderen Land, nämlich in dem die Einbürgerung vornehmenden Land, nimmt. Die Zulässigkeit von Masseneinbürgerungen unterliegt noch engeren völkerrechtlichen Grenzen. Auch für sie ist ein völkerrechtlicher Anknüpfungspunkt erforderlich. Grundvoraussetzung ist daher die auf der Ebene des Völkerrechts liegende Einigung zwischen demjenigen Staat, dessen Staatsangehörigkeit die von der Masseneinbürgerung Erfaßten bisher besessen haben, und demjenigen Staat, dessen Staatsangehörigkeit sie nunmehr erwerben sollen. Mit anderen Worten: die Masseneinbürgerung setzt stets einen völkerrechtlichen Vertrag voraus. Eine Masseneinbürgerung durch innerstaatlichen Hoheitsakt ohne die Grundlage eines entsprechenden völkerrechtlichen Vertrages ist unzulässig.

Völkerrechtliche Verträge als Grundlage von Masseneinbürgerungen sind in der Geschichte häufig abgeschlossen worden, und zwar stets im Zusammenhang mit Gebietsveränderungen. Das hat einige Autoren zu der Annahme verleitet, daß im Falle von Gebietsabtretungen ein automatischer Wechsel der Staatsangehörigkeit eintritt.[7]) Doch ist dies ein Trugschluß. Die vertragliche Regelung der Staatsangehörigkeitsfragen in Gebietsabtretungsverträgen oder in Verträgen, die Gebietsabtretungen gefolgt sind, beweist nicht das Vorhandensein einer völkergewohnheitsrechtlichen Regel über den automatischen Staatsangehörigkeitswechsel bei Gebietsabtretungen, sondern eher das Gegenteil. So ist die herrschende Völkerrechtslehre schon vor Jahrzehnten zu dem Ergebnis gelangt, daß im Falle eines Gebietswechsels zwar der gebietserwerbende Staat die völkerrechtliche Pflicht hat, den Bewohnern erworbener Gebiete seine Staatsangehörigkeit zu verleihen, daß diese Verleihung aber nicht automatisch mit dem Gebietswechsel erfolgt, sondern eines gesonderten Rechtsaktes bedarf.[8]) Dieser Rechtsakt kann in der Form der Masseneinbürgerung gesetzt werden, bedarf dann aber der vertraglichen Grundlage, wie bereits ausgeführt. Auch für die auf vertraglicher Grundlage zulässige Masseneinbürgerung gilt aber der Grundsatz des Verbots der aufgezwungenen Einbürgerung für den Einzelfall. Auch auf vertraglicher Grundlage ist daher die Masseneinbürgerung nur dann völkerrechtlich zulässig, wenn dabei das Optionsrecht gewahrt bleibt, d. h. dem einzelnen Betroffenen die Möglichkeit eingeräumt wird, sich und seine minderjährigen Kinder von den Wirkungen der Masseneinbürgerung auszunehmen. Dieser Grundsatz ist im Völkerrecht bereits seit der Mitte des 19. Jahrhunderts nachzuweisen.[9])

Fehle eine solche Verbindung, so sei die Einbürgerung völkerrechtlich nicht anzuerkennen. Der Fall betraf die Einbürgerung eines in Guatemala lebenden Deutschen im Fürstentum Liechtenstein, der in dem letztgenannten Staat niemals einen Wohnsitz besessen hatte. Das Urteil stieß in der Völkerrechtslehre auf einmütigen Widerspruch.

[7]) Vgl. Hansjörg Jellinek, Der automatische Erwerb und Verlust der Staatsangehörigkeit durch völkerrechtliche Vorgänge, Berlin 1951.

[8]) Vgl. Erich Kaufmann, Règles générales du droit de la paix, Recueil des Cours 1935/IV (Bd. 54), S. 373; Alexander N. Makarov, Allgemeine Lehren des Staatsangehörigkeitsrechts, 2. Aufl., Stuttgart 1962, S. 141.

[9]) Vgl. Josef L. Kunz, Die völkerrechtliche Option, Bd. 1, Breslau 1925, S. 91 ff.; Josef L. Kunz, L'option de nationalité, Recueil des Cours 1930/I (Bd. 31), S. 107 ff.; Hans Wehberg, Plebiszit und Optionsklausel, München-Gladbach 1915.

Allen diesen völkerrechtlichen Grundsätzen entspricht der deutsch-tschechoslowakische Staatsangehörigkeits- und Optionsvertrag vom 20. November 1938 ebenso wie das darauf Bezug nehmende Gesetz zur Regelung von Fragen der Staatsangehörigkeit vom 22. Februar 1955. Die §§ 2-5 des genannten Gesetzes haben die Durchführung und Wirkung der Option im einzelnen geregelt. Wie üblich, ist die Ausübung des Optionsrechts auf den Zeitraum von einem Jahr nach Inkrafttreten des Gesetzes begrenzt worden (§ 5 Abs. 1 des Gesetzes vom 22. Februar 1955). Die im Interesse der Rechtssicherheit notwendige zeitliche Begrenzung ist völkerrechtlich unbedenklich.

Damit erweist sich die von der Bundesrepublik Deutschland vorgenommene Regelung der Staatsangehörigkeit der vertriebenen Sudetendeutschen als auf sicherer völkerrechtlicher Grundlage stehend, unabhängig davon, welche Auffassung von den Rechtsakten des Jahres 1938 die Tschechoslowakei nachträglich vertreten hat. Zwar ist es richtig, daß die Bundesrepublik Deutschland zur Einbürgerung der auf ihrem Territorium lebenden vertriebenen Sudetendeutschen auch dann berechtigt gewesen wäre, wenn weder die Gebietsabtretung noch der darauf folgende deutsch-tschechoslowakische Staatsangehörigkeits- und Optionsvertrag völkerrechtlich gültig zustandegekommen wäre. Aber dann würde sowohl die juristische Argumentation anders lauten als auch die Tragweite des vom Gesetzgeber der Bundesrepublik Deutschland gesetzten Rechtsakts anders zu definieren sein.

Der Gesetzgeber der Bundesrepublik Deutschland wäre völkerrechtlich zur Masseneinbürgerung der auf dem Gebiet der Bundesrepublik lebenden vertriebenen Sudetendeutschen berechtigt gewesen, weil die nach dem Ende des Zweiten Weltkriegs wiedererstandene Tschechoslowakische Republik ausdrücklich den Staatsangehörigkeitswechsel anerkannt hat. Das Tschechoslowakische Dekret vom 2. August 1945 erklärt nämlich in seinem § 1 ausdrücklich: „1. Tschechoslowakische Staatsangehörige deutschen und ungarischen Volkstums, die entsprechend den Vorschriften einer fremden Besatzungsmacht die deutsche oder ungarische Staatsangehörigkeit erworben haben, haben mit dem Tage einer derartigen Erwerbung die tschechoslowakische Staatsangehörigkeit eingebüßt. 2. Die übrigen tschechoslowakischen Staatsangehörigen deutschen oder ungarischen Volkstums verlieren die tschechoslowakische Staatsangehörigkeit mit dem Tage, an dem dieses Dekret in Kraft tritt."[10]) Die Formulierung ist so gewählt, daß weder die mit der Gebietsabtretung im Herbst 1938 zusammenhängenden völkerrechtlichen Akte, an denen die Tschechoslowakei beteiligt war, noch der deutsch-tschechoslowakische Staatsangehörigkeits- und Optionsvertrag vom 20. November 1938 erwähnt werden. Nach dieser Auffassung wäre die auf der Grundlage des letztgenannten Vertrages durchgeführte Masseneinbürgerung der Sudetendeutschen durch das Deutsche Reich völkerrechtswidrig gewesen. Durch die

---

[10]) Deutsche Übersetzung in: Jahrbuch für Internationales und ausländisches öffentliches Recht 1948, I, S. 212; auch abgedr. bei Alexander N. Makarov, Deutsches Staatsangehörigkeitsrecht, 2. Aufl., Frankfurt/Berlin 1971, S. 320.

nachträgliche Aberkennung der tschechoslowakischen Staatsangehörigkeit wären die Sudetendeutschen entweder gemäß § 1 des tschechoslowakischen Dekrets vom 2. August 1945 bereits im Herbst 1938 oder gemäß § 1 Abs. 2 dieses Dekrets im Sommer 1945 staatenlos geworden. Zur Erlangung der deutschen Staatsangehörigkeit würden die Worte „... erworben haben" im tschechoslowakischen Dekret vom 2. August 1945 nicht ausreichen; denn ein völkerrechtswidriger Akt kann durch die Anerkennung eines dritten Staates nicht völkerrechtmäßig werden. Der Gesetzgeber der Bundesrepublik Deutschland hätte daher nur die Möglichkeit gehabt, die auf dem Gebiet der Bundesrepublik Deutschland lebenden Sudetendeutschen einzubürgern. Für alle anderen Sudetendeutschen hätte die völkerrechtliche Rechtsgrundlage gefehlt.

Die tschechische Auffassung ist jedoch nicht richtig. Wie im vorstehenden dargelegt, geht das Gesetz vom 22. Februar 1955 mit Recht davon aus, daß die Sudetendeutschen – soweit sie nicht von ihrem Optionsrecht Gebrauch gemacht haben – gemäß § 1 des Vertrages vom 20. November 1938[11]) die deutsche Staatsangehörigkeit mit Wirkung vom 10. Oktober 1938 durch völkerrechtlich zulässige Masseneinbürgerung erworben und seither nicht wieder verloren haben.

B. Die völkerrechtswissenschaftliche Behandlung der Sudetenfrage

1. DIE VERTREIBUNG

Die Vertreibung der Sudetendeutschen ist Teil des Schicksals, das mehr als 12 Millionen nach dem Zweiten Weltkrieg ereilte.[12]) Sie ist also kein spezifisches Problem der Sudetendeutschen. Aber für die Vertreibung der Sudetendeutschen

---

[11]) RGBl. II, S. 895.

[12]) Hierzu sind mehrere Dokumentationswerke erschienen, vor allem die vom Bundesministerium für Vertriebene, Flüchtlinge und Kriegsgeschädigte herausgegebene achtbändige „Dokumentation der Vertreibung der Deutschen aus Ost-Mitteleuropa", Berlin 1950-1961, basierend auf Dokumenten und Augenzeugenberichten, die von einer Arbeitsgruppe von Wissenschaftlern geprüft und ausgewählt wurden. (Die Originale der mit eidesstattlichen Erklärungen versehenen Berichte befinden sich im Bundesarchiv in Koblenz. Ein unveränderter Nachdruck erschien 1984 in München.) Die Angaben über die Vertreibung der deutschen Bevölkerung aus der Tschechoslowakei finden sich in den Bänden IV/1 und IV/2 (Erstausgabe Berlin 1957, Nachdruck München 1984). Speziell zur Vertreibung der Sudetendeutschen veröffentlichte der Sudetendeutsche Rat ein Weißbuch (Dokumente zur Austreibung der Sudetendeutschen, 1. Aufl., München 1950). Basierend auf den Dokumenten aus dem Bundesarchiv in Koblenz und Erlebnis- und Kreisberichten stellte Emil Franzel sein Werk „Die Vertreibung Sudetenland 1945/1946" (Bad Nauheim 1967) zusammen. Genaue statistische Angaben über alles, was mit der Vertreibung der Sudetendeutschen zusammenhängt, enthält das Dokumentarwerk von Alfred Bohmann, Menschen und Grenzen, Bd. 4, Köln 1975, S. 435 ff.

gilt das, was in der völkerrechtswissenschaftlichen Literatur zur Vertreibung allgemein ausgeführt worden ist. Schon hier sei ferner darauf hingewiesen, daß es für die völkerrechtliche Beurteilung nicht auf den sprachlichen Ausdruck ankommt, mit dem das Ereignis belegt wird. Man kann statt Vertreibung oder Austreibung auch Aussiedlung, Abschub (die wörtliche Übersetzung des tschechischen „odsun") oder Bevölkerungstransfer sagen. Die tatsächlichen Ereignisse werden dadurch ebensowenig verändert wie die rechtliche Beurteilung.

Man sollte meinen, daß ein Ereignis von so riesenhaften Dimensionen, das in der Weltgeschichte keine Parallele findet, eine wahre Literaturflut hätte auslösen müssen. Daß dies nicht der Fall war, beruht auf der weltpolitischen Lage in den Jahren nach dem Zweiten Weltkrieg. Mehr als drei Jahrzehnte vergingen, bis das Buch eines amerikanischen Völkerrechtlers als erste monographische Behandlung dieses Fragenkomplexes im angelsächsischen Sprachraum erschien.[13] Der Autor hat berichtet, wie er auf das Thema gekommen ist. Er war bereits wohlbestallter Rechtsanwalt in New York, als er im Laufe eines weiterführenden Studiums an der dortigen Columbia-Universität an einem völkerrechtlichen Seminar teilnahm, in dem die Vertreibungsfrage zur Sprache kam. Er war zutiefst erschüttert, daß er davon während seines ersten Studiums nichts gehört hatte. Nachdem sein Interesse geweckt war, ging er der Frage weiter nach, fand immer mehr Material und wissenschaftliche Publikationen und schrieb schließlich das erwähnte Buch. Heute zählt er zu den führenden Experten für Menschenrechtsfragen im Dienste der Organisation der Vereinten Nationen.

Schon dieser Hinweis auf die Vorgeschichte eines Buches zeigt, daß die Vertreibungsfrage in Expertenkreisen keinesfalls totgeschwiegen worden ist. Daß das, was die Experten dazu gesagt haben, keine weite Verbreitung fand, ist nicht Schuld der Experten. Und es ist sicher keine Besonderheit des sudetendeutschen Schicksals, daß darüber in der Weltöffentlichkeit nur wenig bekannt ist.[14] Aber dennoch stimmt es traurig, wenn man in einer angesehenen Fachzeitschrift über Menschenrechtsfragen liest, die nach dem Zweiten Weltkrieg gefundene Lösung des Sudetenproblems sei vorbildlich. Im Herbst 1938 habe die ganze Welt von der Lage im Sudetenland gesprochen. Durch die Bevölkerungstransfers nach dem Ende des Krieges sei die Homogenität des Staates gesichert worden und „drei Jahrzehnte später gibt es keine Spur mehr von den Sudetendeutschen".[15] Die letzterwähnte Feststellung mag von einer uninformierten Weltöffentlichkeit hingenommen werden. Sie gilt nicht für die Völkerrechtswissenschaft.

---

[13] Alfred M. de Zayas, Nemesis at Potsdam. The Anglo-Americans and the Expulsion of the Germans, London und Boston 1977; deutsche Übersetzung: Die Anglo-Amerikaner und die Vertreibung der Deutschen, München 1977.

[14] Trotzdem mag es Sudetendeutsche, die alles selbst miterlebt haben oder aus den Erzählungen ihrer Eltern und Freunde kennen, schmerzlich berühren, wenn ein sehr wohlmeinender holländischer Völkerrechtler seinem Bericht den Untertitel gibt „Das verschwiegene Schicksal einer Volksgruppe". Vgl. Frans du Buy, St. Germain und die Sudetendeutschen, Politische Studien 1983, Nr. 271, S. 541.

[15] Harris O. Schoenberg, Limits of Self-Determination, Israel Yearbook on Human Rights 1976 (Bd. 6), S. 99 f.

Allerdings gibt es keine großen wissenschaftlichen Kontroversen; denn wer immer sich eingehender mit der Frage der Vertreibung (Aussiedlung, Zwangsumsiedlung, des Bevölkerungstransfers) beschäftigt hat, ist zu dem Ergebnis gekommen: „Somit ist eine anerkannte Regel des Völkerrechts, wonach Massenzwangswanderungen und Vertreibungen von Völkern und Volksgruppen verboten sind, vorhanden."[16]) Mit welcher Selbstverständlichkeit das Vertreibungsverbot zur Kenntnis genommen wird, zeigt die Formulierung im Evangelischen Staatslexikon: „Als allgemeiner Grundsatz des Völkerrechts wird heute die Unzulässigkeit gewaltsamer Vertreibungen auch von den Siegermächten des Zweiten Weltkrieges anerkannt."[17])

Die Spärlichkeit der Literaturnachweise im älteren völkerrechtswissenschaftlichen Schrifttum beruht nicht darauf, daß die Völkerrechtler interesselos oder gar hartherzig wären. Sie finden ihre Erklärung vielmehr darin, daß diese Frage während des größten Teils der gesamten Völkerrechtsgeschichte problemlos war. Man könnte es auch anders formulieren: Die ganze Geschichte des Völkerrechts gibt eine eindeutige Antwort auf diese Frage. Das Vertreibungsverbot hängt nämlich aufs engste mit der Grundstruktur des Völkerrechts als eines Rechts der souveränen Staaten zusammen. Bei der Definition seiner Rechtssubjekte, der souveränen Staaten also, bedient sich das Völkerrecht der sog. Dreielementenlehre, wonach von einem Staat dann gesprochen werden kann, wenn die drei Elemente Volk, Gebiet und Staatsgewalt in entsprechender Zusammengehörigkeit vorhanden sind. Die Trennung von Volk und Gebiet war daher bereits in der Periode des sog. klassischen Völkerrechts, die 1648 begann und bis ins 20. Jahrhundert hinein dauerte, begrifflich undenkbar. Oder mit anderen Worten: Die gesamte Staatenwelt, deren internationalen Verkehr die Völkerrechtsordnung regelte, gab Kunde von der Existenz des Vertreibungsverbots.[18])

In der neuen Völkerrechtsepoche, die am Ende des Ersten Weltkriegs begonnen hat, ist dieses Recht auf die Heimat durch bedeutende neue Entwicklungen, vor allem diejenige des Selbstbestimmungsrechts und der Menschenrechte, gefestigt worden. Das Selbstbestimmungsrecht der Völker ist schon deshalb von unmittelbarer Bedeutung für die Fragen des Vertreibungsverbots, weil es zeigt, daß das Völkerrecht, obwohl es nach wie vor grundsätzlich kein Recht der Völker ist, sondern ein Recht der souveränen Staaten, heute die Möglichkeit bietet, Völker und Volksgruppen trotz fehlender Völkerrechtssubjektivität mit einzelnen völkerrechtlichen Rechten auszustatten. Das Völkerrecht überläßt also die Völker und Volksgruppen nicht mehr ganz der staatlichen, durch das Interventionsverbot abgeschirmten Herrschaft. Vor allem hat das Selbstbestimmungsrecht auch Bedeutung für die Frage des Gebietswechsels, der ja diejenige weltpolitische Si-

---

[16]) Theodor Veiter, Nationalitätenkonflikt und Volksgruppenrecht, München 1977, S. 127.

[17]) Herbert Krimm im Evangelischen Staatslexikon, 1. Aufl., Stuttgart/Berlin 1966, Sp. 1652.

[18]) Hierzu im einzelnen Frans du Buy, Das Recht auf die Heimat, Köln 1975; Otto Kimminich, Das Recht auf die Heimat, Bonn 1978.

tuation darstellt, in deren Gefolge das Problem der Vertreibung entstehen kann. Das Selbstbestimmungsrecht hat damit eine Bedeutung sozusagen im Vorfeld der Vertreibungssituation: es verhindert oder ermöglicht Gebietsabtretungen. Es verhindert Gebietsabtretungen, durch die ein Volk oder eine Volksgruppe in die Gewalt eines Staates geraten würde, der zwar das Gebiet, aber nicht die darauf befindlichen Menschen haben möchte. Es ermöglicht Gebietsabtretungen in den Fällen, in denen eine Volksgruppe sich vorher in der Gewalt eines solchen Staates befand und nunmehr mit ihrem Gebiet die Angliederung an einen Staat erreicht, den sie als den ihren betrachtet. Aus dem Selbstbestimmungsrecht der Völker wird nämlich gefolgert, daß jeder Gebietsabtretung ein Plebiszit vorauszugehen hat.

Das Fehlen von Präzedenzfällen erklärt, wie schon bemerkt, die Spärlichkeit der völkerrechtswissenschaftlichen Beschäftigung mit dem als evident betrachteten Vertreibungsverbot. Immerhin gibt es aber völkerrechtswissenschaftliches Material in größerem Umfang auch aus älterer Zeit zu zwei Problembereichen: zur Massenausweisung von Fremden und zu den Umsiedlungsverträgen. Die Geschichte der letzteren beginnt allerdings erst in unserem Jahrhundert, nämlich mit dem Zusatzprotokoll Nr. 1 zum Friedensvertrag von Konstantinopel vom 16. und 29. September 1913 zwischen Bulgarien und der Türkei. Nach dem Ersten Weltkrieg wurden Umsiedlungsverträge zwischen Bulgarien und Griechenland, der Türkei und Griechenland und der Türkei und Rumänien abgeschlossen. Kurz vor dem Ausbruch des Zweiten Weltkriegs und in der ersten Phase desselben schloß das Deutsche Reich eine Reihe von Umsiedlungsverträgen mit der Sowjetunion, mit Ungarn und mit Rumänien; Italien schloß einen Umsiedlungsvertrag mit Jugoslawien am 1. März 1939, Bulgarien einen Vertrag mit Rumänien am 7. September 1940. Der letzte in der Reihe der Umsiedlungsverträge ist derjenige vom 22. Januar 1943 zwischen dem Deutschen Reich und Bulgarien.

Während das Manuskript der Erstauflage der „Sudetenfrage" geschrieben wurde, diskutierte die Weltvereinigung der Völkerrechtler, das Institut de Droit International die Frage der Vereinbarkeit von Umsiedlungsverträgen mit dem geltenden Völkerrecht. (Die Völkerrechtswidrigkeit der vertragslosen Umsiedlung, d. h. der Zwangsumsiedlung, wurde von vornherein nicht in Zweifel gezogen.) Wie üblich wurde für die Vorbereitung der auf der Tagung in Siena im Jahre 1952 stattfindenden Beratung ein Berichterstatter ernannt, der rechtzeitig die Mitglieder des Instituts befragte. Es war der spätere Präsident des Europäischen Gerichtshofs für Menschenrechte, der Italiener Balladore Pallieri. Er kam zu dem Ergebnis, daß „jede Form des Zwanges oder der Drohung verboten" sei, „mit der eine Bevölkerung dahin gebracht werden soll, das Gebiet zu verlassen, auf dem sie sich befindet". Dazu sagte er: „Nach meiner Auffassung bestätigt die Allgemeine Erklärung der Menschenrechte, daß das moderne Völkerrecht jede Zwangsumsiedlung oder zwangsweise Bevölkerungsverschiebung verbietet, und zwar auch dann, wenn sie äußerlich vom Willen der Einzelpersonen abhängt, in Wirklichkeit aber auf indirekten Zwangsmaßnahmen beruht, oder wenn der Wille des einzelnen sich nicht frei äußern kann, weil der einzelne seine Entscheidung nicht zurücknehmen kann oder gezwungen ist, sich einer Mehrheitsentscheidung zu beugen.“[19])

Den vom Berichterstatter versandten Fragebogen hatten zehn Völkerrechtsgelehrte aus aller Welt (darunter kein einziger Deutscher) beantwortet. Die Hauptfrage lautete: „In welchem Maße begrenzt oder verbietet die Erklärung der Menschenrechte den Abschluß jeglicher auf eine Umsiedlung gerichteten Staatenvereinbarung?“. Weitere Fragen waren: „In welchem Maße kann ein Staat aufgrund der ihm zuerkannten Rechte mit einem anderen Staat einen Umsiedlungsvertrag schließen?“; „Kann das Interesse der Staatengemeinschaft an der Ausmerzung internationaler Konflikturursachen den Abschluß von Umsiedlungsverträgen rechtfertigen?“. Ferner wurde gefragt, ob eventuell die in den genannten Fragen enthaltenen Elemente dergestalt miteinander verbunden werden könnten, daß „in gewissen, genau festgelegten Grenzen“ Umsiedlungsverträge für zulässig gehalten werden könnten, gegebenenfalls in welchen Grenzen.

Der Holländer van Asbeck warf dem Berichterstatter Widersprüchlichkeit vor und erklärte rundheraus, daß er ihm in seinem Gedankengang nicht ohne weiteres folgen könne. Es sei schwer, mit der Allgemeinen Erklärung der Menschenrechte zu operieren, da diese offensichtlich nur den einzelnen schützen wollten, während es im Falle der Umsiedlung doch um Gruppen gehe.[20]) Der Schweizer Max Huber wies darauf hin, daß Bevölkerungsumsiedlungen „an der Grenze dessen liegen, was das Recht regeln kann, einmal, weil sie ein konstitutives Element des Staates selbst betreffen, nämlich das Volk, zum anderen, weil sie schwerste Eingriffe in die Menschenrechte darstellen können“.[21]) Der Belgier Rolin betrachtete die ganze Angelegenheit aus dem Blickwinkel des Staates und erklärte die Vereinbarung für zulässig, wenn die Umsiedlung und die Modalitäten ihrer Durchführung die Zustimmung „aller Interessierten“ gefunden hätten. Aber auch er sagte: „Art. 13 der Allgemeinen Erklärung der Menschenrechte steht zweifellos prinzipiell dem Bevölkerungstransfer entgegen.“[22])

Eindrucksvoll ist die Stellungnahme des französischen Völkerrechtlers Georges Scelle. Sie beginnt mit den Worten: „Es erscheint schwierig, juristische Regeln zu formulieren, die auf politische Maßnahmen anwendbar sind, die ihrer Natur nach gegen elementare und grundlegende Prinzipien des Völkerrechts verstoßen.“ Wenige Zeilen später wiederholte er: „Jeder Bevölkerungstransfer stellt eine Verletzung der modernen internationalen Ethik dar, die die wichtigste Grundlage der internationalen Rechtsordnung ist. Jeder Massentransfer stellt eine Gewaltanwendung dar, die den allgemeinen Rechtsgrundsätzen widerspricht, ganz gleich, ob es sich um einen innerstaatlichen oder zwischenstaatlichen Transfer handelt.“ Dementsprechend weigerte sich Scelle, auf die im Fragebogen angedeuteten verschiedenen Alternativen überhaupt einzugehen, da sämt-

---

[19]) Giorgio Balladore Pallieri, Les transferts internationaux des populations, Annuaire de L'Institut de Droit International 1952, Bd. 44/II, S. 146.

[20]) Vgl. Annuaire de L'Institut de Droit International 1952, Bd. 44/II, S. 157.

[21]) AaO. (Anm. 20), S. 163.

[22]) AaO. (Anm. 20), S. 175.

liche Fragen mit „nein" zu beantworten seien. Aber er machte sich die Mühe, dieses Nein ausführlich zu begründen, insbesondere die ganz dezidierte Feststellung: „Das Interesse der Staatengemeinschaft kann keine Rechtsverletzung rechtfertigen".[23])

Als einziges Mitglied der Weltvereinigung meinte der Pole Bogdan Winiarski, daß Umsiedlungsverträge durch Staatsinteressen und „höhere Interessen des internationalen Friedens" zu rechtfertigen seien. Die Allgemeine Erklärung der Menschenrechte stünde dem nicht entgegen, da sie nur „die Beziehungen des Alltags" betreffe. Dagegen habe die internationale Zwangsumsiedlung von Bevölkerungen bisher „einen absoluten Ausnahmecharakter" gehabt. Der größte Teil seiner Ausführungen bezog sich auf das Potsdamer Abkommen, das er als eine solche Ausnahme zu rechtfertigen suchte.[24]) Aber das Potsdamer Abkommen ist schon deshalb kein Umsiedlungsvertrag, weil es nicht zwischen dem die Bevölkerung abgebenden und dem die Bevölkerung aufnehmenden Staat abgeschlossen worden ist. Seiner Form nach ist es überhaupt kein Vertrag, sondern lediglich das Schlußkommuniqué einer Konferenz von drei Siegermächten am Ende des Zweiten Weltkriegs. Vor allen Dingen aber enthält es keineswegs die Anordnung oder auch nur Duldung eines Bevölkerungstransfers. Vielmehr behandelt es die bereits begonnenen Vertreibungsmaßnahmen als eine Tatsache, anerkennt die Notwendigkeit der „Überführung der deutschen Bevölkerung oder Bestandteile derselben, die in Polen, der Tschechoslowakei und Ungarn zurückgeblieben sind" nach Deutschland und fügt dann wörtlich hinzu, die drei Mächte stimmten „darin überein, daß jede derartige Überführung, die stattfinden wird, in ordnungsgemäßer und humaner Weise erfolgen soll. ... Die tschechoslowakische Regierung, die polnische provisorische Regierung und der Alliierte Kontrollrat in Ungarn werden gleichzeitig von obigem in Kenntnis gesetzt und ersucht werden, inzwischen weitere Ausweisungen der deutschen Bevölkerung einzustellen, bis die betroffenen Regierungen die Berichte ihrer Vertreter an den Kontrollausschuß geprüft haben". Aus diesem Wortlaut kann keine Änderung des damals schon geltenden Völkerrechts, keine Ausnahme vom völkerrechtlichen Vertreibungsverbot, abgeleitet werden. Mit Recht hat daher Winiarski mit seinen Argumenten bei den anderen Völkerrechtlern keinen Anklang gefunden. Mehrere Mitglieder des Institut de Droit International haben ausdrücklich erklärt, daß die im Potsdamer Abkommen enthaltenen Passagen über die Ausweisung der Deutschen völkerrechtswidrig sind.[25])

So ist das Vertreibungsverbot anläßlich einer Diskussion über die völkerrechtliche Zulässigkeit von Umsiedlungsverträgen in eindrucksvoller Weise bestätigt worden. Nochmals sei daran erinnert, daß auch die Zulässigkeit von Umsiedlungsverträgen fast einhellig verneint wurde. Wenn gesagt worden ist, ein Umsiedlungsvertrag sei dann völkerrechtlich unbedenklich, wenn er dem einzelnen

---

[23]) AaO. (Anm. 20), S. 180.
[24]) AaO. (Anm. 20), S. 191 f.
[25]) AaO. (Anm. 20), S. 190.

Betroffenen die Möglichkeit gebe, selbst über die Teilnahme oder Nichtteilnahme an der Umsiedlungsaktion zu entscheiden, so bedeutet dies lediglich die Bekräftigung des Optionsrechts bei Gebietsabtretungen. Die Ablehnung des Zwangs zum Verlassen der Heimat kommt bei dieser Auffassung ebenso unmißverständlich zum Ausdruck wie bei denjenigen Autoren, die die Vereinbarkeit aller Umsiedlungsverträge mit dem geltenden Völkerrecht verneinen.

Daß sich in der Völkerrechtsliteratur derjenigen Staaten, die für die Vertreibungen nach dem Zweiten Weltkrieg verantwortlich sind, keine derartigen Ausführungen finden, ist verständlich. Auffallend ist aber, daß – abgesehen von den Hinweisen auf die angebliche Sanktionierung der Vertreibung im Potsdamer Abkommen, die als Ausnahmefall behandelt wird, – auch kein Widerspruch gegen das allgemeine völkerrechtliche Vertreibungsverbot erhoben worden ist. Die Liste der Völkerrechtler, die dieses Vertreibungsverbot formuliert und begründet haben, wird von Jahr zu Jahr länger.[26]) Auch Hermann Raschhofer gehört zu ihnen.[27])

Dem Nichtjuristen muß es nachgesehen werden, wenn er der Meinung ist, es wäre gar kein so großer juristischer Aufwand nötig, um eine derartige Selbstverständlichkeit zu beweisen. In der Tat ist das letztlich das Ergebnis der Völkerrechtsexperten, die sich mit dieser Frage beschäftigt haben. Eine internationale Rechtsordnung ohne Vertreibungsverbot wäre überhaupt keine Rechtsordnung. Ganz gleich, ob man auf der Grundlage des klassischen Völkerrechts argumentiert und daher die inhärente Verbindung zwischen den Völkern und ihren Siedlungsgebieten, die in diesem Völkerrecht zum Ausdruck kommt, in den Mittelpunkt stellt, oder ob man, neueren Entwicklungen folgend, das Selbstbestimmungsrecht der Völker und die Menschenrechte betont: am Ende der Argumentation steht immer das Vertreibungsverbot, auch wenn es darüber keine internationale Konvention gibt. Ihr Fehlen erklärt sich gerade daraus, daß das Vertreibungsverbot zu den Voraussetzungen der alten wie der neuen Völkerrechtsordnung gehört. Erstaunlich ist daher nicht die Selbstverständlichkeit, mit der die Völkerrechtswissenschaft es voraussetzt, sondern die Ignoranz und die Interesselosigkeit des größten Teils der Weltbevölkerung in bezug auf die Verstöße gegen das Vertreibungsverbot. Überlegungen zu diesem Phänomen gehören nicht in eine völkerrechtswissenschaftliche Abhandlung. Doch darf daran erinnert wer-

---

[26]) Neben den bereits erwähnten Werken vgl. Hartwig Bülck, Vertreibung, in: Wörterbuch des Völkerrechts, hrsg. von Hans-Jürgen Schlochauer, 3. Bd., Berlin 1962, S. 560 ff.; Otto Kimminich, Das Verbot der Vertreibung von Völkern und Volksgruppen in der völkerrechtlichen Entwicklung, in: Schriften der Sudetendeutschen Akademie der Wissenschaften und Künste Bd. 6, München 1985, S. 7 ff.; Friedrich Klein, Dokumentation und Leitsätze zum Vertreibungsverbot, in: Menschenrechte – Entwicklung, Stand, Zukunft, hrsg. von Theodor Veiter und Friedrich Klein, Wien/Stuttgart 1966, S. 355 ff.; Kurt Rabl, Zur Frage des Verbots von Massenzwangsaussiedlungen nach geltendem Völkerrecht, in: Das Recht auf die Heimat Bd. 3, hrsg. von Kurt Rabl, München 1959, S. 77 ff.; Alfred M. de Zayas, Collective expulsions in the light of international law, AWR-Bulletin 1977, S. 265 ff.

[27]) Hermann Raschhofer, Massenvertreibung, in: Das östliche Deutschland, hrsg. vom Göttinger Arbeitskreis, Würzburg 1959, S. 97 ff.

den, daß das Weltgewissen vielleicht doch noch nicht so verhärtet ist, wie jene bedrückende Tatsache zunächst anzudeuten scheint. Es lassen sich nämlich zahlreiche Beispiele dafür anführen, daß Menschen auch in entfernten Ländern von dem Schicksal der vertriebenen Sudetendeutschen bis ins tiefste Innere erschüttert wurden, wenn sie nur einmal davon erfuhren.[28]) Und selbst jenseits des Eisernen Vorhangs ist die Stimme des Gewissens nicht ganz verstummt, wie die Publikationen des jetzt allerdings im Westen lebenden Historikers Jan Mlynarik, der zunächst unter dem Pseudonym „Danubius" bekannt geworden ist, beweisen.[29])

2. DAS MÜNCHNER ABKOMMEN

a) „Westliches" Schrifttum

Als die Erstauflage des Buches „Die Sudetenfrage" erschien, hatte die völkerrechtswissenschaftliche Beschäftigung mit dem Münchner Abkommen gerade erst begonnen. In der nichtdeutschen Literatur war bis zum Ende des Zweiten Weltkriegs nur eine einzige größere Abhandlung in der führenden amerikanischen Völkerrechtszeitschrift erschienen.[30]) Nach dem Zweiten Weltkrieg gab es weltweit so viele Probleme, die nach völkerrechtswissenschaftlicher Analyse verlangten, daß der Mangel an Interesse am Münchner Abkommen durchaus verständlich erscheint. Die Geschichte war darüber hinweggegangen. Nur wie ein Schreckgespenst tauchte die Erwähnung des Münchner Abkommens gelegentlich in Expertengesprächen auf.

Eine solche Gelegenheit ergab sich im Frühjahr 1945 auf der Konferenz von San Francisco, auf der die Satzung der Vereinten Nationen beraten wurde. Die amerikanische Delegation debattierte in kleinem Kreise die vorher in Dumbarton

---

[28]) Ein Beispiel dafür sind die Ausführungen zur sudetendeutschen Frage im Repräsentantenhaus und Senat der Vereinigten Staaten. Kein Geringerer als der langjährige Vorsitzende der Republikanischen Partei, der seit 1920 dem Kongreß angehörte und dort am 22. April 1958 eine Rede über die Sudetendeutschen hielt, hat die einschlägigen Kongreßberichte zusammengestellt, die in deutscher Übersetzung erschienen sind. Vgl. Carroll Reece, Das Schicksal der Sudetendeutschen. Die Sudetenfrage im US-Kongreß, München 1960.

[29]) Vgl. Ota Filip, Danubius – Gewissen eines Volkes. Die Tschechen und die Vertreibung der Deutschen, in: Frankfurter Allgemeine Zeitung vom 16.4.1983, Nr. 88, Beilage „Ereignisse und Gestalten". Die zusammenfassenden Aussagen Mlynariks finden sich in: Danubius, Thesen zur Aussiedlung der Deutschen aus der Tschechoslowakei, Deutschland Archiv 1979, S. 712 ff. Hierzu Milan Hübl, Glossen zu den Danubius-Thesen über die Aussiedlung der Deutschen, Deutschland Archiv 1979, S. 727 ff.; Adolf Müller, Die Vertreibung der Deutschen. Ein Diskussionsthema der tschechoslowakischen Opposition, Deutschland Archiv 1979, S. 711.

[30]) Quincy Wright, The Munich Settlement and International Law, American Journal of International Law 1939 (Bd. 33), S. 12 ff. Der Aufsatz ist in der Erstauflage berücksichtigt. Vgl. oben S. 186.

Oaks von den Großmächten ausgearbeiteten Entwürfe, darunter auch den Abschnitt VIII B, betreffend die Befugnisse des Sicherheitsrates zur Streitbeilegung. Die Debatte stand im Zusammenhang mit der sowohl in Dumbarton Oaks als auch in San Francisco kontrovers erörterten Frage, ob in die Satzung der neuen Weltorganisation eine dem Art. 19 des Völkerbundpaktes entsprechende Bestimmung über den friedlichen Wandel – eine Bestimmung, deren Einsatz die Sowjetunion in der Herbstkrise 1938 vorgeschlagen hatte – aufgenommen werden sollte. Das Endergebnis dieser Debatte war der noch jetzt gültige Text von Art. 14 der Satzung der Vereinten Nationen, der lediglich die Generalversammlung ermächtigt, Empfehlungen zur „friedlichen Bereinigung" von „Situationen" auszusprechen. Die ursprünglichen Vorschläge hatten dem Sicherheitsrat viel weitergehende Vollmachten gegeben. Dagegen erhob sich in San Francisco Widerspruch; denn eine solche Satzungsvorschrift „hätte den Sicherheitsrat zum Beispiel in die Lage versetzt, das Sudetenland im Interesse der Friedenserhaltung an Deutschland zu geben".[31])

Das war sicher nur theoretisch gemeint. An den Verbleib des Sudetenlandes bei Deutschland dachte man damals nicht ernstlich. Das Münchner Abkommen war zum Symbol des appeasement geworden, einer gefährlichen, verabscheuten, feigen Politik der Westmächte gegenüber der Nazi-Diktatur. In dieser allgemeinen Stimmung behielten aber die Völkerrechtler, die sich mit der Frage beschäftigten, einen klaren Kopf. Der schweizerische Völkerrechtler Paul Guggenheim verwendete in seiner Vorlesung an der Haager Akademie für Internationales Recht über die Gültigkeit und Ungültigkeit von Völkerrechtsakten das Zustandekommen der Münchner Regelung vom Herbst 1938 als Musterfall für das etappenweise Zustandekommen von vertraglichen Bindungen und wies darauf hin, daß das Münchner Abkommen zunächst von allen Signatarstaaten als „absolut gültig" angesehen wurde.[32]) Das war der Diskussionsstand im Zeitpunkt des Erscheinens der ersten Auflage des Buches über die Sudetenfrage, wie er gleichzeitig auch von einer Bonner Dissertation bestätigt wurde.[33]) Das Buch spiegelt diesen Diskussionsstand wider, stellt das Geschehen des Jahres 1938 in einen größeren historischen und juristischen Rahmen und analysiert vor diesem Hintergrund die einzelnen Rechtsakte der gesamten Münchner Regelung. Die später erschienene juristische Literatur konnte nichts anderes tun. Es ist deshalb auch nicht verwunderlich, daß sie immer wieder zu demselben Ergebnis gekommen ist.

Der historische Rahmen ist durch die nach 1953 erschienene Literatur immer dichter gefüllt und farbenprächtiger ausgemalt worden. Dazu haben nicht nur geschichtswissenschaftliche Monographien und Aufsätze beigetragen, sondern auch Dokumentensammlungen und Memoirenveröffentlichungen. Ihr vollständiger Nachweis würde den Rahmen einer völkerrechtswissenschaftlichen Arbeit

---

[31]) Ruth B. Russell, A History of the United Nations Charter, Washington 1958, S. 603.

[32]) Paul Guggenheim, La validité et la nullité des actes juridiques internationaux, Recueil des Cours 1949/I (Bd. 74), S. 242.

[33]) Vgl. Gunther Biesing, Die Rechtsgültigkeit des Münchener Abkommens vom 29. 9.1938, Diss. Bonn 1953.

sprengen. Doch sei wenigstens darauf hingewiesen, daß der Strom dieser Literatur bis heute nicht versiegt ist, und daß dabei die unterschiedlichsten persönlichen Auffassungen vertreten werden, so daß immer wieder neue Aspekte ans Licht kommen und neue Kontroversen aufbrechen. Das gilt sowohl für die Vorgeschichte des Münchner Abkommens im weitesten Sinn, d. h. die Behandlung der Sudetendeutschen in der Tschechoslowakischen Republik,[34]) als auch für die unmittelbar zum Münchner Abkommen führenden Ereignisse.[35]) Dabei mag es ein Zufall sein, daß die drei wichtigsten Dokumentarwerke innerhalb von vier Jahren erschienen.[36]) Die runden Jahrestage regten Ende der fünfziger und der sechziger Jahre zu einigen Publikationen an, Ende der siebziger Jahre war davon nichts mehr zu merken; denn mittlerweile hatte der Prager Vertrag alles überschattet. Die Völkerrechtswissenschaft bedurfte offensichtlich nicht der Erinnerung durch die Jahrestage. Gewisse Höhepunkte sind Anfang der sechziger und Anfang der siebziger Jahre zu verzeichnen.[37])

Die Ergebnisse dieser verschiedenen Analysen zeigen eine erstaunliche Übereinstimmung, die zugleich eine Bestätigung der grundlegenden Argumentation der Thesen Raschhofers aus dem Jahre 1953 darstellt. Nur der Gedanke, das

---

[34]) Vgl. Johann Wolfgang Bruegel, Czechoslovakia before Munich: The German Minority Problem and British Appeasement Policy, New York 1973; F. Gregory Campbell, Confrontation in Central Europe: Weimar Germany and Czechoslovakia, Chicago/London 1976; Wolfgang Jacobmeyer, Die deutschen Minderheiten in Polen und in der Tschechoslowakei in den dreißiger Jahren, Aus Politik und Zeitgeschichte, Beilage zur Wochenzeitung Das Parlament B 31/86, 1986, S. 17 ff.; Friedrich Prinz, Benesch, Jaksch und die Sudetendeutschen, Stuttgart 1975; Ronald M. Smelser, The Sudeten Problem 1933-1938. Volkstumspolitik and the Formulation of Nazi Foreign Policy, Middletown 1975.

[35]) Vgl. Ackermann-Gemeinde, Hrsg., München 1938 – eine offene Frage, München 1958; Jaques Benoist-Mechin, Am Rande des Krieges. 1938 – Die Sudetenkrise, Hamburg 1967; Gilbert Fergusson, „Munich". The French and British Roles, International Affairs 1968, S. 649 ff.; Eugeniusz Guz, Unbekanntes über die Rolle des Goebbelsministeriums bei der Vorbereitung des Münchner Abkommens, Deutsche Außenpolitik 1969/1, S. 65 ff.; George F. Kennan, Diplomat in Prag 1938-1940, Frankfurt/M. 1972 (deutsche Ausgabe des Originals Princeton 1968); Gottfried Niedhart, Britische Deutschlandpolitik vor dem Zweiten Weltkrieg. Friedensbedürfnis und gescheiterte Friedenssicherung, Aus Politik und Zeitgeschichte, Beilage zur Wochenzeitung Das Parlament B 13/77, 1977, S. 26 ff.; Ernst Nittner, Hrsg., Dokumente zur Sudetendeutschen Frage 1916-1967, München 1967; Keith Robbins, München 1938. Zur Krise der Politik des Gleichgewichts, Gütersloh 1969; Sophie A. Welisch, Die sudetendeutsche Frage 1918-1928, München 1980.

[36]) Boris Celovsky, Das Münchener Abkommen 1938, Stuttgart 1958; Hellmuth Rönnefarth, Die Sudetenkrise in der internationalen Politik, 2 Bde., Wiesbaden 1961; Fritz Peter Habel, Dokumentensammlung zur Sudetenfrage, München 1957, 3. Aufl., München 1962, in 4. und stark erweiterter Auflage neu erschienen unter dem Titel „Dokumente zur Sudetenfrage", München 1984. Ebenfalls zu Beginn der 60er Jahre erschien ein weiteres wichtiges Dokumentwerk, hrsg. vom Sudetendeutschen Rat: München 1938 – Dokumente sprechen, München 1963, 3. Aufl., München 1965.

[37]) Vgl. Johann Wolfgang Bruegel, Münchener Abkommen und Völkerrecht, Außenpolitik 1965, S. 764 ff.; Horst Figert, Dreißig Jahre Münchner Abkommen, Internationales Recht und Diplomatie 1968, S. 89 ff.; Rudolf Hilf, Die tschechoslowakische Forderung auf Ungültigkeit des Münchner Abkommens ab initio, Osteuropa 1970, S. 839 ff.; Otto Kimmi-

Münchner Abkommen als eine Adjudikation im Stile des 19. Jahrhunderts zu betrachten, wurde mit Recht nicht wieder aufgegriffen. Zwar mögen Hitler und Chamberlain das Münchner Abkommen so beurteilt haben, aber das ist für die rechtliche Bewertung unerheblich; denn diese muß das bereits damals geltende Völkerrecht zum Maßstab nehmen. Die Adjudikation im weiteren Sinn, d. h. die Zuteilung von Staatsgebiet durch Großmächteentscheid, ist auch 1938 kein völkerrechtlich gültiger Gebietserwerbstitel gewesen. Insofern hat die seither eingetretene Rechtsentwicklung nichts Neues gebracht. Auch die Wiener Vertragsrechtskonvention vom 23. Mai 1969 hat im wesentlichen nur das bereits seit langem geltende völkerrechtliche Vertragsrecht kodifiziert.

Eine Neuerung stellte jedoch die Berücksichtigung des seit Inkrafttreten der Satzung der Vereinten Nationen (23. 6. 1945) geltende völkerrechtliche Gewaltverbot dar, das auf dem Umweg über Art. 64 der Vertragsrechtskonvention in be-

nich, Die völkerrechtliche Beurteilung des Münchner Abkommens, Schriftenreihe des Arbeitskreises Sudetendeutscher Studenten, Würzburg 1963, S. 18 ff.; Otto Kimminich, Das Münchner Abkommen, Regensburger Universitätszeitung 1971, Heft 6, S. 7 ff.; Otto Kimminich, Zusammenfassende Thesen zum Zustandekommen und zur Beendigung des Münchner Abkommens, in: Ostverträge, Berlin-Status, Münchner Abkommen, Beziehungen zwischen der BRD und der DDR, hrsg. vom Institut für Internationales Recht an der Universität Kiel, Hamburg 1971, S. 177 ff.; Otto Kimminich, Das Münchner Abkommen in den deutsch-tschechoslowakischen Beziehungen seit 1945, Der Donau-Raum 1972, S. 185 ff.; Eberhard Körber, Die Annexion der Resttschechoslowakei im März 1939 und ihre Wirkung auf die Grenzziehung gemäß dem Münchener Abkommen vom 29. 9.1938, Diss. Würzburg 1960; Hermann Raschhofer, Das Münchner Abkommen im Rahmen der völkerrechtlichen Entwicklung der Sudetenfrage, in: München 1938 – eine offene Frage, hrsg. von der Ackermann-Gemeinde, München 1958, S. 53 ff.; Hermann Raschhofer, Nullität des Münchner Abkommens?, Politische Studien 1972, S. 268 ff.; Hermann Raschhofer, Völkerbund und Münchener Abkommen. Die Staatengesellschaft von 1938, München 1976; Erich Röper, Zur Ungültigkeit des Münchner Abkommens, Aus Politik und Zeitgeschichte, Beilage zur Wochenzeitung Das Parlament B 26/71, 1971, S. 31 ff.; Erich Röper, Das Prager Dilemma. Völkerrecht und Münchener Abkommen, Die Politische Meinung 1971, S. 81 ff.; Helmut Rumpf, Einige allgemeine Rechtsfragen zum Münchner Abkommen, in: Ostverträge, Berlin-Status, Münchner Abkommen, Beziehungen zwischen der BRD und der DDR, hrsg. vom Institut für Internationales Recht an der Universität Kiel, Hamburg 1971, S. 184 ff.; Alfred Schickel, Das Münchner Abkommen, Aus Politik und Zeitgeschichte, Beilage zur Wochenzeitung Das Parlament B 26/71, 1971, S. 3 ff.; Karin Schmid, Das Münchner Abkommen, Düsseldorf 1973; Karin Schmid, Synopsis der Meinungen zum Münchner Abkommen, Berichte des Bundesinstituts für Ostwissenschaftliche und Internationale Studien Nr. 7, Köln 1972; Helga Seibert, Das Münchner Abkommen als Problem des Völkerrechts, Aus Politik und Zeitgeschichte, Beilage zur Wochenzeitung Das Parlament B 26/71, 1971, S. 41 ff.; Ignaz Seidl-Hohenveldern, Das Münchner Abkommen im Lichte des Prager Vertrages von 1973, in: Festschrift für Eberhard Menzel, Berlin 1975, S. 451 ff.; Hartmut Singbartl, Die Durchführung der deutsch-tschechoslowakischen Grenzregelung von 1938 in völkerrechtlicher und staatsrechtlicher Sicht, München 1971; Erhard Spengler, Zur Frage des völkerrechtlich gültigen Zustandekommens der deutsch-tschechoslowakischen Grenzneuregelung von 1938, Berlin 1967; Horst Rudolf Übelacker, Zur Problematik des Münchener Abkommens in der Gegenwart, Seeheim a. d. B. 1967; Alexander Uschakow, Das Münchner Abkommen in den Beziehungen zwischen Polen und der Tschechoslowakei, Europa-Archiv 1968, S. 517 ff.

stehende Verträge einwirkt.[38]) An dieser Stelle wird eine Tatsache von Bedeutung, auf die Raschhofer bereits 1953 hingewiesen hat, nämlich die Tatsache der Vertragserfüllung des Münchner Abkommens.[39]) Denn Art. 64 der Wiener Vertragsrechtskonvention kann sich nur auf noch laufende, d. h. noch nicht erfüllte Verträge beziehen. Darüber hinaus ist in der völkerrechtswissenschaftlichen Literatur aber auch untersucht worden, wie sich die Rechtslage darstellen würde, wenn die gesamte Wiener Vertragsrechtskonvention auf die Vorgänge des Septembers 1938 angewendet würde.

Diese und alle weiteren mit der völkerrechtlichen Analyse des Münchner Abkommens zusammenhängenden Fragen sind auf einem wissenschaftlichen Symposium an der Universität Kiel im März 1971 erörtert worden. Der damals festgestellte Diskussionsstand gibt die Rechtslage am Vorabend des Prager Vertrages wieder.[40]) Sie soll im folgenden schlagwortartig umrissen werden.

Das Münchner Abkommen ist politisch tot. Rechtlich kann es nur insofern von Bedeutung sein, als von ihm auch gegenwärtig noch Rechtswirkungen ausgehen. Dies kann bei Statusakten der Fall sein. Es ist jedoch nur dann möglich, wenn das Abkommen rechtsgültig zustande gekommen ist, so daß diese Statusakte im Zeitpunkt ihrer Setzung auf einer tragfähigen Rechtsgrundlage beruhten. Nur auf diesem Umweg wird die Frage nach dem gültigen Zustandekommen des Münchner Abkommens auch für die Gegenwart aktuell. Dagegen ist es irreführend, von der „Gültigkeit" oder „Ungültigkeit" des Münchner Abkommens zu sprechen. Das Münchner Abkommen ist kein laufender Vertrag; keine der Signatarmächte behauptet, daß noch irgendwelche Vertragspflichten nicht erfüllt wären.

Die Frage nach dem gültigen Zustandekommen oder Nichtzustandekommen eines völkerrechtlichen Vertrages richtet sich nach den Willenserklärungen und Rechtshandlungen beim Abschluß des Vertrages, die nach dem in jenem Zeitpunkt geltenden Völkerrecht zu beurteilen sind.

Bei der Beurteilung des Münchner Abkommens ist zunächst zu berücksichtigen, daß es von vornherein keine Einigung über die Gebietsabtretung herbeigeführt hat oder herbeiführen wollte, sondern vielmehr von der „Übereinkunft, die hinsichtlich der Abtretung des sudetendeutschen Gebiets bereits grundsätzlich

---

[38]) Das allgemeine völkerrechtliche Gewaltverbot ist in Art. 2 Ziff. 4 der Satzung der Vereinten Nationen niedergelegt. Es hat das bereits seit dem Inkrafttreten des Briand-Kellog-Paktes vom 27.8.1928 geltende allgemeine Kriegsverbot erweitert und gilt nach durchaus einhelliger Überzeugung der Völkerrechtslehre als zwingende Norm des allgemeinen Völkerrechts auch unabhängig von der Satzung der Vereinten Nationen. Art. 64 der Wiener Vertragsrechtskonvention vom 23.5.1969 bestimmt: „Entsteht eine neue zwingende Norm des allgemeinen Völkerrechts, so wird jeder zu dieser Norm im Widerspruch stehende Vertrag nichtig und erlischt."

[39]) Vgl. oben S. 189.

[40]) Vgl. Otto Kimminich, Zusammenfassende Thesen zum Zustandekommen und zur Beendigung des Münchner Abkommens, in: Ostverträge, Berlin-Status, Münchener Abkommen, Beziehungen zwischen der BRD und der DDR, Veröffentlichungen des Instituts für Internationales Recht an der Universität Kiel Bd. 66, Hamburg 1971, S. 177 ff.

erzielt wurde" (Art. 1 Abs. 1 des Abkommens vom 29. September 1938), ausging und nur die „Bedingungen und Modalitäten dieser Abtretung" festlegen wollte.

Die „grundsätzlich erzielte" Übereinkunft, auf die das Münchner Abkommen in seinem ersten Absatz Bezug nimmt, war durch den Notenwechsel zwischen England und Frankreich einerseits und der tschechoslowakischen Republik andererseits in der Zeit vom 19. bis 21. September 1938 zustande gekommen. Dieser sehr komplizierte Vorgang kann hier nur schlagwortartig angedeutet werden:

Note der Westmächte an die Tschechoslowakei vom 19. September mit dem Vorschlag, alle „Gebiete mit mehr als 50 % deutscher Bevölkerung" an das Deutsche Reich abzutreten; Ablehnung dieser Note, doch kurz danach tschechoslowakische Erklärung, daß die Antwort nicht definitiv sei, erneute Besprechung mit dem Staatspräsidenten Beneš in der Nacht vom 20. zum 21. September 1938, wobei Präsident Beneš erklärte, er und seine Regierung könnten ohne vorherige Zustimmung des Parlaments den englisch-französischen Vorschlag annehmen, sofern die vorgenannte Note eine „Art Ultimatum" sei. Nach Beratung durch das tschechoslowakische „Politische Ministerkomitee" (d. h. den Führern der sechs an der Regierung beteiligten Parteien) und einem aus 20 Mitgliedern bestehenden parlamentarischen Koalitionsausschuß erklärte die tschechoslowakische Regierung am 21. September 1938 in einer Note an die beiden Westmächte die Annahme der Vorschläge vom 19. September 1938.

Es ist zu fragen, ob diese Note eine den tschechoslowakischen Staat bindende Willenserklärung darstellt. Dabei sind folgende Einzelprobleme zu untersuchen: 1. Das Fehlen der Zustimmung des tschechoslowakischen Parlaments nach der damals geltenden tschechoslowakischen Verfassung. 2. Die völkerrechtliche Erheblichkeit des Fehlens dieser Zustimmung. 3. Die Ausübung eines politischen oder militärischen Drucks auf die Tschechoslowakei vor Abgabe der oben genannten Willenserklärung. Zu 1. wird argumentiert, daß in dem vom Staatspräsidenten selbst erwähnten Fall die Zustimmung des tschechoslowakischen Parlaments nicht notwendig war, sondern der Staatspräsident auch nach tschechoslowakischem Verfassungsrecht allein zuständig war. Zu 2. ist die völkerrechtliche Erheblichkeit der Nichtbeachtung von Verfassungsschriften eines Vertragspartners zu untersuchen. Nach der heute herrschenden „Erklärungstheorie" ist auf die Erklärung des Vertragspartners abzustellen. Hier kommt noch hinzu, daß eine allgemeine Zuständigkeitsvermutung für das Staatsoberhaupt spricht. Die genaue Kenntnis des Verfassungsrechts des Vertragspartners ist von den Unterhändlern nicht zu verlangen. Ausnahmen gelten nur bei evidenten Verstößen gegen die Verfassung.

Die Frage der Anwendung von Zwangsgewalt beim Vertragsabschluß ist nach dem im Jahre 1938 geltenden Völkerrecht zu beantworten. Danach ist eine Nichtigkeit des Vertrags dann anzunehmen, wenn gegen die Unterhändler Zwangsgewalt ausgeübt worden ist. Da es sich hier um die Verhandlungen zwischen den beiden Westmächten und der Tschechoslowakei handelt, ist die Frage der Zwangsgewalt im Verhältnis dieser Verhandlungspartner zu untersuchen. Allerdings darf nicht übersehen werden, daß bei den Westmächten im Hintergrund auch die Furcht vor einer Aggression seitens Deutschlands stand. Die von den Westmächten vorgeschlagene Lösung sollte diese Kriegsfurcht bannen. Es ist zu fragen, ob Verträge, die aus einer solchen allgemeinen Kriegsfurcht entstanden sind, um die Kriegsgefahr zu beseitigen, später als von Anfang an nichtig angesehen werden können. Im Jahre 1938 neigte die Völkerrechtswissenschaft offenbar nicht zu dieser Auffassung; denn das Münchner Abkommen ist damals auch im ausländischen Schrifttum als gültig zustande gekommen betrachtet worden. Die Außerachtlassung des Völkerbunds und seiner Satzung, die ja ein beachtliches Arsenal von friedlichen Streitbeilegungsmitteln enthielt, kann als politischer, erheblicher Makel der Münchner Regelung angesehen werden. Auch wenn das Deutsche Reich damals nicht mehr Mitglied des Völkerbunds war, hätte der Völkerbund mit Erfolg angerufen werden können. Warum die Tschechoslowakei dies nicht tat, erklärte Präsident Beneš später in seinen Memoiren: Er fürchtete, daß vom Völkerbund inhaltlich genau dieselbe Regelung getroffen werden würde, die später aufgrund der Münchner Konferenz erfolgte. Doch war auch dies eine rein politische Überlegung. Da die Satzung des Völkerbunds dessen Einschaltung nicht zwingend vorschrieb, kann die Nichtanrufung des Völkerbunds keinen Rechtsmakel einer anderweitig zustandegekommenen Übereinkunft darstellen.

Die Konstruktion einer vertraglichen Übereinkunft über die Gebietsabtretung zwischen der tschechoslowakischen Republik und den beiden Westmächten durch den Notenwechsel vom 19./21. September 1938 reicht jedoch nicht aus, um eine rechtsgültige Zession zu begründen. Denn an dieser Übereinkunft war der Zessionar, d. h. das Deutsche Reich, nicht beteiligt. Daß das Deutsche Reich seine Zustimmung erklären würde, stand freilich außer Zweifel, und im Münchner Abkommen ist eine solche Erklärung zu sehen. Jedoch war am Münchner Abkommen der Zedent, d. h. die Tschechoslowakei, nicht beteiligt. Jeder Versuch, das Münchner Abkommen als Vertrag zu Lasten Dritter zu rechtfertigen, muß scheitern, weil der Vertrag zu Lasten Dritter im Völkerrecht nicht anerkannt wird, und auch 1938 nicht anerkannt wurde. Auch die Interpretation, die Tschechoslowakei habe den Westmächten Verhandlungsvollmacht erteilt, ist zurückzuweisen, weil sie nicht den Tatsachen entspricht. Eine Bindung der Tschechoslowakei konnte vielmehr nur durch deren Beteiligung an dem Vertragswerk entstehen.

Da die Tschechoslowakei am Münchner Abkommen nicht beteiligt war, konnte eine Rechtsbindung nur durch den Beitritt dieses Staates zum Münchner Abkommen bewirkt werden. Ein solcher Beitritt erfolgte durch die Erklärung der Tschechoslowakei vom 30. September 1938, die jedoch zugleich einen Protest gegen die Münchner Regelung enthielt. Die Frage, ob der verbale Protest die rechtliche Wirkung der Annahmeerklärung annullieren konnte, ist von der Literatur verneint worden. Zur Begründung wird angeführt, daß es zu einer totalen Rechtsunsicherheit führen würde, wenn der verbale Protest die Wirkung einer völkerrechtlichen Willenserklärung beseitigen könnte. Die Wirkung der tschechoslowakischen Annahmeerklärung vom 30. September bestand gerade darin, daß die

ČSR an der Durchführung des Münchner Abkommens, d. h. an der Festlegung der Grenze und der Modalitäten der Abtretung, beteiligt wurde. Das Münchner Abkommen regelte nämlich diese Fragen – trotz der Erklärung im ersten Artikel – nur in sehr groben Umrissen. Die Festlegung der Modalitäten im einzelnen wurde einem internationalen Ausschuß übertragen, in dem die Tschechoslowakei Sitz und Stimme hatte. Sie nahm in diesem Ausschuß ihre Rechte wahr und wirkte nicht nur in ihm, sondern auch in den von ihm eingesetzten Unterausschüssen mit.

Im Verlaufe der Arbeit dieses internationalen Ausschusses verlagerte sich das Schwergewicht immer mehr auf eine deutsch-tschechoslowakische Grenzziehungskommission, die insbesondere den Verlauf der Grenze in bilateralen Verhandlungen festlegte. Ferner hat die Tschechoslowakei die zahlreichen bilateralen Übereinkünfte, die zur Durchführung der Grenzabtretung und zur Regelung der sich daraus ergebenden Fragen notwendig waren, im normalen diplomatischen Verkehr abgeschlossen. Soweit hierzu die Mitwirkung des Parlaments notwendig war (wie z. B. bei der Inkraftsetzung des deutsch-tschechoslowakischen Staatsangehörigkeits- und Optionsvertrags vom 20. November 1938), war auch das tschechoslowakische Parlament beteiligt.

Auf der Grundlage eines solchen Beitritts zu den über die Gebietsabtretung getroffenen Vereinbarungen konnte die damalige Völkerrechtslehre zu dem Schluß kommen, daß die Gebietsabtretung insgesamt („Münchner Regelung") rechtsgültig zustandegekommen ist. Nochmals sei betont, daß für die Gebietsabtretung das Münchner Abkommen allein nicht genügt. Im Grunde genommen müßte deshalb nicht von dem „gültigen Zustandekommen des Münchner Abkommens", sondern von dem „gültigen Zustandekommen der Münchner Regelung" gesprochen werden.

Bei den Argumenten, mit denen die rückwirkende Beseitigung der rechtsgültig zustande gekommenen Münchner Regelung begründet wird, steht der Bruch des Abkommens an erster Stelle. Er wird darin gesehen, daß das Deutsche Reich unter Verstoß gegen das im Münchner Abkommen enthaltene Garantieversprechen den größten Teil der Resttschechoslowakei im März 1939 militärisch besetzte. Hierzu ist vorweg zu bemerken, daß diese Besetzung auf jeden Fall völkerrechtswidrig war, weil sie durch die Erklärung des damaligen tschechoslowakischen Staatspräsidenten Hacha, die offenbar durch unmittelbaren Zwang auf den Erklärenden zustande gekommen war, nicht gedeckt werden konnte.

Voraussetzung für diese Konstruktion ist, daß das Zusatzabkommen, in welchem das Garantieversprechen enthalten war, integrierender Bestandteil des Münchner Abkommens war, obwohl es gesondert unterzeichnet wurde. Die Auffassung, daß das Zusatzabkommen integrierender Bestandteil des Münchner Abkommens war, läßt sich jedoch ohne weiteres vertreten.

Die Garantiepflicht der Westmächte einerseits und des Deutschen Reiches und Italiens andererseits war an unterschiedliche Voraussetzungen geknüpft. Die Pflicht der Westmächte, sich an einem Garantievertrag mit der Tschechoslowakei zu beteiligen, entstand sofort, die entsprechende Pflicht Italiens und des Deutschen Reiches sollte erst nach der Regelung der Frage der polnischen und ungarischen Minderheiten in der Tschechoslowakei entstehen. Das letztere trat am 2. November 1938 (Wiener Schiedsspruch) ein. Da daraufhin kein Garantievertrag abgeschlossen wurde, ist das Zusatzabkommen, und damit – nach dieser Konstruktion – auch das Münchner Abkommen, gebrochen worden. Der endgültige Bruch dieses Abkommens ist darin zu sehen, daß Böhmen und Mähren besetzt wurden, wodurch der Abschluß eines Garantievertrags endgültig unmöglich gemacht wurde.

Eine Vertragsverletzung vernichtet den Vertrag nicht automatisch, sondern gibt dem anderen Vertragspartner nur das Recht, den Vertrag zu kündigen. Ob Vertragspartner eines multilateralen Vertrages, die den Vertrag ihrerseits gebrochen haben, ebenfalls zur Kündigung berechtigt sind, braucht nicht untersucht zu werden. Die Westmächte haben gegen die Besetzung Böhmens und Mährens durch deutsche Truppen zwar protestiert, aber bei dieser Gelegenheit keine Kündigung des Münchner Abkommens ausgesprochen.

Während des Krieges erfolgten eine Reihe von Erklärungen seitens der Westmächte. Vor allem England distanzierte sich von dem Münchner Abkommen, erklärte aber nicht, daß dieses Abkommen null und nichtig sei. Noch am 23. April 1965 antwortete der britische Außenminister Stewart bei seinem Besuch in Prag auf die Frage, warum er das Münchner Abkommen nicht für „null und nichtig" erklärte: Es sei ein großer Unterschied, ob man sage, daß ein Vertrag ungerecht sei, oder ob man sage, daß er niemals rechtsgültig zustandegekommen sei. Im Gegensatz dazu hat das französische Nationalkomitee bereits am 29. September 1942 der tschechoslowakischen Regierung eine Note übermittelt, in der es erklärte, es betrachte das Münchner Abkommen von Anfang an als null und nichtig. Die Analyse der Erklärungen der Westmächte ist jedoch nicht von ausschlaggebender Bedeutung, weil hier in erster Linie die Haltung der Tschechoslowakei selbst zu beachten ist.

An der „Münchner Regelung" war auch die Tschechoslowakische Republik beteiligt. Auch ihr stand deshalb das Kündigungsrecht bei Vertragsverletzung zu. Da sie aber gerade durch die Loslösung der Slowakei und die am folgenden Tag beginnende Besetzung Böhmens und Mährens aufgelöst wurde bzw. unter die Botmäßigkeit des Deutschen Reiches kam, konnte sie von ihrem Kündigungsrecht nicht Gebrauch machen. (Die Rechtslage wird dadurch kompliziert, daß im Frühjahr 1939 keine tschechoslowakische Exilregierung ins Ausland ging. Dieser Fragenkomplex, der nicht zuletzt die staatsrechtliche Kontinuität der Tschechoslowakischen Republik betrifft, kann auf so knappem Raum nicht erörtert werden.) Da ferner die Tschechoslowakei nicht Vertragsstaat des Münchner Abkommens war, bedurfte es keiner Erklärung der späteren tschechoslowakischen Exilregierung zum Münchner Abkommen selbst. Am 24. Juli 1940 erklärte aber Präsident Beneš in einer Rundfunkbotschaft, daß die tschechoslowakische Exilregierung das Münchner Abkommen und alle seine Folgen nicht anerkenne, und daß sein seinerzeitiger Rücktritt vom Amte des Präsidenten keine rechtliche Bedeutung habe. Man wird hierin einen Rücktritt von der Münchner Regelung erblikken können, der auch rechtzeitig erfolgte, weil vorher keine kompetenten tschechoslowakischen Staatsorgane vorhanden waren, die einen solchen Rücktritt hätten erklären können.

Der zulässige Rücktritt von einem völkerrechtlichen Vertrag macht diesen nicht von Anfang an nichtig, sondern beendet ihn nur vom Zeitpunkt des Wirksamwerdens der Rücktrittserklärung an. Diese Binsenwahrheit steht in allen Völkerrechtslehrbüchern. Zu erwägen wäre höchstens, ob die Wirkung der Rücktrittserklärung auf den Eintritt desjenigen Umstandes zurückdatiert werden kann, der die Vertragsverletzung darstellt, d. h. hier die Besetzung Böhmens und Mährens. Aber selbst wenn man diese Möglichkeit bejahte, könnten damit nicht die im Verhältnis zwischen der Tschechoslowakei und Deutschland entstandenen Rechtswirkungen der Münchner Regelung von Anfang an beseitigt werden.

Zu berücksichtigen war allerdings der Standpunkt der Tschechoslowakei: sie wollte ihre bisherigen Rechtshandlungen nicht als einen Rücktritt vom Vertrag betrachten, sondern das Münchner Abkommen als von Anfang an nichtig bezeichnen. Also mußte eine Kompromißformel gefunden werden, die den Meinungsunterschied überbrückt. Hinsichtlich der Statusakte mußten sodann Vereinbarungen getroffen werden, von welchem Zeitpunkt an die Ungültigkeit anzunehmen ist, bzw. ob und gegebenenfalls in welchem Umfang die Statusakte auch für die Folgezeit aufrechterhalten werden. Diese Aufgabe stellte sich den Unterhändlern im Vorfeld des Prager Vertrags. Im westlichen Schrifttum ist sie früh erkannt worden.

Die Anwendung der Wiener Vertragskonvention hilft in diesen Fragen nicht weiter. Anzuwenden wäre hier Art. 64 (Verstoß gegen ius cogens). Danach verliert ein Vertrag dann seine Gültigkeit, wenn eine neue zwingende Norm des allgemeinen Völkerrechts entsteht. Als solche könnte hier das Gewaltverbot gelten, das nach herrschender Meinung zum allgemeinen Völkerrecht gehört. An dieser Stelle ragt die Diskussion um das Gewaltverbot in die Diskussion um die Münchner Regelung hinein. Man wird den Bestrebungen Raum geben müssen, das Gewaltverbot nicht mehr nur im Sinne eines Verbots der militärischen Gewalt anzusehen. Unter diesem Aspekt könnte der politische Druck, der hinter der gesamten Münchner Regelung stand, rechtlich relevant werden.

Wird auf dieser Grundlage die Anwendung von Art. 64 der Konvention über das Recht der Verträge vom 23. Mai 1969 bejaht, so richten sich die Folgen bezüglich der auf den als ungültig erkannten Vertrag gestützten Rechtsakte zunächst nach Art. 69 dieser Konvention. Abs. 2 dieses Artikels besagt: Jede Partei kann von der anderen Partei verlangen, denjenigen Zustand wiederherzustellen, der bestehen würde, wenn die Akte, die auf der Grundlage des Vertrages gesetzt worden sind, nicht gesetzt worden wären. Akte, die im Vertrauen auf die Gültigkeit des Vertrages gesetzt worden sind, verlieren ihre Gültigkeit nicht. Speziell zu den Rechtsfolgen des Verstoßes gegen ius cogens sagt Art. 71 Abs. 2: Die Parteien sind nicht mehr verpflichtet, den Vertrag weiterhin zu erfüllen. Im Gegensatz zur Nichtigkeit von Anfang an („ex-tunc-Nichtigkeit") berührt diese (spätere) Vertragsbeendigung („Nichtigkeit ex nunc") nicht die Rechte, Pflichten und Rechtsverhältnisse der Parteien, die durch die Erfüllung des Vertrages vor seiner Beendigung entstanden sind. Dies gilt selbstverständlich nicht, soweit die Aufrechterhaltung dieser Rechtspositionen gerade gegen das Gewaltverbot verstößt.

Ein solcher Verstoß könnte etwa im Falle eines fortbestehenden Besitzes des Sudetengebietes vorliegen. Die Tschechoslowakei hat jedoch das Gebiet im Mai 1945 wieder in Besitz genommen, und die Bundesrepublik Deutschland hat bereits vor Abschluß des Prager Vertrags verbindlich erklärt, daß sie keine Gebietsansprüche gegen die Tschechoslowakei erhebt, und sie hat dies durch ihre Staatenpraxis bekräftigt (konsequente Behandlung der Grenze zwischen der Bundesrepublik Deutschland und der ČSSR als Staatsgrenze). Hinsichtlich der noch wirkenden Statusakte verbleibt es daher auch bei Anwendung der Wiener Vertragskonvention bei der Beendigung der Münchner Regelung ex nunc.

Die Festlegung des genauen Zeitpunkts, der unter „ex nunc" zu verstehen ist, bleibt auch in diesem Fall ein noch offenes Problem. Dem Sinn der Vertragsrechtskonvention würde es entsprechen, denjenigen Zeitpunkt für maßgeblich zu erklären, in dem die genannte Völkerrechtsregel als ius cogens in das allgemeine Völkerrecht Eingang gefunden hat. Hinsichtlich des allgemeinen Gewaltverbots kann dieser Zeitpunkt nicht vor Inkrafttreten der UNO-Satzung liegen. In diesem Falle wäre also die Vertragsbeendigung zu einem späteren Zeitpunkt anzunehmen als nach der Konstruktion, nach der eine Vertragsbeendigung aufgrund einer Kündigung von tschechischer Seite evtl. mit Rückwirkung bis zum 15. März 1939 möglich wäre. Deshalb endete die Zusammenfassung der Ergebnisse des Kieler Symposiums mit den Sätzen: „In beiden Fällen bleibt freilich die Regelung der Statusakte offen. Diese ist das eigentliche Problem, über das bei einer Normalisierung des Verhältnisses zwischen der Bundesrepublik Deutschland und der ČSSR verhandelt werden muß."[41] Damit hatten die Völkerrechtler die Marschrichtung für die deutsch-tschechoslowakischen Verhandlungen, die schließlich zum Prager Vertrag führten, angegeben.

Hermann Raschhofer hat sich in einer späteren Veröffentlichung den Ergebnissen des Kieler Symposiums ausdrücklich angeschlossen.[42] In der Tat waren diese Ergebnisse nach den vorangegangenen wissenschaftlichen Untersuchungen keine Sensation. Nur wenige Jahre vorher hatte allerdings ein völkerrechtswissenschaftliches Gutachten von fünf deutschen und österreichischen Professoren (Hubert Armbruster, Mainz; Friedrich Klein, Münster; Fritz Münch, Heidelberg/Bonn; Theodor Veiter, Feldkirch/Innsbruck), das bezüglich des gültigen Zustandekommens der Münchner Regelung und der möglichen Rechtsfolgen einer Nichtigerklärung von Anfang an (ex tunc) zum selben Ergebnis gekommen war,[43] noch einiges Aufsehen in der deutschen Presse erregt. Der Sudetendeut-

---

[41] Kimminich, aaO. (Anm. 40), S. 184.
[42] Hermann Raschhofer, Völkerbund und Münchener Abkommen, München – Wien 1976, S. 170.
[43] Das Gutachten stammt vom Januar 1966. Sein Text ist erstmals veröffentlicht worden in AWR-Bulletin 1966, S. 59 ff.; später noch mehrmals, vor allem in: „Gutachten zum Münchner Abkommen aus dem Blickpunkt allgemeiner Rechtsgrundsätze", hrsg. vom Su-

sche Rat hatte sich daraufhin entschlossen, hierzu ein weiteres Gutachten von mehreren Professoren, durchweg Ausländern, zu veröffentlichen: Thasin Bekir Balta (Ankara), Felix Ermacora (Wien), Toru Kano (Kobe, Japan) und Rama Rao (Madras, Indien). Sie waren zu demselben Ergebnis gekommen und hatten hinzugefügt: „Als Rechtsgelehrte nichtdeutscher Staatsangehörigkeit fühlen wir uns verpflichtet, uns an der Diskussion über eine praktische Frage des völkerrechtlichen Vertragsrechts zu beteiligen, die zur Erhellung von Streitfragen dient, welche die internationale wissenschaftliche Öffentlichkeit interessieren und wegen ihrer prinzipiellen Bedeutung über den Anlaßfall hinausgehen."[44])

b) „Östliches" Schrifttum

Niemanden wird es wundern, daß die Völkerrechtswissenschaft der sozialistischen Länder, vornehmlich der ČSSR, die im westlichen Schrifttum vertretenen Auffassungen nicht teilt, sondern zu widerlegen sucht. Eine kleine Auswahl aus tschechischen Schriften ist in deutscher Übersetzung, angereichert durch eine Bibliographie der übrigen tschechoslowakischen Publikationen zum Münchner Abkommen, in der Bundesrepublik Deutschland veröffentlicht worden.[45]) Es handelt sich um die folgenden Aufsätze: Jaroslav Žourek, Unrichtige Ansichten über das Münchner Abkommen 1938;[46]) Vaclav Michal, Das Münchner Abkommen in der zeitgenössischen westdeutschen bourgeoisen Literatur;[47]) Alexandr Ort, Über die Ungültigkeit des Münchner Diktats;[48]) Antonin Šnejdarek, Zu einigen Fragen der tschechoslowakisch-deutschen Beziehungen in der neueren und neuesten Geschichte.[49]) Zum 30. Jahrestag des Münchner Abkommens brachte

---

detendeutschen Rat, München 1967, S. 9 ff.; Der Freiheit, dem Frieden und dem Recht verpflichtet, Festschrift zum 22. Sudetendeutschen Tag, hrsg. von K. Simon, München 1971, S. 61 ff.

[44]) Gutachten zum Münchner Abkommen aus dem Blickpunkt allgemeiner Rechtsgrundsätze, hrsg. vom Sudetendeutschen Rat, München 1967, S. 33. Das Gutachten trägt die Überschrift „Die Frage der völkerrechtlichen Gültigkeit des Münchner Abkommens" und ist abgedruckt in demselben Band S. 19 ff. Der Band enthält ferner ein weiteres Gutachten über die möglichen Rechtsfolgen einer Nichtigerklärung des Münchner Abkommens von Anfang an (aaO., S. 34 ff.).

[45]) Otto Kimminich, Das Münchner Abkommen in der tschechoslowakischen wissenschaftlichen Literatur seit dem Zweiten Weltkrieg, München 1968, S. 43 ff.

[46]) AaO. (Anm. 45), S. 43 ff.; Originaltitel: Nesprávné názory na mnichovskou dohodu roku 1938, veröffentlicht in der Zeitschrift für Internationales Recht der Tschechoslowakischen Akademie der Wissenschaften 1957, S. 67 ff.

[47]) AaO. (Anm. 45), S. 49 ff.; Originaltitel: Mnichovská dohoda v současné západoněmecké buržoasni literatuře, veröffentlicht in der Zeitschrift „Der Jurist", hrsg. vom Institut für Recht der Tschechoslowakischen Akademie der Wissenschaften 1956, S. 550 ff.

[48]) AaO. (Anm. 45), S. 67 ff. Originaltitel: O neplatnosti mnichovského diktátu, veröffentlicht in der Zeitschrift „Internationale Beziehungen" 1967, S. 43 ff.

[49]) AaO. (Anm. 45), S. 91 ff. Originaltitel: K některém otázkán československo-německých vytahu v novějších a nejnovějšich dějinách, veröffentlicht in der Zeitschrift „Internationale Beziehungen" 1967, Nr. 1, S. 3 ff.

auch die Tschechoslowakische Akademie der Wissenschaften ein deutschsprachiges Dokumentarwerk mit einer umfangreichen Einleitung von Vaclav Král heraus.[50]) Zur gleichen Zeit erschienen auch einige Abhandlungen zum Münchner Abkommen in der DDR.[51])

Es erscheint ganz selbstverständlich, daß die tschechoslowakischen Völkerrechtler die Äußerungen im westlichen Schrifttum aufmerksam verfolgt haben und bemüht gewesen sind, sie zu widerlegen, was nicht immer gelungen ist. So ist z. B. Žourek offensichtlich bestürzt über die Argumentation von Guggenheim,[52]) vermag ihnen aber nichts entgegenzusetzen. Mit um so größerem Schneid wirft er sich auf Hermann Raschhofers Ausführungen zur Erfüllung des Münchner Abkommens durch die Tschechoslowakei: „Nach Raschhofers Theorie erlangt ein erfüllter internationaler Vertrag angeblich Rechtskraft".[53]) Der Satz „ein erfüllter Vertrag entfaltet völkerrechtliche Rechtskraft" findet sich tatsächlich in dem Buch von Hermann Raschhofer.[54]) Aber Žourek hat ihn aus dem Zusammenhang gerissen. Raschhofer hat keineswegs die absurde Theorie vertreten, ein internationaler Vertrag werde unabhängig von seinem Zustandekommen nach der Erfüllung rechtswirksam. Vielmehr meint Raschhofer dasselbe wie Guggenheim, daß nämlich die Tschechoslowakei dem Münchner Abkommen zugestimmt hat. Darin, daß die Tschechoslowakei die ihr aus dem Münchner Abkommen entstehenden Rechte wahrnahm, insbesondere die Mitgliedschaft im Internationalen Ausschuß, dem die Durchführung der Grenzneuregelung übertragen war, sah Raschhofer einen Beitritt der Tschechoslowakei zu dem Abkommen durch konkludentes Handeln. Er vertiefte damit lediglich die Argumentation Guggenheims.

Doch es ist nicht nötig, jetzt noch weiter auf die Meinungsverschiedenheiten der Völkerrechtswissenschaftler in Ost und West einzugehen. Schon vor zwei Jahrzehnten ist darauf hingewiesen worden, daß selbst dann, wenn infolge faktischer Gegebenheiten die Völkerrechtswissenschaft zweier Länder in einem sie beide betreffenden Streitpunkt unterschiedlich ist, objektive Ergebnisse erzielt werden können.[55]) Im vorliegenden Fall kommt hinzu, daß die beiden Länder in der Zwischenzeit einen Vertrag geschlossen haben, der die Frage außer Streit stellt, nämlich den Prager Vertrag vom 11. Dezember 1973, über den im folgen-

---

[50]) Das Abkommen von München 1938. Tschechoslowakische diplomatische Dokumente 1937-1939, zusammengestellt, mit Vorwort und Anmerkungen versehen von Vaclav Král, Academia, Verlag der Tschechoslowakischen Akademie der Wissenschaften, Praha 1968.

[51]) Vgl. Heinz Königer, Die Stellung der beiden deutschen Staaten zum Münchner Abkommen von 1938, Deutsche Außenpolitik 1968/69, S. 1050 ff.; Klaus Mammach, Die KPD und das Münchner Abkommen 1938, Zeitschrift für Geschichtswissenschaft 1968, S. 1034 ff.; Ludmila Thomas, Die Stellung der westdeutschen Bundesregierung zur ČSSR und zum Münchener Abkommen von 1938, Zeitschrift für Geschichtswissenschaft 1968, S. 981 ff.

[52]) Vgl. oben S. 317.

[53]) AaO. (Anm. 45), S. 45.

[54]) Vgl. oben S. 190.

[55]) Otto Kimminich, Das Münchner Abkommen in der tschechoslowakischen wissenschaftlichen Literatur seit dem Zweiten Weltkrieg, München 1968, S. 9.

den zu berichten sein wird. Am Vorabend dieses Vertrages hat eine westdeutsche Völkerrechtlerin noch einmal die gesamte Diskussion zum Münchner Abkommen in Ost und West untersucht und ist dabei zu folgendem Ergebnis gekommen:

„Die Zusammenschau der Thesen zur Frage nach der Gültigkeit des Münchner Abkommens zeigt, daß im wesentlichen drei Meinungen zu dem Problem bestehen: Nach der einen Ansicht soll das Münchner Abkommen wirksam zustandegekommen sein und noch fortgelten. Nach einer anderen – vornehmlich von Vertretern der Regierung der Bundesrepublik geäußerten – Ansicht soll Hitler das Münchner Abkommen durch die Protektoratserrichtung ‚zerrissen‘ haben, das Abkommen dementsprechend also nur bis zum 15. März 1939 wirksam gewesen sein. Nach der dritten – in Theorie und Praxis der sozialistischen Staaten wohl einhelligen – Auffassung soll das Münchner Abkommen von Anfang an unwirksam gewesen sein. Ungeachtet der Verschiedenartigkeit der Standpunkte führen sämtliche Meinungen im Ergebnis zu den gleichen rechtlichen Konsequenzen sowohl in der Frage nach dem Bestehen von Territorialansprüchen als auch in der nach Bestehen und Höhe von Reparations- und Entschädigungsansprüchen als auch in der Beurteilung des Staatsangehörigkeitsstatus der ehemaligen Sudetendeutschen, des nach der deutschen Rechtsordnung in den ehemaligen Sudetengebieten gestalteten Rechtslebens, des Wehrdienstes der Sudetendeutschen in der deutschen Wehrmacht als auch der Vertreibung."[56])

Bezüglich der Kategorisierung der Meinungen wäre lediglich anzumerken, daß auch unter den Völkerrechtlern der Bundesrepublik Deutschland kein einziger jemals die Auffassung vertreten hat, das Münchner Abkommen gelte fort und müsse deshalb durch die Rückgabe der Sudetengebiete (erneut) erfüllt werden.[57]) In den Verhandlungen zwischen der Bundesrepublik Deutschland und der ČSSR ging es niemals um Territorialfragen, sondern stets nur um die gegenseitigen Beziehungen und um die Rechtslage von Menschen, für die die Bundesrepublik Deutschland eine Obhutspflicht und im internationalen Bereich ein völkerrechtlich gesichertes Obhutsrecht hat.

---

[56]) Karin Schmid, Das Münchner Abkommen. Thesen, Argumente, rechtliche Konsequenzen, Düsseldorf 1973, S. 85 f.

[57]) Nur in gewissem Sinne bildet die Publikation von Horst Rudolf Übelacker, Zur Problematik des Münchner Abkommens in der Gegenwart, Seeheim a. d. B. 1967, eine Ausnahme hiervon. Auch Übelacker kann sich nicht der Einsicht verschließen, daß in einem umfassenden Friedensvertrag nach dem Zweiten Weltkrieg die Rückgängigmachung der Münchner Regelung völkerrechtlich zulässig und politisch so gut wie sicher wäre. Er betont aber, daß die friedensvertragliche Regelung noch aussteht und kann dabei auf eine Erklärung hinweisen, die die britische Regierung am 24. April 1967 im Unterhaus abgegeben hat und in der es unter anderem heißt: „Die endgültige Festlegung der tschechoslowakischen Grenzen zu Deutschland und Polen kann erst durch einen Friedensvertrag formalisiert werden" (Parliamentary Debates) (Hansard), Fifth Series, Vol. 745, House of Commons, Session 1966/67, Sp. 208. Für die Bundesrepublik Deutschland ist auch diese Frage seit dem Abschluß des Prager Vertrags gegenstandslos.

C. Der Prager Vertrag

Der Vertrag über die gegenseitigen Beziehungen zwischen der Bundesrepublik Deutschland und der Tschechoslowakischen Sozialistischen Republik vom 11. Dezember 1973 (Prager Vertrag), der am 19. Juli 1974 in Kraft getreten ist,[58]) pflegt im Zusammenhang mit den üblichen „Ostverträgen" als Teil der zu Beginn der 70er Jahre durchgeführten Ostpolitik der Bundesrepublik Deutschland betrachtet zu werden. Seine Vorgeschichte reicht jedoch weiter zurück und ist mit weniger innenpolitischen Auseinandersetzungen verbunden als die übrigen Ostverträge. Letzteres beruht vor allem darauf, daß von vornherein feststand, daß es bei den Vertragsverhandlungen mit der Tschechoslowakei nicht um Territorialprobleme gehen würde. Trotzdem spielte die Beurteilung des Münchner Abkommens im Vorfeld der Verhandlungen und in den Verhandlungen selbst eine entscheidende Rolle. Auch diese Tatsache zeichnete sich schon früh ab. Ein interessanter Beweis hierfür sind die zahlreichen Leserbriefe, die deutsche Völkerrechtler nach dem Auftauchen der ersten Nachrichten über diplomatische Kontakte zur Tschechoslowakei und vor allem als Reaktion auf Erklärungen von drei Staatsrechtlern in der Presse veröffentlichten.[59])

Der uninformierten Öffentlichkeit erschien es unverständlich, wenn nicht gar absurd, daß ein Streit über ein mehr als drei Jahrzehnte zurückliegendes Abkommen, aus dem keiner der Vertragspartner Rechte ableiten wollte, die Verhandlungen behinderte. Alle waren sich darin einig, daß die Geschichte über das Münchner Abkommen hinweggegangen war. In der Distanzierung vom Münchner Abkommen waren sich die Verhandlungspartner einig. Warum beharrte dann die Tschechoslowakei auf einer ausdrücklichen Erklärung der ex-tunc-Nichtigkeit (Nichtigkeit von Anfang an) des Münchner Abkommens, warum verweigerte dies die Bundesrepublik Deutschland hartnäckig?

---

[58]) Text in BGBl. 1974 II, S. 990. Dieser Text findet sich auch unten S. 348 ff.

[59]) Es handelte sich um Erklärungen der Professoren Otto Bachof, Günter Dürig und Ernst Forsthoff, die als Presseinterview unter dem Titel „Staatsrechtler: Münchner Abkommen hinfällig" in der Frankfurter Allgemeinen Zeitung vom 17.11.1964, S. 5, veröffentlicht worden waren. Einige der völkerrechtlichen Stellungnahmen sind bereits vorher, andere nachher veröffentlicht worden. Im folgenden seien wenigstens die wichtigsten von ihnen erwähnt: Wilfried Fiedler, Vom Münchner Abkommen abrücken?, Frankfurter Allgemeine Zeitung vom 16.10.1963, S. 10; Karl-Alfred Hall, Böhmen und das Sudetenland, Frankfurter Allgemeine Zeitung vom 13.1.1964; Wolfgang Schweitzer, Lostrennen von Böhmen?, Frankfurter Allgemeine Zeitung vom 19.1.1964; Fritz Münch, Das Münchner Abkommen und seine Aufhebung, Frankfurter Allgemeine Zeitung vom 1.6.1964, S. 9; Gerold Schmiedbach und Wilfried Fiedler, Die Sudetendeutschen sind realistischer, Frankfurter Allgemeine Zeitung vom 29.6.1964, S. 6; Hubert Armbruster, Das Münchner Abkommen – noch aktuell, Die Welt vom 30.9.1964, S. 6; „Prag verlangt Unmögliches", Frankfurter Allgemeine Zeitung vom 10.12.1964, S. 2, (Abdruck aus dem Ingolstädter Donau-Kurier); Friedrich Klein, Das Münchner Abkommen, Frankfurter Allgemeine Zeitung vom 3.2.1965, S. 3; Kurt Rabl, Die Grenzregelung von München, Frankfurter Allgemeine Zeitung vom 22.2.1965, S. 6.

Das tschechoslowakische Beharren auf der ausdrücklichen Erklärung der ex-tunc-Nichtigkeit pflegt im Zusammenhang mit dem tschechoslowakischen Bemühen um den Nachweis der staats- und völkerrechtlichen Kontinuität der Tschechoslowakischen Republik gesehen zu werden. Freilich ist das Kontinuitätsproblem für die Tschechoslowakei, wie schon die tschechoslowakische Auslandsaktion im Zweiten Weltkrieg zeigt, von überragender Bedeutung.[60]) Aber die staats- und völkerrechtliche Kontinuität des tschechoslowakischen Staates ist auch dann möglich, wenn das Münchner Abkommen gültig zustande gekommen ist. Ein österreichischer Völkerrechtler ist diesen Fragen auf den Grund gegangen und dabei zu folgenden Ergebnissen gekommen: „Abgesehen von politischen, ja völkerpsychologischen Imponderabilien, lag das Interesse der ČSSR an der ex-tunc-Nichtigkeitserklärung des Münchner Abkommens vor allem darin, daß dadurch die durch konkludente Handlungen im Oktober 1938 anscheinend bewirkte Zession des Sudetenlandes ex tunc hinfällig geworden ist bzw. geworden wäre. Erst ein solches Hinfälligwerden der Zession stellt die territoriale Souveränität der ČSSR über das Sudetenland einwandfrei wieder her. Die Grenzgarantie und auch die Verzichtserklärung auf künftige Gebietsansprüche kann dies für sich allein genommen nicht bewirken."[61])

Doch genauso schwierig war es, der Weltöffentlichkeit – und auch der deutschen Öffentlichkeit – klarzumachen, warum die Bundesrepublik Deutschland nicht den tschechoslowakischen Standpunkt bezüglich eines erfüllten Vertrages akzeptierte, aus dem sie keinerlei Ansprüche ableiten wollte und den sie, wie schon frühere Bundesregierungen deutlich erklärt hatten, für politisch tot und in den gegenseitigen Beziehungen zwischen den beiden Staaten als völlig irrelevant betrachtete.[62]) Die Bundesregierung hat nie einen Zweifel daran gelassen, daß sie einen Schlußstrich unter die Münchner Regelung ziehen und einen neuen Anfang in den deutsch-tschechoslowakischen Beziehungen finden will. Diese feste Absicht fand schließlich ihren Niederschlag in der Präambel des Prager Vertrages, in der anerkannt wird, „daß das Münchener Abkommen vom 29. September 1938 der Tschechoslowakischen Republik durch das nationalsozialistische Regime unter Androhung von Gewalt aufgezwungen wurde".

In der öffentlichen Diskussion, die dem Vertragsabschluß folgte, ist dieser Passus gerügt worden, weil er das Münchner Abkommen aus dem Gesamtzusammenhang der Münchner Regelung herausreiße und die Übernahme einer tschechoslowakischen Auffassung bedeute, ohne daß die deutsche Position, die sich nicht auf den engen Umkreis der Beurteilung des Herbstes 1938 beschränkt, son-

[60]) Vgl. oben S. 235 ff.

[61]) Ignaz Seidl-Hohenveldern, Das Münchner Abkommen im Lichte des Prager Vertrages von 1973; in: Festschrift für Eberhard Menzel, Berlin 1975, S. 457 f.

[62]) Vgl. die Erklärungen der Bundesregierung vom 11.3.1964, Bulletin des Presse- und Informationsamtes der Bundesregierung vom 15.5.1964, S. 714; vom 11.6.1964, Bulletin des Presse- und Informationsamtes der Bundesregierung vom 12.6.1964, S. 849; vom 15.10.1964, Bulletin des Presse- und Informationsamtes der Bundesregierung vom 16.10.1964, S. 1429.

dern die Rechtslage von noch lebenden Personen im Auge hat, ebenso deutlich in der Präambel zum Ausdruck gekommen wäre. Die Verteidigung der Bundesregierung gegen diesen Vorwurf ist einfach: gerade weil die Zielsetzung der deutschen Verhandlungsdelegation anders war, bedurfte es keines Zusatzes in der Präambel. Der Bundesrepublik Deutschland ist es nie darum gegangen, nationalsozialistische Außenpolitik zu verteidigen, sondern nur darum, die Rechte von Menschen zu wahren und das Völkerrecht zu achten. Hiervon gibt die Präambel ebenso Zeugnis wie der operative Teil des Prager Vertrages, insbesondere seine beiden ersten Artikel, die im folgenden zu untersuchen sein werden. Die Präambel eines völkerrechtlichen Vertrages nimmt an der normativen Wirkung des Vertrages nicht teil. Sie hat nur Bedeutung für die Vertragsauslegung. Mit Recht betont daher die wohl gründlichste Untersuchung des Prager Vertrages im bisherigen völkerrechtlichen Schrifttum: „Für die rechtliche Bewertung der hier anstehenden Frage ist daher nicht die Präambel, die primär Motive und Ziele der Parteien zusammenfaßt, sondern Art. I des Vertrages sedes materiæ.“[63])

Für die Interpretation des Vertragstextes steht damit die Frage im Vordergrund, ob es der Bundesregierung in den Vertragsverhandlungen gelungen ist, die von ihr befürchteten nachteiligen Rechtsfolgen einer ex-tunc-Nichtigerklärung des Münchner Abkommens durch entsprechende Vertragsformulierungen zu vermeiden. Nachteilige Rechtsfolgen wurden vor allem bezüglich der Staatsangehörigkeit der Sudetendeutschen[64]) und für die Wirkungen der Erstreckung der deutschen Rechtsordnung auf die Sudetengebiete im Gefolge der Münchner Regelung befürchtet. Während eines Zeitraums von immerhin sechs Jahren und sieben Monaten waren im Sudetenland zahllose Statusakte wie Eheschließungen, Ehescheidungen, Testamentserrichtungen, andere Personenstandsakte, Eigentumsverfügungen, Verträge des bürgerlichen Rechts usw. gesetzt bzw. geschlossen worden, die für die noch lebenden Sudetendeutschen und deren Nachkommen von Bedeutung sind. Das Argument lautete: Würde diesen Rechtsakten die Grundlage entzogen, so entstünde eine Rechtsunsicherheit von unvorstellbaren Ausmaßen. Ferner wurde auch befürchtet, daß hinter der tschechoslowakischen Forderung nach einer ex-tunc-Nichtigerklärung des Münchner Abkommens die Absicht stünde, Reparationsforderungen gegen die Bundesrepublik Deutschland vorzubereiten.[65])

Nach der Veröffentlichung des Textes des Prager Vertrags, die lange vor der

---

[63]) Dieter Blumenwitz, Der Prager Vertrag, Bonn 1985, S. 97; ebenso Dieter Blumenwitz, Zur Nichtigkeit des Münchener Abkommens vom 29. September 1938, Jahrbuch für Ostrecht 1975, S. 182 ff.

[64]) Vgl. oben Abschn. IX.A.

[65]) Die Befürchtungen sind in der Tagespresse eifrig diskutiert worden. Es ist selbstverständlich, daß sich die Organisationen der Sudetendeutschen in besonderem Maße damit beschäftigten. Eine Zusammenfassung enthält die vom Sudetendeutschen Rat herausgegebene Schrift „Mögliche Rechtsfolgen einer Nichtigerklärung des Münchner Abkommens ‚von Anfang an‘“, München o. J.

Unterzeichnung erfolgte, nämlich bereits am 20. Juni 1973,[66]) trat eine merkliche Beruhigung ein, obgleich sorgfältige Expertenanalysen vor den Interpretationsschwierigkeiten warnten, die sich aus den vagen Vertragsformulierungen ergeben würden.[67]) Auch in der rückschauenden Betrachtung wies ein führender nichtdeutscher Völkerrechtler auf diese Eigenschaft des Prager Vertrages hin: „Es ist ein durchgehender Zug der Ostpolitik der SPD/FDP-Koalition, daß die grundlegenden völkerrechtlichen Probleme, die der Zweite Weltkrieg aufgeworfen hat, durch die von ihr abgeschlossenen Verträge nicht gelöst werden, sondern – zumindest nach ihrem Willen – ausgeklammert bleiben sollen. Dies ist in hervorragendem Maße auch beim langwierigen Abschluß des Prager Vertrages vom 11. Dezember 1973 gelungen."[68])

Noch einmal kamen alle Befürchtungen zur Sprache, als das Zustimmungsgesetz zum Prager Vertrag im Frühjahr 1974 im Deutschen Bundestag und im Bundesrat beraten wurde. Gemäß Art. 59 Abs. 2 GG bedürfen „Verträge, welche die politischen Beziehungen des Bundes regeln oder sich auf Gegenstände der Bundesgesetzgebung beziehen, ... der Zustimmung oder der Mitwirkung der jeweils für die Bundesgesetzgebung zuständigen Körperschaften in der Form eines Bundesgesetzes". Die Formulierung von Art. 59 Abs. 2 GG ist deshalb so gewählt, weil das Erfordernis der Mitwirkung des Bundesrates sich nicht aus Art. 59 Abs. 2 GG, sondern aus anderen Vorschriften des Grundgesetzes ergibt. Im Falle des Prager Vertrages war unbestritten, daß auch der Bundesrat zur Mitwirkung berufen war.

Der Bundestag begann die Behandlung des Prager Vertrages in seiner Sitzung vom 27. März 1974, die zum Teil stürmisch verlief.[69]) Bundesaußenminister Scheel erklärte zu Beginn wörtlich: „Diese vertragliche Regelung hindert weder uns noch die Tschechoslowakei, die eigene rechtliche Beurteilung des Münchener Abkommens aufrechtzuerhalten. Irgendwelche Folgerungen, die für die Bundesrepublik Deutschland oder deutsche Staatsangehörige und Deutsche im Sinne des Grundgesetzes rechtlich nachteilig wären, können aus dem Vertrag aber nicht hergeleitet werden."[70]) Er bezeichnete den Vertrag als einen „modus vivendi, der die vorhandenen Streitfragen entschärft und ihnen die praktische Bedeutung so weit wie möglich nimmt", fügte aber hinzu: „Dieser Vertrag gibt keine amtliche

---

[66]) Die amtliche Veröffentlichung erfolgte im Bulletin des Presse- und Informationsamtes der Bundesregierung Nr. 76 vom 21.6.1973. Die Unterzeichnung fand am 11. Dezember 1973 in Prag statt.

[67]) Wieder ist es verständlich, daß die Sudetendeutschen den Vertragstext besonders sorgfältig analysierten. Bereits am 14. Juli 1973 traten das Plenum des Sudetendeutschen Rates und die Bundesversammlung der Sudetendeutschen Landsmannschaft zusammen, um zu dem Vertrag Stellung zu nehmen. Die Ergebnisse der Beratung, zusammen mit einer Dokumentation über das Zustandekommen des Prager Vertrages, sind veröffentlicht in der Broschüre „Rechtsverwahrung der Sudetendeutschen", hrsg. von der Sudetendeutschen Landsmannschaft, München 1974.

[68]) Seidl-Hohenveldern, aaO. (Anm. 61), S. 451.

[69]) Deutscher Bundestag, 7. Wahlperiode, 90. Sitzung am 27.3.1974, S. 6006 ff.

[70]) AaO. (Anm. 69), S. 6007.

Interpretation der Vergangenheit und keine einklagbaren Garantien für die Zukunft des deutsch-tschechoslowakischen Verhältnisses".[71]) Die Opposition wiederholte die bereits vorher geäußerten Befürchtungen und kam zu dem Schluß: „So ist der Vertrag zwischen unserem Lande und der ČSSR für uns enttäuschend, in vielen seiner Formulierungen nicht akzeptabel."[72]) Die Beratungen wurden am 19. und 20. Juni 1974 fortgesetzt.[73])

Eine knappe Aufzählung der Bedenken gegen den Prager Vertrag legten die Länder Baden-Württemberg, Bayern, Rheinland-Pfalz, Saarland und Schleswig-Holstein dem Bundesrat vor, der sich ebenfalls im Frühjahr 1974 mit dem Prager Vertrag zu beschäftigen hatte. Wörtlich führten sie aus: „1. Die mehrdeutige Regelung über die Nichtigkeit des Münchener Abkommens in Art. 1 führt zu Meinungsverschiedenheiten, ob dieses Abkommen bereits von Anfang oder erst nachträglich in den gegenseitigen Beziehungen als ungültig zu betrachten ist. Der deutsche Standpunkt ist im Vertragstext nicht so abgesichert, wie dies wegen des bereits jetzt bestehenden Dissenses erforderlich wäre. Dies gilt auch für die Frage, ob nach Art. II alle Nachteile, die sich aus der Regelung des Art. I für natürliche und juristische Personen ergeben können, ausgeschlossen werden, z. B. in bezug auf den Schutzanspruch Deutscher, die in der ČSSR wohnen. 2. Die Feststellung der Präambel, daß das Münchener Abkommen der Tschechoslowakischen Republik durch das nationalsozialistische Regime unter Androhung von Gewalt aufgezwungen worden sei, gibt den historischen Sachverhalt unvollständig wieder. Sie verschweigt insbesondere, daß den Sudetendeutschen das Selbstbestimmungsrecht verweigert worden war. 3. Aus der Wendung in der Präambel, daß die Vertragschließenden ein für allemal mit der unheilvollen Vergangenheit ein Ende machen wollen, vor allem im Zusammenhang mit dem Zweiten Weltkrieg, könnte gefolgert werden, der Vertrag wolle auch die Vertreibung und die Konfiskation des Vermögens der Sudetendeutschen legitimieren. Die ČSSR könnte versucht sein, von ihrem Standpunkt der anfänglichen Nichtigkeit des Münchener Abkommens aus, diese Völkerrechtsverstöße als innerstaatliche Maßnahmen gegen illoyale Staatsbürger zu qualifizieren. Es fehlt ferner eine verbindliche Darstellung, daß die Rechte der Vertriebenen durch den Vertrag nicht berührt werden und endgültige Regelungen noch getroffen werden müssen. 4. Das Vertragswerk enthält keine Gegenleistung für die der ČSSR gemachten Zugeständnisse. Der Briefwechsel über humanitäre Fragen stellt keine inhaltlich verpflichtende Regelung der Ausreisemöglichkeit der Deutschen in der ČSSR dar."[74])

Als dann aber nach positiven Abstimmungen über das Zustimmungsgesetz in den gesetzgebenden Körperschaften der Bundesrepublik Deutschland der Prager

---

[71]) AaO. (Anm. 69), S. 6008.
[72]) Abgeordneter Dr. Marx in der Sitzung vom 27. März 1974, aaO. (Anm. 69), S. 6008.
[73]) 109. und 110. Sitzung des Deutschen Bundestages, 7. Wahlperiode, S. 7389 ff. und 7439 ff.
[74]) Bundesrats-Drucksache 77/1/74 vom 7.3.1974.

Vertrag am 19. Juli 1974 in Kraft getreten war, überwog nicht nur in der öffentlichen Meinung, sondern auch im völkerrechtlichen Schrifttum die Zustimmung. Alle Völkerrechtler, die den Vertrag analysierten, stimmten ihm zu und erklärten die Interpretationsschwierigkeiten für überwindbar. Das gilt nicht nur für die – spärliche – ausländische Literatur,[75]) sondern auch für die deutschsprachige.[76]) Der Schwerpunkt hatte sich auf die Interpretationsprobleme verlagert. Diese Probleme wurden und werden einhellig in den ersten beiden Artikeln des Prager Vertrages gesehen, die deshalb eine Einheit bilden, weil der Vorbehalt „nach Maßgabe dieses Vertrages", unter dem die Erklärung zum Münchner Abkommen von den Vertragsparteien in Art. I abgegeben wird, auf Art. II des Vertrages verweist.

Die Form der Erklärung zum Münchner Abkommen ist denkbar einfach. Art. I des Prager Vertrages lautet: „Die Bundesrepublik Deutschland und die Tschechoslowakische Sozialistische Republik betrachten das Münchener Abkommen vom 29. September 1938 im Hinblick auf ihre gegenseitigen Beziehungen nach Maßgabe dieses Vertrages als nichtig." Die Frage, ob mit dieser einfachen Formel der jahrzehntelange Streit um das Münchner Abkommen tatsächlich aus den deutsch-tschechoslowakischen Beziehungen endgültig verbannt wird oder nicht, ist in der Literatur unterschiedlich beantwortet worden.

Unbestritten ist die Feststellung, daß Art. I des Prager Vertrages nach seinem insoweit völlig eindeutigen Wortlaut keine Beurteilung der Vorgänge des Jahres 1938 enthält. Bereits in der vor dem Abschluß des Prager Vertrages erschienenen

---

[75]) Vgl. Michael Akehurst, Burying the Munich Agreement, International Relations 1974 (Bd. IV), S. 472 ff.; Robert W. Dean, Bonn-Prague relations: the politics of reconciliation, The World Today 1973, S. 149 ff.
[76]) Vgl. Dieter Blumenwitz, Der Prager Vertrag, Bonn 1985; Dieter Blumenwitz, Zur Nichtigkeit des Münchener Abkommens vom 29. September 1938. Einige Bemerkungen zum Vertrag über die gegenseitigen Beziehungen zwischen der Bundesrepublik Deutschland und der Tschechoslowakischen Sozialistischen Republik vom 11. Dezember 1973, Jahrbuch für Ostrecht 1975, S. 181 ff.; Wilfried Fiedler, Münchener Abkommen und Prager Vertrag. Verträge der Vergangenheit – Verträge der Zukunft?, in: Die sudetendeutsche Frage 1985, München 1986, S. 37 ff.; Otto Kimminich, Die Aussagen des Prager Vertrages zum Münchener Abkommen in völkerrechtlicher Sicht, Politische Studien, Sonderheft 1/1974, S. 19 ff.; Otto Kimminich, Der Prager Vertrag, Jahrbuch für Internationales Recht 1975 (18. Bd.), S. 62 ff.; Otto Kimminich, Der Prager Vertrag: Ein Markstein in den Ost-West-Beziehungen?, in: Festschrift für Karl Bosl zum 75. Geburtstag, München – Wien 1983, S. 341 ff.; Alois Mertes, Der Prager Vertrag – Teilstück der sowjetischen Westpolitik, Politische Studien, Sonderheft 1/1974, S. 39 ff.; Hermann Raschhofer, Der „Normalisierungs"-Vertrag zwischen der Bundesrepublik Deutschland und der Tschechoslowakei, Akademische Blätter 1974, S. 2 ff.; Hermann Raschhofer, Zum deutsch-tschechoslowakischen Normalisierungsvertrag, BayVBl. 1975, S. 133 ff.; Ignaz Seidl-Hohenveldern, Das Münchner Abkommen im Lichte des Prager Vertrages von 1973, in: Festschrift für Eberhard Menzel, Berlin 1975, S. 451 ff.; Matthias Weigand, Der Vertrag über die gegenseitigen Beziehungen zwischen der Bundesrepublik Deutschland und der Tschechoslowakischen Sozialistischen Republik vom 11. Dezember 1973 – Eine völkerrechtliche Analyse, Bern – Frankfurt 1975; Fritz Wittmann, Auslegungsprobleme um den deutsch-tschechoslowakischen Vertrag vom 11. Dezember 1973, Politische Studien, Sonderheft 1/1974, S. 30 ff.

Literatur ist immer wieder darauf hingewiesen worden, daß das Münchner Abkommen durch eine Vereinbarung zwischen der Bundesrepublik Deutschland und der ČSSR schon deshalb nicht für nichtig erklärt werden kann, weil sich damit die Vertragspartner als eine Art Schiedsgericht betätigen würden. Eine solche Betätigung wäre schon deshalb völkerrechtlich unzulässig, weil ein multilateraler Vertrag, wie ihn das Münchner Abkommen von 1938 darstellt, nicht durch einen bilateralen Vertrag berührt werden kann.

Die tschechoslowakische Völkerrechtslehre hatte dieses Problem erkannt und geschickt zu lösen versucht. Sie wies darauf hin, daß zwei Signatarmächte des Münchner Abkommens, nämlich Frankreich und Italien, noch während des Krieges die ex-tunc-Nichtigkeit des Münchner Abkommens anerkannt haben. Die Bundesrepublik Deutschland als rechtlich identisch mit dem Völkerrechtssubjekt Deutsches Reich und die ČSSR als rechtlich identisch mit dem Völkerrechtssubjekt Tschechoslowakische Republik, die zwar nicht am Münchner Abkommen, aber durch Beitritt an der Münchner Regelung insgesamt beteiligt war, hätten durch ihre Nichtigerklärung in einem bilateralen Vertrag die bereits vorher einseitig abgegebenen Erklärungen Frankreichs und Italiens ergänzt. Schwierigkeiten bereitete jedoch die britische Haltung. Zwar hatte die britische Regierung unter Bezugnahme auf die Besetzung Böhmens und Mährens im März 1939 erklärt, das Münchner Abkommen sei „von den Deutschen zerstört" worden, aber bald wurde klargestellt, daß damit nicht die Ungültigkeit des Abkommens von Anfang an gemeint war. In seiner Note vom 5. August 1942 an die tschechoslowakische Exilregierung in London erklärte Außenminister Eden, daß sich Großbritannien, „da Deutschland überlegterweise die unter Beteiligung von Seiner Majestät Regierung im Vereinigten Königreich im Jahre 1938 zustandegebrachten Abmachungen über die Tschechoslowakei zerstört hat, Seiner Majestät Regierung in dieser Beziehung als frei von jeglicher Verpflichtung betrachtet. Sie wird sich bei der endgültigen Festlegung der tschechoslowakischen Grenzen, die nach Kriegsende zu erfolgen hat, nicht von irgendwelchen Änderungen, die 1938 oder später erfolgten, beeinflussen lassen".[77]

Mit Recht wurde daraus gefolgert, „daß die britische Regierung die ganze Sudetenfrage und sogar das ganze Problem der tschechoslowakischen Grenzen als noch offen ansieht".[78] Am Ende des Krieges aber war die tschechoslowakische Grenzfrage nicht mehr offen. Die alliierte Formel „Deutschland in den Grenzen vom 31. Dezember 1937", die seit dem Londoner Protokoll vom 12. Dezember 1944 wiederholt verwendet und auch zur Grundlage der Beratungen über Deutschland auf der Potsdamer Konferenz gemacht wurde, bedeutete einen Vorgriff auf den Friedensvertrag und ließ erkennen, daß die Siegermächte des Zweiten Weltkriegs alle nach dem 31. Dezember 1937 erfolgten Gebietserwerbungen des Deutschen Reiches rückgängig machen würden. Die Bundesrepublik

---

[77]) American Journal of International Law 1943 (Bd. 37), Supplement S. 2.
[78]) Charles Pergler, The Munich Repudiation, American Journal of International Law 1943 (Bd. 37), S. 309.

Deutschland hat dies von Anfang an zur Grundlage ihrer Außenpolitik gemacht und auch gegenüber der ČSSR praktiziert, wie die Anerkennung der Staatsgrenze zur ČSSR zeigt. Die britische Haltung zum Münchner Abkommen blieb aber unbeugsam. Am 24. April 1967 antwortete ein Sprecher des Foreign Office auf eine Anfrage des Abgeordneten Brooks, die Regierung Ihrer Majestät erachte das Münchner Abkommen als vollständig tot (completely dead), und zwar schon seit vielen Jahren. Die Tatsache, daß es einmal abgeschlossen worden sei, könne keinerlei künftige Ansprüche gegen die Tschechoslowakei rechtfertigen. Ihrer Majestät Regierung vertrete die Auffassung, daß keine Veränderungen, die 1938 oder später erfolgt sind, berücksichtigt werden sollen. Aber „die endgültige Festlegung der tschechoslowakischen Grenzen zu Deutschland und Polen" („the final determination of the Czechoslovak frontiers with Germany and Poland") könne nicht vor Abschluß eines Friedensvertrages formalisiert werden („cannot be formalised until there is a peace treaty").[79]) Nicht lange vorher hatte der damalige britische Außenminister bei seinem Besuch in Prag am 23. April 1965 auf die Frage, warum er das Münchner Abkommen trotz dessen ausdrücklicher Verurteilung nicht für null und nichtig erklärte, geantwortet: es sei ein großer Unterschied, ob man sage, daß ein Vertrag ungerecht sei, oder ob man sage, daß er niemals rechtsgültig zustandegekommen sei. Das letztere vom Münchner Abkommen nachträglich zu behaupten, würde einen „gefährlichen Präzedenzfall" für die Antastung des Grundsatzes der Heiligkeit der Verträge bedeuten.[80])

Trotzdem konnte es nicht allein die Haltung Großbritanniens sein, die einen als Schiedsurteil über das Münchner Abkommen wirkenden bilateralen Vertrag zwischen der Bundesrepublik Deutschland und der ČSSR fragwürdig erscheinen ließ, sondern es waren auch rechtsdogmatische Überlegungen. Nach Abschluß des Vertrages mit der Bundesrepublik Deutschland hätte die ČSSR versuchen können, einen ähnlichen Vertrag mit Großbritannien abzuschließen oder von Großbritannien zumindest eine einseitige Erklärung zu erlangen. Aber gerade das Durchspielen dieser Alternative zeigt, daß damit die effektiv bestehenden Rechtsprobleme, um die man sich auf deutscher Seite Sorgen machte, vor allem bezüglich der auf der Grundlage des alten Vertrags gesetzten Rechtsakte, nicht gelöst werden konnten. Ereignisse des Jahres 1938 können durch Rechtsakte des Jahres 1973 nicht ausgelöscht, sondern nur korrigiert werden. Ihre Korrektur kann nicht beiläufig erfolgen, sondern muß ausdrücklich festgelegt werden. Wenn die Vertragspartner hinsichtlich der Beurteilung der faktischen Grundlagen, von denen die Festlegung auszugehen hat, nicht einig sind, muß eine Kompromißformel gefunden werden. Als eine solche ist Art. II des Prager Vertrages von beiden Vertragspartnern bezeichnet worden.

Zwischen den Verhandlungsparteien bestand insoweit Übereinstimmung, als

---

[79]) Parliamentary Debates (Hansard), Fifth Series, Vol. 745, House of Commons, Session 1966/67, Sp. 207 f.

[80]) Zit. nach The Times vom 24.4.1965, S. 8.

von beiden anerkannt wurde, daß der gegenwärtige Rechtsstatus des Sudetengebietes nicht mehr zur Debatte stand. Von vornherein war daher die Problematik
auf die personalen Statusakte beschränkt. Es ist interessant, wie ein ausländischer
Völkerrechtler, der diese Problematik offenbar erst anhand der Vorgeschichte
des Prager Vertrages entdeckt hat, darüber urteilt: „Da beide Partner darin übereinstimmen, daß das Münchener Abkommen gegenwärtig keine Rechtsgültigkeit
besitzt und daß die Grenzen zwischen Deutschland und der Tschechoslowakei
die gleichen sind wie vor 1938, mag es verwunderlich erscheinen, daß die beiden
Regierungen eine anscheinend akademische Frage der Völkerrechtsgeschichte zu
einem Hindernis auf dem Wege zur Normalisierung ihrer gegenseitigen Beziehungen werden lassen."[81] Er zeigt dann, daß die Frage eben doch nicht akademisch ist und spielt für die tschechische Seite sogar die Folgen der Anwendung
der Wiener Vertragsrechtskonvention von 1969 auf das Münchner Abkommen
durch, obwohl er darauf hinweist, „daß das rechtsgültige Zustandekommen eines
im Jahre 1938 abgeschlossenen Vertrages anhand des im Jahre 1938 geltenden
Völkerrechts geprüft werden muß und die moderne Regel bezüglich der aufhe-
benden Wirkung des Zwangs im Jahre 1938 noch nicht so eindeutig akzeptiert
war wie heute".[82]

Aber gerade die Anwendung der Wiener Vertragsrechtskonvention führt nach
seiner Meinung nicht zu dem Ergebnis, das die ČSSR erstrebt hat. Unter Berufung auf Art. 70 der Vertragsrechtskonvention stellt er fest: „Der deutsche Anspruch auf das Sudetenland war infolge der Erfüllung des Münchener Abkommens vor dessen Beendigung entstanden, und deshalb würde die Beendigung des
Münchener Abkommens (gleichgültig ob sie als Folge eines Vertragsbruchs oder
aus anderen Gründen angenommen wird) nicht dazu führen, daß das Sudetenland an die Tschechoslowakei zurückfällt."[83]

Damit geht Akehurst in seinen Schlußfolgerungen über das hinaus, was von
der ganz überwiegenden Mehrheit des deutschen Schrifttums aus dem rechtsgültigen Zustandekommen des Münchner Abkommens abgeleitet wird. Dem entsprach auch die deutsche Position in den Verhandlungen zum Prager Vertrag: das
Münchner Abkommen ist von der Geschichte längst überrollt, ist von allen Regierungen der Bundesrepublik Deutschland verurteilt worden und wird von der
Bundesrepublik Deutschland nicht zur Begründung irgendwelcher Ansprüche
herangezogen. Aber die noch heute fortwirkenden Statusakte, die vor allem die
noch lebenden Sudetendeutschen – gleichgültig, ob sie in der Bundesrepublik
Deutschland oder in anderen Ländern ihren Wohnsitz haben – betreffen, dürfen,
wenn man nicht eine Rechtsunsicherheit größten Ausmaßes erzeugen will, nicht
ihre Gültigkeit verlieren. Der in den beiden ersten Artikeln des Prager Vertrages
gefundene Kompromiß ist in der völkerrechtlichen Literatur wiederholt gelobt
worden, weil er dieses Rechtsproblem gelöst hat, ohne daß die ČSSR gezwungen

---

[81] Akehurst, aaO. (Anm. 75), S. 472.
[82] Akehurst, aaO. (Anm. 75), S. 474 f.
[83] Akehurst, aaO. (Anm. 75), S. 474.

worden wäre, ihre Position aufzugeben. „Für ihr eigenes Selbstverständnis hat die ČSSR jedenfalls das Ziel erreicht, daß sie nicht öffentlich ihren Ausgangsstandpunkt aufgeben mußte, demzufolge das Münchner Abkommen von Anfang an null und nichtig war. Alle Bestimmungen des Prager Vertrages lassen sich nämlich zumindest *auch* in diesem Sinne auslegen."[84]) Artikel I des Prager Vertrages nimmt nicht Stellung zu der Frage des gültigen Zustandekommens des Münchner Abkommens. Die beiden Vertragsparteien legen nur für die Zukunft ein bestimmtes Verhalten gegenüber dem Münchner Abkommen in ihren gegenseitigen Beziehungen fest: Es ist für sie nach Maßgabe des Prager Vertrages nichtig.

Zu einer solchen vertraglichen Vereinbarung waren die Partner des Prager Vertrages befugt, da sie damit die Haltung anderer Signatarstaaten des Münchner Abkommens in keiner Weise beeinflussen. Ferner geht aus dieser Formulierung hervor, daß die Partner des Prager Vertrages sich nicht als „quasi-Schiedsrichter" über eine völkerrechtliche Streitfrage aufwerfen. Allerdings ist es richtig, daß die Formel des Art. I des Prager Vertrages von tschechischer Seite als Bestätigung der ex-tunc-Nichtigkeit des Münchner Abkommens gewertet wird.[85]) Nichts im Vertrag hindert die tschechoslowakische Seite daran, eine solche Interpretation vorzunehmen. Wenn die tschechoslowakischen Argumente für die ex-tunc-Nichtigkeit des Münchner Abkommens vor Inkrafttreten des Prager Vertrages stichhaltig waren, so bleiben sie es auch nach Inkrafttreten des Prager Vertrages. Da aber der Prager Vertrag, wie der damalige Bundesaußenminister Scheel vor dem Deutschen Bundestag erklärte, „keine amtliche Interpretation der Vergangenheit" gibt, weil die Formel seines Art. I ausdrücklich nur für die Zukunft gilt, muß auch die Feststellung anerkannt werden, die die Bundesregierung in ihrer Denkschrift zum Prager Vertrag trifft: „Diese Übereinkunft stellt nicht die von der ČSSR ursprünglich geforderte Erklärung der Ungültigkeit des Münchner Abkommens von Anfang an mit allen sich daraus ergebenden Konsequenzen dar."[86]) In einem Schreiben vom 28. August 1973 an den Bundestagsabgeordneten Dr. Becher bestätigt der Staatssekretär Dr. Frank, „daß die Bundesrepublik Deutschland ihren Rechtsstandpunkt, daß das Münchner Abkommen vom 29. September 1938 seinerzeit rechtswirksam zustandegekommen war und zum Übergang auf das Deutsche Reich geführt hatte, in den Verhandlungen aufgeführt hat".[87])

Ebenso einmütig wie die tschechoslowakischen Stellungnahmen zum Prager Vertrag den Art. I des Vertrages als Bestätigung der ex-tunc-Nichtigkeit des

---

[84]) Ignaz Seidl-Hohenveldern, Das Münchener Abkommen im Lichte des Prager Vertrages, in: Festschrift für Eberhard Menzel, Berlin 1975, S. 452; Hervorhebung im Original.
[85]) Leitartikel in Rudé Právo vom 21.6.1973, Nr. 146; Vasil Bilak in Rudé Právo vom 6.7.1973, Nr. 159; Jiři Götz in Czechoslovak Digest 1973, Nr. 44, und in der Zeitung Prace vom 23.6.1973, Nr. 148. Weitere Nachweise für ähnliche tschechoslowakische Stellungnahmen bei Fritz Wittmann, Politische Studien, Sonderheft 1/1974, S. 34 f.
[86]) Bundesrats-Drucksache 77/74, S. 11.
[87]) Deutscher Bundestag, 7. Wahlperiode, 90. Sitzung vom 27. März 1974, S. 6024.

Münchner Abkommens ansehen, betonen die deutschen Stellungnahmen zum selben Artikel, daß der Vertrag keine Aussage zum Problem des rechtsgültigen Zustandekommens des Münchner Abkommens macht. „Der Vertrag enthält keine Erklärung über die Ungültigkeit des Münchner Abkommens ex tunc mit allen sich daraus ergebenden Konsequenzen, er enthält überhaupt keine Aussage über Gültigkeit oder Ungültigkeit."[88]) „In dieser Übereinkunft liegt keine allgemeine Feststellung oder Anerkennung mit rückwirkender Kraft, daß das Münchner Abkommen nichtig oder von Anfang an ungültig gewesen sei."[89]) Ein anderer Kommentator schildert zunächst die Unmöglichkeit, in den Vertragsverhandlungen eine Übereinstimmung bezüglich des Münchner Abkommens zu erreichen und umreißt die durch Art. I des Prager Vertrages geschaffene Lage mit folgenden Worten: „Am Ende blieb nichts anderes übrig, als für die Annullierung des Münchner Abkommens überhaupt keinen Zeitpunkt zu nennen und es damit jeder der beiden Seiten zu überlassen, an ihrem Standpunkt festzuhalten."[90]) Zum gleichen Ergebnis kommen auch ausländische Interpreten: „Der Vertrag erklärt nicht, ob das Münchner Abkommen von Anfang an nichtig war oder ob es erst später nichtig wurde. Ferner wird die Anerkennung der Nichtigkeit durch die Worte ‚nach Maßgabe dieses Vertrages' eingeschränkt."[91])

Nur Hermann Raschhofer ist einen Schritt weiter gegangen. Auch er geht davon aus, daß der Prager Vertrag die Ereignisse des Jahres 1938 nicht verändern konnte, und daß ein bilaterales Abkommen nicht ein multilaterales Abkommen – für welchen Zeitpunkt auch immer – für nichtig erklären kann. Er setzt mit seiner tieferen Analyse bei den Worten „im Hinblick auf ihre gegenseitigen Beziehungen" in Art. I des Prager Vertrages an und betont, „daß nur eine partikuläre-zweiseitige Wirkung beabsichtigt war".[92]) Ferner bemerkt er, es sei kein Zufall, daß der Vertrag die Formulierung wählt, die Partner würden das Münchner Abkommen als nichtig „betrachten". „Die zweiseitige Vereinbarung legt also fest, wie sich die beiden Vertragspartner künftig in ihrem diplomatischen Verkehr im Hinblick auf das Münchener Abkommen verhalten wollen. Es liegt daher eine partikulär wirkende ‚Nichtigkeitsbetrachtung' vor ... Damit ist auch schon die Frage des Beginns der relativen Nichtigkeit durch die beiden Vertragschließenden implicite beantwortet. Wenn, der Doktrin entsprechend, eine einseitig behauptete Nichtigkeit nur durch einen mehrseitigen Rechtsakt Verbindlichkeit erlangt (der dessen Nichtigkeit ausspricht), so ist es dieser Akt, der die Nichtigkeit für die vereinbarenden Staaten begründet, und zwar gemäß der in diesem Akt bestimmten Weise (hier im gegeb. Fall mit Wirkung für die BR Deutschland und die

[88]) Dietrich Möller, Die Verständigung zwischen Bonn und Prag, Außenpolitik 1973, S. 345.

[89]) Hermann v. Richthofen, Der Vertrag zwischen Bonn und Prag, Außenpolitik 1974, S. 46.

[90]) Wolfgang Wagner, Der Prager Vertrag als Schlußstein der bilateralen Ostpolitik, Europa-Archiv 1974, S. 66 f.

[91]) Akehurst, aaO. (Anm. 75), S. 476.

[92]) Hermann Raschhofer, Völkerbund und Münchener Abkommen, München – Wien 1976, S. 212.

ČSSR). Die im Prager Vertrag gewählte Form zweiseitiger ‚Nichtigkeitsbetrachtung' wirkt daher vom Beginn der Wirksamkeit des Vertrages an und ist in die Zukunft gerichtet. "[93])

Das kann als Präzisierung der bereits vorher gefundenen Ergebnisse gelten, die wie folgt zusammengefaßt worden sind: „Der Prager Vertrag ist eindeutig und schafft für die Zukunft klare Verhältnisse in den Beziehungen zwischen der Bundesrepublik Deutschland und der ČSSR. Mehrdeutig können nur die Interpretationen der Vorgänge des Jahres 1938 bleiben. Über sie urteilt der Prager Vertrag nicht. Die Distanzierung vom Münchener Abkommen in der Präambel des Prager Vertrages entspricht – wie auch die Debatten im Deutschen Bundestag gezeigt haben – der absolut einhelligen Meinung aller politischen Kräfte in der Bundesrepublik. Die Scheu vor der ausdrücklichen Festlegung der ‚ex-tunc-Nichtigkeit' erklärt sich nicht aus einer mangelnden Bereitschaft, das Münchener Abkommen zu verurteilen, sondern allein aus der Besorgnis, daß die ‚ex-tunc-Nichtigkeit' zu einer Rechtsunsicherheit größten Ausmaßes führen könnte. Dieser Besorgnis ist durch Art. II des Prager Vertrages Rechnung getragen worden. "[94]) Art. II des Prager Vertrages lautet:

„(1) Dieser Vertrag berührt nicht die Rechtswirkungen, die sich in bezug auf natürliche oder juristische Personen aus dem in der Zeit vom 30. September 1938 bis zum 9. Mai 1945 angewendeten Recht ergeben.

Ausgenommen hiervon sind die Auswirkungen von Maßnahmen, die beide vertragschließende Parteien wegen ihrer Unvereinbarkeit mit den fundamentalen Prinzipien der Gerechtigkeit als nichtig betrachten.

(2) Dieser Vertrag läßt die sich aus der Rechtsordnung jeder der beiden Vertragsparteien ergebende Staatsangehörigkeit lebender und verstorbener Personen unberührt.

(3) Dieser Vertrag bildet mit seinen Erklärungen über das Münchener Abkommen keine Rechtsgrundlage für materielle Ansprüche der Tschechoslowakischen Sozialistischen Republik und ihrer natürlichen und juristischen Personen. "

Auf den Zusammenhang dieses Artikels mit Art. I ist bereits im vorstehenden hingewiesen worden. In der Literatur ist dieser Zusammenhang mit demjenigen von kommunizierenden Röhren verglichen worden.[95]) Der Zweck der Regelung ist klar: „Art. II Abs. 1 des Vertrages soll die Furcht bannen, daß eine ex tunc auslegbare Nichtigerklärung des Münchener Abkommens ein Rechtschaos schaffen würde. Das Sudetenland sollte nicht rückwirkend zu einem juristischen Niemandsland gemacht werden. "[96]) Blumenwitz bezweifelt, ob dieses Ziel erreicht

---

[93]) Raschhofer, aaO. (Anm. 92), S. 213.
[94]) Otto Kimminich, Der Prager Vertrag, Jahrbuch für Internationales Recht 1975 (18. Bd.), S. 89.
[95]) Hermann v. Richthofen, Der Vertrag zwischen Bonn und Prag, Außenpolitik 1974, S. 47.
[96]) Ignaz Seidl-Hohenveldern, Das Münchener Abkommen im Lichte des Prager Vertrages, in: Festschrift für Eberhard Menzel, Berlin 1975, S. 459.

worden ist. Art. II des Prager Vertrages leide „unter einem weitreichenden Dissens der Vertragsparteien über die grundsätzliche Geltung der deutschen Rechtsordnung in der Zeit vom 30. September 1938 bis zum 9. Mai 1945. Dieser grundlegende Dissens wird durch die weiteren Regelungen in Art. II des Vertrages mehr verdeckt als überbrückt".[97]) Konkret nennt er staatsangehörigkeitsrechtliche Fragen, „wobei insbesondere die staatsangehörigkeitsrechtliche Behandlung der in der ČSSR verbliebenen Sudetendeutschen von deutscher Sicht aus Berücksichtigungen finden muß",[98]) und Unsicherheiten über Umfang und Ausmaß der Strafverfolgung nach tschechoslowakischem Recht der in den Jahren 1938 bis 1945 verübten strafbaren Handlungen.

Umstritten ist ferner, welche Rückschlüsse Art. II des Prager Vertrages auf die Beurteilung des Münchner Abkommens zuläßt. Die tschechoslowakische Seite könnte argumentieren, daß gerade dann, wenn von einer ex-tunc-Nichtigkeit ausgegangen wird, die Aufrechterhaltung der in Art. II des Prager Vertrages erwähnten Rechtspositionen erforderlich ist. Andererseits kann die deutsche Seite darauf hinweisen, daß diese Rechtspositionen im Prager Vertrag nicht neu vereinbart worden sind, wie es an sich logisch wäre, wenn das Münchner Abkommen von Anfang an nichtig gewesen wäre; vielmehr läßt Art. II des Prager Vertrages diese Rechtspositionen ausdrücklich „unberührt". Aus diesem Grunde kommt v. Richthofen zu dem Ergebnis, daß dem Wort „nichtig" in Art. I des Prager Vertrages „nur eine sehr beschränkte rechtliche Bedeutung" zukommt.[99])

Es bleibt also dabei, daß beide Seiten ihre bisherigen Rechtsstandpunkte aufrechterhalten können. Art. II des Prager Vertrages führt den Streitstand bzw. die Einigung nicht über diejenige Schwelle, die Art. I gesetzt hat. Aber das war eben von Anfang an nicht beabsichtigt. Vielmehr sollte Art. II des Prager Vertrages nur diejenigen Rechtsprobleme lösen, die dort ausdrücklich aufgezählt worden sind. Bezüglich dieser Probleme aber ist die Lage durchaus eindeutig: in den gegenseitigen Beziehungen der beiden Vertragspartner sind alle Rechtsfolgen des Münchner Abkommens nichtig, mit Ausnahme derjenigen Rechtswirkungen, die sich in bezug auf natürliche oder juristische Personen aus dem in der Zeit vom 30. September 1938 bis zum 9. Mai 1945 angewendeten Recht ergeben. Bezüglich der Staatsangehörigkeit lebender und verstorbener Personen bekräftigt Art. II Abs. 2 nochmals, daß die sich aus der Rechtsordnung jeder der beiden Vertragsparteien ergebende Staatsangehörigkeit unberührt bleibt. Damit ist die durch das Gesetz zur Regelung von Fragen der Staatsangehörigkeit vom 22. Februar 1955 bewirkte Anerkennung der Verleihung der deutschen Staatsangehörigkeit aufgrund des deutsch-tschechoslowakischen Vertrages vom 20. November 1938[100]) aufrechterhalten worden. Hat allerdings ein Sudetendeutscher, der 1938 die deutsche Staatsangehörigkeit erworben hat, in der Zwischenzeit nach tschechoslowa-

---

[97]) Dieter Blumenwitz, Der Prager Vertrag, Bonn 1985, S. 64.
[98]) Blumenwitz, aaO. (Anm. 97), S. 65.
[99]) v. Richthofen, aaO. (Anm. 95), S. 47.
[100]) Vgl. oben Abschn. IX.A.

kischem Recht die Staatsangehörigkeit der ČSSR erworben, so ist diese gemäß Art. II Abs. 2 des Prager Vertrages von der Bunderepublik Deutschland anzuerkennen.

Mit Recht hat Blumenwitz darauf hingewiesen, daß durch Art. II Abs. 1 des Prager Vertrages nicht das vom 30. September 1938 bis 9. Mai 1945 in den Sudetengebieten geltende deutsche Recht als solches von den Vertragspartner respektiert wird, sondern lediglich dessen „Rechtswirkungen".[101]) Dadurch entstehen jedoch den Betroffenen keine Nachteile. Es kann nicht oft genug wiederholt werden, daß es der Bundesrepublik Deutschland weder um Territorialfragen ging noch um die Beurteilung vergangener Ereignisse, sondern lediglich um die Rechtsstellung von Personen in der Gegenwart und Zukunft. So erklärt es sich auch, daß die Wirkung von Art. II Abs. 1 des Prager Vertrages beschränkt bleibt auf Rechtswirkungen der Anwendung deutschen Rechts im Sudetengebiet, die tatsächlich eingetreten sind. Das Bundesverfassungsgericht hat diese Auffassung bestätigt in seinem Beschluß vom 25. Januar 1977, in dem es festgestellt hat, daß der Prager Vertrag – bzw. das Zustimmungsgesetz zu diesem Vertrag – keine grundrechtlich geschützten Rechtspositionen verletzt. Wörtlich führte das Bundesverfassungsgericht aus: „Die Bundesrepublik Deutschland ist gegenüber der Tschechoslowakischen Sozialistischen Republik weiterhin berechtigt, für die Belange der Beschwerdeführer einzutreten. Denn diese sind als Sudetendeutsche deutsche Staatsangehörige. Daran hat der deutsch-tschechoslowakische Vertrag nichts geändert."[102])

Bezüglich der in Art. II Abs. 3 enthaltenen Aussage hat ein ausländischer Kommentator darauf hingewiesen, daß diese Vertragsbestimmung jegliche Entschädigungsansprüche der Tschechoslowakei wegen der Angliederung des Sudetenlandes an das Deutsche Reich in der Zeit von 1938 bis 1945 ausschließt, daß der Prager Vertrag aber „keinen entsprechenden Verzicht auf westdeutsche Forderungen enthält, die sich aus der Vertreibung und entschädigungslosen Enteignung der Sudetendeutschen durch die Tschechoslowakei im Jahre 1946 ergeben. Im Gegenteil, Art. II (2) bedeutet eine indirekte Aufrechterhaltung der westdeutschen Ansprüche".[103]) Die Bundesregierung hat aber auf wiederholte Anfragen im Deutschen Bundestag erklärt, sie beabsichtige nicht, derartige Entschädigungsforderungen an die ČSSR zu stellen. Ein anderer ausländischer Beobachter hat daran erinnert, daß die Tschechoslowakei schon früher versucht hat, „selbst eine indirekte Einbeziehung ihrer Verpflichtungen zur Wiedergutmachung dieses Unrechts" (gemeint ist die Vertreibung der Sudetendeutschen) „in die Reparationsregelung zu verhindern". Und er fügt mit Blick auf den Prager Vertrag hinzu: „Wenn das Münchener Abkommen ex tunc nichtig sein sollte, dann müßte auch die Austreibung der Deutschen aus der Tschechoslowakei an dem dann ja auch ungebrochen weitergeltenden Minderheitsvertrag vom 10. September 1919

[101]) Blumenwitz, aaO. (Anm. 97), S. 97.
[102]) BVerfGE 43, 210.
[103]) Akehurst, aaO. (Anm. 75), S. 477.

gemessen werden. Das Rechtsgutachten des Generalsekretärs der Vereinten Nationen, demzufolge diese Verträge durch die Austreibung der Volksdeutschen gegenstandslos geworden seien, gibt zumindest für die ČSSR nicht mehr her als die Bitte des Mannes, der Vater und Mutter umgebracht hat, man möge ihm doch mildernde Umstände zuerkennen, da er ein Waisenkind sei." [104]

Das Bundesverfassungsgericht hat in seinem Beschluß vom 25. Januar 1977 darauf hingewiesen, daß der Prager Vertrag die tschechoslowakischen Konfiskationsmaßnahmen der Nachkriegszeit nicht berührt und deshalb auch nicht billigt. „Der Abschluß des deutsch-tschechoslowakischen Vertrags kann auch nicht als ein Mitwirken der Bundesregierung an den tschechoslowakischen Konfiskationsmaßnahmen gedeutet werden. Der Vertrag selbst enthält keine Bestimmung, die sich auch nur entfernt auf Fragen des deutschen Privateigentums bezieht. Die Bundesregierung hat auch bei Vertragsabschluß keine auf die von den tschechoslowakischen Behörden vorgenommenen Konfiskationsmaßnahmen bezügliche Willenserklärung abgegeben und insbesondere keine Billigung oder Anerkennung dieser Maßnahmen ausgesprochen. Dem Vertrag kann auch nicht die Wirkung beigemessen werden, in sonstiger Weise eine Veränderung der eigentumsrechtlichen Lage zum Nachteil der Beschwerdeführer herbeigeführt zu haben." [105]

Die Entscheidung betraf mehrere zu einem einheitlichen Verfahren zusammengezogene Verfassungsbeschwerden von Sudetendeutschen, die die Verletzung mehrerer Grundrechte, darunter auch des in Art. 14 GG gewährten Grundrechts auf Eigentum, gerügt hatten. Da das Bundesverfassungsgericht nur zuständig ist, wenn die Verletzung von Grundrechten durch die öffentliche Gewalt der Bundesrepublik Deutschland behauptet wird, konnte nur geprüft werden, ob der Vertrag ein Mitwirken der Bundesrepublik Deutschland an den tschechoslowakischen Konfiskationsakten darstellt. Die Frage war aus den vom Bundesverfassungsgericht angeführten Gründen zu verneinen. [106]

Ebenso wie die Konfiskation des sudetendeutschen Vermögens blieb auch die Vertreibung der Sudetendeutschen im Prager Vertrag unerwähnt. In den parlamentarischen Debatten wurde wiederholt hervorgehoben, daß der Vertrag keine Billigung der Vertreibung beinhaltet. Am Tage der Vertragsunterzeichnung hielt Bundeskanzler Willy Brandt eine Ansprache über die Rundfunk- und Fernsehanstalten der Bundesrepublik Deutschland, in der er unter anderem sagte: „Der Vertrag, den wir heute unterzeichnet haben, sanktioniert nicht geschehenes Unrecht. Er bedeutet also auch nicht, daß wir Vertreibungen nachträglich legitimieren." [107]

---

[104] Ignaz Seidl-Hohenveldern, Das Münchener Abkommen im Lichte des Prager Vertrages, in: Festschrift für Eberhard Menzel, Berlin 1975, S. 466 f.

[105] BVerfGE 43, 209 f.

[106] Zu dem Verfahren vgl. die Dokumentation „Der Prager Vertrag vor dem Bundesverfassungsgericht", hrsg. vom Benrather Kreis, Düsseldorf – München 1977.

[107] Vertrag über die gegenseitigen Beziehungen zwischen der Bundesrepublik Deutschland und der Tschechoslowakischen Sozialistischen Republik vom 11. Dezember 1973, hrsg. vom Presse- und Informationsamt der Bundesregierung, Bonn 1973, S. 62.

D. Die in der ČSSR verbliebenen Deutschen

Zur Sudetenfrage gehören auch die nach dem Abschluß der Aussiedlungsaktion in der Tschechoslowakei verbliebenen Deutschen. Ihre Zahl ist niemals mit Sicherheit festgestellt worden. Eine tschechische Quelle beziffert die am 1. November 1946 noch in der Tschechoslowakei lebenden Deutschen mit 239 911, davon 200 983 in Böhmen und 38 911 in Mähren und Schlesien.[108]) Nicht berücksichtigt sind also in dieser Zahl die in der Slowakei zurückgebliebenen Karpatendeutschen, deren Zahl auf 25 000 geschätzt wurde.[109])

Am 1. November 1946 war die offizielle Vertreibungsaktion abgeschlossen. Die Zahl der Deutschen in der Tschechoslowakei verringerte sich aber dennoch in den darauffolgenden Jahren offenbar sehr rasch durch Einzelaussiedlungen und Assimilation. Die erste Volkszählung in der Tschechoslowakei nach dem Zweiten Weltkrieg, bei der auch die Volkszugehörigkeit der Bevölkerung festgestellt wurde, fand am 1. März 1950 statt. Im Gesamtgebiet der Tschechoslowakei (also einschließlich der Slowakei) bekannten sich damals 165 117 Personen zum deutschen Volkstum. Das waren 1,3 % der Gesamtbevölkerung.[110]) Dieser Anteil sank bis 1961 auf 1,0 %, bis 1970 auf 0,6 % und bis 1980 auf 0,4 %.[111])

Über die Lage dieser Menschen berichtet in regelmäßigen Abständen der Sudetendeutsche Rat in allgemein zugänglichen Publikationen.[112]) Einen völkerrechtlichen Schutz genießen die in der Tschechoslowakei zurückgebliebenen Sudetendeutschen nicht. Die Tschechoslowakei ist nicht Signatarstaat irgendeines Minderheitenschutzvertrages. Das Minderheitenschutzsystem des Völkerbundes, an dem die Tschechoslowakei durch den Vertrag mit den Alliierten und Assoziierten Mächten vom 10. September 1919 teilhatte, existiert nicht mehr. Die Vereinten Nationen haben dieses System nicht wiederaufleben lassen.[113]) Ein allgemeines

---

[108]) Mitgeteilt von Alfred Bohmann, Menschen und Grenzen, Bd. 4, Köln 1975, S. 492.

[109]) Bohmann, aaO. (Anm. 108), S. 493.

[110]) Bohmann, aaO. (Anm. 108), S. 496.

[111]) Mitgeteilt in Georg Brunner, Der Schutz ethnischer Minderheiten in Osteuropa, in: Brunner/Camartin/Harbich/Kimminich, Minderheitenschutz in Europa, Schriftenreihe der Deutschen Sektion der Internationalen Juristen-Kommission, Bd. 17, Heidelberg 1985, S. 65.

[112]) Vgl. Zur gegenwärtigen Lage der Deutschen in der Tschechoslowakei, hrsg. vom Sudetendeutschen Rat, München 1957 (Mitteleuropäische Quellen und Dokumente, Bd. 2); Das Sudetenland 25 Jahre nach der Vertreibung – Die Lage der Deutschen in der Tschechoslowakei, hrsg. vom Sudetendeutschen Rat, München 1970 (Mitteleuropäische Quellen und Dokumente, Bd. 12); Die Menschenrechte und die Lage der Deutschen in der Tschechoslowakei, hrsg. vom Sudetendeutschen Rat, München 1977 (Mitteleuropäische Quellen und Dokumente, Bd. 16).

[113]) Vgl. Otto Kimminich, Rechtsprobleme der polyethnischen Staatsorganisation, Mainz – München 1985, S. 62 ff. Seidl-Hohenveldern, aaO (Anm. 104) hat darauf hingewiesen, daß die ČSSR aus der Beendigung der Völkerbundverträge nicht für sich das Recht ableiten konnte, die Sudetendeutschen zu vertreiben; denn das Vertreibungsverbot besteht unabhängig von Verträgen.

völkerrechtliches Minderheitenrecht gibt es trotz der fortschreitenden Entwicklung der Menschenrechte im gegenwärtigen Völkerrecht noch nicht.[114]) So entzieht sich das Schicksal der zurückgebliebenen Sudetendeutschen fast vollständig der völkerrechtlichen Analyse.

Auch die staatsangehörigkeitsrechtliche Lage der zurückgebliebenen Sudetendeutschen ist nicht ganz klar. Es wird angenommen, daß heute wohl alle oder fast alle von ihnen die Staatsangehörigkeit der ČSSR besitzen. Nach herrschender Meinung besitzen sie aber auch noch die deutsche Staatsangehörigkeit; denn das Gesetz zur Regelung von Fragen der Staatsangehörigkeit vom 22. Februar 1955 stellt lediglich auf den Erwerb der deutschen Staatsangehörigkeit aufgrund des deutsch-tschechoslowakischen Staatsangehörigkeits- und Optionsvertrages vom 20. November 1938 ab.[115])

Da auf deutsche Staatsangehörige unabhängig von ihrem Wohnsitz das deutsche Staatsangehörigkeitsrecht anzuwenden ist, erwerben die Abkömmlinge der deutschen Staatsangehörigen ebenfalls die deutsche Staatsangehörigkeit auch bei Geburt im Ausland. Jedoch hat das alles so lange keine Bedeutung, als sich die betreffenden Sudetendeutschen auf dem Staatsgebiet der ČSSR befinden. Sofern sie die tschechoslowakische Staatsangehörigkeit besitzen, sind sie zwar Doppelstaater, aber eine Regel des allgemeinen Völkerrechts besagt, daß im Falle der Doppelstaatigkeit der diplomatische Schutz für einen Staatsangehörigen, der sich auf dem Gebiet desjenigen Staates aufhält, dessen Staatsangehörigkeit er *auch* besitzt, ausgeschlossen ist.[116]) Berechtigt zur Ausübung des diplomatischen Schutzes wäre die Bundesrepublik Deutschland daher nur zugunsten derjenigen in der Tschechoslowakei zurückgebliebenen Sudetendeutschen, die nicht die tschechoslowakische Staatsangehörigkeit besitzen. Ob es solche Personen gibt, ist unbekannt. Diesbezügliche Vereinbarungen zwischen der Bundesrepublik Deutschland und der ČSSR existieren nicht. In den Verhandlungen zum Prager Vertrag ist diese Frage nicht erwähnt worden. Im Hinblick darauf schließt Blumenwitz seine Abhandlung mit folgenden Worten: „Zieht man im menschenrechtlichen Bereich Bilanz, so zeigt sich auch hier, daß die bilateralen Beziehungen der Bundesrepublik zu einem ihrer östlichen Nachbarn sich nicht unabhängig von der Ost-West-Großwetterlage zu entwickeln vermögen. So wurde in den vergangenen zehn Jahren kaum mehr erreicht, als was nicht schon vorher an menschlichen Erleichterungen bestanden hätte oder mit Geld zu erreichen gewesen wäre."[117])

---

[114]) Die rechtstheoretischen und völkervertragsrechtlichen Ansätze hierzu sind allerdings bereits vorhanden. Vgl. Theodor Veiter, Nationalitätenkonflikt und Volksgruppenrecht, 2 Bde., 2. Aufl., München 1984; Felix Ermacora, Nationalitätenkonflikt und Volksgruppenrecht, 1. Aufl., München 1978.

[115]) Vgl. oben Abschn. IX.A.

[116]) Zur Frage der Anwendung des Gesetzes vom 22. 2.1955 auf die in der Tschechoslowakei zurückgebliebenen Sudetendeutschen vgl. Alexander N. Makarov, Deutsches Staatsangehörigkeitsrecht, 2. Aufl., Frankfurt-Berlin 1971, S. 321 f.

[117]) Dieter Blumenwitz, Der Prager Vertrag, Bonn 1985, S. 99.

Jedoch ist darauf hinzuweisen, daß der Rechtsstatus der in der Tschechoslowakei zurückgebliebenen Sudetendeutschen als Deutsche im Sinne des Grundgesetzes in dem Augenblick Bedeutung erlangt, in dem die betreffenden Personen in den Geltungsbereich des Grundgesetzes eintreten. Sie sind dann entweder Deutsche mit deutscher Staatsangehörigkeit – wenn sie die Voraussetzungen des Gesetzes vom 22. Februar 1955 erfüllen – oder „Deutsche ohne deutsche Staatsangehörigkeit" gemäß Art. 116 GG und genießen die volle Gleichstellung mit den deutschen Staatsangehörigen.

Mit der letztgenannten Bestimmung haben die Schöpfer des Grundgesetzes das Äußerste getan, was ein innerstaatlicher Normengeber im Interesse der Rechtssicherheit und der Menschlichkeit im Einklang mit dem geltenden Völkerrecht tun kann. Daneben zeigt diese Verfassungsnorm, zusammen mit den auf ihrer Grundlage ergangenen Vorschriften des einfachen Gesetzesrechts, daß sudetendeutsches Schicksal deutsches Schicksal ist. Die Sudetendeutschen haben ihre Heimat verloren; aber die Bundesrepublik Deutschland als Deutschland im Rechtssinne hat ihnen im Einklang mit dem Völkerrecht ihren Rechtsstatus als Deutsche gesichert.

ANHANG

Vertrag
über die gegenseitigen Beziehungen
zwischen der Bundesrepublik Deutschland
und der Tschechoslowakischen Sozialistischen
Republik
vom 11. Dezember 1973

Die Bundesrepublik Deutschland
und
die Tschechoslowakische Sozialistische Republik –

IN DER HISTORISCHEN ERKENNTNIS, daß das harmonische Zusammenleben der Völker in Europa ein Erfordernis des Friedens bildet,
IN DEM FESTEN WILLEN, ein für allemal mit der unheilvollen Vergangenheit in ihren Beziehungen ein Ende zu machen, vor allem im Zusammenhang mit dem Zweiten Weltkrieg, der den europäischen Völkern unermeßliche Leiden zugefügt hat,
ANERKENNEND, daß das Münchener Abkommen vom 20. September 1938 der Tschechoslowakischen Republik durch das nationalsozialistische Regime unter Androhung von Gewalt aufgezwungen wurde,
ANGESICHTS DER TATSACHE, daß in beiden Ländern eine neue Generation herangewachsen ist, die ein Recht auf eine gesicherte friedliche Zukunft hat,
IN DER ABSICHT, dauerhafte Grundlagen für die Entwicklung gutnachbarlicher Beziehungen zu schaffen,
IN DEM BESTREBEN, den Frieden und die Sicherheit in Europa zu festigen,
IN DER ÜBERZEUGUNG, daß die friedliche Zusammenarbeit auf der Grundlage der Ziele und Grundsätze der Charta der Vereinigten Nationen dem Wunsche der Völker sowie dem Interesse des Friedens in der Welt entspricht –
sind wie folgt übereingekommen:

Artikel I

Die Bundesrepublik Deutschland und die Tschechoslowakische Sozialistische Republik betrachten das Münchener Abkommen vom 29. September 1938 im Hinblick auf ihre gegenseitigen Beziehungen nach Maßgabe dieses Vertrages als nichtig.

348

Artikel II

(1) Dieser Vertrag berührt nicht die Rechtswirkungen, die sich in bezug auf natürliche oder juristische Personen aus dem in der Zeit vom 30. September 1938 bis zum 9. Mai 1945 angewendeten Recht ergeben.

Ausgenommen hiervon sind die Auswirkungen von Maßnahmen, die beide vertragsschließende Parteien wegen ihrer Unvereinbarkeit mit den fundamentalen Prinzipien der Gerechtigkeit als nichtig betrachten.

(2) Dieser Vertrag läßt die sich aus der Rechtsordnung jeder der beiden Vertragsparteien ergebende Staatsangehörigkeit lebender und verstorbener Personen unberührt.

(3) Dieser Vertrag bildet mit seinen Erklärungen über das Münchener Abkommen keine Rechtsgrundlage für materielle Ansprüche der Tschechoslowakischen Sozialistischen Republik und ihrer natürlichen und juristischen Personen.

Artikel III

(1) Die Bundesrepublik Deutschland und die Tschechoslowakische Sozialistische Republik lassen sich in ihren gegenseitigen Beziehungen sowie in Fragen der Gewährleistung der Sicherheit in Europa und in der Welt von den Zielen und Grundsätzen, die in der Charta der Vereinten Nationen niedergelegt sind, leiten.

(2) Demgemäß werden sie entsprechend den Artikeln 1 und 2 der Charta der Vereinten Nationen alle ihre Streitfragen ausschließlich mit friedlichen Mitteln lösen und sich in Fragen, die die europäischen und internationale Sicherheit berühren, sowie in ihren gegenseitigen Beziehungen der Drohung mit Gewalt oder der Anwendung von Gewalt enthalten.

Artikel IV

(1) In Übereinstimmung mit den vorstehenden Zielen und Grundsätzen bekräftigen die Bundesrepublik Deutschland und die Tschechoslowakische Sozialistische Republik die Unverletzlichkeit ihrer gemeinsamen Grenze jetzt und in der Zukunft und verpflichten sich gegenseitig zur uneingeschränkten Achtung ihrer territorialen Integrität.

(2) Sie erklären, daß sie gegeneinander keinerlei Gebietsansprüche haben und solche auch in Zukunft nicht erheben werden.

Artikel V

(1) Die Bundesrepublik Deutschland und die Tschechoslowakische Sozialistische Republik werden weitere Schritte zur umfassenden Entwicklung ihrer gegenseitigen Beziehungen unternehmen.

(2) Sie stimmen darin überein, daß eine Erweiterung ihrer nachbarschaftlichen Zusammenarbeit auf den Gebieten der Wirtschaft, der Wissenschaft, der wissenschaftlich-technischen Beziehungen, der Kultur, des Umweltschutzes, des Sports, des Verkehrs und ihrer sonstigen Beziehungen in ihrem beiderseitigen Interesse liegt.

Artikel VI

Dieser Vertrag bedarf der Ratifikation und tritt am Tage des Austausches der Ratifikationsurkunden in Kraft, der in Bonn stattfinden soll.

ZU URKUND DESSEN haben die Bevollmächtigten der Vertragsparteien diesen Vertrag unterschrieben.

GESCHEHEN zu Prag am 11. Dezember 73 in zwei Urschriften, jede in deutscher und tschechischer Sprache, wobei jeder Wortlaut gleichermaßen verbindlich ist.

Für die
Bundesrepublik Deutschland

Willy Brandt

Walter Scheel

Für die
Tschechoslowakische Sozialistische Republik

Strougal

B. Chňoupek

Personenregister